학습 계획표

• 공부를 할 때에는 자신의 이해 정도를 표시해 둡니다. 예를 들어 중요하다고 생각하는 부분이나 낯설게 느껴지는 부분, 어려운 부분 모두에 각자의 방법으로 표시를 해 둡니다. 문제를 풀 때에도 틀린 문제뿐 아니라 헷갈렸던 선지, 실수로 틀린 문제 등에 표시를 해 둡니다.

• 복습할 때에는 공부를 하며 표시해 둔 부분을 … 갈렸던 선지가 답이 아닌 이유를 다시 찾아보거나, 틀린 문제를 다시 …

• 최종 정리를 할 때에는 중요 표시해 둔 부분, … 의 전체적인 내용을 빠르게 훑어보며 총정리합니다.

순서	학습 범위(소단원)	공부한 날
1 day	01 국어의 음운 ~ 02 모음 체계	월 일 ☐
2 day	03 자음 체계 ~ 실력 테스트	월 일 ☐
3 day	04 음절의 끝소리 규칙 ~ 06 구개음화와 된소리되기	월 일 ☐
4 day	07 모음 동화 ~ 08 음운의 축약	월 일 ☐
5 day	09 음운의 탈락 ~ 실력 테스트	월 일 ☐
6 day	11 형태소와 단어 ~ 12 단어의 구성과 유형	월 일 ☐
7 day	13 복합어 ~ 실력 테스트	월 일 ☐
8 day	14 단어의 의미 종류 ~ 15 단어 간의 의미 관계 1	월 일 ☐
9 day	16 단어 간의 의미 관계 2 ~ 실력 테스트	월 일 ☐
10 day	18 품사의 개념 및 분류 ~ 19 체언	월 일 ☐
11 day	20 용언 ~ 21 수식언	월 일 ☐
12 day	22 관계언 ~ 실력 테스트	월 일 ☐
13 day	24 문장의 개념과 구성단위 ~ 25 문장 성분	월 일 ☐
14 day	26 주성분 ~ 실력 테스트	월 일 ☐
15 day	28 문장의 짜임 1 ~ 실력 테스트	월 일 ☐
16 day	30 문장 종결 표현 ~ 31 높임 표현	월 일 ☐
17 day	32 시간 표현 ~ 33 능동과 피동 표현	월 일 ☐
18 day	34 주동과 사동 표현 ~ 실력 테스트	월 일 ☐
19 day	36 표준어 규정 1 ~ 37 표준어 규정 2	월 일 ☐
20 day	38 표준 발음법 1 ~ 39 표준 발음법 2	월 일 ☐
21 day	40 한글 맞춤법 1 ~ 41 한글 맞춤법 2	월 일 ☐
22 day	42 한글 맞춤법 3 ~ 실력 테스트	월 일 ☐
23 day	44 외래어 표기법 ~ 실력 테스트	월 일 ☐
24 day	46 문장 다듬기 1 ~ 실력 테스트	월 일 ☐
25 day	48 담화의 개념과 특성 ~ 49 담화의 표현 방식	월 일 ☐
26 day	50 담화의 통일성과 응집성 ~ 실력 테스트	월 일 ☐
27 day	51 훈민정음 이전의 표기 방식 ~ 52 훈민정음의 창제 원리	월 일 ☐
28 day	53 국어의 변천_ 음운, 어휘 ~ 54 국어의 변천_ 문법	월 일 ☐
29 day	실력 테스트	월 일 ☐
30 day	최종 정리	월 일 ☐

이 책을 쓰신 분들

천승령 서초고등학교
김기훈 덕성여자고등학교
이진용 덕성여자고등학교
허준회 국어전문저자

문제로 국어문법 [고등 국어]

펴낸날 [초판 1쇄] 2021년 11월 1일 [초판 5쇄] 2023년 11월 1일
펴낸이 이기열
펴낸곳 (주)디딤돌 교육
주소 (03972) 서울특별시 마포구 월드컵북로 122 청원선와이즈타워
대표전화 02-3142-9000
구입문의 02-322-8451
내용문의 02-325-6800
팩시밀리 02-335-6038
홈페이지 www.didimdol.co.kr
등록번호 제10-718호
구입한 후에는 철회되지 않으며 잘못 인쇄된 책은 바꾸어 드립니다.

고등 국어문법의 모든 것!

문제로 국어문법

디딤돌 국어

디딤돌

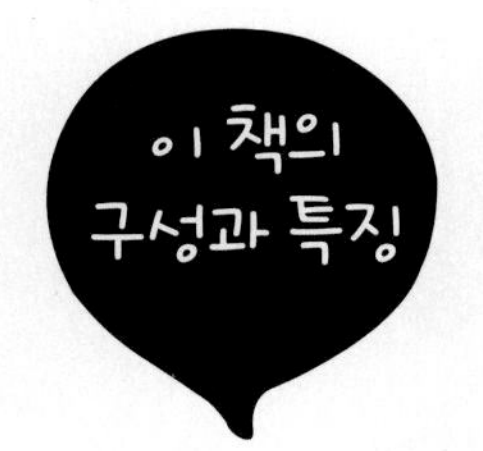

- 국어 문법의 핵심 내용을 54개 테마로 분류하고 알기 쉽게 정리하였습니다.
- 난도가 있는 개념은 도식화하여 원리나 규칙을 한눈에 쉽게 익힐 수 있도록 하였습니다.
- 단계별 문제 풀이를 통해 학습한 개념을 완벽하게 숙지할 수 있도록 하였습니다.
- 학력평가, 모의평가, 수능에서 출제되는 문제들로 실력을 점검할 수 있도록 하였습니다.

쉽게 쓴 정의 교과서 정의만으로 이해하기 어려운 개념들을 보다 쉽고 분명하게 설명하였습니다.

최근 5개년 출제 지수 최근 수능, 모의평가, 학력평가에서 출제된 문항을 분석하여 각 테마의 출제 지수를 표기하였습니다.

실력 테스트 수능, 모의평가, 학력평가의 경향을 반영하였습니다.

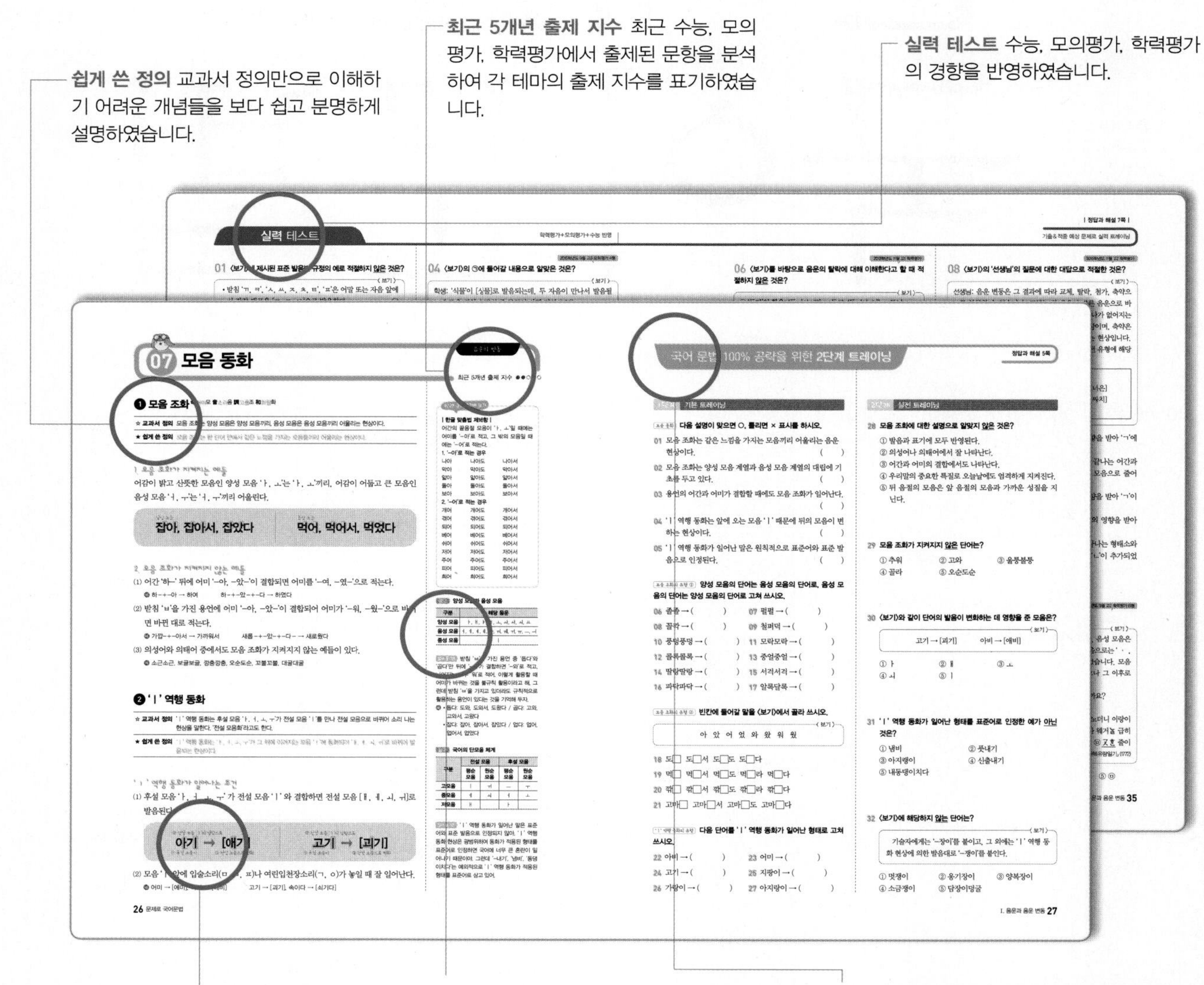

개념의 도식화 주요 예시들을 도식화하여 한눈에 알아보고 쉽게 이해할 수 있도록 하였습니다.

참고 기본 개념과 함께 알아 두면 유익한 내용들을 추가로 제시하였습니다.

알아 둘 것! 개념을 쉽게 익히기 위한 비법이나 주의해야 할 내용들을 덧붙여 두었습니다.

관련 규정 함께 보기 기본 개념과 관련된 규정을 추가로 제시하였습니다.

2단계 트레이닝 개념을 재확인하고 반복·숙지할 수 있도록 1, 2단계에 걸쳐 다양한 문항들을 수록하였습니다.

| 학습 설계 |

개념 학습 테마별로 국어 문법의 핵심 개념 학습하기	**1단계 기본 트레이닝** 기초 문제를 통해 학습한 개념 확인하기	**2단계 실전 트레이닝** 응용 문제를 통해 실전 문제에 대한 감 익히기	**실력 테스트** 기출 문제와 실전 종합 문제를 통해 실력 점검하기

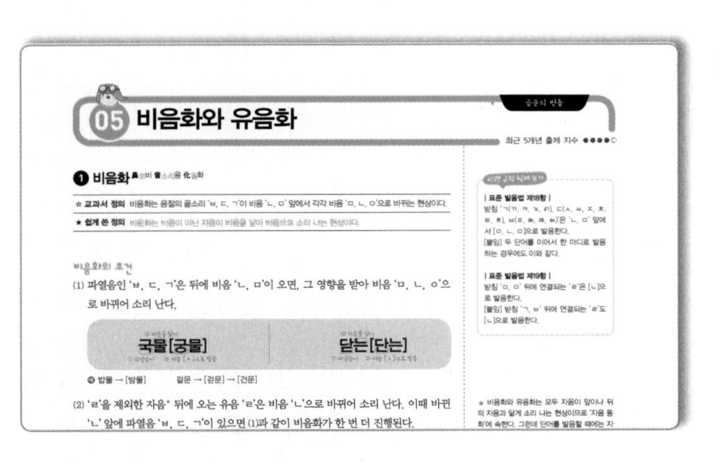

05 비음화와 유음화

최근 5개년 출제 지수

❶ 비음화

비음화의 조건

(1) 파열음인 'ㅂ, ㄷ, ㄱ'은 뒤에 비음 'ㄴ, ㅁ'이 오면, 그 영향을 받아 비음 'ㅁ, ㄴ, ㅇ'으로 바뀌어 소리 난다.

국물[궁물] 닫는[단는]

◎ 밥물 → [밤물] 겉문 → [걷문] → [건문]

(2) 'ㄹ'을 제외한 자음* 뒤에 오는 유음 'ㄹ'은 비음 'ㄴ'으로 바뀌어 소리 난다. 이때 바뀐 'ㄴ' 앞에 파열음 'ㅂ, ㄷ, ㄱ'이 있으면 (1)과 같이 비음화가 한 번 더 진행된다.

개념 학습 고등 국어 문법의 개념 총망라

국어 문법에서 중요하게 다루는 내용을 54개 테마로 선별하고, 꼭 알아 두어야 할 내용들을 알기 쉽게 구성하였습니다. 학습자의 이해를 돕기 위해 난도가 있는 개념은 주요 예시를 도식화하여 한눈에 보고 익힐 수 있도록 하였습니다.

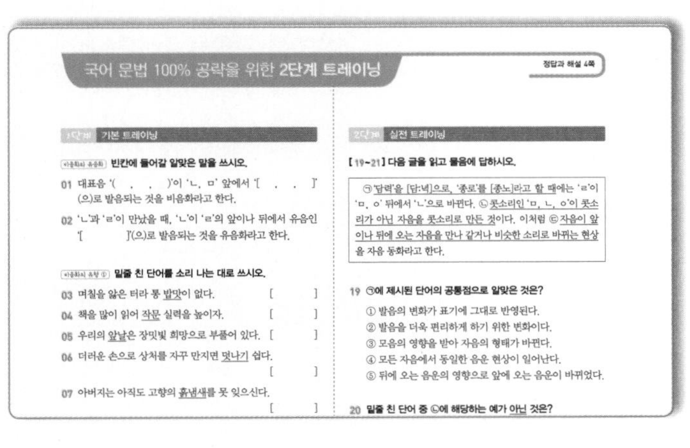

국어 문법 100% 공략을 위한 2단계 트레이닝

1단계 기본 트레이닝

빈칸에 들어갈 알맞은 말을 쓰시오.

01 대표음 '(, ,)'이 'ㄴ, ㅁ' 앞에서 '[, ,]'(으)로 발음되는 것을 비음화라고 한다.

02 'ㄴ'과 'ㄹ'이 만났을 때, 'ㄴ'이 'ㄹ'의 앞이나 뒤에서 유음인 '[ ]'(으)로 발음되는 것을 유음화라고 한다.

밑줄 친 단어를 소리 나는 대로 쓰시오.

03 며칠을 앓은 터라 통 밥맛이 없다. [ ]

04 책을 많이 읽어 작문 실력을 높이자. [ ]

05 우리의 앞날은 장밋빛 희망으로 부풀어 있다. [ ]

06 더러운 손으로 상처를 자꾸 만지면 덧나기 쉽다. [ ]

07 아버지는 아직도 고향의 흙냄새를 못 잊으신다. [ ]

2단계 실전 트레이닝

[19~21] 다음 글을 읽고 물음에 답하시오.

19 ㉠에 제시된 단어의 공통점으로 알맞은 것은?

① 발음의 변화가 표기에 그대로 반영된다.
② 발음을 더욱 편리하게 하기 위한 변화이다.
③ 모음의 영향을 받아 자음의 형태가 바뀐다.
④ 모든 자음에서 동일한 음운 현상이 일어난다.
⑤ 뒤에 오는 음운의 영향으로 앞에 오는 음운이 바뀌었다.

20 밑줄 친 단어 중 ㉡에 해당하는 예가 아닌 것은?

2단계 트레이닝 국어 문법 공략을 위한 문제로 훈련

1단계 앞서 학습한 국어 문법의 필수 개념을 드릴형 연습 문제를 통해 반복 학습함으로써, 주요 개념을 꼼꼼하게 익히고 점검할 수 있도록 하였습니다.

2단계 기본적인 개념을 응용한 실전 문제로 구성하였습니다. 테마별 핵심 개념들을 바탕으로 실제 시험에서 출제되는 문제의 유형을 파악할 수 있습니다. 문제 풀이를 통해 실전에 대한 자신감을 기를 수 있습니다.

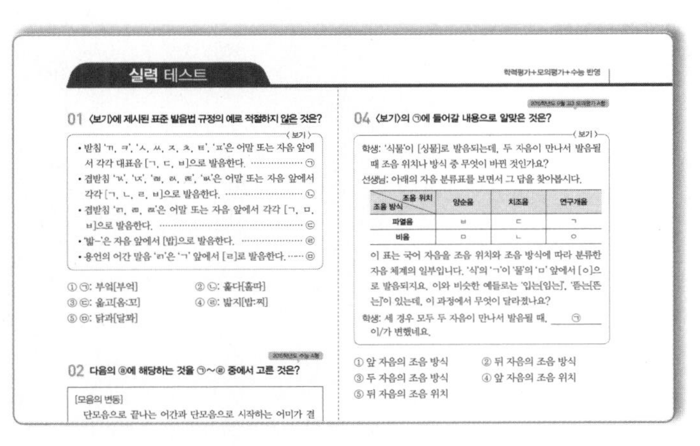

실력 테스트

학력평가+모의평가+수능 반영

01 〈보기〉에 제시된 표준 발음법 규정의 예로 적절하지 않은 것은?

① ㉠: 부엌[부억] ② ㉡: 홅다[훌따] ③ ㉢: 울고[울:꼬] ④ ㉣: 밟지[밥:찌] ⑤ ㉤: 닭과[닥꽈]

02 다음의 ⓐ에 해당하는 것을 ㉠~㉣ 중에서 고른 것은?

04 〈보기〉의 ㉠에 들어갈 내용으로 알맞은 것은?

① 앞 자음의 조음 방식 ② 뒤 자음의 조음 방식
③ 두 자음의 조음 방식 ④ 앞 자음의 조음 위치
⑤ 뒤 자음의 조음 위치

실력 테스트 테마를 아우르는 통합형 실전 문제

각 테마에서 다룬 개념들을 엮어 실제 내신이나 수능에서 출제되는 문제들로 실력을 점검할 수 있도록 하였습니다. 수능, 모의평가, 학력평가 등의 기출 문제를 분석 · 정리하였고, 출제 경향을 적극적으로 반영한 예상 문제를 함께 수록하였습니다.

이 책의 차례

IV 국어의 문법 범주

국어 규범과 국어 생활

담화

국어의 역사

핵심 용어 빨리 찾기

ㅇ

ㅈ

음운과 음운 변동

이것은 무엇일까요?

이것은 '바다'에는 없지만 '강'에는 있습니다.
이것은 '여자'에는 없지만 '남자'에는 있습니다.
이것은 '고구마'에는 없지만 '감자'에는 있습니다.

정답은 '받침'입니다. '바다, 여자, 고구마'는 '자음+모음'의 구조로 이루어진 말이지만, '강', 남자의 '남', 감자의 '감'은 '자음+모음+자음'의 구조로 이루어진 말이므로 받침이 있습니다.
이처럼 하나의 글자는 자음과 모음으로 이루어져 있습니다. 이 단원을 통해 자음과 모음의 체계와 글자들이 어떤 규칙에 의해서 소리 나는지를 학습할 수 있습니다.

음운의 체계

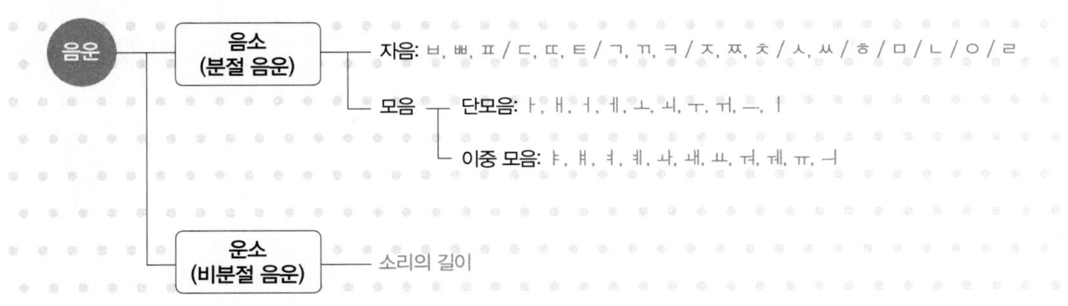
음운
음소
(분절 음운)
자음: ㅂ, ㅃ, ㅍ / ㄷ, ㄸ, ㅌ / ㄱ, ㄲ, ㅋ / ㅈ, ㅉ, ㅊ / ㅅ, ㅆ / ㅎ / ㅁ / ㄴ / ㅇ / ㄹ
모음
단모음: ㅏ, ㅐ, ㅓ, ㅔ, ㅗ, ㅚ, ㅜ, ㅟ, ㅡ, ㅣ
이중 모음: ㅑ, ㅒ, ㅕ, ㅖ, ㅘ, ㅙ, ㅛ, ㅝ, ㅞ, ㅠ, ㅢ
운소
(비분절 음운)
소리의 길이

음운의 변동

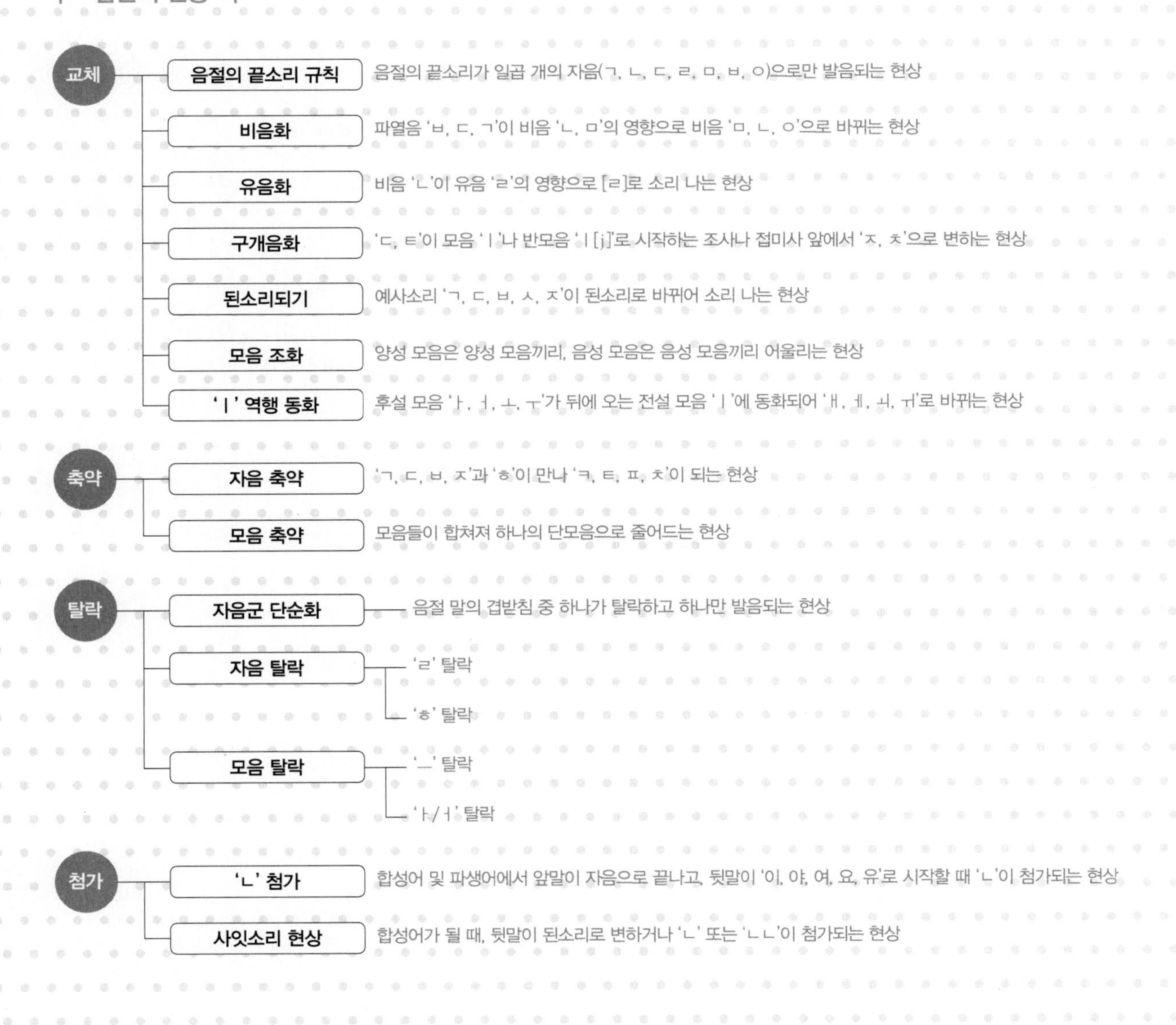
교체
음절의 끝소리 규칙
음절의 끝소리가 일곱 개의 자음(ㄱ, ㄴ, ㄷ, ㄹ, ㅁ, ㅂ, ㅇ)으로만 발음되는 현상
비음화
파열음 'ㅂ, ㄷ, ㄱ'이 비음 'ㄴ, ㅁ'의 영향으로 비음 'ㅁ, ㄴ, ㅇ'으로 바뀌는 현상
유음화
비음 'ㄴ'이 유음 'ㄹ'의 영향으로 [ㄹ]로 소리 나는 현상
구개음화
'ㄷ, ㅌ'이 모음 'ㅣ'나 반모음 'ㅣ[j]'로 시작하는 조사나 접미사 앞에서 'ㅈ, ㅊ'으로 변하는 현상
된소리되기
예사소리 'ㄱ, ㄷ, ㅂ, ㅅ, ㅈ'이 된소리로 바뀌어 소리 나는 현상
모음 조화
양성 모음은 양성 모음끼리, 음성 모음은 음성 모음끼리 어울리는 현상
'ㅣ' 역행 동화
후설 모음 'ㅏ, ㅓ, ㅗ, ㅜ'가 뒤에 오는 전설 모음 'ㅣ'에 동화되어 'ㅐ, ㅔ, ㅚ, ㅟ'로 바뀌는 현상
축약
자음 축약
'ㄱ, ㄷ, ㅂ, ㅈ'과 'ㅎ'이 만나 'ㅋ, ㅌ, ㅍ, ㅊ'이 되는 현상
모음 축약
모음들이 합쳐져 하나의 단모음으로 줄어드는 현상
탈락
자음군 단순화
음절 말의 겹받침 중 하나가 탈락하고 하나만 발음되는 현상
자음 탈락
'ㄹ' 탈락
'ㅎ' 탈락
모음 탈락
'ㅡ' 탈락
'ㅏ/ㅓ' 탈락
첨가
'ㄴ' 첨가
합성어 및 파생어에서 앞말이 자음으로 끝나고, 뒷말이 '이, 야, 여, 요, 유'로 시작할 때 'ㄴ'이 첨가되는 현상
사잇소리 현상
합성어가 될 때, 뒷말이 된소리로 변하거나 'ㄴ' 또는 'ㄴㄴ'이 첨가되는 현상

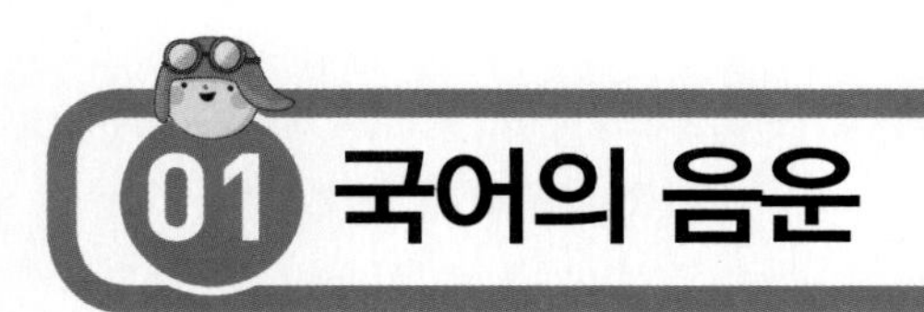

01 국어의 음운

최근 5개년 출제 지수 ●●○○○

❶ 음운* 音소리음 韻운운

☆ **교과서 정의**	음운은 음성의 공통적인 모습만 뽑아 사람들의 머릿속에서 같은 소리로 인식하는 추상적이고 관념적인 말소리이다.
★ **쉽게 쓴 정의**	음운은 말의 뜻을 구별하게 해 주는 소리의 가장 작은 단위이다.

● 국어의 음운은 일반적으로 자음과 모음을 아울러 일컫는다.

알아 둘 것! 음운 그 자체는 뜻을 지니고 있지 않아. 하지만 음운의 차이로 뜻이 달라지므로 음운은 뜻을 구별해 주는 소리의 최소 단위라고 할 수 있어.

1. 음운의 특성

(1) 말의 뜻을 구별해 준다.

(2) 하나의 음운은 서로 다른 사람이 조금씩 다르게 발음해도 같은 소리로 알아듣는다.

(3) 음운의 체계는 각 언어마다 다르고, 그 개수도 다르다.

예 우리말에서 [ㄹ]은 하나의 음운이지만, 영어에서는 [r]과 [l]의 2개의 음운으로 인식함.

2. 음운의 분류

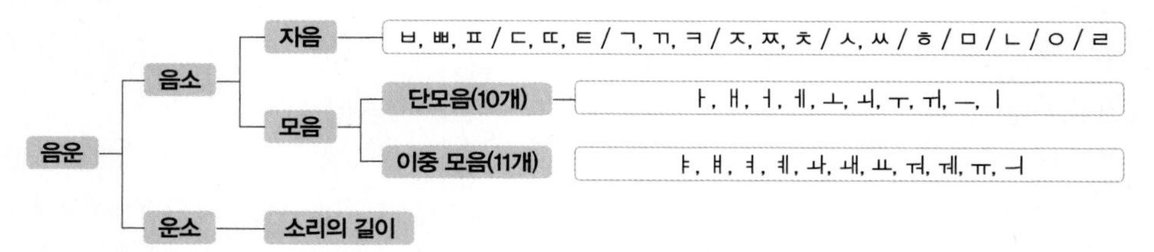

참고 **음절**
음운이 모여 이루어진 소리의 단위로서, 발음할 때 한 뭉치를 이루는 소리의 덩어리를 음절이라고 한다. 음절은 하나의 글자를 이르는 단위로, 그 형태는 다음과 같다.

- 모음 단독: 아, 이, 위
- 모음+자음: 안, 옷
- 자음+모음: 가, 조
- 자음+모음+자음: 간, 꽃

음절은 표기가 아닌 발음을 기준으로 삼는다.
예 불꽃놀이[불꼰노리] → 4음절

(1) 음소(분절 음운)

① 자음과 모음을 총칭한다.(자음: 19개, 모음: 21개)

② 다른 소리와 잘 나누어진다.

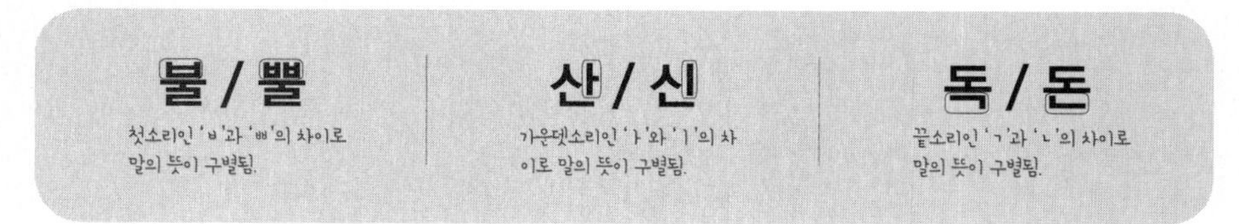

(2) 운소(비분절 음운)

① 국어에서는 소리의 길이가 이에 해당한다.

② 다른 소리와 잘 나누어지지 않는다.

③ 단어의 첫음절에서만 긴소리가 나타나는 것을 원칙으로 한다.

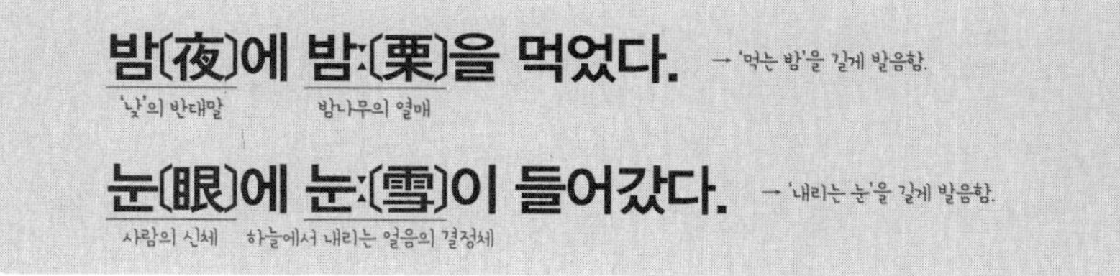

알아 둘 것! 소리의 길이는 글자만으로는 알 수 없어. 그래서 국어사전에서는 긴 소리에 ':'를 붙여서 짧은소리와 구별하여 발음하도록 하고 있어.

국어 문법 100% 공략을 위한 **2단계 트레이닝**

정답과 해설 2쪽

1단계 기본 트레이닝

음운의 특성 **다음 설명이 맞으면 ○, 틀리면 × 표시를 하시오.**

01 음운은 말의 뜻을 구별해 주는 소리의 가장 큰 단위이다. (　　)

02 음운은 그 자체로 뜻을 가지고 있다. (　　)

03 음운 하나의 차이로 말의 뜻이 달라질 수 있다. (　　)

04 음운은 여러 사람이 서로 조금씩 다르게 발음해도 같은 소리로 인식된다. (　　)

05 음운의 체계는 각 언어마다 다르지만, 그 개수는 같다. (　　)

06 단어를 발음하는 소리의 길이에 따라 단어의 뜻이 달라질 수 있다. (　　)

음운의 분류 ① **다음 항목을 관련 있는 것끼리 연결하시오.**

07 자음 •

08 모음 •

09 소리의 길이 •

• 음소

• 운소

음운의 분류 ② **〈보기〉와 같이 단어를 자음과 모음으로 나누시오.**

〈보기〉

희망 → ㅎ, ㅢ, ㅁ, ㅏ, ㅇ

10 연필 → ____________________

11 시계 → ____________________

12 전화기 → ____________________

운소(비분절 음운) **다음 그림의 단어를 발음할 때 길게 소리 나는 것은 '긴', 짧게 소리 나는 것은 '짧'이라고 표시하시오.**

13

14

2단계 실전 트레이닝

15 음운에 대한 설명으로 적절하지 않은 것은?

① 음운이 모여 음절이나 단어가 된다.
② 모음은 단독으로 소리를 낼 수 있다.
③ 음운은 추상적이라서 문자로 나타낼 수 없다.
④ 자음이나 모음 중 하나만 바뀌어도 뜻이 달라진다.
⑤ 소리의 길이에 의해 단어의 뜻이 달라지는 경우도 있다.

16 〈보기〉의 ㉠~㉢에 대한 설명으로 적절하지 않은 것은?

〈보기〉

㉠ 감 : 강　㉡ 서울 : 거울　㉢ 올록볼록 : 울룩불룩

① ㉠에서는 받침 'ㅁ'과 'ㅇ'이 뜻을 구별하는 역할을 한다.
② ㉠에서 '감'의 받침에 'ㅁ' 대신 'ㄱ'을 넣어도 뜻이 달라진다.
③ ㉡은 첫소리의 차이로 뜻이 구별된다.
④ ㉢에서는 가운뎃소리와 소리의 길이 차이로 단어가 달라진다.
⑤ ㉢의 '올록볼록'과 '울룩불룩'은 뜻의 명확한 차이보다는 어감상의 차이가 느껴지는 말이다.

17 가장 적은 수의 음운으로 구성된 단어는?

① 사랑　② 여우　③ 약국
④ 모이　⑤ 처음

18 밑줄 친 두 단어의 의미가 소리의 길이에 의해 구별되지 않는 것은?

① 발을 늘어뜨리고 찬물로 발을 씻었다.
② 친구에게 사과의 의미로 어제 산 사과를 주었다.
③ 말들도 사람처럼 말을 한다면 어떤 일이 벌어질까?
④ 탐스럽게 열린 배를 보기만 해도 배가 부른 듯하다.
⑤ '손이 귀한 집에서 태어났구나.'라며 나의 손을 잡았다.

02 모음 체계

최근 5개년 출제 지수 ●●○○○

❶ 모음 母어미 모 音소리 음

☆ **교과서 정의** 모음은 공기의 흐름이 성대를 울리면서 입안에서 아무 공기의 장애도 받지 않고 나는 소리이다.

★ **쉽게 쓴 정의** 모음은 공기의 흐름이 장애를 받지 않고 나는 소리이다.

알아 둘 것! 모음은 자음과 달리 단독으로 소리 날 수 있어. 또 모음은 음절을 이루는 데 중심이 되는 소리이기도 하지.

1. 단모음

단모음은 발음할 때 입술의 모양이나 혀의 움직임이 일정한 모음이다. 단모음은 'ㅏ, ㅐ, ㅓ, ㅔ, ㅗ, ㅚ, ㅜ, ㅟ, ㅡ, ㅣ'로 모두 10개이다.

혀의 앞뒤 / 입술의 모양 / 혀의 높이	전설 모음		후설 모음	
	평순 모음	원순 모음	평순 모음	원순 모음
고모음	ㅣ	ㅟ	ㅡ	ㅜ
중모음	ㅔ	ㅚ	ㅓ	ㅗ
저모음	ㅐ		ㅏ	

참고 **단모음 'ㅚ[ø]', 'ㅟ[y]'의 발음**
단모음 'ㅚ[ø]', 'ㅟ[y]'는 사람에 따라 이중 모음 'ㅞ[we]', 'ㅟ[wi]'로 발음되기도 한다. 이러한 현실 상황을 고려하여 표준 발음법 제4항의 '붙임'에서는 'ㅚ, ㅟ'를 이중 모음으로 발음하는 것을 허용하고 있다.

(1) 혀의 위치에 따른 구분: 혀의 최고점●이 입천장 가운데를 기준으로 앞쪽에 놓이느냐 뒤쪽에 놓이느냐에 따라 전설 모음과 후설 모음으로 나눈다.

전설 모음	혀의 최고점이 앞쪽에 놓이는 모음	ㅐ, ㅔ, ㅚ, ㅟ, ㅣ
후설 모음	혀의 최고점이 뒤쪽에 놓이는 모음	ㅏ, ㅓ, ㅗ, ㅜ, ㅡ

● 혀의 최고점은 발음할 때 혀가 가장 높이 올라가는 부분을 말한다.

(2) 입술 모양에 따른 구분: 입술의 모양이 둥근지 평평한지에 따라 원순 모음과 평순 모음으로 나눈다.

평순 모음	입술을 평평하게 펴서 발음하는 모음	ㅏ, ㅐ, ㅓ, ㅔ, ㅡ, ㅣ
원순 모음	입술을 둥글게 오므려서 발음하는 모음	ㅗ, ㅚ, ㅜ, ㅟ

(3) 혀의 높이에 따른 구분: 혀의 최고점의 높낮이에 따라 고모음, 중모음, 저모음으로 나눈다.

고모음	혀의 최고점의 높이가 가장 높은 모음	ㅜ, ㅟ, ㅡ, ㅣ
중모음	혀의 최고점의 높이가 중간 정도인 모음	ㅓ, ㅔ, ㅗ, ㅚ
저모음	혀의 최고점의 높이가 가장 낮은 모음	ㅏ, ㅐ

알아 둘 것! 혀의 최고점의 높이는 입이 벌어지는 정도(개구도)와 반비례해.
① 고모음: 폐모음(입이 가장 작게 벌어짐.)
② 중모음: 반개모음(입이 중간 정도로 벌어짐.)
③ 저모음: 개모음(입이 가장 크게 벌어짐.)

2. 이중 모음

이중 모음은 발음할 때 입술의 모양이나 혀의 움직임이 달라지는 모음이다. 이중 모음은 단모음과 여기에 딸린 것처럼 짧게 발음되는 반모음●의 결합으로 이루어지며, 'ㅑ, ㅒ, ㅕ, ㅖ, ㅘ, ㅙ, ㅛ, ㅝ, ㅞ, ㅠ, ㅢ'로 모두 11개이다.

반모음 'ㅣ[j]' + 단모음	ㅑ[ja], ㅒ[jɛ], ㅕ[jə], ㅖ[je], ㅛ[jo], ㅠ[ju]
반모음 'ㅗ/ㅜ[w]' + 단모음	ㅘ[wa], ㅙ[wɛ], ㅝ[wə], ㅞ[we]
단모음 + 반모음 'ㅣ[j]'	ㅢ[ɨj]

● 반모음은 공기의 흐름이 방해를 받아서 나는 소리가 아니기 때문에 자음으로 보기 어렵지만, 단독으로 음절을 구성할 수 있는 모음의 성질을 갖추지 못했기 때문에 모음으로도 보기 어려워서 붙은 이름이다. '반자음', '과도음'이라고 부르기도 한다.

1단계 기본 트레이닝

모음의 특성 **다음 설명이 맞으면 ○, 틀리면 × 표시를 하시오.**

01 모음은 발음할 때 공기의 흐름이 장애를 받는다. ( )

02 국어의 모든 모음은 안울림소리에 해당한다. ( )

03 모음은 단독으로 소리 낼 수 있는 음운이다. ( )

04 단모음은 발음할 때 입술의 모양이 바뀐다. ( )

05 단모음은 혀의 앞뒤, 입술의 모양, 혀의 높이에 따라 분류할 수 있다. ( )

06 이중 모음은 발음할 때 입술 모양이나 혀의 움직임이 변한다. ( )

단모음의 분류 **다음 설명과 관련된 모음을 〈보기〉에서 찾아 쓰시오.**

〈보기〉

ㅏ, ㅐ, ㅓ, ㅔ, ㅗ, ㅚ, ㅜ, ㅟ, ㅡ, ㅣ

07 발음할 때 혀의 최고점이 앞쪽에 놓이는 모음: ______

08 발음할 때 입술을 둥글게 오므리는 모음: ______

09 발음할 때 혀의 최고점의 높이가 가장 높은 모음: ______

10 발음할 때 입이 가장 많이 벌어지는 모음: ______

이중 모음의 분류 **〈보기〉의 이중 모음을 기준에 따라 분류하시오.**

〈보기〉

ㅑ, ㅒ, ㅕ, ㅖ, ㅘ, ㅙ, ㅛ, ㅝ, ㅞ, ㅠ, ㅢ

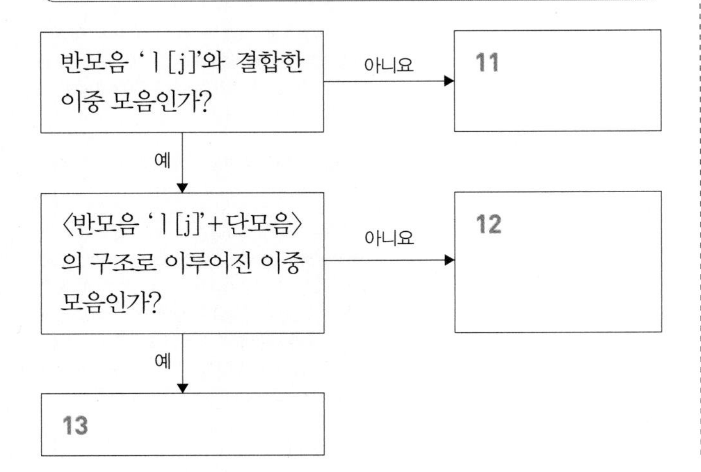

2단계 실전 트레이닝

14 모음에 대한 설명으로 적절하지 않은 것은?

① 'ㅗ, ㅜ'는 원순 모음이면서 후설 모음이다.
② 단모음 10개 중 평순 모음은 모두 6개이다.
③ 'ㅕ'는 반모음 'ㅣ[j]'와 단모음이 결합한 이중 모음이다.
④ 발음할 때 고모음은 입이 크게 벌어지고, 저모음은 입이 작게 벌어진다.
⑤ 이중 모음은 결합하는 반모음에 따라 'ㅑ, ㅒ, ㅕ, ㅖ, ㅛ, ㅠ, ㅢ'와 'ㅘ, ㅙ, ㅝ, ㅞ'로 나눌 수 있다.

[15~16] 다음 단모음 체계표를 보고 물음에 답하시오.

혀의 높이 ＼ 혀의 앞뒤 / 입술의 모양	전설 모음		후설 모음	
	평순 모음	원순 모음	평순 모음	원순 모음
고모음	ㅣ	ㅟ	ㅡ	ㅜ
중모음	ㅔ	ㅚ	ㅓ	ㅗ
저모음	ㅐ		ㅏ	

15 위의 단모음 체계표에 대한 설명으로 적절하지 않은 것은?

① 단모음을 분류하는 기준은 세 가지이다.
② 고모음, 중모음, 저모음은 혀의 최고점의 높낮이가 서로 다르다.
③ 'ㅚ, ㅟ'는 단모음에 해당하지만 이중 모음으로 발음하는 것도 허용된다.
④ 혀의 최고점의 위치가 높이 올라갈수록 입술의 모양은 점점 둥글어진다.
⑤ 고모음이나 중모음보다 저모음의 개수가, 평순 모음보다 원순 모음의 개수가 적다.

16 〈보기〉에서 설명하는 모음으로 적절한 것은?

〈보기〉

• 'ㅣ'보다 혀의 최고점의 높이가 낮다.
• 'ㅓ'보다 혀의 최고점의 위치가 앞쪽에 놓인다.
• 'ㅚ, ㅟ'를 발음할 때와는 입술의 모양이 다르다.
• 'ㅗ'보다 입이 더 많이 벌어진다.

① ㅔ ② ㅐ ③ ㅡ
④ ㅏ ⑤ ㅜ

03 자음 체계

최근 5개년 출제 지수 ●●○○○

1 자음 子아들자 音소리음

☆ **교과서 정의** 자음은 공기의 흐름이 목, 입, 혀 따위의 발음 기관에 의하여 방해를 받으면서 나는 소리이다.

★ **쉽게 쓴 정의** 자음은 공기의 흐름이 장애를 받으면서 나는 소리이다.

1. 자음 체계표

소리 내는 방법 \ 소리 내는 자리			입술소리(순음)	잇몸소리(치조음)	센입천장소리(경구개음)	여린입천장소리(연구개음)	목청소리(후음)
안울림 소리	파열음	예사소리	ㅂ	ㄷ		ㄱ	
		된소리	ㅃ	ㄸ		ㄲ	
		거센소리	ㅍ	ㅌ		ㅋ	
	파찰음	예사소리			ㅈ		
		된소리			ㅉ		
		거센소리			ㅊ		
	마찰음	예사소리		ㅅ			ㅎ
		된소리		ㅆ			
울림 소리	비음		ㅁ	ㄴ		ㅇ	
	유음			ㄹ			

참고 소리의 세기에 따른 분류
소리의 세기에 따라 예사소리, 된소리, 거센소리로 나눌 수 있다. 예사소리에 비해 된소리는 목청이 긴장되어 발음되고, 거센소리는 목청에서 강한 기류를 동반하며 발음된다.

예사소리	ㅂ, ㄷ, ㅅ, ㅈ, ㄱ
된소리	ㅃ, ㄸ, ㅆ, ㅉ, ㄲ
거센소리	ㅍ, ㅌ, ㅊ, ㅋ

2 소리 내는 자리(조음 위치)*에 따라

발음할 때 공기의 흐름이 어느 지점에서 방해를 받느냐에 따라 자음을 분류할 수 있다.

구분	입술소리(순음)	잇몸소리(치조음)	센입천장소리(경구개음)	여린입천장소리(연구개음)	목청소리(후음)
조음 위치	두 입술	혀끝과 윗잇몸	앞혓바닥과 센입천장	뒷혓바닥과 여린입천장	목청
해당 자음	ㅂ, ㅃ, ㅍ / ㅁ	ㄷ, ㄸ, ㅌ / ㅅ, ㅆ / ㄴ / ㄹ	ㅈ, ㅉ, ㅊ	ㄱ, ㄲ, ㅋ / ㅇ	ㅎ

● 자음은 공기의 흐름이 장애를 입게 되면서 만들어지는 소리인데, 이때 공기의 흐름에 장애가 일어나는 자리가 소리 내는 자리, 곧 조음 위치이다.

3. 소리 내는 방법(조음 방법)에 따라

자음은 소리 내는 방법에 따라 파열음, 마찰음, 파찰음, 비음, 유음으로 나뉜다. 파열음, 마찰음, 파찰음은 목청이 떨리지 않고 나는 소리이므로 안울림소리에 해당하며, 비음과 유음은 목청이 떨려 나는 소리이므로 울림소리에 해당한다.

안울림 소리	파열음	허파에서 나오는 공기의 흐름을 완전히 막았다가 터뜨리면서 내는 소리	ㅂ, ㅃ, ㅍ / ㄷ, ㄸ, ㅌ / ㄱ, ㄲ, ㅋ
	마찰음	입안이나 목청 사이의 공간을 좁혀 마찰을 일으키면서 내는 소리	ㅅ, ㅆ / ㅎ
	파찰음	공기의 흐름을 막았다가 서서히 터뜨리면서 마찰을 일으켜 내는 소리	ㅈ, ㅉ, ㅊ
울림 소리	비음	입안의 통로를 막고 코로 공기를 내보내면서 내는 소리	ㅁ, ㄴ, ㅇ
	유음	혀끝을 잇몸에 가볍게 대었다가 떼거나, 잇몸에 댄 채 공기를 그 양옆으로 흘려보내며 내는 소리	ㄹ

참고 'ㄱ, ㄷ, ㅂ, ㅈ'의 발음
안울림소리 'ㄱ, ㄷ, ㅂ, ㅈ'은 모음 사이에서, 그리고 비음 또는 유음과 모음 사이에서 울림소리로 발음된다. 안울림소리 'ㄱ'을 [k]로, 울림소리 'ㄱ'을 [g]로 표기할 때, '감기'는 [kamgi]로 표기할 수 있다.

참고 파열음, 마찰음, 파찰음의 공기의 흐름

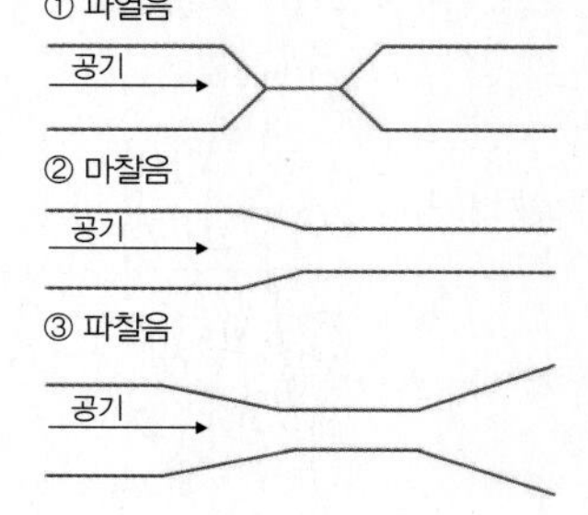

1단계 기본 트레이닝

자음의 특성 **다음 설명이 맞으면 ○, 틀리면 × 표시를 하시오.**

01 자음은 단독으로 소리 낼 수 없다. ( )

02 자음은 발음할 때 공기의 흐름이 장애를 받는다. ( )

03 자음을 소리 내는 자리는 모두 세 군데이다. ( )

04 자음은 소리 내는 방법에 따라 입술소리, 잇몸소리, 센입천장소리, 여린입천장소리, 목청소리로 나뉜다. ( )

05 자음은 성대의 떨림 여부에 따라 '예사소리-된소리-거센소리'로 구분할 수 있다. ( )

06 국어의 자음 중에는 울림소리도 있다. ( )

자음의 분류 ① **빈칸에 들어갈 알맞은 말을 쓰시오.**

07 공기의 흐름을 막았다가 서서히 터뜨리면서 마찰을 일으켜 내는 소리를 (　　　　)(이)라고 한다.

08 혀끝을 잇몸에 가볍게 대었다가 떼거나, 잇몸에 댄 채 공기를 그 양옆으로 흘려보내며 내는 소리를 (　　　　)(이)라고 한다.

09 소리 내는 방법에 따라 자음을 분류할 때, 'ㅁ, ㄴ, ㅇ, ㄹ'을 제외한 나머지 자음들은 모두 (　　　　)이다.

자음의 분류 ② **다음 설명과 관련된 자음을 〈보기〉에서 모두 찾아 쓰시오.**

〈보기〉
ㄱ ㄲ ㄴ ㄷ ㄸ ㄹ ㅁ ㅂ ㅃ ㅅ ㅆ ㅇ ㅈ ㅉ ㅊ ㅋ ㅌ ㅍ ㅎ

10 된소리로 나는 자음: ____________

11 목청 사이에서 소리 나는 자음: ____________

12 윗입술과 아랫입술이 붙었다가 떨어지면서 소리 나는 자음: ____________

13 입안이나 목청 사이의 공간을 좁혀 마찰을 일으키면서 소리 내는 자음: ____________

14 허파에서 나오는 공기의 흐름을 완전히 막았다가 터뜨리면서 소리 내는 자음: ____________

15 거센소리 없이 '예사소리-된소리'로 짝 지을 수 있는 자음: ____________

2단계 실전 트레이닝

16 〈보기〉의 방법으로 소리 나는 자음끼리 묶은 것은?

〈보기〉
입안의 통로를 막고 코로 공기를 내보내며 소리를 낸다.

① ㄷ, ㄹ, ㅅ　② ㄴ, ㅁ, ㅇ　③ ㅈ, ㅉ, ㅊ
④ ㄱ, ㄲ, ㅋ　⑤ ㅅ, ㅆ, ㅎ

[17~18] 다음의 자음 체계표를 보고 물음에 답하시오.

소리 내는 방법 ＼ 소리 내는 자리			ⓐ				목청소리
안울림소리	ⓑ	예사소리	ㅂ	ㄷ		ㄱ	
		된소리	ㅃ	ㄸ		ㄲ	
		거센소리	ㅍ	ㅌ		ㅋ	
	파찰음	예사소리			ㅈ		
		된소리			ㅉ		
		거센소리			ㅊ		
	마찰음	예사소리		ㅅ			ㅎ
		된소리		ㅆ			
울림소리	비음		ㅁ	ㄴ		ㅇ	
	ⓒ			ㄹ			

17 ⓐ~ⓒ에 들어갈 내용을 바르게 묶은 것은?

	ⓐ	ⓑ	ⓒ
①	입술소리	파열음	유음
②	입술소리	구개음	치음
③	잇몸소리	유성음	순음
④	센입천장소리	파열음	치음
⑤	여린입천장소리	무성음	유음

18 위의 자음 체계표를 분석한 내용으로 적절하지 않은 것은?

① 'ㅊ'은 'ㅈ'에 비하여 세게 소리 난다.
② 'ㅃ', 'ㄸ', 'ㄲ'은 소리 내는 방법이 같다.
③ 'ㄹ'은 혀끝을 잇몸에 가볍게 대었다가 떼며 소리 낸다.
④ 'ㅁ'과 'ㅂ'은 'ㄴ'과 'ㄷ'처럼 소리의 울림 여부로 구분된다.
⑤ 'ㄱ, ㄲ, ㅋ'을 발음할 때에는 혀를 센입천장에 댔다가 떼면서 소리 낸다.

01 음운의 수가 나머지와 <u>다른</u> 것은?

① 하루 ② 거울 ③ 우유
④ 먹이 ⑤ 영업

2014학년도 예비 수능 A형

02 다음은 '음운'에 대한 학습 활동지 중 일부이다. ⓐ에 들어갈 내용으로 가장 적절한 것은?

(ㄱ) '발'의 초성, 중성, 종성을 다른 음운으로 바꾸어 여러 단어를 만들어 보자.

- 초성을 바꾼 경우 (달, 살)
- 중성을 바꾼 경우 (볼, 불)
- 종성을 바꾼 경우 (밥, 방)

(ㄴ) 다음 단어를 길게 발음할 때와 짧게 발음할 때의 차이를 이용해 문장을 만들어 보자.

눈	
길게 발음할 때	짧게 발음할 때
눈이 펑펑 내린다.	아이 눈이 초롱초롱하다.

(가)와 (나)를 함께 고려할 때 [ⓐ]는 사실을 알 수 있다.

① 음운은 문자로 표기할 수 있다
② 음운은 단어의 뜻을 구별해 준다
③ 음운은 일정한 조건에서 변화한다
④ 음운은 어떤 위치든 나타날 수 있다
⑤ 음운은 감정의 차이를 표현할 수 있다

03 발음할 때 입술의 모양이 나머지와 <u>다른</u> 하나는?

① ㅓ ② ㅗ ③ ㅚ
④ ㅜ ⑤ ㅟ

2015학년도 9월 고1 학력평가

04 다음의 단모음 체계표를 참고할 때 〈보기〉의 ㉠에 들어갈 말로 적절한 것은?

혀의 앞뒤 위치 / 입술의 모양 / 혀의 높낮이(입을 벌리는 정도)	전설 모음		후설 모음	
	평순 모음	원순 모음	평순 모음	원순 모음
고모음(폐모음)	ㅣ	ㅟ	ㅡ	ㅜ
중모음(반개모음)	ㅔ	ㅚ	ㅓ	ㅗ
저모음(개모음)	ㅐ		ㅏ	

수정: [내]가 잘 했어야 했는데.
민기: 뭐? 내가 잘 했어야 한다고? 어떻게 그렇게 말하니?
수정: 아니. 니가 못 했다는 게 아니라 내가 잘 했어야 했는데 그렇지 못해서 미안하다고.
민기: 아아, 내가 오해했구나. 나는 '[네]가 잘 했어야 했는데.'로 들었어. 그런데 '니가'는 잘못된 표현 아니야?
수정: 맞아. 그런데 '내'와 '네'가 혼동되니까 현실적으로 '니가'를 사용하기도 하지.
민기: 아, 그렇구나. '내'를 발음할 때는 (㉠)

① '네'보다 입을 더 크게 벌려야겠구나.
② '네'와 달리 입술을 동그랗게 오므려야겠구나.
③ '네'보다 혀의 높이를 더 높아지게 해야겠구나.
④ '네'와 달리 혀의 최고점을 앞에 놓아야겠구나.
⑤ '네'와 달리 입술이나 혀를 움직이지 말아야겠구나.

05 〈보기〉의 순서로 모음을 발음할 때 나타나는 변화로 알맞은 것은?

〈보기〉

ㅣ → ㅔ → ㅐ

① 혀의 높이가 점점 낮아진다.
② 혀의 높이가 점점 높아진다.
③ 입술 모양이 점점 둥글게 된다.
④ 혀의 위치가 점점 뒤로 이동한다.
⑤ 혀의 위치가 점점 앞으로 이동한다.

2014학년도 9월 고1 학력평가

06 〈보기〉를 참고하여 외국 학생이 정확한 발음을 하도록 조언한 내용으로 알맞은 것은?

외국 학생: 지금 **둘고기** 먹고 싶어요.
한국 학생: 둘고기? 혹시 불고기 먹고 싶은 거니?
외국 학생: 응. **굴고기**!
한국 학생: **굴고기**가 아니라 **불고기**라고 하는 거야.
외국 학생: 눌고기?
한국 학생: 그게 아니라, **불고기**는~

〈보기〉

조음 방법 \ 조음 위치		두 입술	윗잇몸	센입천장	여린입천장	목청
안울림 소리	파열음	ㅂ, ㅃ, ㅍ	ㄷ, ㄸ, ㅌ		ㄱ, ㄲ, ㅋ	
	파찰음			ㅈ, ㅉ, ㅊ		
	마찰음		ㅅ, ㅆ			ㅎ
울림 소리	비음	ㅁ	ㄴ		ㅇ	
	유음		ㄹ			

① '불'은 '둘'처럼 혀끝을 윗잇몸에 닿게 해서 소리 내야 해.
② '불'은 '굴'처럼 혓바닥을 여린입천장에 밀착시켜 소리 내야 해.
③ '불'은 '눌'과 달리 두 입술을 맞닿게 하면서 목청을 울리지 않고 소리 내야 해.
④ '불'은 '둘', '굴'과 달리 폐에서 나오는 공기의 흐름을 일단 막았다가 터뜨리면서 소리 내야 해.
⑤ '불'은 '둘', '눌'과 달리 코로 공기를 내보내며 목청을 울리며 소리 내야 해.

07 〈보기〉의 조건을 모두 충족하는 음운은?

〈보기〉
- 두 입술 사이에서 발음됨.
- 목청의 울림이 일어나지 않음.
- 거센소리임.

① ㄱ ② ㄹ ③ ㅈ
④ ㅍ ⑤ ㅎ

08 막혀 있던 조음 기관이 서서히 터지면서 공기가 좁은 간격 사이로 마찰을 일으키며 나는 소리를 포함하지 않은 것은?

① 자갈길 ② 짜장면 ③ 가르치다
④ 치근대다 ⑤ 바글거리다

09 '예사소리–된소리–거센소리'의 짝을 갖고 있지 않은 자음은?

① ㄱ ② ㄷ ③ ㅂ
④ ㅅ ⑤ ㅈ

2014학년도 9월 고1 학력평가

10 〈보기〉의 음운 카드를 활용하여 학습한 내용으로 적절하지 않은 것은?

〈보기〉
- 음운: 말의 뜻을 구별해 주는 소리의 가장 작은 단위

ㄱ 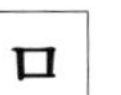 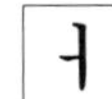 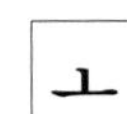

① 'ㅁ', 'ㅓ', 'ㄱ'을 차례로 사용하면 '먹'이라는 단어를 만들 수 있군.
② '먹'의 가운뎃소리인 'ㅓ' 대신 'ㅗ'를 사용하면 새로운 단어가 되는군.
③ '목 : 곰'에서 보면 첫소리가 끝소리에, 끝소리가 첫소리에도 쓰일 수 있군.
④ '먹 : 목'처럼 가운뎃소리는 첫소리의 오른쪽에 써야 하는군.
⑤ '목 / 먹 / 곰 / 검'처럼 음운의 결합에 따라 의미가 다른 여러 단어를 만들 수 있군.

2015학년도 6월 고3 모의평가 A형

11 다음 〈자료〉를 바탕으로 국어의 '음절'에 대해 설명한 내용으로 적절하지 않은 것은?

〈자료〉
음운이 모여서 이루어지는 소리의 결합체를 음절이라고 한다. 현대 국어의 음절 유형은 다음 네 가지로 나눌 수 있다.
ㄱ. '중성'으로 이루어진 음절 (예 아, 야, 와, 의)
ㄴ. '초성+중성'으로 이루어진 음절 (예 끼, 노, 며, 소)
ㄷ. '중성+종성'으로 이루어진 음절 (예 알, 억, 영, 완)
ㄹ. '초성+중성+종성'으로 이루어진 음절 (예 각, 녹, 딸, 형)

① 초성에는 최대 두 개의 자음이 온다.
② 중성에 올 수 있는 음운은 모음이다.
③ 종성에 올 수 있는 음운은 자음이다.
④ 초성 또는 종성이 없는 음절도 있다.
⑤ 모든 음절에는 중성이 있어야 한다.

04 음절의 끝소리 규칙

최근 5개년 출제 지수 ●●●○○

❶ 음절의 끝소리 규칙

☆ **교과서 정의** 음절의 끝소리 규칙은 음절의 끝에 일곱 자음(ㄱ, ㄴ, ㄷ, ㄹ, ㅁ, ㅂ, ㅇ) 이외의 것이 오면 이 일곱 자음 중의 하나로 바뀌어 발음되는 현상이다.

★ **쉽게 쓴 정의** 음절의 끝소리 규칙은 음절의 끝소리가 [ㄱ, ㄴ, ㄷ, ㄹ, ㅁ, ㅂ, ㅇ]의 일곱 개로만 발음되는 현상이다.

1. 음절의 끝에서 발음될 수 있는 자음

음절의 끝에서 발음되는 자음은 'ㄱ, ㄴ, ㄷ, ㄹ, ㅁ, ㅂ, ㅇ'(7개)뿐이다. 그 이외의 자음이 오면, 일곱 개의 소리 중 하나로 바뀌어 발음된다.

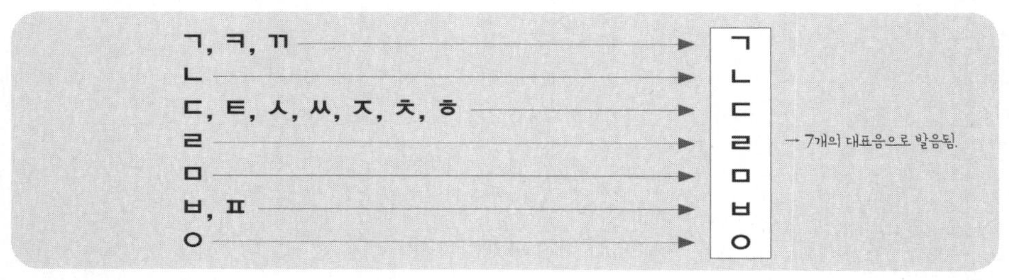

예 밖 → [박], 부엌 → [부억]　　낫, 낮, 낯 → [낟]　　잎 → [입]

2. 뒤에 모음이 올 때의 발음

(1) 뒤에 모음으로 시작하는 형식 형태소•가 올 때

받침은 뒤 음절의 첫소리로 옮겨 발음한다.

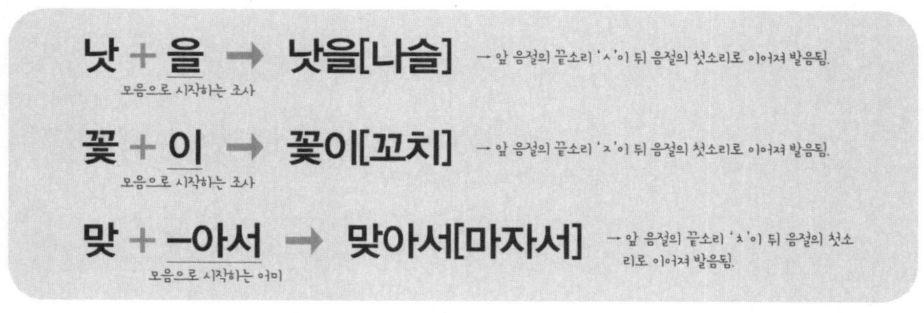

낫 + 을 → 낫을[나슬]
모음으로 시작하는 조사
→ 앞 음절의 끝소리 'ㅅ'이 뒤 음절의 첫소리로 이어져 발음됨.
꽂 + 이 → 꽂이[꼬치]
모음으로 시작하는 조사
→ 앞 음절의 끝소리 'ㅈ'이 뒤 음절의 첫소리로 이어져 발음됨.
맞 + -아서 → 맞아서[마자서]
모음으로 시작하는 어미
→ 앞 음절의 끝소리 'ㅈ'이 뒤 음절의 첫소리로 이어져 발음됨.

(2) 뒤에 모음 'ㅏ, ㅓ, ㅗ, ㅜ, ㅟ'로 시작하는 실질 형태소•가 올 때

먼저 앞 음절의 끝소리를 'ㄱ, ㄴ, ㄷ, ㄹ, ㅁ, ㅂ, ㅇ'의 대표음으로 바꾼 뒤에 뒤 음절의 첫소리로 옮겨 발음한다.

꽃 + 위 → 꽃 위[꼬뒤] → 앞 음절의 끝소리 'ㅊ'이 대표음 'ㄷ'으로 바뀐 후 뒤 음절의 첫소리로 이어져 발음됨.
(모음 'ㅟ'로 시작하는 명사)

부엌 + 안 → 부엌 안[부어간] → 앞 음절의 끝소리 'ㅋ'이 대표음 'ㄱ'으로 바뀐 후 뒤 음절의 첫소리로 이어져 발음됨.
(모음 'ㅏ'로 시작하는 명사)

관련 규정 함께 보기

| 표준 발음법 제8항 |
받침소리로는 'ㄱ, ㄴ, ㄷ, ㄹ, ㅁ, ㅂ, ㅇ'의 7개 자음만 발음한다.

알아 둘 것! 'ㄸ, ㅉ, ㅃ'은 음절의 끝에서 쓰이는 경우가 없어서 음절의 끝소리 규칙에서 제외된 거야.

알아 둘 것! 음절의 끝소리 규칙은 발음상의 규칙일 뿐이므로 표기에는 반영하지 않아. 즉, '밖', '낮', '잎'은 '[박]', '[낟]', '[입]'으로 발음되더라도 '밖', '낮', '잎'으로 적어야 해.

• 형식 형태소는 실질 형태소에 붙어서 말과 말 사이의 관계를 형식적으로 표시하는 형태소이다. 조사, 어미 등이 이에 속한다.

• 실질 형태소는 실질적인 의미를 가지고 구체적인 대상이나 동작을 나타내는 형태소이다. 명사, 대명사, 수사, 관형사, 부사, 감탄사와 용언의 어간 등이 이에 속한다.

1단계 기본 트레이닝

음절의 끝소리 규칙의 개념 **빈칸에 들어갈 알맞은 내용에 ○ 표시를 하시오.**

01 음절의 끝소리 자음이 '(ㄱ, ㄴ, ㄷ, ㄹ, ㅁ, ㅂ, ㅅ, ㅇ, ㅈ, ㅊ, ㅋ, ㅌ, ㅍ, ㅎ)' 중 하나로 발음되는 현상을 음절의 끝소리 규칙이라고 한다.

02 음절의 끝에서 'ㄷ, ㅌ, ㅅ, ㅆ, ㅈ, ㅊ, ㅎ'은 모두 대표음 (ㄷ/ㅅ)으로 바뀌어 발음된다.

03 뒤에 모음으로 시작되는 (형식 형태소/실질 형태소)가 올 때 받침은 뒤 음절의 첫소리로 옮겨 발음된다.

음절의 끝소리 규칙 ① **밑줄 친 음절이 어떻게 발음되는지 쓰시오.**

04 모두 다섯 명이 모였다. [ ]

05 항아리는 부엌 안에 있다. [ ]

06 이 옷, 너한테 정말 잘 어울려. [ ]

07 양파 껍질을 안 깎고 먹는 사람은 없다. [ ]

08 벼가 익어 가는 들녘 풍경이 아름답다. [ ]

09 껌의 단물이 빠질 때까지 뱉지 말아라. [ ]

10 아침에 늦게 일어나서 학교까지 뛰어갔다. [ ]

11 낮잠을 많이 잤더니 밤에 잠이 오지 않는다. [ ]

12 동네 주민들이 운동장에 모여 윷판을 벌였다. [ ]

13 병철이는 번번이 친구들의 낚시질에 걸려든다. [ ]

14 가지에 걸려 있는 잎사귀가 바람에 바스락거린다. [ ]

음절의 끝소리 규칙 ② **밑줄 친 말의 올바른 발음에 ○ 표시를 하시오.**

15 들은 것은[거든/거슨] 잊어버리고, 본 것은 기억하고, 직접 해 본 것은 이해한다. — 공자

16 읽다 죽어도 멋져[먿쩌/멋쩌] 보일 책을 항상 읽으라. — P.J. 오루크

17 내일 일을 걱정하지 말라. 내일 일은 내일 스스로가 맡을[마들/마틀] 것이니 그날의 괴로움은 그날로 족하다. — 밀란 쿤데라

18 죽음과 동시에 잊히지 않고 싶다면[십따면/싶따면], 읽을 가치가 있는 글을 쓰라. 또는 글로 쓸 가치가 있는 일을 하라. — 벤저민 프랭클린

2단계 실전 트레이닝

19 밑줄 친 부분의 발음이 알맞지 않은 것은?

① 영희가 방문을 닫았다. – [다닫따]
② 황소가 파리를 쫓고 있다. – [쫀꼬]
③ 여기저기 아름다운 꽃이 활짝 피었다. – [꼬시]
④ 유리창을 깨끗이 닦으니 기분이 좋다. – [다끄니]
⑤ 앞집 사람들은 아침 일찍 나가서 저녁 늦게 들어온다. – [압찝]

20 밑줄 친 '옷'을 발음할 때 받침 'ㅅ'이 'ㄷ'으로 바뀌지 않는 것은?

① 지갑은 옷 안에 넣어 두었다.
② 키가 자라면서 옷이 작아졌다.
③ 교복을 옷걸이에 걸어 두었다.
④ 옷 위에 먼지가 수북히 쌓였다.
⑤ 흰 옷은 흰 옷끼리 빨아야 한다.

2015학년도 9월 고1 학력평가

21 다음 상황이 발생하게 된 이유로 적절한 것은?

> 딸: 엄마에게 빚이[비시] 많지요.
> 엄마: 빗? 몇 개 있지. 필요해? 줄까?
> 딸: 아니, 엄마에게 갚아야 할 마음의 빚이[비시] 많다고요.
> 엄마: 아, 빚이[비지] 많다고. 어머! 우리 딸 다 컸네.

① 받침이 뒤의 첫소리로 옮겨 가며 나는 소리를 잘못 발음해서
② 울림소리와 안울림소리를 혼동하여 구분하지 않고 발음해서
③ 과도한 된소리나 거센소리를 뒤의 첫소리로 연이어 발음해서
④ 긴소리를 짧은소리와 구별하여 발음하지 않고 짧게 발음해서
⑤ 이중 모음의 발음을 단모음의 발음과 구분하지 않고 발음해서

05 비음화와 유음화

최근 5개년 출제 지수 ●●●●○

❶ 비음화 鼻코비 音소리음 化될화

☆ **교과서 정의** 비음화는 음절의 끝소리 'ㅂ, ㄷ, ㄱ'이 비음 'ㄴ, ㅁ' 앞에서 각각 비음 'ㅁ, ㄴ, ㅇ'으로 바뀌는 현상이다.

★ **쉽게 쓴 정의** 비음화는 비음이 아닌 자음이 비음을 닮아 비음으로 소리 나는 현상이다.

비음화의 조건

(1) 파열음인 'ㅂ, ㄷ, ㄱ'은 뒤에 비음 'ㄴ, ㅁ'이 오면, 그 영향을 받아 비음 'ㅁ, ㄴ, ㅇ'으로 바뀌어 소리 난다.

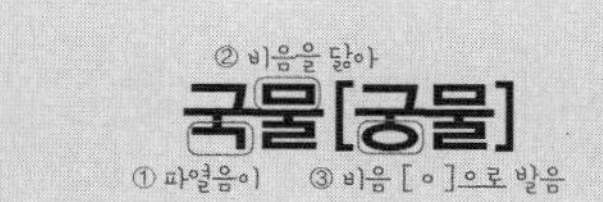

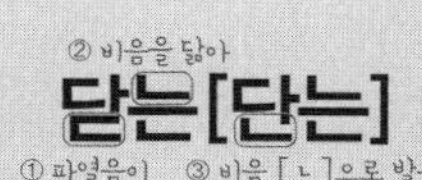

예 밥물 → [밤물]　　　걷문 → [걷문] → [건문]

(2) 'ㄹ'을 제외한 자음● 뒤에 오는 유음 'ㄹ'은 비음 'ㄴ'으로 바뀌어 소리 난다. 이때 바뀐 'ㄴ' 앞에 파열음 'ㅂ, ㄷ, ㄱ'이 있으면 (1)과 같이 비음화가 한 번 더 진행된다.

예 음운론 → [음운논]　　　능력 → [능녁]　　　국력 → [국녁] → [궁녁]

관련 규정 함께 보기

| 표준 발음법 제18항 |
받침 'ㄱ(ㄲ, ㅋ, ㄳ, ㄺ), ㄷ(ㅅ, ㅆ, ㅈ, ㅊ, ㅌ, ㅎ), ㅂ(ㅍ, ㄼ, ㄿ, ㅄ)'은 'ㄴ, ㅁ' 앞에서 [ㅇ, ㄴ, ㅁ]으로 발음한다.
[붙임] 두 단어를 이어서 한 마디로 발음하는 경우에도 이와 같다.

| 표준 발음법 제19항 |
받침 'ㅁ, ㅇ' 뒤에 연결되는 'ㄹ'은 [ㄴ]으로 발음한다.
[붙임] 받침 'ㄱ, ㅂ' 뒤에 연결되는 'ㄹ'도 [ㄴ]으로 발음한다.

● 비음화와 유음화는 모두 자음이 앞이나 뒤의 자음과 닮게 소리 나는 현상이므로 '자음 동화'에 속한다. 그런데 단어를 발음할 때에는 자음 동화보다 음절의 끝소리 규칙이 먼저 일어난다. 따라서 여기서 말하는 'ㄹ'을 제외한 자음이란, 음절의 끝소리 규칙에 의해 올 수 있는 자음 7개 'ㄱ, ㄴ, ㄷ, ㄹ, ㅁ, ㅂ, ㅇ' 중에서 'ㄹ'을 제외한 'ㄱ, ㄴ, ㄷ, ㅁ, ㅂ, ㅇ'을 말한다.

참고 동화가 일어나는 원인
소리 나는 위치가 가깝거나 소리 내는 방법이 비슷한 소리가 연속되면 발음할 때 힘이 덜 들기 때문에 동화가 일어나는 것이다. 한편 파열음이 비음으로 동화될 때에는 소리 내는 방법이 달라질 뿐, 소리 내는 위치는 변함이 없다.

구분	입술소리	잇몸소리	여린입천장소리
파열음	ㅂ	ㄷ	ㄱ
비음	ㅁ	ㄴ	ㅇ

❷ 유음화 流흐를류 音소리음 化될화

☆ **교과서 정의** 유음화는 비음 'ㄴ'이 앞이나 뒤에 오는 유음 'ㄹ'의 영향으로 [ㄹ]로 소리 나는 음운 변동 현상이다.

★ **쉽게 쓴 정의** 유음화는 유음이 아닌 소리가 유음을 닮아 유음으로 소리 나는 현상이다.

유음화의 조건

'ㄴ'의 앞이나 뒤에 유음 'ㄹ'이 오면, 'ㄴ'은 유음 'ㄹ'의 영향을 받아 'ㄹ'로 바뀌어 소리 난다. 주의할 점은 'ㄴ' 앞에 'ㄹ'이 오든지 'ㄴ' 뒤에 'ㄹ'이 오든지 'ㄴ'에 영향을 끼친다는 것이다.

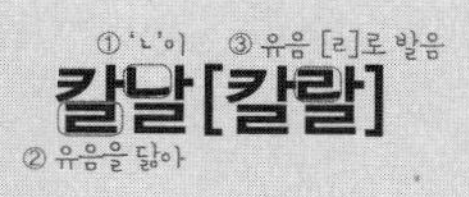

② 유음을 닮아
신라[실라]
① 'ㄴ'이　③ 유음 [ㄹ]로 발음

예 찰나 → [찰라]　　　앓는 → [알는] → [알른]

관련 규정 함께 보기

| 표준 발음법 제20항 |
'ㄴ'은 'ㄹ'의 앞이나 뒤에서 [ㄹ]로 발음한다.
[붙임] 첫소리 'ㄴ'이 'ㅀ', 'ㄾ' 뒤에 연결되는 경우에도 이에 준한다.

국어 문법 100% 공략을 위한 2단계 트레이닝

정답과 해설 4쪽

1단계 기본 트레이닝

비음화와 유음화 **빈칸에 들어갈 알맞은 말을 쓰시오.**

01 대표음 '(, ,)'이 'ㄴ, ㅁ' 앞에서 '[, ,]'(으)로 발음되는 것을 비음화라고 한다.

02 'ㄴ'과 'ㄹ'이 만났을 때, 'ㄴ'이 'ㄹ'의 앞이나 뒤에서 유음인 '[ ]'(으)로 발음되는 것을 유음화라고 한다.

비음화의 유형 ① **밑줄 친 단어를 소리 나는 대로 쓰시오.**

03 며칠을 앓은 터라 통 <u>밥맛</u>이 없다. [ ]

04 책을 많이 읽어 <u>작문</u> 실력을 높이자. [ ]

05 우리의 <u>앞날</u>은 장밋빛 희망으로 부풀어 있다. [ ]

06 더러운 손으로 상처를 자꾸 만지면 <u>덧나기</u> 쉽다. [ ]

07 아버지는 아직도 고향의 <u>흙냄새</u>를 못 잊으신다. [ ]

08 어머니는 지금도 종갓집 <u>맏며느리</u> 역할을 잘하고 계시다. [ ]

비음화의 유형 ② **밑줄 친 단어의 발음을 보고 원래의 표기를 쓰시오.**

09 형은 컴퓨터에 학생들의 이름을 <u>[임녁]</u>했다. ( )

10 수호네 마을까지는 불과 <u>[면니]</u>밖에 안 된다. ( )

11 많은 분들의 <u>[염:녀]</u> 덕분에 잘 지내고 있어요. ( )

12 교장 선생님께서는 학생들에게 <u>[경녀]</u>를 아끼지 않았다. ( )

13 <u>[궁닙]</u> 공원 내 불법 행위에 대해 <u>[강녁]</u>한 단속이 필요하다. ( )

유음화의 유형 **밑줄 친 단어를 소리 나는 대로 쓰시오.**

14 <u>줄넘기</u>는 간단하게 할 수 있는 운동이다. [ ]

15 영동과 영서는 <u>대관령</u>을 기준으로 나뉜다. [ ]

16 <u>칼날</u> 같은 바람이 창밖을 할퀴고 지나간다. [ ]

17 <u>신라</u>라는 국호를 처음 사용한 임금은 지증왕이다. [ ]

18 매년 여름이면 주요 해수욕장은 피서객으로 몸살을 <u>앓는다</u>. [ ]

2단계 실전 트레이닝

[19~21] 다음 글을 읽고 물음에 답하시오.

> ㉠<u>'담력'을 [담:녁]으로, '종로'를 [종노]라고 할 때</u>에는 'ㄹ'이 'ㅁ, ㅇ' 뒤에서 'ㄴ'으로 바뀐다. ㉡<u>콧소리인 'ㅁ, ㄴ, ㅇ'이 콧소리가 아닌 자음을 콧소리로 만든 것</u>이다. 이처럼 ㉢<u>자음이 앞이나 뒤에 오는 자음을 만나 같거나 비슷한 소리로 바뀌는 현상</u>을 자음 동화라고 한다.

19 ㉠에 제시된 단어의 공통점으로 알맞은 것은?

① 발음의 변화가 표기에 그대로 반영된다.
② 발음을 더욱 편리하게 하기 위한 변화이다.
③ 모음의 영향을 받아 자음의 형태가 바뀐다.
④ 모든 자음에서 동일한 음운 현상이 일어난다.
⑤ 뒤에 오는 음운의 영향으로 앞에 오는 음운이 바뀌었다.

20 밑줄 친 단어 중 ㉡에 해당하는 예가 <u>아닌</u> 것은?

① 민물 새우 끓어 넘는 토방 <u>툇마루</u>
② 첩첩산중에도 <u>없는</u> 마을이 여긴 있습니다.
③ 깊은 <u>삼림</u> 지대를 끼고 돌면 호수에 흰 물새 날고
④ 나는 아직 기다리고 있을 테요, <u>찬란</u>한 슬픔의 봄을
⑤ 다시 일어서서 드리는 이 피 묻은 그리움, 이 <u>넉넉</u>한 힘

21 ㉢에 해당하는 예가 <u>아닌</u> 것은?

① 업무 ② 작년 ③ 상륙
④ 밭농사 ⑤ 땀방울

22 〈보기〉에서 [ ] 로 표시한 부분의 발음으로 알맞지 <u>않은</u> 것은?

〈보기〉

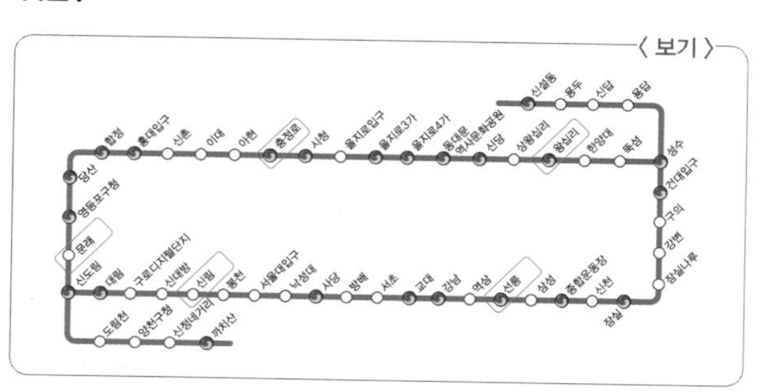

① 문래[물래] ② 충정로[충정노]
③ 왕십리[왕심니] ④ 선릉[선능]
⑤ 신림[실림]

06 구개음화와 된소리되기

최근 5개년 출제 지수 ●●●●○

❶ 구개음화 口입구 蓋덮을개 音소리음 化될화

☆ **교과서 정의** 구개음화는 음절의 끝에 오는 'ㄷ, ㅌ'이 모음 'ㅣ'나 반모음 'ㅣ[j]'로 시작하는 조사나 접미사 앞에서 각각 센입천장소리(구개음)인 'ㅈ, ㅊ'으로 변하는 현상이다.

★ **쉽게 쓴 정의** 구개음화는 'ㄷ, ㅌ'이 모음 'ㅣ'나 반모음 'ㅣ[j]' 앞에서 구개음 'ㅈ, ㅊ'으로 바뀌는 현상이다.

> **관련 규정 함께 보기**
>
> **| 표준 발음법 제17항 |**
> 받침 'ㄷ, ㅌ(ㄾ)'이 조사나 접미사의 모음 'ㅣ'와 결합되는 경우에는, [ㅈ, ㅊ]으로 바꾸어서 뒤 음절 첫소리로 옮겨 발음한다.
> [붙임] 'ㄷ' 뒤에 접미사 '히'가 결합되어 '티'를 이루는 것은 [치]로 발음한다.

구개음화가 일어나는 조건

(1) 음절의 끝소리 'ㄷ, ㅌ'은 모음 'ㅣ' 또는 반모음 'ㅣ[j](ㅑ, ㅕ, ㅛ, ㅠ)'와 만나면 구개음인 [ㅈ, ㅊ]으로 소리 난다. 이때 'ㄷ, ㅌ' 뒤에 오는 'ㅣ' 또는 반모음 'ㅣ[j]'는 조사나 접사와 같이 실질적인 의미가 없는 말이어야 한다.●

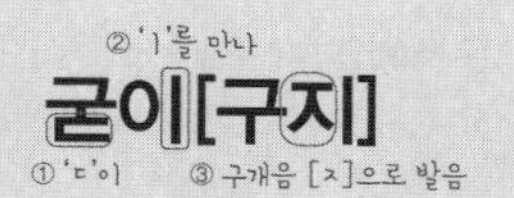

② 'ㅣ'를 만나
같이[가치]
① 'ㅌ'이 ③ 구개음 [ㅊ]으로 발음

예 해돋이 → [해도디] → [해도지]　　　붙여 → [부텨] → [부쳐] → [부처]

(2) 'ㄷ' 뒤에 형식 형태소 '히'가 올 때 'ㅎ'과 결합하여 이루어진 'ㅌ'은 [ㅊ]으로 소리 난다.

② '히'를 만나
걷히다 → [거티다] → [거치다]
① 'ㄷ'이　③ '티'가 됨.　④ 'ㅌ'이 구개음 [ㅊ]으로 발음되어 [치]로 소리 남.

예 닫혀 → [다텨] → [다쳐] → [다처]　　　굳히다 → [구티다] → [구치다]

● '느티나무'의 '느티'와 같이 실질적인 의미가 있는 한 단어 내에서는 구개음화가 일어나지 않는다.

알아 둘 것! 역행 동화란 어떤 음운이 뒤에 오는 음운의 영향을 받아 그와 비슷하거나 같게 소리 나는 현상을 의미해. 구개음화는 뒤에 놓인 모음 'ㅣ'나 반모음 'ㅣ[j]'의 영향을 받아, 그것의 앞에 놓인 'ㄷ, ㅌ'이 'ㅈ, ㅊ'으로 바뀌는 현상이므로 역행 동화에 해당하는 거야.

❷ 된소리되기

☆ **교과서 정의** 된소리되기는 음절의 경계나 형태소의 경계에서 예사소리●가 된소리로 발음되는 현상이다.

★ **쉽게 쓴 정의** 된소리되기는 예사소리 'ㄱ, ㄷ, ㅂ, ㅅ, ㅈ'이 된소리인 [ㄲ, ㄸ, ㅃ, ㅆ, ㅉ]으로 발음되는 현상이다.

● 자음 중에서 안울림소리를 소리의 세기에 따라 나눌 때, 예사소리, 된소리, 거센소리로 나눈다. 예사소리는 'ㄱ, ㄷ, ㅂ, ㅅ, ㅈ'과 같이 발음 기관의 긴장도가 낮아 약하게 발음되는 소리이다.

된소리되기가 일어나는 환경

(1) '예사소리(ㄱ, ㄷ, ㅂ) + 예사소리(ㄱ, ㄷ, ㅂ, ㅅ, ㅈ)'의 경우

ㄱ, ㄷ, ㅂ + ㄱ, ㄷ, ㅂ, ㅅ, ㅈ = ㄲ, ㄸ, ㅃ, ㅆ, ㅉ

예 작곡[작꼭], 돛대[돋때], 엽서[엽써], 옷감[옫깜], 낮잠[낟짬], 덮개[덥깨]

(2) '용언의 어간● 받침 'ㄴ, ㅁ' + 어미의 첫소리가 예사소리(ㄱ, ㄷ, ㅅ, ㅈ)'의 경우

ㄴ, ㅁ + ㄱ, ㄷ, ㅅ, ㅈ = ㄲ, ㄸ, ㅆ, ㅉ

예 안다[안:따], 신고[신:꼬], 젊지[점:찌]

● 어간은 용언에서 활용을 해도 형태가 고정된 부분을 말한다. '가다, 먹다'에서 '가-', '먹-'이 어간에 해당한다.

(3) '관형사형 어미 '-ㄹ' + 예사소리(ㄱ, ㄷ, ㅂ, ㅅ, ㅈ)'의 경우

-ㄹ + ㄱ, ㄷ, ㅂ, ㅅ, ㅈ = ㄲ, ㄸ, ㅃ, ㅆ, ㅉ

예 먹을 것이[머글꺼시], 할 사람[할싸:람]

(4) '한자어의 받침 'ㄹ' + 예사소리(ㄷ, ㅅ, ㅈ)'의 경우

ㄹ + ㄷ, ㅅ, ㅈ = ㄸ, ㅆ, ㅉ

예 갈등[갈뜽], 발달[발딸], 불소[불쏘], 걸작[걸짝]

알아 둘 것! 받침 'ㄴ, ㅁ'을 가진 용언 어간의 피동, 사동은 된소리되기가 일어나지 않아. 따라서 '안기다'의 경우, [안끼다]가 아닌 [안기다]로 발음돼.
그리고 'ㄹ' 받침을 가진 한자어라도 같은 한자가 겹쳐진 단어의 경우에는 된소리되기가 일어나지 않아. 따라서 '허허실실'은 [허허실씰]이 아니라 [허허실실]로 발음돼.

정답과 해설 5쪽

1단계 기본 트레이닝

구개음화와 된소리되기 **다음 설명이 맞으면 ○, 틀리면 × 표시를 하시오.**

01 구개음화는 순행 동화가 일어나는 음운 변동이다. (   )

02 구개음화는 자음과 자음 사이에서 일어나는 변동이다. (   )

03 된소리되기는 예사소리 'ㄱ, ㄷ, ㅂ, ㅅ, ㅈ'이 된소리인 [ㄲ, ㄸ, ㅃ, ㅆ, ㅉ]으로 발음되는 현상이다. (   )

구개음화의 유형 ① **밑줄 친 단어의 발음을 바르게 고쳐 쓰시오.**

04 그 가게 문은 며칠째 굳게 <u>닫혀[다텨]</u> 있었다. [   ]

05 정동진은 <u>해돋이[해도디]</u>로 유명해진 곳이다. [   ]

06 그의 <u>굳히기[구티기]</u> 득점으로 승부는 결정되었다. [   ]

07 네가 <u>굳이[구디]</u> 그 일을 한다면야 말리지는 않겠다. [   ]

08 그는 우표를 봉투에 <u>붙이고[부티고]</u> 나서 우체국으로 갔다. [   ]

구개음화의 유형 ② **밑줄 친 단어를 소리 나는 대로 쓰시오.**

09 그것은 <u>밭이</u> 아니라 논이었다. [   ]

10 사건이 해결되지 않고 그대로 <u>묻혔다</u>. [   ]

11 <u>맏이</u>로서 좀 더 의젓한 모습을 보여 다오. [   ]

12 밥을 안 먹고 끝까지 <u>버티는</u> 아이도 있었다. [   ]

13 형사는 범인을 잡기 위해 범행 현장을 <u>샅샅이</u> 뒤졌다. [   ]

된소리되기의 유형 **밑줄 친 단어를 소리 나는 대로 쓰시오.**

14 날씨가 많이 <u>덥지</u> 않니? [   ]

15 외출할 때에는 문을 잘 <u>닫고</u> 나가라. [   ]

16 누구든 <u>첫사랑</u>의 추억을 갖고 있기 마련이다. [   ]

17 모두 배가 부른데 이걸 <u>먹을 사람</u>이 있을까요? [   ]

18 과학 기술의 <u>발달</u>로 인류는 편리한 생활을 하고 있다. [   ]

19 시골 굴뚝에서는 <u>저녁밥</u> 짓는 연기가 모락모락 피어난다. [   ]

2단계 실전 트레이닝

20 구개음화가 일어나는 단어가 사용된 문장이 <u>아닌</u> 것은?

① 그는 며칠 전부터 책에 묻혀 살고 있다.
② 경아는 옆에 정희를 딱 붙여 놓고는 말했다.
③ 결승전은 인조 잔디 구장에서 펼쳐질 예정이다.
④ 이 의자는 등받이가 딱딱해서 오래 앉아 있기 불편하다.
⑤ 9월은 가을걷이와 함께 수확의 기쁨을 만끽하는 달이다.

2011학년도 11월 고2 학력평가

21 〈보기〉는 '구개음화'에 대한 탐구 과제를 수행한 내용이다. 적절하지 <u>않은</u> 것은?

〈보기〉

탐구 과제: 아래 자료를 이용하여 현대 국어에서 일어나는 구개음화 현상을 검토하시오.

기본 자료
굳이[구지], 같이[가치], 붙이다[부치다]
→'ㄷ, ㅌ'은 'ㅣ' 모음 앞에서 'ㅈ, ㅊ'으로 발음된다.
심화 자료
ⓐ 붙여[부처], 닫혀[다처]
ⓑ 마디(節)[마디], 티[티]
ⓒ 미닫이[미:다지], 낱낱이[난:나치]
ⓓ 홑이불[혼니불], 밭이랑[반니랑]
ⓔ 묻히다[무티다 → 무치다], 갇히다[가티다 → 가치다]

심화 자료를 통한 검토 내용
ⓐ 구개음화는 모음 'ㅣ'뿐만 아니라 'ㅕ' 앞에서도 일어난다. ············ ①
ⓑ 구개음화는 한 형태소 안에서는 일어나지 않는다.··· ②
ⓒ 구개음화는 두 번째 음절 이후에서도 일어난다. ··· ③
ⓓ 구개음화는 실질 형태소끼리 결합할 때에도 일어난다. ············ ④
ⓔ 구개음화는 두 자음이 하나로 축약된 다음에도 일어난다. ············ ⑤

22 〈보기〉의 빈칸에 공통으로 들어갈 음절로 적절하지 <u>않은</u> 것은?

〈보기〉

□밥 → [□빱]

① 맨　② 국　③ 팥
④ 덮　⑤ 떡

07 모음 동화

최근 5개년 출제 지수 ●●○○○

❶ 모음 조화 母어미모 音소리음 調고를조 和화할화

☆ **교과서 정의**	모음 조화는 양성 모음은 양성 모음끼리, 음성 모음은 음성 모음끼리 어울리는 현상이다.
★ **쉽게 쓴 정의**	모음 조화는 한 단어 안에서 같은 느낌을 가지는 모음들끼리 어울리는 현상이다.

1. 모음 조화가 지켜지는 예들

어감이 밝고 산뜻한 모음인 양성 모음 'ㅏ, ㅗ'는 'ㅏ, ㅗ'끼리, 어감이 어둡고 큰 모음인 음성 모음 'ㅓ, ㅜ'는 'ㅓ, ㅜ'끼리 어울린다.

양성 모음
잡아, 잡아서, 잡았다

음성 모음
먹어, 먹어서, 먹었다

2. 모음 조화가 지켜지지 않는 예들

(1) 어간 '하-' 뒤에 어미 '-아, -았-'이 결합되면 어미를 '-여, -였-'으로 적는다.

㉠ 하-+-아 → 하여　　하-+-았-+-다 → 하였다

(2) 받침 'ㅂ'을 가진 용언에 어미 '-아, -았-'이 결합되어 어미가 '-워, -웠-'으로 바뀌면 바뀐 대로 적는다.

㉠ 가깝-+-아서 → 가까워서　　새롭-+-았-+-다- → 새로웠다

(3) 의성어와 의태어 중에서도 모음 조화가 지켜지지 않는 예들이 있다.

㉠ 소근소근, 보글보글, 깡충깡충, 오순도순, 꼬불꼬불, 대굴대굴

❷ 'ㅣ' 역행 동화

☆ **교과서 정의**	'ㅣ' 역행 동화는 후설 모음 'ㅏ, ㅓ, ㅗ, ㅜ'가 전설 모음 'ㅣ'를 만나 전설 모음으로 바뀌어 소리 나는 현상을 말한다. '전설 모음화'라고도 한다.
★ **쉽게 쓴 정의**	'ㅣ' 역행 동화는 'ㅏ, ㅓ, ㅗ, ㅜ'가 그 뒤에 이어지는 모음 'ㅣ'에 동화되어 'ㅐ, ㅔ, ㅚ, ㅟ'로 바뀌어 발음되는 현상이다.

'ㅣ' 역행 동화가 일어나는 조건

(1) 후설 모음 'ㅏ, ㅓ, ㅗ, ㅜ'가 전설 모음 'ㅣ'와 결합하면 전설 모음 [ㅐ, ㅔ, ㅚ, ㅟ]로 발음된다.

② 전설 모음 'ㅣ'의 영향으로
아기 → [애기]
① 후설 모음이　③ 전설 모음으로 변화

② 전설 모음 'ㅣ'의 영향으로
고기 → [괴기]
① 후설 모음이　③ 전설 모음으로 변화

(2) 모음 'ㅣ' 앞에 입술소리(ㅁ, ㅂ, ㅍ)나 여린입천장소리(ㄱ, ㅇ)가 놓일 때 잘 일어난다.

㉠ 어미 → [에미], 아비 → [애비]　　고기 → [괴기], 속이다 → [쇡이다]

관련 규정 함께 보기

| 한글 맞춤법 제16항 |
어간의 끝음절 모음이 'ㅏ, ㅗ'일 때에는 어미를 '-아'로 적고, 그 밖의 모음일 때에는 '-어'로 적는다.

1. '-아'로 적는 경우

나아	나아도	나아서
막아	막아도	막아서
얇아	얇아도	얇아서
돌아	돌아도	돌아서
보아	보아도	보아서

2. '-어'로 적는 경우

개어	개어도	개어서
겪어	겪어도	겪어서
되어	되어도	되어서
베어	베어도	베어서
쉬어	쉬어도	쉬어서
저어	저어도	저어서
주어	주어도	주어서
피어	피어도	피어서
희어	희어도	희어서

참고 양성 모음과 음성 모음

구분	해당 음운
양성 모음	ㅏ, ㅐ, ㅑ, ㅒ, ㅗ, ㅘ, ㅙ, ㅚ, ㅛ
음성 모음	ㅓ, ㅔ, ㅕ, ㅖ, ㅜ, ㅝ, ㅞ, ㅟ, ㅠ, ㅡ, ㅢ
중성 모음	ㅣ

알아 둘 것 받침 'ㅂ'을 가진 용언 중 '돕다'와 '곱다'만 뒤에 '-아'가 결합하면 '-와'로 적고, 나머지는 모두 '워'로 적어. 이렇게 활용할 때 어미가 바뀌는 것을 불규칙 활용이라고 해. 그런데 받침 'ㅂ'을 가지고 있더라도 규칙적으로 활용하는 용언이 있다는 것을 기억해 두자.

㉠ • 돕다: 도와, 도와서, 도왔다 / 곱다: 고와, 고와서, 고왔다
• 잡다: 잡아, 잡아서, 잡았다 / 업다: 업어, 업어서, 업었다

참고 국어의 단모음 체계

구분	전설 모음		후설 모음	
	평순 모음	원순 모음	평순 모음	원순 모음
고모음	ㅣ	ㅟ	ㅡ	ㅜ
중모음	ㅔ	ㅚ	ㅓ	ㅗ
저모음	ㅐ		ㅏ	

알아 둘 것 'ㅣ' 역행 동화가 일어난 말은 표준어와 표준 발음으로 인정되지 않아. 'ㅣ' 역행 동화 현상은 광범위하여 동화가 적용된 형태를 표준어로 인정하면 국어에 너무 큰 혼란이 일어나기 때문이야. 그런데 '-내기', '냄비', '동댕이치다'는 예외적으로 'ㅣ' 역행 동화가 적용된 형태를 표준어로 삼고 있어.

1단계 기본 트레이닝

모음 동화 **다음 설명이 맞으면 ○, 틀리면 × 표시를 하시오.**

01 모음 조화는 같은 느낌을 가지는 모음끼리 어울리는 음운 현상이다. ( )

02 모음 조화는 양성 모음 계열과 음성 모음 계열의 대립에 기초를 두고 있다. ( )

03 용언의 어간과 어미가 결합할 때에도 모음 조화가 일어난다. ( )

04 'ㅣ' 역행 동화는 앞에 오는 모음 'ㅣ' 때문에 뒤의 모음이 변하는 현상이다. ( )

05 'ㅣ' 역행 동화가 일어난 말은 원칙적으로 표준어와 표준 발음으로 인정된다. ( )

모음 조화의 유형 ① **양성 모음의 단어는 음성 모음의 단어로, 음성 모음의 단어는 양성 모음의 단어로 고쳐 쓰시오.**

06 졸졸 → ( ) **07** 펄펄 → ( )

08 꼴깍 → ( ) **09** 철퍼덕 → ( )

10 풍덩풍덩 → ( ) **11** 모락모락 → ( )

12 콜록콜록 → ( ) **13** 중얼중얼 → ( )

14 딸랑딸랑 → ( ) **15** 서걱서걱 → ( )

16 파닥파닥 → ( ) **17** 알록달록 → ( )

모음 조화의 유형 ② **빈칸에 들어갈 말을 〈보기〉에서 골라 쓰시오.**

〈보기〉
아 았 어 었 와 왔 워 웠

18 도□ 도□서 도□도 도□다

19 먹□ 먹□서 먹□도 먹□라 먹□다

20 깎□ 깎□서 깎□도 깎□라 깎□다

21 고마□ 고마□서 고마□도 고마□다

'ㅣ' 역행 동화의 유형 **다음 단어를 'ㅣ' 역행 동화가 일어난 형태로 고쳐 쓰시오.**

22 아비 → ( ) **23** 어미 → ( )

24 고기 → ( ) **25** 지팡이 → ( )

26 가랑이 → ( ) **27** 아지랑이 → ( )

2단계 실전 트레이닝

28 모음 조화에 대한 설명으로 알맞지 않은 것은?

① 발음과 표기에 모두 반영된다.
② 의성어나 의태어에서 잘 나타난다.
③ 어간과 어미의 결합에서도 나타난다.
④ 우리말의 중요한 특질로 오늘날에도 엄격하게 지켜진다.
⑤ 뒤 음절의 모음은 앞 음절의 모음과 가까운 성질을 지닌다.

29 모음 조화가 지켜지지 않은 단어는?

① 추워 ② 고와 ③ 울퉁불퉁
④ 골라 ⑤ 오순도순

30 〈보기〉와 같이 단어의 발음이 변화하는 데 영향을 준 모음은?

〈보기〉
고기 → [괴기] 아비 → [애비]

① ㅏ ② ㅐ ③ ㅗ
④ ㅚ ⑤ ㅣ

31 'ㅣ' 역행 동화가 일어난 형태를 표준어로 인정한 예가 아닌 것은?

① 냄비 ② 풋내기
③ 아지랭이 ④ 신출내기
⑤ 내동댕이치다

32 〈보기〉에 해당하지 않는 단어는?

〈보기〉
기술자에게는 '-장이'를 붙이고, 그 외에는 'ㅣ' 역행 동화 현상에 의한 발음대로 '-쟁이'를 붙인다.

① 멋쟁이 ② 옹기장이 ③ 양복장이
④ 소금쟁이 ⑤ 담장이덩굴

08 음운의 축약

최근 5개년 출제 지수 ●●●○○

❶ 자음 축약•

☆ **교과서 정의** 자음 축약은 'ㄱ, ㄷ, ㅂ, ㅈ'과 'ㅎ'이 만나 'ㅋ, ㅌ, ㅍ, ㅊ'이 되는 음운 현상이다.

★ **쉽게 쓴 정의** 자음 축약은 'ㅎ'과 만난 예사소리가 거센소리로 바뀌는 현상이다.

1. 색 조합을 떠올리게 하는 축약의 원리

자음 축약은 'ㄱ, ㄷ, ㅂ, ㅈ'과 'ㅎ'이 각각 발음되기 힘들다는 데에서 비롯된 것이다. 이는 다른 색의 물감을 섞어 제3의 색을 만드는 원리와 비슷하다.

2. 자음이 축약되는 조건

'ㄱ, ㄷ, ㅂ, ㅈ'이 'ㅎ'과 결합하여 [ㅋ, ㅌ, ㅍ, ㅊ]으로 소리 난다. 'ㅎ' 다음에 'ㄱ, ㄷ, ㅂ, ㅈ'이 결합해도 [ㅋ, ㅌ, ㅍ, ㅊ]으로 소리 난다.

축하[추카] ① 'ㄱ'과 'ㅎ'이 만나 ② [ㅋ]으로 발음

잡혀[자펴] ① 'ㅂ'과 'ㅎ'이 만나 ② [ㅍ]으로 발음

㉠ 좋던 → [조:턴]　　옳지 → [올치]　　낙하산 → [나카산]　　법학 → [버팍]

• 음운의 축약은 두 개의 음운이 하나의 음운으로 줄면서 다른 음운으로 바뀌는 현상을 말한다. 국어의 축약은 자음 축약과 모음 축약으로 나뉜다.

알아 둘 것! 예사소리가 'ㅎ'을 만나 거센소리로 바뀌었으므로 자음 축약을 거센소리되기라고도 해.

참고 자음 축약에 영향을 미치는 음운
자음 축약에 가장 큰 영향을 미치는 음운은 'ㅎ'이다. 자음이 축약되는 과정에서 'ㅎ'은 분절적인 음운으로서의 기능은 상실했지만 예사소리를 거센소리로 바꾸어 나게 하고 있으므로, 음운 탈락이 아니다.

❷ 모음 축약•

☆ **교과서 정의** 모음 축약은 'ㅏ'와 'ㅣ'가 합쳐져 'ㅐ'로 바뀌거나, 'ㅗ'와 'ㅣ'가 합쳐져 'ㅚ'로 줄어드는 것처럼, 모음 두 개가 결합하여 다른 하나의 단모음으로 줄어드는 음운 현상이다.

★ **쉽게 쓴 정의** 모음 축약은 두 개의 단모음이 만나 하나의 단모음으로 줄어드는 현상이다.

모음이 축약되는 조건

모음 축약은 'ㅏ'와 'ㅣ'가 합쳐져 'ㅐ'로 바뀌거나, 'ㅗ'와 'ㅣ'가 합쳐져 'ㅚ'로 줄어드는 것처럼, 두 개의 단모음이 다른 하나의 단모음으로 바뀌어 소리 난다.

아이 → 애 ① 'ㅏ'와 'ㅣ'가 만나 ② 'ㅐ'로 축약

보이다 → 뵈다 ① 'ㅗ'와 'ㅣ'가 만나 ② 'ㅚ'로 축약

• 모음 축약은 두 모음이 이어질 때 각각을 독립적인 음절로 발음하기 위해 드는 노력을 줄이려는 음운 현상이다.

알아 둘 것! 예전에는 '먹이어'가 '먹여'로 줄거나, '보아서'가 '봐서'로 주는 것도 모음 축약으로 봤지만, 최근에는 이러한 현상을 축약이 아니라 교체(반모음화)로 보고 있어.

참고 모음 축약, 반모음화, 반모음 첨가
① 모음 축약: 단모음+단모음 → 제3의 단모음 ㉠ 사이 → 새
② 반모음화: 단모음+단모음 → 반모음+단모음 ㉠ 먹이어 → 먹여(=먹+ǐ+ㅓ)
③ 반모음 첨가: 단모음+단모음 → 단모음+반모음+단모음 ㉠ 피어 [피여]

알아 둘 것! 자음 축약은 표기에 반영되지 않지만, 모음 축약은 표기에 반영돼.

국어 문법 100% 공략을 위한 2단계 트레이닝

1단계 기본 트레이닝

음운의 축약 **빈칸에 들어갈 알맞은 말을 쓰시오.**

01 자음 축약이란 '(　　　　)'과 예사소리인 'ㄱ, ㄷ, ㅂ, ㅈ'이 만나 (　,　,　,　)(으)로 줄어드는 현상이다.

02 자음 축약은 'ㅎ'과 만난 예사소리가 거센소리로 바뀌는 현상이므로 (　　　　)라고도 한다.

03 (　　　　)은/는 표기에 반영되지만 (　　　　)은/는 표기에 반영되지 않는다.

자음 축약의 유형 ① **밑줄 친 단어의 발음을 보고 원래의 표기를 쓰시오.**

04 그 가게에는 온갖 [자퐈]들이 진열되어 있다. (　　　　)

05 꽉 [다친] 친구의 입은 좀처럼 열릴 줄 모른다. (　　　　)

06 가을을 대표하는 꽃은 코스모스와 [구콰]이다. (　　　　)

07 너의 대학 [이팍]을 진심으로 축하한다. (　　　　)

08 오늘은 [고파기]와 나누기를 배워 보자. (　　　　)

09 비행기에 불이 붙자 조종사는 [나카산]을 타고 탈출했다. (　　　　)

자음 축약의 유형 ② **밑줄 친 단어를 소리 나는 대로 쓰시오.**

10 이 물건은 좀 그렇지 않니? [　　　　]

11 음식을 입안에 넣고 우물우물 씹었다. [　　　　]

12 옳고 그름을 따져 봐야 부질없는 짓이다. [　　　　]

13 출근길이라 그런지 지하철에 사람이 많다. [　　　　]

14 오랜만에 친구를 만나서 기분이 정말 좋다. [　　　　]

모음 축약의 유형 **밑줄 친 단어의 축약형을 쓰시오.**

15 그 아이의 이름이 뭐니? (　　　　)

16 제가 없는 사이에 왔다 가셨군요. (　　　　)

17 오랫동안 고인 물은 썩기 마련이다. (　　　　)

18 배가 무척 고플 터인데 어서 먹어라. (　　　　)

19 발부리에 자그마한 돌멩이들이 차인다. (　　　　)

2단계 실전 트레이닝

20 음운의 축약에 대한 설명으로 알맞지 않은 것은?

① 발음을 쉽게 하려는 의도에서 일어난다.
② 축약은 자음과 모음에서 모두 일어난다.
③ 자음 축약에 영향을 주는 음운은 'ㅎ'이다.
④ 자음 축약은 두 자음이 하나로 줄어드는 것이다.
⑤ 음운이 축약되더라도 음운의 개수는 변하지 않는다.

21 발음될 때 음운이 변하는 방식이 나머지와 다른 것은?

① 박하　② 굽힘　③ 놓치다
④ 앉히다　⑤ 걷히다

22 단어에 사용된 자음, 모음의 수와 발음되는 음운 수가 같은 것은?

① 맏형　② 넓혀　③ 축하
④ 넋을　⑤ 낳아

23 일어나는 음운 변동 양상이 다른 하나는?

① 사이 → 새　② 아기 → 애기
③ 아이 → 애　④ 누이다 → 뉘다
⑤ 보이다 → 뵈다

24 〈보기〉의 ㉠과 ㉡이 모두 일어나는 단어로 적절한 것은?

〈보기〉

음운의 변동에는 한 음운이 다른 음운으로 바뀌는 ㉠ '교체', 원래 있던 음운이 없어지는 '탈락', 두 개의 음운이 하나로 합쳐지는 ㉡ '축약', 없던 음운이 새로 생기는 '첨가'가 있다.

① 굳히다[구치다]　② 미닫이[미다지]
③ 빨갛다[빨가타]　④ 솜이불[솜니불]
⑤ 잡히다[자피다]

09 음운의 탈락

최근 5개년 출제 지수 ●●●○○

❶ 음운 탈락•

☆ **교과서 정의** 음운 탈락은 자음이나 모음이 특정한 환경에서 탈락하여 발음되지 않는 현상이다.

★ **쉽게 쓴 정의** 음운 탈락은 원래 있던 음운 하나를 생략하여 발음하는 현상이다.

• 음운의 탈락이란 원래 있던 말소리가 떨어져 없어진다는 의미이다. 즉, 앞뒤의 두 음운이 만날 때 그중 한 음운이 사라지는 것이다. 이는 연속된 두 개의 음운은 발음하기 불편하므로 하나의 음운을 탈락시킴으로써 발음이 편리하도록 하기 위한 것이다.

1. 자음군 단순화•

(1) 겹받침 'ㅄ, ㄳ, ㄵ, ㄶ, ㄼ, ㄽ, ㄾ, ㅀ'

어말 또는 자음 앞에서 앞의 자음이 남는다.

예 값[갑], 몫[목], 앉고[안꼬], 않는[안는], 섧다[설:따], 외곬[외골/웨골], 핥고[할꼬], 닳는[달른]

(2) 겹받침 'ㄺ, ㄻ, ㄿ'

어말 또는 자음 앞에서 뒤의 자음이 남는다. 단, 용언의 어간의 'ㄺ'은 뒤에 'ㄱ'이 오면 [ㄹ]로 발음한다.

예 닭[닥], 삶[삼:], 읊지[읍찌]   맑게[말께]

(3) '밟-'과 '넓-'

① '밟-'은 뒤에 자음이 오면 [밥:]으로 발음한다.

예 밟아[발:바], 밟으니[발:브니]   밟다[밥:따], 밟소[밥:쏘], 밟지[밥:찌]

② '넓-'은 '넓적하다', '넓죽하다', '넓둥글다'에서만 [넙]으로 발음한다.

예 넓다[널따], 넓소[널쏘]   넓적하다[넙쩌카다], 넓죽하다[넙쭈카다], 넓둥글다[넙뚱글다]

• 자음군 단순화란 음절 말의 겹받침 가운데 하나가 탈락하고 하나만 발음되는 현상을 말한다.

알아 둘 것! 'ㄶ'과 'ㅀ' 뒤에 'ㄱ, ㄷ, ㅈ'이 결합되면, 뒤 음절 첫소리와 합쳐서 [ㅋ, ㅌ, ㅊ]으로 발음하는 음운 축약이 일어나.
예 많고[만:코], 닳지[달치]

알아 둘 것! 'ㄹ' 계열의 겹받침을 발음할 때 어떤 자음이 남는지 헷갈릴 때는, 겹받침에서 'ㄹ'을 제외한 남은 자음들을 조합해 다음과 같이 글자를 만들어 외우면 쉬워.

'ㄼ, ㄽ, ㄾ, ㅀ'→ 앞의 'ㄹ'이 남음.
'ㄿ, ㄻ, ㄺ'→ 뒤의 것이 남음.

┌부산통화는 앞의 것이 남고,
└판매고는 뒤의 것이 남는다.

2. 자음 탈락

(1) 'ㄹ' 탈락

① 'ㄹ'을 받침으로 가진 어근이 'ㄴ, ㄷ, ㅅ, ㅈ'으로 시작하는 어근이나 접사와 결합할 때 'ㄹ'이 탈락한다.

예 아들+-님 → 아드님   울-+짖다 → 우짖다

② 용언의 활용 과정에서 'ㄹ'이 탈락한다.

예 둥글-+-니 → 둥그니   울-+-ㄴ → 운

(2) 'ㅎ' 탈락

'ㅎ'을 받침으로 가진 용언의 어간은 뒤에 모음으로 시작하는 어미와 결합하면 발음할 때 'ㅎ'이 탈락한다.

예 놓-+-아 → [노아]   좋-+-은 → [조:은]

알아 둘 것! 'ㄹ' 탈락은 자음이 탈락한 형태 그대로 표기에 반영하지만, '좋은[조:은]'과 같이 'ㅎ' 탈락의 경우에는 발음상으로만 'ㅎ'이 탈락하고 표기에는 반영하지 않아.

참고 **'ㅎ' 불규칙**
어간 말 음운의 탈락 중 'ㅎ' 탈락이 표기에 반영되는 경우는 특수한 상황에서만 일어나므로 '용언의 불규칙 활용'으로 처리된다.
예 • 파랗다 → 파란
• 그렇다 → 그러니

3. 모음 탈락

(1) 'ㅡ' 탈락

어간의 끝소리인 모음 'ㅡ'가 'ㅏ/ㅓ'로 시작하는 어미 앞에서 탈락한다.

예 담그-+-아 → 담가   쓰-+-어 → 써

(2) 'ㅏ/ㅓ' 탈락

어간의 끝모음 'ㅏ/ㅓ' 뒤에 같은 모음의 어미가 오면 하나가 탈락한다.•

예 가-+-아서 → 가서   서-+-어서 → 서서

• 우리말에서는 모음의 연속 배치를 허용하지 않는 경우가 많다. 따라서 같은 모음이 연속적으로 배치되면 하나의 모음이 없어진다.

알아 둘 것! 어간의 끝모음 'ㅐ, ㅔ' 뒤에 '-어, -었'이 붙을 때 어미의 '어'가 탈락되기도 해.
예 • 개-+-어 → 개어 → 개
• 베-+-어 → 베어 → 베

1단계 기본 트레이닝

음운의 탈락 **다음 설명이 맞으면 ○, 틀리면 × 표시를 하시오.**

01 음운의 탈락이란 원래 있던 말소리가 없어진다는 의미이다. ( )

02 겹받침 'ㅄ, ㄳ, ㄵ, ㄶ, ㄼ, ㄽ, ㄾ, ㅀ'은 발음할 때 뒤의 자음이 남는다. ( )

03 자음 탈락의 종류에는 'ㄷ' 탈락, 'ㄹ' 탈락, 'ㅅ' 탈락, 'ㅎ' 탈락이 있다. ( )

04 발음상 'ㅎ'이 탈락하여 발음되는 경우에는 탈락한 형태를 표기에 반영하지 않는다. ( )

05 모음 탈락은 두 개의 모음이 만날 때 하나가 떨어져 나가는 현상이다. ( )

자음군 단순화의 유형 **밑줄 친 음절이 어떻게 발음되는지 쓰시오.**

06 잔디를 함부로 밟지 마시오. [ ]

07 그는 남들보다 얼굴이 넓죽한 편이다. [ ]

08 아버지는 거실에서 신문을 읽고 계신다. [ ]

09 사람마다 각자 해야 할 몫이 있는 법이다. [ ]

자음 탈락의 유형 **밑줄 친 부분을 음운이 탈락되기 전의 형태로 쓰시오.**

10 눈이 [싸인] 골목길을 걸었다. ( )

11 하늘 높이 나는 비행기를 보았다. ( )

12 늘 푸른 소나무의 기상을 배우고 싶다. ( )

13 친구와 다달이 봉사 활동을 하기로 했다. ( )

모음 탈락의 유형 **밑줄 친 단어를 <보기>와 같이 분석하시오.**

<보기>

써 → 쓰-+-어

14 불을 꺼서 앞이 잘 안 보인다. ( )

15 동생이 자서 조용히 방 밖으로 나왔다. ( )

16 승객들로 만원이 된 버스에서 한 시간이나 서서 왔다. ( )

17 나는 부모님의 권유에 따라 의사가 되기로 마음먹었다. ( )

2단계 실전 트레이닝

18 **음운의 탈락이 일어나는 단어끼리 바르게 묶인 것은?**

① 보여 – 놓아
② 바느질 – 쇠붙이
③ 북한 – 낳은
④ 잡히다 – 잣나무
⑤ 아드님 – 여닫이

19 **밑줄 친 단어에 일어난 음운의 탈락 유형을 잘못 설명한 것은?**

① 이 약은 너무 써서 먹기가 힘들다. → 'ㅓ' 탈락
② 형은 눈코 뜰 새 없이 바빠 보였다. → 'ㅡ' 탈락
③ 오늘따라 눈 쌓인 풍경이 예쁘구나. → 'ㅎ' 탈락
④ 친구들과 다달이 등산을 갈 예정이다. → 'ㄹ' 탈락
⑤ 그는 친구의 집에 사흘 동안 머물다 갔다. → 'ㅏ' 탈락

20 **밑줄 친 단어 중 탈락한 음운이 다른 것은?**

① 그 가게에서는 비싼 물건만 판다.
② 나는 숙제를 하느라 어젯밤 늦게 잤다.
③ 누나는 우는 아이를 달래느라 진땀을 뺐다.
④ 그는 다리를 저는 듯이 뒤뚱거리며 걸음을 옮겼다.
⑤ 봄바람에 겨우내 꽁꽁 얼었던 땅이 녹기 시작했다.

2014학년도 9월 고2 학력평가 B형

21 **다음은 표준 발음법 조항의 일부이다. ㉠에 해당하는 것은?**

> **제10항** ㉠ 겹받침 'ㄳ', 'ㄵ', 'ㄼ, ㄽ, ㄾ', 'ㅄ'은 어말 또는 자음 앞에서 각각 [ㄱ, ㄴ, ㄹ, ㅂ]으로 발음한다.
>
> 다만, '밟-'은 자음 앞에서 [밥]으로 발음하고, '넓-'은 다음과 같은 경우에 [넙]으로 발음한다.
> 넓-죽하다 [넙쭈카다] 넓-둥글다 [넙뚱글다]
>
> **제14항** 겹받침이 모음으로 시작된 조사나 어미, 접미사와 결합되는 경우에는, 뒤엣것만을 뒤 음절 첫소리로 옮겨 발음한다.(이 경우, 'ㅅ'은 된소리로 발음함.)

① 사과가 여덟 개 있다.
② 넋을 놓고 앉아 있었다.
③ 삼각형의 넓이를 구했다.
④ 동생이 발을 밟고 지나갔다.
⑤ 좋은 물건을 사느라고 비싼 값을 치렀다.

10 음운의 첨가

최근 5개년 출제 지수 ●●●●●

❶ 'ㄴ' 첨가

☆ **교과서 정의** 'ㄴ' 첨가는 합성어 및 파생어에서, 앞 단어나 접두사의 끝이 자음이고 뒤 단어나 접미사의 첫음절이 '이, 야, 여, 요, 유'인 경우에 'ㄴ' 소리를 첨가하여 [니, 냐, 녀, 뇨, 뉴]로 발음하는 현상이다.

★ **쉽게 쓴 정의** 'ㄴ' 첨가는 합성어나 파생어를 이룰 때 '이, 야, 여, 요, 유'에 'ㄴ' 소리가 첨가되는 현상이다.

'ㄴ' 첨가가 일어나는 환경

합성어 및 파생어에서 앞말이 자음으로 끝나고 뒷말이 모음 'ㅣ'나 반모음 'ㅣ[j]'와 결합된 이중 모음으로 시작할 때는 'ㄴ' 소리가 덧난다.

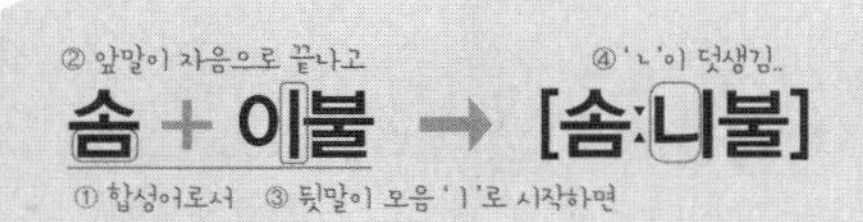

② 앞말이 자음으로 끝나고 ④ 'ㄴ'이 덧생김.
홑- + 이불 → [혼니불]
① 파생어로서 ③ 뒷말이 모음 'ㅣ'로 시작하면

예 꽃+잎 → [꼳닙] → [꼰닙] 교육+열 → [교:육녈] → [교융녈] 신-+여성 → [신녀성]

> **관련 규정 함께 보기**
>
> **| 표준 발음법 제29항 |**
> 합성어 및 파생어에서, 앞 단어나 접두사의 끝이 자음이고 뒤 단어나 접미사의 첫음절이 '이, 야, 여, 요, 유'인 경우에는, 'ㄴ' 음을 첨가하여 [니, 냐, 녀, 뇨, 뉴]로 발음한다.
> 다만, 다음과 같은 말들은 'ㄴ' 음을 첨가하여 발음하되, 표기대로 발음할 수 있다.
>
> 이죽이죽[이중니죽/이주기죽]
> 야금야금[야금냐금/야그먀금]
> 검열[검:녈/거:멸]
> 욜랑욜랑[욜랑뇰랑/욜랑욜랑]
> 금융[금늉/그뮹]
>
> [붙임 1] 'ㄹ' 받침 뒤에 첨가되는 'ㄴ'음은 [ㄹ]로 발음한다.

❷ 사잇소리 현상*

☆ **교과서 정의** 사잇소리 현상은 합성어가 될 때, 뒤의 예사소리가 된소리로 변하거나 'ㄴ' 또는 'ㄴㄴ'이 첨가되는 현상이다.

★ **쉽게 쓴 정의** 사잇소리 현상은 합성어에서 뒷말이 된소리가 되거나, 'ㄴ' 또는 'ㄴㄴ'이 첨가되는 현상이다.

* 사잇소리 현상이 일어나는 말과 일어나지 않는 말은 일정한 원리에 기대어 구분할 수 없다. 이 때문에 규칙으로 인정되지 않아 사잇소리 '규칙'이 아니라 사잇소리 '현상'으로 불린다.

사잇소리 현상이 일어나는 환경

(1) 합성어가 될 때, 뒷말의 첫소리가 예사소리이면 된소리로 날 수 있다. 이때 앞말이 모음으로 끝날 경우에는 받침으로 사이시옷('ㅅ')을 표기하여 첨가되는 자음을 표시한다.

(2) 모음으로 끝나는 말이 'ㅁ, ㄴ'으로 시작하는 말과 만나 합성어를 이룰 때 사잇소리가 첨가되면 'ㄴ'이 덧난다.

② 모음으로 끝나고 ③ 뒷말이 'ㅁ'이면
시내 + 물 → 시냇물[시:낸물]
① 합성어로서 ④ 'ㄴ' 소리가 덧남.

(3) 모음으로 끝나는 말이 모음 'ㅣ'나 반모음 'ㅣ[j]'로 시작되는 말과 만나 합성어를 이룰 때 사잇소리가 첨가되면 'ㄴㄴ'이 덧난다.

② 모음으로 끝나고 ③ 뒷말이 모음 'ㅣ'로 시작되면
나무 + 잎 → 나뭇잎[나문닙]
① 합성어로서 ④ 'ㄴㄴ' 소리가 덧남.

> **알아 둘 것** '사잇소리 현상'과 '사이시옷' 표기의 관계가 헷갈리지? 간단히 설명하자면, 발음 과정에서 '사잇소리 현상'이 발생하는 것이고, 이를 표기에 반영하기 위해 '사이시옷'을 쓰는 거야.
> - 사잇소리 현상이 발생하지만 '사이시옷'을 쓰지 않는 예: 문+고리 → [문꼬리], 촌+사람 → [촌:싸람], 산+줄기 → [산쭐기]
> - 사잇소리 현상을 표기에 반영하기 위해 '사이시옷'을 쓰는 예: 나루+배 → 나룻배[나루빼/나룯빼], 배+머리 → 뱃머리[밴머리], 이+몸 → 잇몸[인몸], 아래+마을 → 아랫마을[아랜마을]

1단계 기본 트레이닝

음운의 첨가 **다음 설명이 맞으면 ○, 틀리면 × 표시를 하시오.**

01 합성어에서 앞말이 모음으로 끝나고 뒷말이 모음 'ㅣ'나 반모음 'ㅣ[j]'와 결합된 이중 모음으로 시작할 때 'ㄴ'이 하나 혹은 둘이 덧나는 현상을 'ㄴ' 첨가라고 한다. ( )

02 'ㄴ' 첨가도 사이시옷처럼 표기에 반영한다. ( )

03 사잇소리 현상이란, 두 개의 단어가 합쳐져서 합성어가 될 때, 뒤의 예사소리가 된소리로 변하거나 'ㄴ' 또는 'ㄴㄴ'이 첨가되는 현상이다. ( )

'ㄴ' 첨가의 유형 **두 형태소가 합해진 단어의 발음을 쓰시오.**

04 막-+일 → 막일 [ ]

05 꽃+잎 → 꽃잎 [ ]

06 콩+엿 → 콩엿 [ ]

07 맨-+입 → 맨입 [ ]

08 색+연필 → 색연필 [ ]

09 눈+요기 → 눈요기 [ ]

10 솜+이불 → 솜이불 [ ]

11 늑막+염 → 늑막염 [ ]

12 한-+여름 → 한여름 [ ]

13 직행+열차 → 직행열차 [ ]

사잇소리 현상의 유형 **두 형태소가 합해진 단어의 발음을 쓰시오.**

14 귀+병 → 귓병 [ ]

15 새+강 → 샛강 [ ]

16 태+줄 → 탯줄 [ ]

17 해+수 → 햇수 [ ]

18 후+날 → 훗날 [ ]

19 자리+세 → 자릿세 [ ]

20 제사+날 → 제삿날 [ ]

21 퇴+마루 → 툇마루 [ ]

22 양치+물 → 양칫물 [ ]

23 가외+일 → 가욋일 [ ]

24 예사+일 → 예삿일 [ ]

2단계 실전 트레이닝

25 음운의 첨가에 대한 설명으로 알맞은 것은?

① 단일어와 파생어에서 일어난다.
② 원래 있던 음운이 다른 음운으로 바뀐다.
③ 음운이 첨가되면 모두 된소리로 발음된다.
④ 순우리말로 이루어진 단어에서만 일어난다.
⑤ 발음 또는 표기에 추가되는 자음은 'ㄴ'과 'ㅅ'이다.

26 두 말이 결합하여 한 단어가 될 때 음운의 첨가 현상이 일어나지 않는 것은?

① 배+멀미 ② 뒤+처리 ③ 호수+가
④ 한-+여름 ⑤ 사이+길

27 발음할 때 소리의 첨가가 일어나는 단어가 아닌 것은?

① 맹활약 ② 색연필 ③ 교육열
④ 홑이불 ⑤ 눈요기

28 〈보기〉에서 공통적으로 일어나는 음운 변동 현상은?

〈보기〉
꽃잎 늑막염 신여성

① 'ㄴ' 소리가 덧난다. ② 음운 하나가 없어진다.
③ 뒷말이 된소리가 된다. ④ 두 음운이 하나가 된다.
⑤ 앞말의 받침이 다른 자음으로 바뀐다.

29 밑줄 친 단어 중 음운 첨가의 성격이 다른 것은?

① 그 영화의 마지막 부분에서 나도 모르게 콧등이 시큰해졌다.
② 그는 자신의 일을 남에게 부탁한 뒤 맨입으로 미안하다고만 했다.
③ 영구치는 사랑니를 제외하고 윗니 14개, 아랫니 14개로 이루어져 있다.
④ 아침저녁으로 쌀쌀한 바람이 불면서 푸르렀던 나뭇잎들이 점차 갈색으로 변하고 있다.
⑤ 처마 밑 조그만 툇마루에 걸터앉으면 마당에 펼쳐지는 정원의 모습을 내려다볼 수 있었다.

01 〈보기〉에 제시된 표준 발음법 규정의 예로 적절하지 <u>않은</u> 것은?

〈보기〉

- 받침 'ㄲ, ㅋ', 'ㅅ, ㅆ, ㅈ, ㅊ, ㅌ', 'ㅍ'은 어말 또는 자음 앞에서 각각 대표음 [ㄱ, ㄷ, ㅂ]으로 발음한다. ……………… ㉠
- 겹받침 'ㄳ', 'ㄵ', 'ㄼ, ㄽ, ㄾ', 'ㅄ'은 어말 또는 자음 앞에서 각각 [ㄱ, ㄴ, ㄹ, ㅂ]으로 발음한다. ……………………… ㉡
- 겹받침 'ㄺ, ㄻ, ㄿ'은 어말 또는 자음 앞에서 각각 [ㄱ, ㅁ, ㅂ]으로 발음한다. ……………………………………………… ㉢
- '밟-'은 자음 앞에서 [밥]으로 발음한다. ………………… ㉣
- 용언의 어간 말음 'ㄺ'은 'ㄱ' 앞에서 [ㄹ]로 발음한다. …… ㉤

① ㉠: 부엌[부억] ② ㉡: 훑다[훌따]
③ ㉢: 읊고[읍:꼬] ④ ㉣: 밟지[밥:찌]
⑤ ㉤: 닭과[달꽈]

2021학년도 9월 고1 학력평가

02 〈보기〉의 (가)에 들어갈 말로 적절한 것은?

〈보기〉

선생님: 음운 변동에는 한 음운이 다른 음운으로 바뀌는 교체, 있던 음운이 없어지는 탈락, 없던 음운이 새로 더해지는 첨가, 두 음운이 합쳐져 하나의 음운으로 줄어드는 축약이 있습니다. 그럼 아래 단어들에 나타난 음운 변동의 유형을 파악해 봅시다.

㉠ 맨입[맨닙]	㉡ 쌓아[싸아]
㉢ 입학[이팍]	㉣ 칼날[칼랄]

학생: ＿＿＿＿＿＿＿ (가) ＿＿＿＿＿＿＿

선생님: 네, 맞습니다.

① ㉠은 '첨가'에 해당하고, ㉢은 '축약'에 해당합니다.
② ㉠은 '교체'에 해당하고, ㉣은 '첨가'에 해당합니다.
③ ㉡은 '탈락'에 해당하고, ㉢은 '교체'에 해당합니다.
④ ㉡은 '교체'에 해당하고, ㉣은 '축약'에 해당합니다.
⑤ ㉢은 '탈락'에 해당하고, ㉣은 '첨가'에 해당합니다.

03 〈보기〉를 발음할 때 일어나는 음운 변동에 대한 설명으로 알맞은 것은?

〈보기〉

압력 석류

① 음운의 형태에는 변화가 없다.
② 원래 없던 음운이 새로 추가된다.
③ 인접한 두 음운이 다른 음운으로 바뀐다.
④ 두 음운이 만나 하나의 음운으로 합해진다.
⑤ 인접한 두 음운 중 하나의 음운이 사라진다.

2015학년도 9월 고3 모의평가 A형

04 〈보기〉의 ㉠에 들어갈 내용으로 알맞은 것은?

〈보기〉

학생: '식물'이 [싱물]로 발음되는데, 두 자음이 만나서 발음될 때 조음 위치나 방식 중 무엇이 바뀐 것인가요?

선생님: 아래의 자음 분류표를 보면서 그 답을 찾아봅시다.

조음 위치 / 조음 방식	양순음	치조음	연구개음
파열음	ㅂ	ㄷ	ㄱ
비음	ㅁ	ㄴ	ㅇ

이 표는 국어 자음을 조음 위치와 조음 방식에 따라 분류한 자음 체계의 일부입니다. '식'의 'ㄱ'이 '물'의 'ㅁ' 앞에서 [ㅇ]으로 발음되지요. 이와 비슷한 예들로는 '입는[임는]', '뜯는[뜬는]'이 있는데, 이 과정에서 무엇이 달라졌나요?

학생: 세 경우 모두 두 자음이 만나서 발음될 때, ＿＿㉠＿＿ 이/가 변했네요.

① 앞 자음의 조음 방식 ② 뒤 자음의 조음 방식
③ 두 자음의 조음 방식 ④ 앞 자음의 조음 위치
⑤ 뒤 자음의 조음 위치

2014학년도 3월 고3 학력평가 B형

05 〈보기〉에서 ㉠~㉣에 들어갈 목적격 조사로 옳은 것은?

〈보기〉

15세기 국어의 모음 중 'ㆍ, ㅏ, ㅗ'는 양성 모음, 'ㅡ, ㅓ, ㅜ'는 음성 모음, 'ㅣ'는 중성 모음에 해당한다. 당시에는 체언과 조사가 결합할 때 모음 조화가 엄격하게 지켜졌는데, 모음 조화란 양성 모음은 양성 모음끼리, 음성 모음은 음성 모음끼리 어울리는 현상이다. 15세기 국어에서 목적격 조사는 'ᄋᆞᆯ, 을, ᄅᆞᆯ, 를'이 있다. 이들 가운데 어떤 것이 선택되는가는 체언이 자음으로 끝나느냐 모음으로 끝나느냐와 함께 체언과의 모음 조화에 따라서 결정되었다.

중세 국어	현대 국어	중세 국어	현대 국어
사ᄅᆞᆷ+㉠	사람+을	누+㉢	누구+를
천하+㉡	천하+를	ᄠᅳᆮ+㉣	뜻+을

	㉠	㉡	㉢	㉣
①	ᄋᆞᆯ	ᄅᆞᆯ	를	을
②	ᄋᆞᆯ	ᄅᆞᆯ	을	를
③	을	ᄋᆞᆯ	를	ᄅᆞᆯ
④	을	를	ᄅᆞᆯ	ᄋᆞᆯ
⑤	ᄅᆞᆯ	ᄋᆞᆯ	을	를

2013학년도 11월 고1 학력평가

06 〈보기〉를 바탕으로 음운의 탈락에 대해 이해한다고 할 때 적절하지 않은 것은?

〈보기〉

ⓐ '돌다'의 활용: '돌-'+'-고' → 돌고, '돌-'+'-니' → 도니 ……
ⓑ '낳다'의 활용: '낳-'+'-고' → 낳고, '낳-'+'-아' → 낳아 ……
ⓒ '쓰다'의 활용: '쓰-'+'-고' → 쓰고, '쓰-'+'-어' → 써 ……
ⓓ '가다'의 활용: '가-'+'-고' → 가고, '가-'+'-아' → 가 ……

① ⓐ에서는 어간의 끝소리 'ㄹ'이 'ㄴ'으로 시작하는 어미 앞에서 탈락되는군.
② ⓑ에서는 '낳아'를 [나아]로 발음하므로 음운의 탈락이 표기에 반영되는군.
③ ⓒ에서는 어간의 모음 'ㅡ'가 모음으로 시작하는 어미 앞에서 탈락되는군.
④ ⓓ에서는 어간의 모음과 동일 음운이 연결될 경우 한 음운이 탈락되는군.
⑤ ⓐ~ⓓ를 보니, 음운의 탈락에는 자음의 탈락과 모음의 탈락이 있음을 알 수 있군.

2019학년도 6월 고1 학력평가

07 〈보기〉의 ㉮, ㉯에 들어갈 예로 적절한 것은?

'ㅎ'은 다양한 음운 변동이 일어나기 때문에 표준 발음법에 별도의 규정을 두고 있다. 'ㅎ'의 음운 변동에는 'ㅎ'이 다른 음운으로 바뀌는 교체, 'ㅎ'이 다른 음운과 합쳐져 새로운 음운이 되는 축약, 'ㅎ'이 없어져 발음되지 않는 탈락이 있다. 가령 '놓친[녿친]'은 'ㅎ'이 'ㄷ'으로 바뀌어 발음되므로 교체의 예에 해당한다.

	'ㅎ'의 음운 변동		
유형	교체	축약	탈락
예	놓친[녿친]	㉮	㉯

	㉮	㉯
①	좋고[조:코]	닿아[다아]
②	좋고[조:코]	쌓네[싼네]
③	넣는[넌:는]	닿아[다아]
④	넣는[넌:는]	쌓네[싼네]
⑤	좁힌[조핀]	닳지[달치]

2015학년도 11월 고2 학력평가

08 〈보기〉의 '선생님'의 질문에 대한 대답으로 적절한 것은?

〈보기〉

선생님: 음운 변동은 그 결과에 따라 교체, 탈락, 첨가, 축약으로 분류할 수 있습니다. 교체는 한 음운이 다른 음운으로 바뀌는 현상이며, 탈락은 두 음운 중에서 어느 하나가 없어지는 현상입니다. 첨가는 없던 음운이 추가되는 현상이며, 축약은 두 음운이 합쳐져서 하나의 음운으로 줄어드는 현상입니다. 그럼 다음 학습 자료들은 각각 음운 변동의 어떤 유형에 해당하는지 그 이유를 들어 설명해 볼까요?

[학습 자료]
㉠ 줍+고 → [줍:꼬]　　㉡ 넣+은 → [너은]
㉢ 먹+는 → [멍는]　　㉣ 쌓+지 → [싸치]
㉤ 논+일 → [논닐]

① ㉠은 첨가에 해당합니다. 왜냐하면 'ㅂ'의 영향을 받아 'ㄱ'에 'ㄱ'이 추가되어 'ㄲ'이 되었기 때문입니다.
② ㉡은 축약에 해당합니다. 왜냐하면 'ㅎ'으로 끝나는 어간과 모음으로 시작하는 어미가 결합하여 하나의 모음으로 줄어들었기 때문입니다.
③ ㉢은 탈락에 해당합니다. 왜냐하면 'ㄴ'의 영향을 받아 'ㄱ'이 없어졌기 때문입니다.
④ ㉣은 교체에 해당합니다. 왜냐하면 'ㅈ'이 'ㅎ'의 영향을 받아 'ㅊ'으로 바뀌었기 때문입니다.
⑤ ㉤은 첨가에 해당합니다. 왜냐하면 'ㄴ'으로 끝나는 형태소와 'ㅣ' 모음으로 시작하는 형태소가 결합할 때 'ㄴ'이 추가되었기 때문입니다.

2014학년도 3월 고2 학력평가 B형

09 〈보기〉의 밑줄 친 부분에 해당하는 것은?

〈보기〉

선생님: 모음 조화란 양성 모음은 양성 모음끼리, 음성 모음은 음성 모음끼리 어울리는 현상입니다. 양성 모음으로는 'ㆍ, ㅏ, ㅗ'가, 음성 모음으로는 'ㅡ, ㅓ, ㅜ'가 있었습니다. 모음 조화는 15세기에는 비교적 엄격하게 지켜졌으나 그 이후로 <u>지켜지지 않은 경우</u>가 나타나게 됩니다.
여러분, 이제 18세기 문헌을 통해서 확인해 볼까요?

홍식이 거록ᄒᆞ야 ㉠<u>븕은</u> 긔운이 ㉡<u>하늘을</u> 뛰노더니 이랑이 ㉢<u>소리를</u> 놉히 ᄒᆞ야 나를 불러 져긔 믈밋출 보라 웨거늘 급히 눈을 ㉣<u>드러</u> 보니 믈밋 홍운을 헤앗고 큰 실오리 ㉤<u>ᄀᆞᆺᄐᆞᆫ</u> 줄이 븕기 더옥 긔이ᄒᆞ며
– 의유당, 「관북유람일기」(1772)

① ㉠　② ㉡　③ ㉢　④ ㉣　⑤ ㉤

단어와 품사

1 + 1 = 2입니다.
직장인에게 일 더하기 일은 '야근'입니다.
2 + 2 = 4입니다.
그럼 이 더하기 이는 무엇일까요?

정답은 '덧니'입니다. '덧니'는 '포개어 난 이'를 뜻하는 단어로, '거듭된'이라는 뜻을 더하는 접두사 '덧-'과 '이'가 결합한 단어입니다.
이처럼 단어는 하나의 어근, 또는 둘 이상의 어근이나 어근과 접사의 결합으로 만들어집니다.
이 단원을 통해 단어의 유형과 단어 간의 의미 관계에는 무엇이 있는지, 단어를 기준에 따라 어떻게 분류할 수 있는지를 학습할 수 있습니다.

단어의 종류

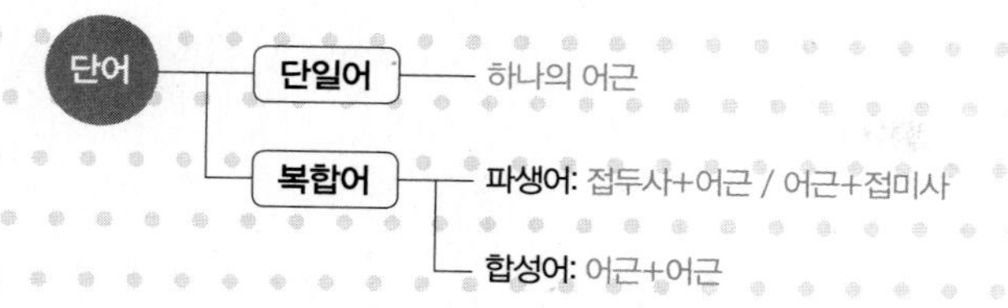

단어 간의 의미 관계

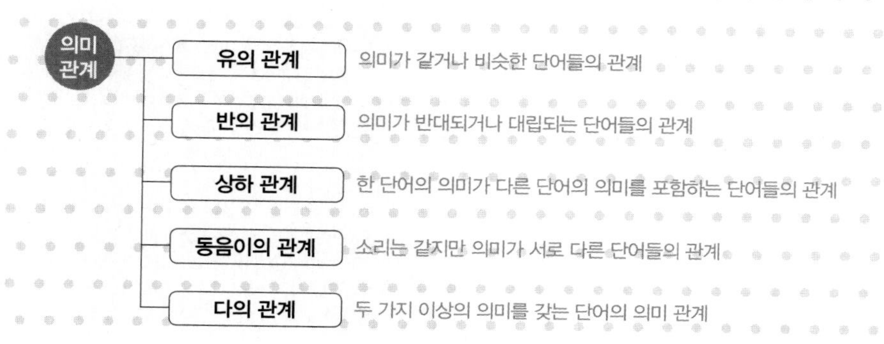

의미 관계
유의 관계
의미가 같거나 비슷한 단어들의 관계
반의 관계
의미가 반대되거나 대립되는 단어들의 관계
상하 관계
한 단어의 의미가 다른 단어의 의미를 포함하는 단어들의 관계
동음이의 관계
소리는 같지만 의미가 서로 다른 단어들의 관계
다의 관계
두 가지 이상의 의미를 갖는 단어의 의미 관계

단어의 분류

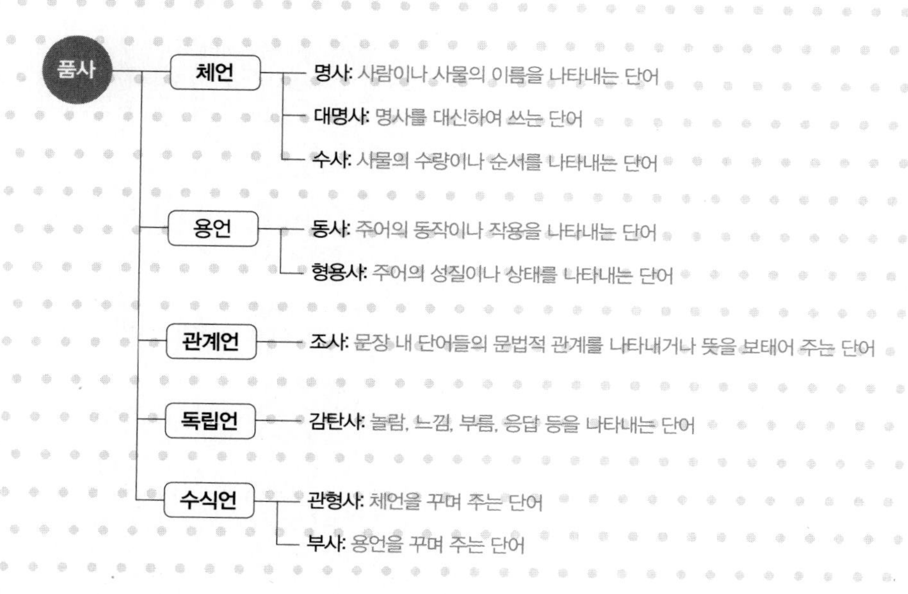

11 형태소와 단어

최근 5개년 출제 지수 ●●●○○

❶ 형태소 形모양형 態모양태 素본디소

☆ **교과서 정의** 형태소는 일정한 뜻을 가진 가장 작은 말의 단위이다.

★ **쉽게 쓴 정의** 형태소는 뜻을 가지고 있으며 더 이상 쪼갤 수 없는 가장 작은 말의 단위이다.

형태소의 분류

(1) 자립성이 있느냐 없느냐에 따라

① 자립 형태소: '사과, 나, 매우, 어느' 등과 같이 혼자서도 문장에서 쓰일 수 있는 형태소를 말한다.

② 의존 형태소: '먹-, 예쁘-, -다, 이/가'와 같이 반드시 다른 형태소와 결합해야만 문장에서 쓰일 수 있는 형태소를 말한다.

(2) 실질적인 뜻•이 있느냐 없느냐에 따라

① 실질 형태소: 구체적 대상이나 대상의 상태 · 동작, 관념 등을 나타내는 형태소를 말한다.

② 형식 형태소: 실질적인 뜻이 없이 문법적 역할을 더하는 형태소를 말한다.

꽃이 매우 예쁘다.

꽃	이	매우	예쁘-	-다
자립 형태소 실질 형태소	의존 형태소 형식 형태소	자립 형태소 실질 형태소	의존 형태소 실질 형태소	의존 형태소 형식 형태소

→ 5개의 형태소

알아 둘 것! 형태소는 두 가지 기준에 따라 분류할 수 있는데, 구체적인 사례를 한번 살펴보자.
① 먼저 홀로 쓰일 수 있느냐, 없느냐에 따라 나눌 수 있어. 혼자서도 문장에서 쓰일 수 있는 '명사, 대명사, 수사, 관형사, 부사, 감탄사' 등은 '자립 형태소'이고, 홀로 쓰일 수 없는 '조사, 용언의 어간, 어미, 접사' 등은 '의존 형태소'야.
② 다음으로는 실질적인 의미가 있느냐, 없느냐에 따라 나눌 수 있어. 구체적 대상이나 실질적 의미를 나타내는 '용언의 어간, 모든 자립 형태소'는 '실질 형태소'이고, 형식적(문법적) 의미만을 드러내는 '격 조사, 종결 어미' 등은 '형식 형태소'야.

● 실질적인 뜻은 사전적 의미로, 단어 자체가 가진 '어휘적'인 의미를 뜻한다. 반면에 실질적인 뜻이 없이 문법적 역할을 더한다는 것은 말과 말 사이의 관계를 표시하거나 접사와 같이 새로운 말을 만드는 데 이용된다는 것을 뜻한다.

❷ 단어 單홑단 語말씀어

☆ **교과서 정의** 단어는 자립할 수 있는 말이나 자립할 수 있는 형태소에 붙어서 쉽게 분리할 수 있는 말이다.

★ **쉽게 쓴 정의** 단어는 혼자서 쓰일 수 있는 말이다.

단어의 특성과 기능

(1) 하나의 단어는 완전한 표현으로 인정받아 하나의 문장이 될 수 있다.

(2) 단어는 서로 결합하여 하나의 완전한 발화(문장)를 만든다.

(3) 조사는 홀로 쓰일 수 없지만 단어로 인정한다.

꽃이 매우 예쁘다.

꽃 / 이 / 매우 / 예쁘다 → 4개의 단어

참고 형태소와 단어의 차이

철수는 수학을 매우 싫어한다

① 형태소 중 '자립 형태소'만이 단어가 된다. 단, 조사는 단어로 인정한다.
→ 위의 문장에서 '철수', '수학', '매우'는 모두 자립 형태소이자 단어라고 할 수 있다.
② 형태소는 '최소의 의미'만을 갖지만, 단어는 '형태소가 결합된 복합적 의미'를 가질 수 있다.
→ '싫어한다'는 '싫다', '한다', '현재 시제' 등의 의미, 기능이 복합된 단어이다.

참고 어절과 구

① 어절은 띄어쓰기의 단위로, '단어' 혹은 '단어+조사'로 구성된다.
→ '도시락의∨밥이∨참∨맛있다.'라는 문장은 4개의 어절로 이루어져 있다.
② 구는 둘 이상의 어절이 결합하여 이루어진 큰 단위로, 절이나 문장의 일부분을 이루는 토막이다.
→ '도시락의 밥이 / 참 맛있다.'라는 문장은 2개의 구로 이루어져 있다.

국어 문법 100% 공략을 위한 **2단계 트레이닝**

정답과 해설 9쪽

1단계 기본 트레이닝

형태소와 단어의 개념 **빈칸에 들어갈 알맞은 단어를 쓰시오.**

01 형태소는 일정한 (　　　　)을/를 가진 가장 작은 말의 단위이다.

02 형태소는 (　　　　)의 유무에 따라 자립 형태소와 의존 형태소로 나뉘고, (　　　　)의 유무에 따라 실질 형태소와 형식 형태소로 나뉜다.

03 단어는 자립할 수 있는 말이나 자립할 수 있는 (　　　　)에 붙어서 쉽게 분리할 수 있는 말이다.

형태소 분석 ① **다음 문장의 형태소를 분석하시오.**

04 나는 밥을 먹었다.

05 그는 책을 읽는다.

06 동생이 나 몰래 도시락을 먹었다.

형태소 분석 ② **밑줄 친 용언의 형태소를 〈보기〉와 같이 분석하시오.**

〈 보기 〉
그는 나의 마지막 희망을 짓/밟/았/다.

07 나는 어제 스파게티를 만들었다.

08 얼마 만에 보는 맑은 하늘이냐?

09 손목시계를 보면서 교실로 향했다.

형태소의 분류 **다음 문장의 형태소를 종류에 맞게 분류하시오.**

나는 친구와 운동을 한다.

10 자립 형태소: ____________________

11 의존 형태소: ____________________

12 실질 형태소: ____________________

13 형식 형태소: ____________________

단어의 구별 **〈보기〉와 같이 단어의 경계에 표시하시오.**

〈 보기 〉
그∨ 사람∨은∨ 아침∨에∨ 서울∨로∨ 갔다.

14 그 아이는 학교에서 성적이 중간은 간다.

15 그렇게 이른 시간에 친구 집을 가 본 적은 없다.

2단계 실전 트레이닝

16 형태소 분석이 잘못된 것은?

① 마음/을/열/자.
② 산/이/매/우/푸르/다.
③ 참/는/자/는/복/이/있/다.
④ 아침/에/바람/이/불/었/다.
⑤ 우리/는/물/고기/를/많/이/잡/았/다.

17 자립 형태소만 바르게 고른 것은?

① 그것 정말 재미있겠다. → 그, 것
② 누나는 엄마를 닮아 참 좋다. → 누나, 엄마, 참
③ 코스모스가 활짝 피었다. → 코스모스, 가, 활짝
④ 우리는 어제 즐겁게 놀았다. → 우리, 어제, 즐겁게
⑤ 하늘은 스스로 돕는 자를 돕는다. → 하늘, 스스로, 돕는다

18 밑줄 친 말 중 형식 형태소이면서 의존 형태소인 것은?

① 강나루　② 엿보다　③ 맛있다
④ 꽃동산　⑤ 높푸르다

19 〈보기〉를 참고할 때 ㉠의 형태소 분석에 대한 설명으로 적절한 것은?

〈 보기 〉
일정한 뜻을 지닌 가장 작은 말의 단위를 '형태소'라고 한다. '사과를 먹는다.'는 '사과', '를', '먹-', '-는-', '-다'의 다섯 개의 형태소로 분석된다. 형태소 중에는 '사과'처럼 혼자 쓰일 수 있는 것이 있고, '를', '먹-', '-는-', '-다'처럼 반드시 다른 형태소와 결합하여 쓰이는 것이 있는데, 전자를 '자립 형태소'라고 하고 후자를 '의존 형태소'라고 한다.

• 하늘에 별이 많다. ………………………………… ㉠

① '에'와 '이'는 모두 자립 형태소이다.
② '별이'는 자립 형태소만으로 구성되었다.
③ '하늘에'는 세 개의 형태소로 구성되었다.
④ '별이 많다'에는 세 개의 의존 형태소가 있다.
⑤ '많다'는 자립 형태소와 의존 형태소로 구성되었다.

12 단어의 구성과 유형

최근 5개년 출제 지수 ●●●●○

❶ 단어의 구성

1. 단어의 구성 요소

(1) 어근: 단어에서 실질적 의미를 나타내는 중심 부분을 말한다.

(2) 접사: 어근의 앞이나 뒤에 붙어 의미를 더해 주거나 기능을 바꿔 주는 주변 부분으로, 새로운 단어를 파생시킨다.

① 접두사: 어근 앞에 붙는다.

② 접미사: 어근 뒤에 붙는다.

(3) 어미: '-었-', '-겠-', '-다'와 같이 어간에 붙어 문법적인 기능을 하는 주변 부분을 이른다.

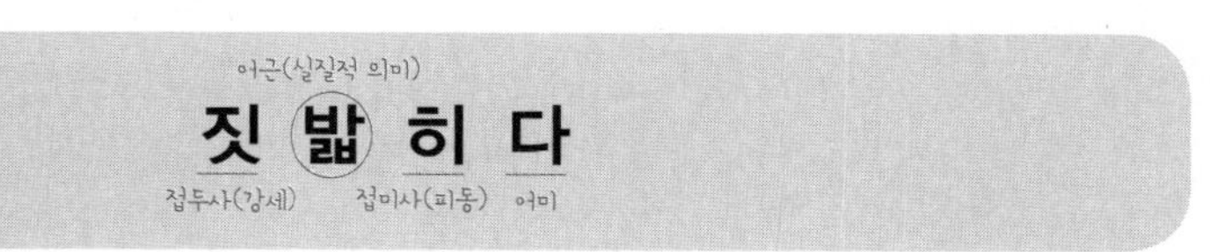

참고 어근과 어간의 구별

어근	• 실질적인 의미를 가진 실질 형태소 • 단어의 형성과 관련된 개념 • 접사와 함께 쓰임.
어간	• 용언이 활용할 때 변하지 않는 부분 • 용언의 활용과 관련된 개념 • 어미와 함께 쓰임.

예 '먹히다'에서 단어의 중심이 되는 요소는 '먹-'이며, 이것을 어근으로 볼 수 있다. 반면 어간은 용언이 활용할 때 변하지 않는 부분이므로, '먹히-'가 어간이 된다. 이때 '-히-'는 피동 접미사로, 어근 '먹-'에 결합하여 어간의 일부가 되는 것이다.

2. 접두사와 접미사의 특성

	접두사	접미사
위치	어근의 앞에 붙음.	어근의 뒤에 붙음.
특징	어근의 품사를 바꾸지 못함.	접두사와 달리 어근의 품사를 바꾸기도 함.
예	군말, 날고기, 돌배, 풋나물, 짓누르다, 처넣다, 내치다, 새빨갛다, 시꺼멓다	사냥꾼, 밀치다, 먹이다, 높다랗다, 출렁거리다

참고 어근의 앞에 붙는 접두사의 예

- 맨-: 맨입, 맨손, 맨눈
- 헛-: 헛기침, 헛말, 헛디디다
- 뒤-: 뒤섞다, 뒤틀다, 뒤흔들다

참고 어근의 뒤에 붙는 접미사의 예

- -질: 가위질, 톱질, 부채질
- -스럽다: 사랑스럽다, 어른스럽다, 걱정스럽다
- -롭다: 경이롭다, 지혜롭다, 풍요롭다
- -ㅁ: 꿈, 슬픔, 기쁨
- -기: 달리기, 줄넘기, 모내기

❷ 단어의 유형

1. 단일어* 單홑단 一하나일 語말씀어

'산, 강, 하늘'처럼 단일 어근, 즉 실질 형태소가 하나의 단어가 된 경우를 '단일어'라고 한다.

● 단일어는 단어의 내부를 더 이상 쪼개어 나눌 수 없다. '가위'를 '가+위'로 나눌 수 없는 이유는 '가'나 '위'가 다른 단어 속에서 어근 혹은 접사로 나타나지 않기 때문이다.

2. 복합어 複겹칠복 合합할합 語말씀어

둘 이상의 어근이 결합하여 새로운 단어가 되거나, 하나의 어근에 접사가 결합한 경우를 '복합어'라고 한다.

예 밤낮, 시냇물 → '어근+어근', 즉 합성어
엿보다, 정답다, 웃기다 → '어근+접사' 또는 '접사+어근', 즉 파생어

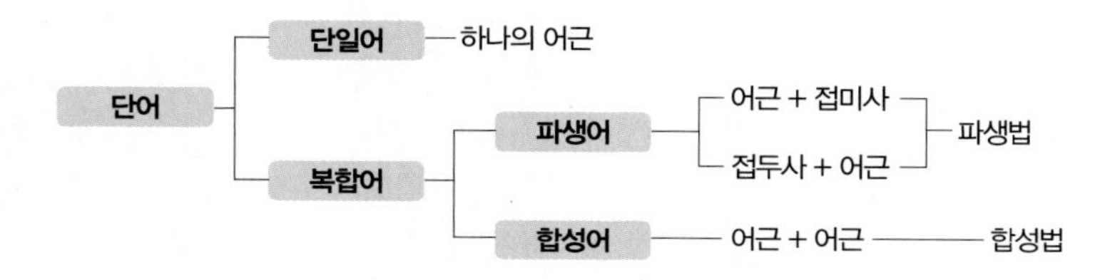

1단계 기본 트레이닝

단어의 구성 요소 **다음 설명에 해당되는 말을 〈보기〉에서 찾아 쓰시오.**

〈보기〉
어근, 접사, 어미

01 단어에서 실질적인 의미를 나타내는 중심 부분 (　　　)

02 단어의 중심 부분에 붙어 문법적 기능을 하는 부분 (　　　)

03 단어의 중심 부분에 특별한 의미를 더하며 새로운 단어를 만드는 부분 (　　　)

단어의 유형 **빈칸에 들어갈 알맞은 말을 쓰시오.**

04

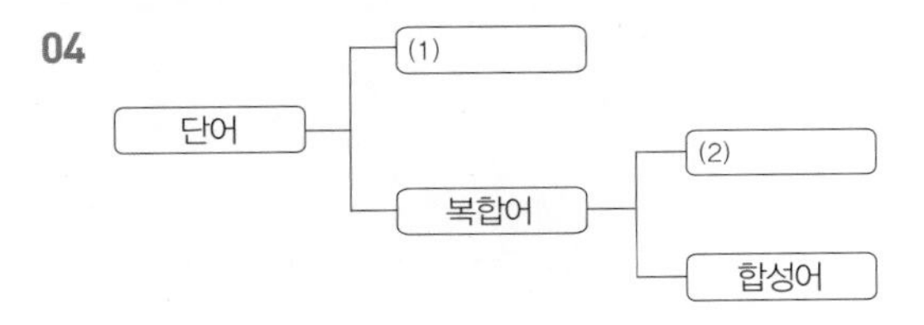

파생어의 구성 **빈칸에 들어갈 알맞은 말을 쓰시오.**

05

파생어	접두사	어근	접미사	뜻
군침	군-	침	–	공연히 입안에 도는 침
(1) 치솟다				위쪽으로 힘차게 솟다.
(2) 사랑스럽다				사랑할 만하다.
(3) 믿음				믿는 마음
(4) 웃기다				웃게 만들다.

단일어와 복합어의 구별 **다음 단어들을 단일어와 복합어로 나누시오.**

깨다, 밤낮, 서울내기, 웃음, 자다, 바다, 넓이, 날고기, 하늘, 맨주먹, 뛰놀다, 먹다, 검푸르다, 땅, 걷다

06 단일어: ______________________

07 복합어: ______________________

2단계 실전 트레이닝

08 〈보기〉의 뜨개질과 단어의 구조가 동일한 것은?

〈보기〉
뜨개질은 '어근+접미사+접미사'의 구조로 되어 있다. 그런데 각각의 요소는 동일한 층위가 아닌 계층적으로 결합된 것이다. 즉, 어근 '뜨-'에 접미사 '-개'가 붙어 먼저 '뜨개'가 만들어지고, 여기에 다시 접미사 '-질'이 붙어 '뜨개질'이 된 것이다. 따라서 '뜨개질'은 '(어근+접미사)+접미사'의 구조로 된 파생어이다.

① 싸움꾼　② 군것질　③ 놀이터
④ 병마개　⑤ 미닫이

09 ㉠~㉣ 중 〈보기〉의 밑줄 친 설명과 같은 방법으로 만들어진 단어끼리 묶인 것은?

〈보기〉
형태소를 결합하여 새로운 단어를 만드는 방법으로는 '물(어근)+고기(어근)'와 같이 <u>둘 이상의 어근이 결합하여 만들어진 합성법</u>과, '놀-(어근)+-이(접사)'와 같이 어근에 접사가 결합하여 만들어진 파생법이 있다.

㉠ <u>눈사람</u>이 그려진 ㉡ <u>지우개</u>가 어디로 갔을까? ㉢ <u>심술쟁이</u> 동생이 또 ㉣ <u>책가방</u>에 숨겼을 거야. 그래 보았자 이 누나는 금방 찾는데.

① ㉠, ㉡　② ㉠, ㉣　③ ㉡, ㉢
④ ㉡, ㉣　⑤ ㉢, ㉣

10 ㉠~㉣의 구체적 사례가 바르게 연결된 것은?

합성법에 의해 만들어진 명사를 합성 명사라고 한다. 우리말에서는 용언이나 용언의 활용형이 명사 앞에 와서 합성 명사를 만들기도 하는데, 그 유형으로는 ㉠ <u>용언의 관형사형+명사</u>, ㉡ <u>용언의 명사형+명사</u>, ㉢ <u>용언의 연결형+명사</u>, ㉣ <u>용언의 어간+명사</u> 등이 있다.

	㉠	㉡	㉢	㉣
①	덮밥	갈림길	섞어찌개	건널목
②	갈림길	건널목	덮밥	섞어찌개
③	건널목	갈림길	섞어찌개	덮밥
④	건널목	섞어찌개	갈림길	덮밥
⑤	섞어찌개	덮밥	건널목	갈림길

13 복합어

최근 5개년 출제 지수 ●●●○○

① 파생어 派갈래파 生날생 語말씀어

파생어의 구성

어근의 앞이나 뒤에 접사가 붙어서 파생어가 만들어진다.

맨-(접두사) + 손(어근)	어른(어근) + -스럽다(접미사)

참고 **접사에 따른 파생어의 분류**

① 한정적 접사
어근에 접사가 붙어 새로운 말이 만들어질 때, 어근의 품사를 유지한다.
예 • 말(명사) → 군말(명사)
• 빨갛다(형용사) → 새빨갛다(형용사)
• 사냥(명사) → 사냥꾼(명사)
• 밀다(동사) → 밀치다(동사)

② 지배적 접사
어근의 뒤에 접사가 붙어 새로운 말이 만들어질 때, 어근의 품사가 바뀐다.
예 먹다(동사) → 먹이(명사)

② 합성어 合합할합 成이룰성 語말씀어

1. 합성어의 구성

두 개 이상의 어근이 결합하여 새로운 의미를 갖는 합성어가 만들어진다.

돌(어근) + 다리(어근)	높-(어근) + 푸르다(어근)

2. 어근의 의미적 결합 방식에 따른 분류

(1) 대등 합성어: 두 어근이 '그리고', '혹은' 등의 의미로 연결된다.

예 앞과 뒤 → 앞뒤 오고 가다 → 오가다 남과 여 → 남녀

(2) 종속 합성어: 보통 앞의 어근이 '어떠한(관형어)'이나 '어떻게(부사어)'의 의미를 가지고 뒤의 어근을 수식한다.

예 도시락에 든 밥 → 도시락밥 빌어서 먹다 → 빌어먹다 뛰어다니며 놀다 → 뛰놀다

(3) 융합 합성어: 결합된 어근의 의미와 전혀 다른 의미를 가진다.

예 春(봄 춘)+秋(가을 추) → 춘추(나이) 피+땀 → 피땀(노력) 밤+낮 → 밤낮(늘)

알아 둘 것! '춘추', '피땀', '밤낮'은 쓰임에 따라 융합 합성어일 수도, 대등 합성어일 수도 있어.
- 그는 춘추로 1년에 두 번씩 왔다. → 봄과 가을(대등 합성어)
- 아버님의 춘추는 어떻게 되시는지요? → 나이(융합 합성어)
- 그녀가 피땀에 젖어 돌아왔다. → 피와 땀(대등 합성어)
- 피땀으로 일궈 놓은 우리 땅 → 노력과 정성(융합 합성어)
- 며칠 동안 밤낮을 잠만 잤다. → 밤과 낮(대등 합성어)
- 밤낮 놀 생각뿐이다. → 늘(융합 합성어)

3. 어근의 형식적 결합 방식에 따른 분류

(1) 통사적 합성어: 어순이 우리말의 순서에 맞게 결합되거나, 연결 어미가 사용된 경우에 해당된다.

예 '명사+명사'의 구성: 눈물, 집안, 돌다리, 논밭 등
'관형어+명사'의 구성: 첫눈, 새해, 작은집, 큰집 등
'부사+용언'의 구성: 가로지르다, 잘하다, 못나다, 쉬이보다 등
'주어/목적어+용언'의 구성: 값나가다, 낯설다, 본받다 등
'부사+부사'의 구성: 이리저리, 곧잘 등
'용언의 어간+연결 어미+용언'의 구성: 돌아가다, 벗어나다, 뛰어나다 등

(2) 비통사적 합성어: 우리말의 순서에 맞지 않게 결합되거나, 연결 어미가 생략된 채 결합된 경우에 해당된다.

예 '용언의 어간+체언'의 구성: 검버섯, 접칼, 먹거리 등
'용언의 어간+용언'의 구성: 오르내리다, 우짖다, 검푸르다, 뛰놀다
'부사+체언'의 구성: 볼록거울, 뾰족구두, 산들바람 등

알아 둘 것! 통사적 합성어는 일반적인 국어의 어순(배열)대로 단어가 결합된 합성어를 말해. '힘들다'는 '힘이 들다.'에서 조사 '이'가 생략된 채 만들어진 말로, 조사가 생략되어도 의미가 달라지지 않아. 또한 주어 '힘'과 서술어 '들다'가 국어의 배열 방식에 어긋나지 않으므로 통사적 합성어라 할 수 있어.
반면 비통사적 합성어는 국어의 일반적 어순이나 배열에 어긋나는 합성어를 말해. '덮밥'은 원래 '덮은 밥'에서 온 말인데, 합성되는 과정에서 관형사형 어미 '-은'이 생략되었지. 우리말에서 어미가 생략되면 말이 어색해지므로, 이는 비통사적 합성어로 볼 수 있어.

참고 **합성어와 구의 구별**

합성어는 띄어쓰기로 구와 구별한다.
예 ┌ 작은형(합성어): 맏이가 아닌 형
└ 작은 형(구): 키가 작은 형

국어 문법 100% 공략을 위한 2단계 트레이닝

정답과 해설 9쪽

1단계 기본 트레이닝

파생어의 구성 ① **접사가 붙어 만들어진 파생어에 밑줄을 그으시오.**

01 높게, 높이, 높고, 높으면, 높으니

02 날자, 날면, 날도록, 날개, 날아서

03 먹고, 먹으면, 먹자, 먹어서, 먹이

04 그리다, 그리면, 그리게, 그림, 그린

파생어의 구성 ② **밑줄 친 접사를 이용하여 새말을 3개 이상 만드시오.**

05 군침 → 군살, ____________________

06 홀몸 → 홀어머니, ____________________

07 높이 → ____________________

08 향기롭다 → ____________________

복합어의 구성 **다음 짜임 방식에 따라 만들어진 단어를 〈보기〉에서 모두 찾아 쓰시오.**

〈보기〉

밤나무, 군밤, 가리개, 뛰놀다, 미닫이, 풋사과, 고집쟁이, 어린아이, 산들바람, 꺾쇠, 참뜻, 책꽂이, 지붕, 밀물

09 어근+어근: ____________________

10 접두사+어근: ____________________

11 어근+접미사: ____________________

12 어근+어근+접미사: ____________________

통사적·비통사적 합성어의 구별 **다음 단어들을 통사적 합성어와 비통사적 합성어로 분류하시오.**

늦잠, 작은집, 덮밥, 첫사랑, 접칼, 검푸르다, 밤낮, 집안, 그만두다, 가로지르다, 부슬비, 보슬보슬, 볼록거울, 바람나다, 알아보다

13 통사적 합성어: 작은집, 첫사랑, ____________________

____

14 비통사적 합성어: 늦잠, 덮밥, ____________________

____

2단계 실전 트레이닝

15 단어에 대한 설명이 잘못된 것은?

① '아버지'는 하나의 어근으로 된 단일어이다.
② '오뚝이'는 어근 '오뚝'과 어근 '이'가 결합된 합성어이다.
③ '달리기'는 어근 '달리-'에 접사 '-기'가 결합된 파생어이다.
④ '들어가다'는 용언의 활용형 '들어-'와 '가다'가 결합된 합성어이다.
⑤ '불꽃놀이'는 합성어 어근 '불꽃'과 파생어 어근 '놀이'가 결합된 합성어이다.

16 비통사적 합성어의 유형과 예가 바르게 짝 지어진 것은?

① 명사와 명사의 결합 → 눈물, 첫눈
② 용언의 어간과 체언의 결합 → 늦잠, 큰집
③ 부사와 체언의 결합 → 산들바람, 척척박사
④ 목적어와 용언의 결합 → 금식, 볼록거울
⑤ 용언의 어간과 용언의 결합 → 여닫다, 벗어나다

17 〈보기〉의 ㉠~㉣에 대한 설명으로 적절하지 않은 것은?

〈보기〉

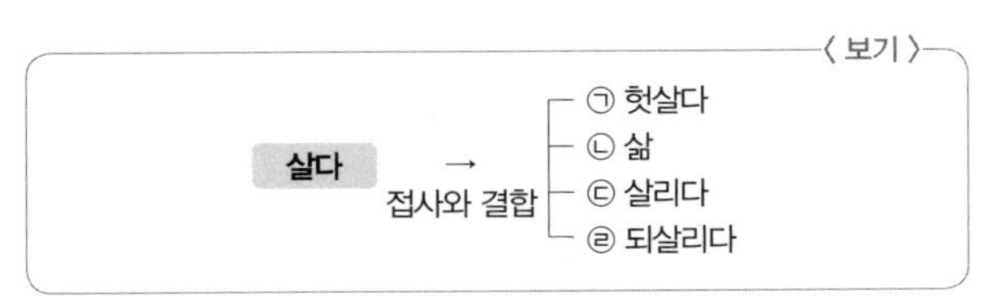

살다
접사와 결합
㉠ 헛살다
㉡ 삶
㉢ 살리다
㉣ 되살리다

① ㉠의 '헛-'은 어근의 뜻을 한정해 주는군.
② ㉡의 '-ㅁ'은 어근과 결합하여 단어의 품사를 바꾸어 주는군.
③ ㉢의 '-리-'는 어근과 결합하여 사동의 의미를 갖는 단어를 만들어 주는군.
④ ㉣의 '되-'는 '살리다' 앞에 붙어 단어의 품사를 바꾸어 주는군.
⑤ ㉠의 '헛-'은 어근의 앞에 결합하는 접두사이고, ㉡의 '-ㅁ'은 어근의 뒤에 결합하는 접미사이군.

01 〈보기〉의 ㉠~㉤에 대한 분석으로 적절하지 않은 것은?

〈 보기 〉

- 하늘을 보니 곧 비가 ㉠ 그치겠어.
- 일출이 보고 ㉡ 싶어서 동해에 갔다.
- 두런두런 사람들 ㉢ 소리가 들려왔다.
- 살며시 손을 뻗어 잠자리를 ㉣ 잡았다.
- 엄마는 내 마음을 다 꿰뚫어 ㉤ 보셨다.

① ㉠의 '-겠-'은 형식 형태소이고, 의존 형태소이다.
② ㉡의 '-어서'는 형식 형태소이고, 의존 형태소이다.
③ ㉢의 '소리'는 실질 형태소이고, 의존 형태소이다.
④ ㉣의 '잡-'은 실질 형태소이고, 의존 형태소이다.
⑤ ㉤의 '-시-'는 형식 형태소이고, 의존 형태소이다.

2013학년도 4월 고3 학력평가 A · B형

02 다음 탐구 과정에 따라 〈보기〉의 ㉠~㉤을 분류하고자 한다. A~C에 해당하는 사례를 올바르게 짝지은 것은?

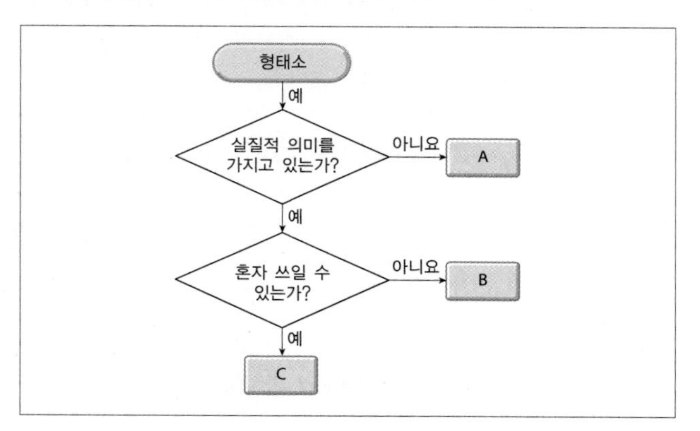

〈 보기 〉

북두칠성은 ㉠ 어느 계절에나 북쪽 밤하늘을 보면 쉽게 찾을 수 ㉡ 있다. 북두칠성을 흔히 국자㉢ 에 비유하는데 국자 모양 끝에는 두 개의 별이 있다. 이 두 별을 잇㉣ 는 직선을 그려 보면, 그 직선 위에 있는 별 중 가장 밝고 두 별의 간격의 다섯 배쯤 위치에 있는 별을 발견할 것이다. 그 ㉤ 자리에 보이는 것이 바로 우리가 알고 있는 밤하늘의 북극성이다.

	A	B	C
①	㉠, ㉤	㉢	㉡, ㉣
②	㉡, ㉢	㉠, ㉤	㉣
③	㉢, ㉣	㉠, ㉡	㉤
④	㉢, ㉣	㉡	㉠, ㉤
⑤	㉢, ㉣	㉤	㉠, ㉡

2015학년도 3월 고3 학력평가 A형

03 〈보기〉의 ㉠~㉢에 들어갈 말로 적절한 것은?

〈 보기 〉

선생님: 어간은 용언의 활용 시 변하지 않는 부분을, 어근은 단어 분석 시 실질적 의미를 나타내는 중심 부분을 가리킵니다.

용언	어간	어근
솟다 (단일어)	솟-	솟-
치솟다 (파생어)	치솟-	솟-
샘솟다 (합성어)	샘솟-	샘, 솟-

위의 예에서 알 수 있듯이 어떤 용언이 단일어일 경우 어간과 어근이 일치합니다. 하지만, 용언이 파생어나 합성어일 경우 어간과 어근이 일치하지 않습니다. 그렇다면 이번에는 다음 세 단어의 어간과 어근을 분석해 볼까요?

용언	어간	어근
줄이다	줄이-	㉠
힘들다	힘들-	㉡
오가다	오가-	㉢

	㉠	㉡	㉢
①	줄이-	힘들-	오가-
②	줄이-	힘들-	오-, 가-
③	줄-	힘들-	오가-
④	줄-	힘, 들-	오-, 가-
⑤	줄-	힘, 들-	오가-

2015학년도 9월 고3 모의평가 A형

04 〈보기〉의 ㉠의 방식에 따라 형성된 단어로 적절한 것은?

〈 보기 〉

국어의 단어 형성 방식을 알아보기 위해 한 단어가 아닌 '오고 가다'를, 한 단어인 '뛰어가다', '오가다'와 비교해 보자.

○ 많은 사람들이 오고 가다.
○ 사람들이 바쁘게 뛰어가다.
○ 오가는 사람이 많다.

'오고 가다'라는 구(句)는 단어 '오다'의 어간 '오-'에 연결 어미 '-고'가 결합하여 '가다'와 이어진 것이다. 이러한 방식은 단어 형성에서도 찾아볼 수 있다. 예를 들어, '뛰어가다'는 '뛰다'와 '가다'의 ㉠ 어간이 연결 어미로 연결되어 형성된 한 단어이다. 한편 '오가다'는 어간과 어간이 직접 결합해서 한 단어가 되었다는 점에서 '뛰어가다'와 차이가 있다.

① 꿈꾸다
② 돌아서다
③ 뒤섞다
④ 빛나다
⑤ 오르내리다

2015학년도 4월 고3 학력평가 A형

05 **다음은 접사와 어근의 결합 양상에 대해 수업 중 발표한 내용이다. 이에 대한 학생들의 반응으로 적절하지 않은 것은?**

[발표 내용]
발표 1: 어근에 접두사가 결합되면 어근에 의미가 더해집니다. 예를 들어 '선무당'은 어근 '무당'에 접두사 '선-'이 결합하여 '서툰'이라는 의미가 더해진 것입니다. '군말', '군살'도 그 예에 속합니다.
발표 2: 어근에 접미사가 결합되면 어근에 의미가 더해집니다. 예를 들어 '꾀보'는 어근 '꾀'에 접미사 '-보'가 결합하여 '그것을 즐기거나 그 정도가 심한 사람'의 의미가 더해진 것입니다.
발표 3: 어근에 접미사가 결합하면 품사가 바뀌기도 합니다. 예를 들어 '사랑'은 '-하다'가 붙으면 명사에서 동사로 품사가 바뀝니다.

① '발표 1'의 내용 중 '군말', '군살'의 '군-'은 '쓸데없는'의 의미를 어근에 더해 주는군.
② '발표 1'과 '발표 2'를 종합해 보면, 접두사와 접미사는 어근과 결합하여 새로운 단어를 만드는군.
③ '발표 2'의 단어에 '멋쟁이', '장난꾸러기'를 더 추가할 수 있겠군.
④ '발표 2'와 '발표 3'을 종합해 보면, '꾀보'는 '-보'에 의해 의미가 더해지고 품사가 바뀌었군.
⑤ '발표 3'에는 '숙제하다'를 더 추가할 수 있겠군.

2013학년도 6월 고3 모의평가

06 **〈보기〉와 같이 밑줄 친 파생어의 의미를 적절하게 풀어서 표현한 것은?**

〈 보기 〉
밤중에 발을 헛디디지 않도록 조심해야 한다.
(→ 잘못 디디지)

① 그는 눈을 치뜨고 정면을 응시하였다.(→ 가늘게 뜨고)
② 문이 망가져 널빤지를 덧대어 수리했다.(→ 겹쳐 대어)
③ 당시에 그 나라에는 도적이 들끓었다.(→ 안에서 끓었다)
④ 간호사가 환자의 팔에 붕대를 되감았다.(→ 친친 감았다)
⑤ 동생이 가마솥 속의 팥죽을 휘젓고 있다.(→ 원형으로 젓고)

07 **밑줄 친 '뒤' 중 〈보기〉의 '뒤-'의 의미와 가장 가까운 것은?**

〈 보기 〉
'홍경래의 난'은 19세기 초에 우리나라 서북 지방을 뒤흔들었던 대규모 농민 항거 운동이었다.

① 온 세상이 하얀 눈으로 뒤덮였다.
② 거대한 파도가 배를 뒤집어 놓았다.
③ 술래가 도망가는 아이들을 뒤쫓았다.
④ 시대의 변화에 뒤처지지 말아야 한다.
⑤ 그와의 만남은 그녀의 인생을 뒤바꿔 놓았다.

08 **〈보기〉를 바탕으로 각 파생어의 유형에 속하는 예를 추가로 찾아보았을 때 적절하지 않은 것은?**

〈 보기 〉
㉠ 품사와 문장 구조에 변화가 없음.
 예 명사 '어머니'에 '시-'가 붙어 명사 '시어머니'가 된다.
㉡ 파생어가 되면서 품사가 달라짐.
 예 동사 '웃다'의 '웃-'에 '-음'이 붙어 명사 '웃음'이 된다.
㉢ 파생어의 사용으로 문장 구조가 달라짐.
 예 '잡다'에 '-히-'가 붙어 '잡히다'가 되면 '경찰이 도둑을 잡다.'와 같은 문장이 '도둑이 경찰에게 잡히다.'처럼 바뀐다.
㉣ 위의 ㉡과 ㉢ 모두에 해당함.
 예 형용사 '낮다'에 '-추-'가 붙어 동사 '낮추다'가 되면 '방 온도가 낮다.'와 같은 문장이 '내가 방 온도를 낮추다.' 처럼 바뀐다.

① '멋'에 '-쟁이'가 붙은 '멋쟁이'는 ㉠에 들어간다.
② '파랗다'에 '새-'가 붙은 '새파랗다'는 ㉠에 들어간다.
③ '지우다'의 '지우-'에 '-개'가 붙은 '지우개'는 ㉡에 들어간다.
④ '열다'의 '열-'에 '-리-'가 붙은 '열리다'는 ㉢에 들어간다.
⑤ '읽다'의 '읽-'에 '-히-'가 붙은 '읽히다'는 ㉣에 들어간다.

09 **밑줄 친 말 중 합성 과정에서 형태와 의미가 모두 변한 것은?**

① 소나무의 꽃은 5월에 핀다.
② 서너 명이 모여 모둠을 만들었다.
③ 우리 집은 오랫동안 마소를 길렀다.
④ 사람의 안팎을 속속들이 알 수는 없다.
⑤ 상황이 나빠진 게 어제오늘의 일이 아니다.

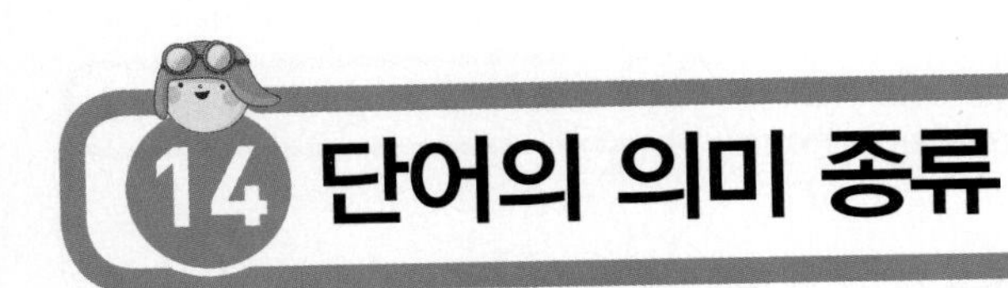

14 단어의 의미 종류

최근 5개년 출제 지수 ●●○○○

❶ 중심적 의미, 주변적 의미

중심적 의미와 주변적 의미

(1) 중심적 의미: 한 단어의 가장 기본적이며 핵심적인 의미이다.

(2) 주변적 의미: 한 단어의 중심적 의미에서 확장된 의미이다.

예 맵다 (1) 고추나 겨자와 같이 맛이 알알하다. → 중심적 의미
(2) 성미가 사납고 독하다.
(3) 날씨가 춥다.
(4) 연기 따위가 눈, 코를 아리게 하다.
(5) 결기가 있고 야무지다.
→ 주변적 의미

알아 둘 것 일상에서 사용하는 말 가운데 사용 빈도가 높은 말들은 여러 가지 상황에서 다양한 의미로 사용되는데, 이를 '단어의 다의성'이라고 하고 이렇게 사용되는 단어를 '다의어'라고 해. 단어의 중심적 의미와 주변적 의미는 이러한 다의어의 의미를 나눌 때 사용하는 문법 용어야. 예로, '손'이라는 단어가 '아기의 귀여운 손'처럼 가장 기본적인 의미로 사용되는 경우가 중심적 의미라면, 이 단어가 '손(노동력)이 모자란다. / 그 사람과 손(관계)을 끊겠다. / 손(씀씀이)이 크다.' 등으로 확장되어 사용되는 경우가 주변적 의미지.

❷ 개념적 의미, 연상적 의미,* 주제적 의미

● '연상적 의미'는 개념적 의미에 대립되는 '함축적·사회적·정서적·반사적·연어적 의미'를 포괄한 용어로서, 개방적이며 가변적인 특성을 지닌다.

1. 개념적 의미

사전에 풀이된 중심적이고 핵심적인 의미로, '사전적 의미'라고도 한다.

예 학교: 일정한 목적 · 교과 과정 · 설비 · 제도 및 법규에 의하여 교사가 계속적으로 학생에게 교육을 실시하는 기관
→ 목적, 존재 양식 등 본질적 내용으로 정의

2. 연상적 의미

개념적 의미에 덧붙어서 연상되는 의미이다.

(1) 함축적 의미: 개념적 의미 외에 연상이나 관습에 의해 갖게 되는 의미를 말한다.

예 여자 → '꼼꼼하다', '감성이 풍부하다' 등 흰색 → '순수', '평화', '죽음' 등

(2) 사회적 의미: 말하는 사람의 사회적 환경을 드러내는 의미로, 지리적 방언뿐 아니라 사회적 방언이 반영된다.

예 '표리(表裏)'는 일반적으로 '물체의 겉과 속'의 의미로 쓰이지만, 궁중에서는 '의복의 겉감과 안감'의 의미로 쓰였다.

(3) 정서적 의미: 주로 구어에서 말하는 사람의 감정이나 태도가 반영된 의미로, '감정적 의미'라고도 한다.

예 '참 잘했네.'라는 말을 부드럽게 할 때는 화자의 흡족한 태도를 드러내지만, 비아냥거리며 말할 때는 불만스러운 태도를 나타낸다.

참고 정서적 의미를 낳는 요소
정서적 의미는 대화 상황 속에서 말의 어조, 세기, 길이 그리고 억양이나 음색 등에 의해 드러난다.

(4) 반사적 의미: 원래 뜻과는 관계 없이 나타나는 특정한 의미이다. 반사적 의미를 피하기 위해 어휘 형태를 바꾸기도 한다.

예 이름이 '한송이'일 경우, 이름이 뜻하는 바와 관계없이 꽃과 관련된 긍정적인 의미를 불러일으킨다.

(5) 연어적 의미: 어떤 단어의 의미가 다른 단어와 함께 배열된 환경에 의해서 달라지게 되는 것을 말한다.

예 짙다 ┌ 짙은 눈썹 → 숱이 많아 빛깔이 강한
　　　└ 짙은 안개 → 안개나 연기 따위가 자욱한

참고 연어적 의미
동사의 경우 그것과 어울리는 목적어나 주어의 범위가 다양하게 나타난다. 다음 예에서 아래로 갈수록 동사의 연어적 의미가 풍부하게 나타남을 알 수 있다.
예 • (머리를) 빗다.
• (머리를, 손등을, 배를) 쓰다듬다.
• (머리를, 손톱을, 나무를, 과일을, 값을) 깎다.
• (철수가, 겨울이, 짐작이, 연락이, 관심이, 손이, 금이, 차가) 가다.

3. 주제적 의미

어순이나 강세의 변화 등을 통해 말하는 사람의 특별한 의도를 담은 의미를 가리킨다.

예 나도 돈은 있다. → 돈은 나도 있다. → '돈'을 강조함.

1단계 기본 트레이닝

의미의 개념 **빈칸에 들어갈 알맞은 말을 넣으시오.**

01 의사소통 과정에서 개념적 의미 외에 연상이나 관습에 의해 갖게 되는 의미를 (　　　　) 의미라고 한다.

02 말하는 사람의 사회적 환경을 드러내는 의미로, 지리적 방언뿐 아니라 사회적 방언이 반영되는 것을 (　　　　) 의미라고 한다.

03 언어 표현에 말하는 사람의 감정이나 태도가 반영된 의미를 (　　　　) 의미라고 한다.

04 원래 뜻과는 관계없이 다른 의미적 반응을 불러일으키는 것을 (　　　　) 의미라고 한다.

05 어떤 단어의 의미가 다른 단어와 함께 배열된 환경에 의해서 달라지게 되는 것을 (　　　　) 의미라고 한다.

의미의 종류 ① **밑줄 친 단어가 중심적 의미로 사용되었으면 '중', 주변적 의미로 사용되었으면 '주'라고 쓰시오.**

06 축구공에 바람이 빠졌다. (　　　　)

07 창문으로 바람이 들어오자 촛불이 꺼졌다. (　　　　)

08 그는 선생님께 머리를 숙여 공손히 인사했다. (　　　　)

09 그는 행동이 민첩한데다가 머리까지 뛰어났다. (　　　　)

의미의 종류 ② **밑줄 친 시어의 의미를 바르게 연결하시오.**

> 남으로 창을 내겠소 / 밭이 한참갈이
> 괭이로 파고 / 호미론 풀을 매지요
>
> 구름이 꼬인다 갈 리 있소
> 새 노래는 공으로 들으랴오
> 강냉이가 익걸랑 / 함께 와 자셔도 좋소
>
> 왜 사냐건 / 웃지요
>
> – 김상용, 「남으로 창을 내겠소」

10 사전적 의미 • 　　• (1) 세속적 욕망

11 함축적 의미 • 　　• (2) 공기 중의 수분이 엉기어서 미세한 물방울이나 얼음 결정의 덩어리가 되어 공중에 떠 있는 것

2단계 실전 트레이닝

12 밑줄 친 말 중 중심적 의미로 사용된 것은?

① 제법 날씨가 맵다.
② 손에 힘을 더 줘라.
③ 솜이 물을 먹어 무겁다.
④ 불도저로 야산을 밀었다.
⑤ 신호등을 잘 보고 길을 건너자.

13 〈보기〉의 밑줄 친 '날'에 대한 설명으로 적절하지 않은 것은?

〈보기〉
ㄱ. 금세 날이 저물었다.
ㄴ. 오늘은 날이 참 따뜻하다.
ㄷ. 오늘은 1학기 마지막 날이다.
ㄹ. 같이 만날 날을 지금 정하자.
ㅁ. 할아버지에게도 화려했던 날이 있었다.

① ㄱ에서는 '하루 중 환한 동안'이라는 주변적 의미로 사용되었다.
② ㄴ에서는 '날씨'라는 주변적 의미로 사용되었다.
③ ㄷ에서는 '지구가 한 번 자전하는 동안', 곧 24시간이라는 중심적 의미로 사용되었다.
④ ㄹ에서는 '날짜'라는 주변적 의미로 사용되었다.
⑤ ㅁ에서는 '경우'라는 주변적 의미로 사용되었다.

14 단어의 여러 가지 의미에 대해 설명한 내용으로 적절하지 않은 것은?

① '준호가 주먹이 세다.'에는 준호를 비하하는 정서적 의미가 담겨 있다.
② '검은색'은 색깔의 종류 중 하나를 의미하지만 '죽음', '공포' 등의 함축적 의미를 갖는다.
③ '값을 깎다.'와 '머리를 깎다.'에서 '깎다'의 의미는 앞말과의 연어적 관계에 따라 달라진다.
④ '임신중(林信重)'이라는 강사의 이름을 듣고 청중들이 웃는 까닭은 그 이름의 뜻과는 관계없는 반사적 의미 때문이다.
⑤ 조선 시대 때 양반은 '숭늉을 진지하라.', 상민은 '숭늉을 가져오라.'라고 말했다는 사실은 사회 계층에 따른 단어 사용의 차이를 보여 준다.

15 단어 간의 의미 관계 1

최근 5개년 출제 지수 ●●●○○

❶ 유의 관계* 類무리유 義뜻의 關관계할관 系이을계

☆ **교과서 정의** 유의 관계는 같거나 유사한 의미를 지닌 둘 이상의 단어가 맺는 의미 관계이다.

★ **쉽게 쓴 정의** 유의 관계는 의미가 같거나 비슷한 단어들의 관계이다.

유의 관계의 특성

유의 관계를 이루는 말은 기본 의미가 비슷하지만 가리키는 대상의 범위가 다르기도 하고, 미묘한 느낌의 차이를 보이기도 한다. 따라서 어느 경우에나 교체할 수 있는 것은 아니다.

	학교를 향해	말이	기차가	물가가
달리다	○	○	○	×
뛰다	○	○	×	○

❷ 반의 관계 反되돌릴반 義뜻의 關관계할관 系이을계

☆ **교과서 정의** 반의 관계는 둘 이상의 단어가 서로 짝을 이루어 대립하는 관계이다.

★ **쉽게 쓴 정의** 반의 관계는 의미가 서로 반대되는 단어들의 관계이다.

반의 관계의 특성

(1) 반의 관계가 성립하려면 반대되는 의미와 함께 공유하는 의미 요소가 존재해야 한다.

예 반의 관계를 형성하는 '총각 ↔ 유부남'의 경우, 의미의 공유 요소는 '남자'이다.

(2) 연어 관계, 즉 어떤 말과 어울려 쓰이는지에 따라 반의어가 달라질 수 있다.

예 (물가가) / (심장이) 뛰다 ↔ 떨어지다 / 멈추다   (문을) / (꼭지를) 열다 ↔ 닫다 / 잠그다

❸ 상하 관계 上위상 下아래하 關관계할관 系이을계

☆ **교과서 정의** 상하 관계는 한쪽이 의미상 다른 쪽을 포함하거나 다른 쪽에 포함되는 관계이다.

★ **쉽게 쓴 정의** 상하 관계는 두 단어의 의미가 서로 포함하고 포함되는 관계이다.

상하 관계의 특성

(1) 상하 관계는 연속적으로 나타나는 경우가 대부분이다.

예
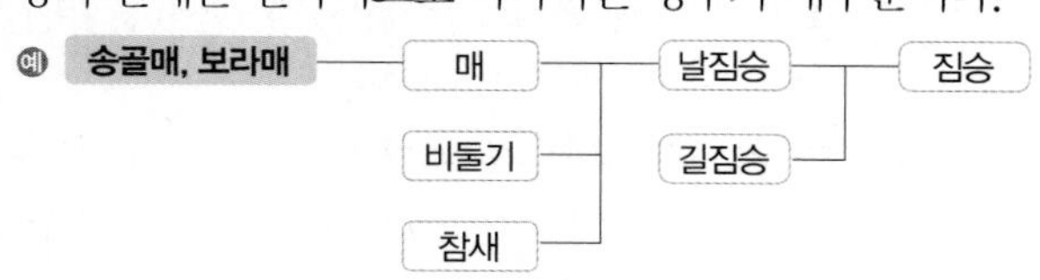

(2) 하의어는 의미상 상의어에 포함되나 그 범위가 훨씬 넓다. 또 하의어는 상의어의 의미를 포함한다.*

하의어 ← 개별적, 구체적 …… 일반적, 포괄적 → **상의어**

● 우리말에는 유의어가 많이 발달해 있는데 그 이유는 다음과 같다.
① 고유어와 한자어, 외래어가 섞여 쓰임.
 예 아내-처-와이프
② 높임법의 발달
 예 나-저-본인-이 사람
③ 감각어의 발달
 예 노랗다-노르스름하다-노릇노릇하다

참고 유의어의 의미 차이 확인 방법
① 유의어로 교체해 보면 두 단어의 의미 차이를 발견할 수 있다.
 예 그는 [날카로운 / 예리한] 관찰력을 지녔다.
 → 철수는 매우 피곤한지 가벼운 농담에도 [날카롭게 / *예리하게] 반응했다.
② 반의어를 확인해 보면 두 단어의 의미 차이를 발견할 수 있다.
 예 나의 합격 소식에 어머니는 무척 [기뻐하셨다 / 좋아하셨다].
 ↔ 나의 합격 소식에 어머니는 무척 [슬퍼하셨다 / 싫어하셨다].

참고 반의어의 종류
① 상보 반의어: 개념적 영역이 중간 개념 없이 상호 배타적인 반의어이다.
 예 죽다 ↔ 살다
② 등급 반의어: 정도나 등급의 대립 관계를 나타내는 반의어이다.
 예 어렵다 ↔ 쉽다
③ 방향 반의어: 방향상의 대립 관계를 나타내는 반의어이다.
 예 오다 ↔ 가다

● 상하 관계를 형성하는 단어들은 상의어일수록 일반적이고 포괄적인 의미를 지니며, 하의어일수록 개별적이고 한정적인 의미를 지닌다.
예 • 나무 > 소나무, 느티나무, 버드나무, …
 • 음식 > 밥, 죽, 피자, 스파게티, …

1단계 기본 트레이닝

유의 관계의 구별 **다음 단어들 중 유의 관계를 이루는 단어가 아닌 것을 찾아 밑줄 치시오.**

01 순수하다, 순결하다, 준수하다

02 작고하다, 말살하다, 운명하다

03 초탈하다, 약탈하다, 강탈하다

반의 관계의 구별 ① **제시된 단어와 반의 관계에 있는 단어가 아닌 것을 찾아 밑줄 치시오.**

04 뚜렷하다 ↔ 흐릿하다, 침침하다, 반듯하다, 모호하다

05 빽빽하다 ↔ 엉성하다, 성기다, 듬성듬성하다, 영글다

06 서투르다 ↔ 능숙하다, 설익다, 익숙하다, 능란하다

반의 관계의 구별 ② **'빼다'의 의미에 대응하는 반의어를 각각 쓰시오.**

빼다 「1」 속에 들어 있거나 끼여 있거나, 박혀 있는 것을 밖으로 나오게 하다.
빼다 「2」 전체에서 일부를 제외하거나 덜어 내다.

07 빼다「1」↔ (　　　　)

08 빼다「2」↔ (　　　　)

상하 관계의 구별 **다음 단어들을 포괄할 수 있는 상의어를 쓰시오.**

09 찌다 / 굽다 / 튀기다 / 삶다 / 데치다 → (　　　　)

10 시치다 / 공그르다 / 감치다 / 박음질하다 → (　　　　)

11 된장 / 간장 / 치즈 / 김치 / 젓갈 / 요구르트 → (　　　　)

12 윷놀이 / 제기차기 / 연날리기 / 쥐불놀이 / 차전놀이 → (　　　　)

2단계 실전 트레이닝

2013학년도 11월 고1 학력평가

13 〈보기〉의 ㉠과 ㉡에 해당하는 사례로 적절하지 않은 것은?

〈 보기 〉

의미가 같거나 비슷한 둘 이상의 단어가 맺는 의미 관계를 ㉠ 유의 관계, 둘 이상의 단어에서 의미가 서로 짝을 이루어 대립하는 의미 관계를 ㉡ 반의 관계, 한쪽이 의미상 다른 쪽을 포함하거나 다른 쪽에 포함되는 의미 관계를 상하 관계라 한다.

	㉠	㉡
①	옷 : 의복	밤 : 낮
②	서점 : 책방	기쁨 : 슬픔
③	걱정 : 근심	학생 : 남학생
④	환하다 : 밝다	오르다 : 내리다
⑤	분명하다 : 명료하다	숨기다 : 드러내다

14 다음 단어의 의미 관계에 대한 설명으로 적절하지 않은 것은?

남자－남정네　동물－물고기　교도소－큰집
고깃간－푸줏간　아주머니－아줌마　아주머니－아저씨

① '남자－남정네'는 [+남성], [+결혼]의 의미 성분을 공유하고 있는 유의어이다.
② '동물－물고기'는 상하 관계에 있는 말이다.
③ '교도소－큰집'은 사회적 의미의 개입으로 생겨난 유의어이다.
④ '고깃간－푸줏간'은 유의어, '아주머니－아저씨'는 반의어이다.
⑤ '아주머니－아줌마'는 [+여성], [+결혼]의 의미 성분을 공유하고 있는 유의어이다.

15 '걸다'에 대해 탐구한 내용으로 적절하지 않은 것은?

① '자동차에 시동을 걸고 서울로 출발했다.'에서 '걸고'의 반의어는 '끄고'가 되겠군.
② '그는 목숨을 걸고 독립운동을 했다.'에서 '걸고'는 '내놓고'로 바꾸어 쓸 수 있겠군.
③ '어머니는 아들에게 희망을 걸고 살았다.'에서 '걸고'는 '품고'로 바꾸어 쓸 수 있겠군.
④ '친구에게 전화를 걸어 만나기로 약속하였다.'에서 '걸어'의 반의어는 '끊어'가 되겠군.
⑤ '매매 계약서를 작성하고 계약금을 걸었다.'에서 '걸었다'는 '설정했다'로 바꾸어 쓸 수 있겠군.

16 단어 간의 의미 관계 2

최근 5개년 출제 지수 ●●●○○

❶ 동음이의 관계 同한가지동 音소리음 異다를이 義뜻의 關관계할관 系이을계

☆ **교과서 정의** 동음이의 관계는 소리는 같으나 뜻이 서로 다른 두 단어의 관계이다.

★ **쉽게 쓴 정의** 동음이의 관계는 뜻은 다르지만 우연히 소리가 같은 단어 간의 관계이다.

1. 동음이의어의 특성

발음은 같지만(동음) 뜻이 다른(이의) 단어로, 사전에서 별개의 단어로 취급된다.

예 글씨를 쓰다. / 모자를 쓰다. / 맛이 쓰다. → 세 경우의 '쓰다'는 각각 별개의 단어이다.

2. 동음이의어의 사전 수록 사례

사전에서는 '길 01, 길 02, …'와 같이 순서를 매겨 설명한다.

예

길 01 「명사」	길 02 「명사」
(1) 사람이나 동물 또는 자동차 따위가 지나갈 수 있게 땅 위에 낸 일정한 너비의 공간. (2) 물 위나 공중에서 일정하게 다니는 곳. (3) 걷거나 탈것을 타고 어느 곳으로 가는 노정(路程). (4) 시간의 흐름에 따라 개인의 삶이나 사회적 · 역사적 발전 따위가 전개되는 과정.	(1) 물건에 손질을 잘하여 생기는 윤기. (2) 짐승 따위를 잘 가르쳐서 부리기 좋게 된 버릇. (3) 어떤 일에 익숙하게 된 솜씨.

참고 동음이의어의 예
- 갈다(바꾸다.) – 갈다(문지르다.) – 갈다(파서 뒤집다.)
- 되다(새로운 지위를 가지다.) – 되다(물기가 없다.) – 되다(분량을 헤아리다.)

❷ 다의 관계 多많을다 義뜻의 關관계할관 系이을계

☆ **교과서 정의** 다의 관계는 한 단어가 둘 이상의 관련된 의미를 지닌 것이다.

★ **쉽게 쓴 정의** 다의 관계는 하나의 단어가 둘 이상의 뜻을 지니는 것이다.

1. 다의어의 특성

다의어의 의미는 기본 의미인 '중심적 의미'와, 중심적 의미로부터 파생 또는 연상되어 쓰이는 '주변적 의미'로 나뉜다.

예
밟다 「동사」
(1) 발을 들었다 놓으면서 어떤 대상 위에 대고 누르다. → 중심적 의미
(2) (비유적으로) 힘센 이가 힘 약한 이를 눌러 못살게 굴다.
(3) 어떤 대상을 디디거나 디디면서 걷다.
(4) 어떤 일을 위하여 순서나 절차를 거쳐 나가다.
(5) 어떤 이의 움직임을 살피면서 몰래 뒤를 따라가다.
→ (2)~(5) 주변적 의미

2. 다의어의 사전 수록 사례

사전에서는 '(1), (2), (3), …'과 같이 순서를 매겨 '중심적 의미 → 주변적 의미'의 순서로 단어의 뜻을 차례로 설명한다. 다음 예에서 '타다 01'과 '타다 02'는 서로 다른 단어, 즉 동음이의어이고, 각각의 단어는 중심적 의미와 주변적 의미를 가진 다의어이다.

예

타다 01 「동사」	타다 02 「동사」
(1) 불씨나 높은 열로 불이 붙어 번지거나 불꽃이 일어나다. (2) 피부가 햇볕을 오래 쬐어 검은색으로 변하다. (3) 뜨거운 열을 받아 검은색으로 변할 정도로 지나치게 익다.	(1) 탈것이나 짐승의 등 따위에 몸을 얹다. (2) 도로, 줄, 산, 나무, 바위 따위를 밟고 오르거나 그것을 따라 지나가다. (3) 어떤 조건이나, 시간, 기회 등을 이용하다.

알아 둘 것! 다의어와 동음이의어는 어떻게 나눌까? 다의 현상은 한 단어의 의미가 중심적 의미와 주변적 의미로 나뉘므로 한 단어 내에서만 발생하고, 동음이의 현상은 뜻은 다르지만 소리가 같은 두 단어 사이에서 발생하는 현상이야. 사전을 살펴보면 거의 모든 단어가 하나 이상의 의미를 가지고 있는 다의어임을 알 수 있어. 즉, 동음이의어는 다의어에 비해 그 숫자가 확연히 적다고 할 수 있지.

참고 다의어와 동음이의어의 구별

① 의미 사이의 연상, 발전 관계가 확인되면 이는 다의어로 볼 수 있다.

예 가다

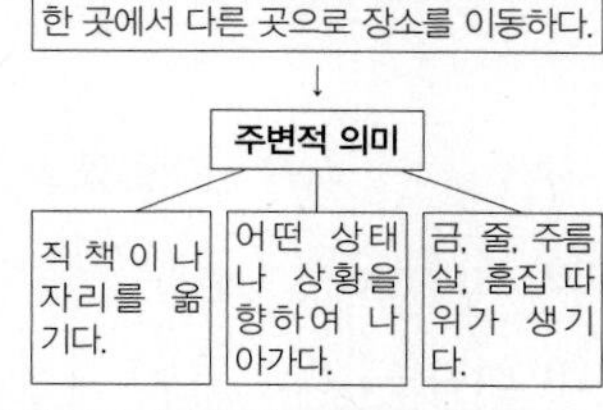

중심적 의미
한 곳에서 다른 곳으로 장소를 이동하다.
주변적 의미
직책이나 자리를 옮기다.
어떤 상태나 상황을 향하여 나아가다.
금, 줄, 주름살, 흠집 따위가 생기다.

② 두 단어가 의미상 아무 연관이 없다면 이는 동음이의어로 보아야 한다.

예 • 쓰다: 모자 따위를 머리에 얹어 덮다.
• 쓰다: 혀로 느끼는 맛이 한약이나 소태, 씀바귀의 맛과 같다.

국어 문법 100% 공략을 위한 **2단계 트레이닝**

정답과 해설 12쪽

1단계 기본 트레이닝

다의어의 의미 **밑줄 친 '가다'의 의미를 바르게 연결하시오.**

01 그는 성적이 중간은 간다. •   • (1) 한 곳에서 다른 곳으로 장소를 이동하다.

02 너에게 신호가 가면 직접 슛을 해. •   • (2) 말이나 소식 따위가 알려지거나 전하여지다.

03 아버지는 아침 일찍 서울로 가셨다. •   • (3) 어떤 대상을 기준으로 해서 어느 정도까지 이르다.

동음이의어의 의미 **ㄱ~ㅁ의 밑줄 친 '치다'를 의미에 따라 두 개의 동음이의어로 나누시오.**

ㄱ. 삼촌은 냇가에 그물을 쳐 놓고 기다렸다.
ㄴ. 옥이는 어머니께 풍금을 쳐 달라고 졸랐다.
ㄷ. 어머니께서는 땅을 치며 통곡하기 시작했다.
ㄹ. 우리는 배수진을 치고 좁혀 오는 적군에 대항했다.
ㅁ. 이번 전쟁에서 승리하려면 적의 심장부를 쳐야 한다.

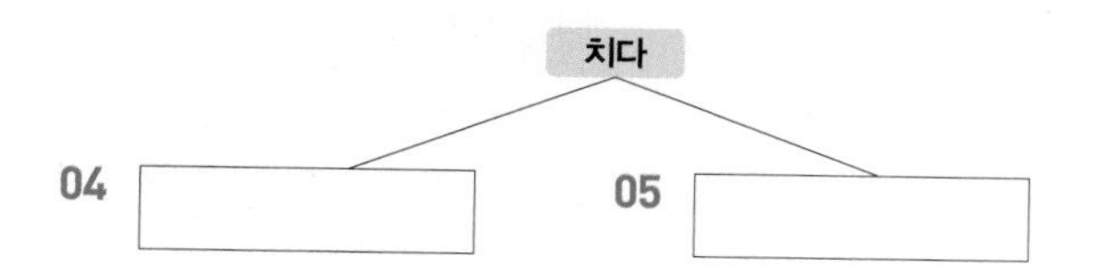

다의어와 동음이의어의 구별 **다음 설명이 맞으면 ○, 틀리면 × 표시를 하시오.**

06 '밤을 따다.', '밤이 깊다.'에서 '밤'은 의미상 관련성이 없으므로 동음이의어이다. ( )

07 '사람의 귀'와 '거울의 한 귀가 깨지다.'에서 '귀'는 의미상 관련성이 있으므로 다의어이다. ( )

08 '닫힌 것을 열다.'와 '열매가 열다.'에서 '열다'는 의미상 관련성이 있으므로 다의어이다. ( )

09 '머리를 감다.'와 '눈을 감다.'에서 '감다'는 의미상 관련성이 없으므로 동음이의어이다. ( )

10 '밀다'는 '등을 슬쩍 밀다.'에서는 힘을 주어 움직이게 한다는 뜻이고, '김 후보를 밀다.'에서는 지지한다는 뜻이므로 동음이의어이다. ( )

2단계 실전 트레이닝

11 〈보기〉에 대한 설명으로 적절하지 않은 것은?

〈보기〉

듣다 01 (1) 사람이나 동물이 소리를 감각 기관을 통해 알아차리다.
(2) 다른 사람의 말이나 소리에 스스로 귀기울이다.
(3) 주로 윗사람에게 꾸지람이나 칭찬을 맞거나 듣다.
듣다 02 눈물, 빗물 따위의 액체가 방울져 떨어지다.

① '듣다 01'만 다의어이다.
② '듣다 01'과 '듣다 02'는 동음이의어이다.
③ 두 개의 표제어에 대해 의미를 풀이하고 있다.
④ '듣다 01'의 의미는 '듣다 02'의 의미와 겹치는 부분이 있다.
⑤ '듣다 01'의 (1)~(3)은 '외부 자극의 수용'이라는 의미의 관련성을 갖는다.

12 단어의 의미 관계에 대한 설명으로 적절하지 않은 것은?

① '배를 타다.', '배를 먹다.'에서 '배'는 동음이의어이다.
② '잠을 자다.'와 '바람이 자다.'에서 '자다'는 의미의 관련성이 있으므로 다의어이다.
③ '보다'는 '하늘을 본다.'와 '나는 네가 옳다고 본다.'에서 주체의 지각과 판단을 뜻하므로 다의어이다.
④ '사람의 다리'와 '탁자의 다리'에서 '다리'는 공통적으로 '바닥을 받쳐 주는 부분'이라는 의미가 있으므로 다의어이다.
⑤ '무겁다'의 경우, '무거운 가방'에서는 무게가 나간다는 뜻이고, '무거운 음성'에서는 소리가 침울하다는 뜻이므로 동음이의어이다.

13 밑줄 친 '손'의 관계가 〈보기〉의 ㉠에 해당하지 않는 것은?

〈보기〉

㉠다의어는 한 단어의 여러 가지 뜻이 의미상 연관성을 가지고 있다. 반면 동음이의어는 소리는 같지만 의미상 연관성이 전혀 없다.

① 네 손에 낀 반지는 뭐야?
② 일의 성패는 네 손에 달려 있다.
③ 아이는 손을 흔들며 친구에게 작별 인사를 했다.
④ 요즘 손이 부족해 경수는 야근을 많이 해야 한다.
⑤ 우리 집에는 자고 가는 손이 많아서 늘 방을 비워 둔다.

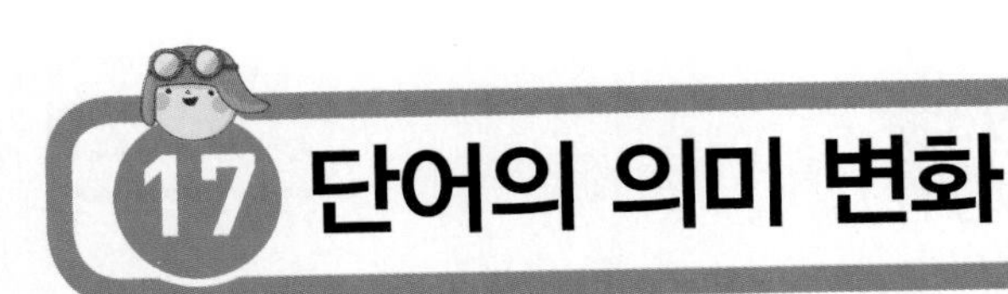

17 단어의 의미 변화

최근 5개년 출제 지수 ●●○○○

❶ 의미 변화의 원인•

1. 언어적 원인

다른 단어와 자주 함께 쓰이면서 그 단어의 의미에 영향을 받아 새로운 의미가 생겨나게 된 경우이다.

예 별로, 전혀 +~지 않다 → '별로, 전혀' 자체만으로도 부정적 의미를 가지게 됨.

2. 역사적 원인

시간이 흘러 단어가 가리키던 문물이나 제도 등이 변화하거나 없어졌으나 단어는 남아 있어 본래의 의미와는 다르게 새로운 의미를 얻게 된 경우이다.

예 배: 나무로 만든 것에서 나무, 쇠 등으로 만든 것을 포함하게 됨.
신발: 짚이나 가죽으로 만든 것에서 다른 소재로 만든 것도 포함하게 됨.
지갑: 종이로 만든 것에서 가죽과 천으로 만든 것도 포함하게 됨.

3. 사회적 원인

단어를 사용하는 사회 계층의 변화로 인해 단어의 의미가 변화하게 된 경우이다.

예 출혈: 일반적으로는 '피를 흘림.'의 의미로 쓰이나 상인 사회에서는 '재정적 손해'를 이르는 말로 쓰임.
수술: '피부나 점막 등을 자르거나 째거나 하여 병을 고치는 일'이라는 뜻의 의학 용어로 쓰이다가, 일반 사회에서도 사용되면서 '어떤 결함 따위를 근본적으로 고치는 일'이라는 뜻도 갖게 됨.

4. 심리적 원인

단어의 의미에 대한 인식이 변하면서 단어의 의미까지 변화한 경우이다. '유사성(비유)'과 '금기'라는 심리 특성으로 인해 단어의 의미가 변화하게 된다.

예 천연두: '손님', '마마'로 표현됨.•

● 말은 사회 내에서 사람들 사이의 소통을 목적으로 발생한 것이므로, 사회와 마찬가지로 '탄생 – 변화(의미 변화, 형태 변화) – 소멸'의 과정을 겪는다.
예 '얼굴'은 과거에는 '몸 전체 형상'을 뜻했지만, 오늘날에는 '안면'의 의미로 축소되었다.

참고 그 밖의 의미 변화의 예
① 언어적 원인
'별로'와 같이 다른 단어의 영향으로 의미가 변하는 경우 외에, '아침(아침밥), 머리(머리털)'와 같이 단어의 일부분으로 전체 의미를 대신하는 과정에서 의미가 변화하는 경우도 있다.
② 역사적 원인
'영감'이란 말은 원래 조선 시대의 벼슬명이었으나, 오늘날 제도의 변화로 '노인'의 의미로 사용되고 있다.
③ 심리적 원인
'죽다'라는 말을 기피하면서 '돌아가시다'와 같은 완곡 표현이 사용되었는데, 이 경우 '돌아가시다'는 심리적 원인에 의해 원래 본뜻과 다르게 의미가 변한 것으로 본다.

● '천연두'를 '손님'이나 '마마'라고 표현하는 것에는, 천연두를 상감마마나 손님처럼 대접해야 빨리 몸에서 나간다는 심리가 반영되어 있다.

❷ 의미 변화의 유형

1. 의미의 확대

단어의 의미 영역이 본래보다 넓어지는 현상이다.

예 영감: 벼슬아치+중년을 지난 남성
선생: 가르치는 사람+존경받을 만한 사람
다리: 동물의 다리+무생물의 다리
지갑: 종이 재질+가죽 등의 재질

2. 의미의 축소

단어의 의미 영역이 본래보다 좁아지는 현상이다.

예 미인: 남녀 모두 → 여성만　　짐승: 생명체 일반 → 인간을 제외한 동물　　얼굴: 몸 전체 → 안면

3. 의미의 이동

단어의 의미 영역이 넓어지거나 좁아지는 일 없이 단어의 의미가 변하는 경우이다.

예 어리다: 어리석다 → 나이가 적다　　어여쁘다: 불쌍하다 → 예쁘다

참고 복합적인 의미의 변화
의미의 축소와 의미의 확대가 단계적으로 일어나는 경우도 있다. '수술'은 '손으로 하는 기술이나 재주'의 의미였는데 '의료 기술의 하나'로 의미가 축소되었고, 이후 '사회의 병리 현상이나 폐단을 고치는 일'로 의미가 확대되었다.

정답과 해설 12쪽

1단계 기본 트레이닝

의미 변화의 원인 **다음과 같이 단어의 의미가 변화한 원인을 〈보기〉에서 찾아 그 기호를 쓰시오.**

〈보기〉

㉠ 언어적 원인	㉡ 역사적 원인
㉢ 사회적 원인	㉣ 심리적 원인

01 배(船): '나룻배'만을 의미하다가, '항공모함'이나 '잠수함' 등도 포함하게 되었다. (　　　)

02 돌아가시다: '죽다'처럼 입에 담기 꺼려하는 말을 완곡하게 표현하면서 의미가 변하게 되었다. (　　　)

03 출혈: 일반적으로 '피를 흘림.'을 의미하지만, 상인 사회에서는 '재정적 손해'를 의미하게 되었다. (　　　)

04 별로: 부정하는 의미의 서술어와 함께 자주 쓰이다가 자체만으로도 부정적 의미를 지니게 되었다. (　　　)

의미 변화의 유형 ① **빈칸에 들어갈 알맞은 말을 쓰시오.**

05

	의미 변화 과정	변화 유형
얼굴	몸 전체 형상 > 안면	의미의 축소
어여쁘다	불쌍하다 > 예쁘다	(1)
영감	벼슬 명칭 > 일반적인 남자 노인	(2)

의미 변화의 유형 ② **〈보기〉를 참고하여 각 단어들의 의미 변화의 양상을 찾아 밑줄 치시오.**

〈보기〉

단어	과거의 의미	현재의 의미
짐승	생명체 일반	인간을 제외한 포유류를 통틀어 이르는 말
건달	불교 용어로 '음악의 신'	하는 일 없이 게으름을 부리는 사람
세수	손을 씻음.	손이나 얼굴을 씻음.
오랑캐	만주 여진족	이민족을 낮잡아 이르는 말

06 짐승 → 의미의 (확대 / 축소 / 이동)

07 건달 → 의미의 (확대 / 축소 / 이동)

08 세수 → 의미의 (확대 / 축소 / 이동)

09 오랑캐 → 의미의 (확대 / 축소 / 이동)

2단계 실전 트레이닝

10 〈보기〉는 단어의 의미가 변화하는 원인을 정리한 것이다. ㉠과 ㉡의 예로 가장 적절한 것은?

〈보기〉
㉠ 언어적 원인: 하나의 단어가 다른 단어와 자주 인접하여 나타남으로써 그 의미까지 변한 경우
㉡ 역사적 원인: 단어가 가리키는 대상은 변모하였지만 단어는 그대로 남아 있어서 그 의미가 변한 경우

	㉠	㉡
①	복음	머리
②	전혀	신발
③	별로	출혈
④	바가지	화장실
⑤	돌아가다	지갑

11 단어의 의미 변화 유형이 나머지와 다른 것은?

① 얼굴: 몸 전체 → 안면
② 내외: 안과 밖 → 부부
④ 짐승: 생명체 일반 → 인간을 제외한 동물
③ 미인: 남녀 모두에게 씀. → 여성에게만 씀.
⑤ 계집: 여성 일반을 가리키는 말 → 여성의 낮춤말

12 〈보기〉에 해당하는 사례로 적절하지 않은 것은?

〈보기〉
의미의 확대: 어떤 사물이나 관념을 가리키는 단어의 의미 영역이 넓어짐으로써, 그 단어의 의미가 변화하는 경우를 말한다.

① '컴퓨터'는 본래의 의미 외에 '똑똑하다'는 의미가 첨가되었다.
② 신체의 일부분을 가리키는 '손'이 '노동력'을 가리키는 의미로도 쓰이게 되었다.
③ '우연치 않게'라는 말은, 원래는 '우연하게'였으나 오용이 거듭되면서 그 의미가 바뀌었다.
④ 호랑이를 꺼려서 '산신령'으로 부름으로써 '산신령'이 본래의 의미와는 다른 뜻을 아울러 가지게 되었다.
⑤ '신발, 바가지'와 같은 말은 지시 대상이 다양하게 확대되었음에도 불구하고 단어는 그대로 남아 쓰이고 있다.

01 밑줄 친 단어가 '따르다'의 의미인 ㉠~㉤과 유의 관계에 있지 않은 것은?

단어	의미
따르다	다른 사람의 뒤에서, 그가 가는 대로 같이 가다. ……………… ㉠
	앞선 것을 좇아 같은 수준에 이르다. ……………… ㉡
	좋아하거나 존경하여 가까이 좇다. ……………… ㉢
	관례, 유행이나 명령, 의견 따위를 그대로 실행하다. ……………… ㉣
	어떤 일이 다른 일과 더불어 일어나다. ……………… ㉤

① ㉠: 누나를 쫓아 시장 구경을 갔다.
② ㉡: 먹성 좋기로는 그를 아우를 자가 없다.
③ ㉢: 우리 집 개는 어머니를 유난히 좋아한다.
④ ㉣: 선생님의 지시를 준수하여 대청소를 했다.
⑤ ㉤: 사업을 시작할 때는 많은 어려움이 수반된다.

02 다음 반의 관계를 이루는 단어들의 의미 성분을 분석한 내용으로 적절하지 않은 것은?

	단어	의미 성분
①	입다 ↔ 벗다	공통 성분: [+의복] 대립 성분: [±복착]
②	열다 ↔ 닫다	공통 성분: [+문(門)], [+조작] 대립 성분: [±개방]
③	뛰다 ↔ 걷다	공통 성분: [+움직임], [+나아감] 대립 성분: [±목적지]
④	오르다 ↔ 내리다	공통 성분: [+가격], [+이동] 대립 성분: [±상향]
⑤	기쁘다 ↔ 슬프다	공통 성분: [+인간], [+감정] 대립 성분: [±즐거움]

03 ㄱ과 ㄴ의 의미 관계에 대한 설명으로 적절하지 않은 것은?

ㄱ	ㄴ
새	까치, 갈매기, 독수리, 펭귄

① ㄱ과 ㄴ은 거대한 계층 구조의 한 부분이다.
② ㄱ에 비해 ㄴ은 개별적, 한정적 의미를 가진다.
③ ㄱ의 의미에는 ㄴ 각각의 의미 특성이 모두 들어 있다.
④ ㄱ은 자신을 포괄하는 상의어를 가질 수 있다.
⑤ ㄴ은 자신보다 더욱 개별적, 한정적인 하의어를 가질 수 있다.

2016학년도 6월 고3 모의평가 A형

04 〈보기〉의 ㉠, ㉡에 해당하는 예로 적절하지 않은 것은?

〈 보기 〉

단어는 다양한 맥락에서 사용되면서 ㉠중심적 의미가 ㉡주변적 의미로 확장되어 다의 관계를 이루기도 한다. 일례로 자연과 관련된 단어가 자연물이나 자연 현상을 그대로 나타내는 중심적 의미로 쓰이다가 비유적으로 확장되어 주변적 의미로 사용되기도 한다.

(가) 여름이 오기 전에 홍수를 대비한다.
(나) 우리는 정보의 홍수 시대에 살고 있다.

(가)의 '홍수'는 중심적 의미로, (나)의 '홍수'는 주변적 의미로 사용되었다.

① ㉠: 천체 망원경으로 밤하늘의 별을 관찰했다.
  ㉡: 어제 물리학계의 큰 별이 졌다.
② ㉠: 천둥과 번개를 동반한 비가 내렸다.
  ㉡: 그는 도망가는 데만큼은 정말 번개야.
③ ㉠: 그는 자신의 뿌리를 찾고자 노력한다.
  ㉡: 잡초가 다시 자라지 않도록 뿌리를 뽑았다.
④ ㉠: 일출을 기다리는 우리 앞에 붉은 태양이 떠올랐다.
  ㉡: 그녀는 그가 자기 마음의 태양이라고 말했다.
⑤ ㉠: 들판에는 풀잎마다 이슬이 맺혔다.
  ㉡: 그녀의 두 눈에 맺힌 이슬이 뜨겁게 흘러내렸다.

2011학년도 수능

05 〈보기〉의 분류 절차에 따라 용례를 A와 B로 나눈 결과로 적절한 것은?

〈 보기 〉

[분류 절차]
• 각 용례에서 동사 '들다'의 의미를 확인함.
• 확인한 의미의 상호 유사성을 기준으로 분류함.

[용례]
ㄱ. 감기가 들다.　　ㄴ. 가방을 들다.
ㄷ. 단풍이 들다.　　ㄹ. 고개를 들다.
ㅁ. 반기를 들다.　　ㅂ. 보험을 들다.

	A	B
①	ㄱ, ㄷ	ㄴ, ㄹ, ㅁ, ㅂ
②	ㄱ, ㄷ, ㅁ	ㄴ, ㄹ, ㅂ
③	ㄱ, ㄷ, ㅂ	ㄴ, ㄹ, ㅁ
④	ㄱ, ㄹ, ㅁ	ㄴ, ㄷ, ㅂ
⑤	ㄱ, ㄷ, ㄹ, ㅂ	ㄴ, ㅁ

06 〈보기〉는 '매기다'의 의미를 정리한 것이다. 용례로 적절하지 않은 것은?

〈보기〉

ㄱ. 일정한 기준에 따라 사물의 값이나 등수 따위를 정하다.
ㄴ. 일정한 숫자나 표식을 적어 넣다.

① ㄱ: 가을에 출하되는 쌀을 등급대로 가격을 매겼다.
② ㄱ: 관세청에서는 그 수입품에 높은 관세를 매겼다.
③ ㄴ: 선생님은 신체검사를 통해 학생들의 신체 등급을 매겼다.
④ ㄴ: 그는 순서대로 일련번호를 매겨 장부를 보관하였다.
⑤ ㄴ: 사장님은 신중하게 차례대로 늘어서 있는 신제품에 숫자를 매겨 나갔다.

2014학년도 예비 수능 B형

07 〈보기〉를 읽고 중세 국어와 현대 국어의 의미 변화를 탐구한 내용으로 적절한 것은?

〈보기〉

나랏 ㉠말ᄊᆞ미 中듕國귁에 달아 文문字ᄍᆞᆼ와로 서르 ᄉᆞᄆᆞᆺ디 아니ᄒᆞᆯᄊᆡ 이런 젼ᄎᆞ로 ㉡어린 百ᄇᆡᆨ姓셩이 니르고져 호ᇙ 배 이셔도 ᄆᆞᄎᆞᆷ내 제 ᄠᅳ들 시러 펴디 몯ᄒᆞᇙ ㉢노미 ㉣하니라 내 이ᄅᆞᆯ 爲윙ᄒᆞ야 ㉤어엿비 너겨 새로 스믈여듧 字ᄍᆞᆼᄅᆞᆯ ᄆᆡᇰᄀᆞ노니 사ᄅᆞᆷ마다 ᄒᆡᅇᅧ 수ᄫᅵ 니겨 날로 ᄡᅮ메 便뼌安ᅙᅡᆫ킈 ᄒᆞ고져 ᄒᆞᇙ ᄯᆞᄅᆞ미니라

－『훈민정음』 언해, 세조 5년(1459)

[풀이]

우리나라의 **말이** 중국과 달라 문자와 서로 통하지 아니하여서 이런 까닭으로 **어리석은** 백성이 말하고자 하는 바가 있어도 마침내 제 뜻을 능히 펴지 못하는 **사람이 많다**. 내가 이것을 위하여 **가엾게** 여겨 새로 스물여덟 자를 만드니, 모든 사람들로 하여금 쉽게 익혀 날마다 쓰는 데 편하게 하고자 할 따름이다.

① ㉠의 '말ᄊᆞᆷ'은 '말'을 뜻하였는데, 현대 국어의 '말씀'은 남의 말을 높여 이르거나 자기 말을 낮추어 이르는 말을 뜻하니까 의미 확대의 예야.
② ㉡의 '어리다'는 '어리석다'를 뜻하였는데, 현대 국어의 '어리다'는 '나이가 적다.'를 뜻하니까 의미 축소의 예야.
③ ㉢의 '놈'은 '사람'을 뜻하였는데, 현대 국어의 '놈'은 남자를 낮잡는 의미로 쓰이니까 의미 확대의 예야.
④ ㉣의 '하다'는 '많다'를 뜻하였는데, 현대 국어의 '하다'는 '사람이나 동물, 물체 따위가 행동이나 작용을 이루다.'란 뜻이니까 의미 축소의 예야.
⑤ ㉤의 '어엿브다'는 '가엾다'를 뜻하였는데, 현대 국어의 '예쁘다'는 '모양이 작거나 섬세하여 눈으로 보기에 좋다.'란 뜻이니까 의미 이동의 예야.

2009학년도 9월 고3 모의평가

08 〈보기〉의 설명을 참고할 때 ㄱ~ㄷ에 쓸 수 있는 말의 기본형을 바르게 나열한 것은?

〈보기〉

말과 말이 결합할 때에 제약이 발생하는 경우가 있다. 가령 '눈, 우박, 서리'를 써서 기상 현상을 나타내는 문장을 만들어 보자. '눈'에 대해서 '내리다, 오다'는 쓰지만 '떨어지다'는 쓰지 않는다. '우박'에 대해서 '내리다, 떨어지다'는 쓰지만 '오다'는 쓰지 않는다. '서리'에 대해서 '내리다'는 쓰지만 '오다, 떨어지다'는 쓰지 않는다.

- 우리는 그가 범인일 것이라고 결론을 (ㄱ).
- 이 소설에서는 주인공이 죽는 것으로 결말을 (ㄴ).
- 그는 그 저택을 사들이기로 결정을 (ㄷ).

	ㄱ	ㄴ	ㄷ
①	짓다	맺다	하다
②	짓다	내리다	맺다
③	맺다	하다	내리다
④	하다	짓다	내리다
⑤	내리다	하다	짓다

2014학년도 6월 고3 모의평가 A·B형

09 다음은 '사전 활용하기' 학습 활동을 위한 자료이다. 이에 대한 이해로 옳지 않은 것은?

바라다[1] 〔바라, 바라니〕 통 【…을】 ㉠ 【-기를】 어떤 일이나 상태가 이루어지거나 그렇게 되었으면 하고 생각하다. ¶ 요행을 바라다. / 시험에 합격하기를 바란다. ㉡ 원하는 사물을 얻거나 가졌으면 하고 생각하다. ¶ 돈을 바라고 너를 도운 게 아니다.
바래다[1] [바:--] 〔바래어(바래), 바래니〕 통 ㉠ 볕이나 습기를 받아 색이 변하다. ¶ 빛 바랜 편지 / 색이 바래다. ㉡ 【…을】 볕에 쬐거나 약물을 써서 빛깔을 희게 하다. ¶ 이불을 볕에 바래다.

① '바라다[1]'과 '바래다[1]'은 모두 다의어이다.
② '바라다[1]'과 '바래다[1] ㉡'은 주어 이외에도 다른 문장 성분을 필요로 한다.
③ '바라다[1]'에 의하면, "나는 너의 성공을 바래."의 '바래'는 '바라'의 잘못이다.
④ '바래다[1]'의 첫 음절은 장음으로 발음된다.
⑤ '바래다[1] ㉡'의 용례로 '종이가 누렇게 바래다.'를 추가할 수 있다.

18 품사의 개념 및 분류

최근 5개년 출제 지수 ●●○○○

❶ 품사의 개념

☆ **교과서 정의** 품사는 단어들을 문법적 성질이 공통된 것끼리 모아 갈래 지어 놓은 것이다.

★ **쉽게 쓴 정의** 품사는 성질이 비슷한 단어끼리 모아 놓은 것이다.

국어의 품사는 아홉 가지로 분류된다.

명사, 대명사, 수사, 동사, 형용사, 관형사, 부사, 조사, 감탄사
체언 용언 수식언 관계언 독립언

❷ 단어 분류의 기준

1. 형태

단어가 문장 속에서 쓰일 때 형태가 변하는지의 여부에 따라 '불변어'와 '가변어'● 로 나눈다.

불변어	체언, 수식언, 관계언(서술격 조사 '이다'를 제외한 나머지 조사), 독립언
가변어	용언, 관계언(서술격 조사 '이다')

● 형태가 변하면 '가변어', 형태가 변하지 않으면 '불변어'라고 하는데, 가변어에는 용언(동사, 형용사)과 서술격 조사 '이다'가 포함된다. 가변어인 용언에서 활용할 때 형태가 변하지 않는 부분을 '어간'이라 하고, 변하는 부분을 '어미'라고 한다.

2. 기능

단어가 문장 속에서 어떤 기능을 하는지에 따라 '체언, 용언, 수식언, 관계언, 독립언'으로 나눈다.

분류	기능	예
체언	주로 주어의 기능을 하며, 목적어와 보어의 기능을 하기도 함.	꽃이 피었다. / 밥을 먹었다. / 언니는 대학생이 되었다.
용언	주어를 서술하는 기능	여름이 가고, 가을이 왔다.
수식언	체언이나 용언을 수식하는 기능	이 사과가 매우 맛있다.
관계언	단어들의 관계를 나타내는 기능	나의 소원은 조국의 통일이다.
독립언	홀로 독립하여 쓰이는 기능	후유, 겨우 숙제를 다 했네.

참고 기능에 따른 단어 분류의 명칭

① 체언: 문장의 몸, 주체의 기능을 하므로 '체언(體言)'이라고 한다. '명사, 대명사, 수사'가 이에 속한다.
② 용언: 주어를 서술하는 기능을 하며, '동사, 형용사'가 이에 속한다. 활용하는 언어이므로 '용언(用言)'이라고 한다.
③ 수식언: 다른 말을 꾸며 주는 기능을 하므로 '수식언(修飾言)'이라고 한다. '관형사, 부사'가 이에 속한다.
④ 관계언: 문법적인 관계를 나타내므로 '관계언(關係言)'이라고 한다. '조사'가 이에 속한다.
⑤ 독립언: 다른 성분에 비해 비교적 독립적인 성격을 띠므로 '독립언(獨立言)'이라고 한다. '감탄사'가 이에 속한다.

3. 의미●

단어의 의미에 따라 '명사, 대명사, 수사, 동사, 형용사, 관형사, 부사, 조사, 감탄사'로 나눈다.

분류	의미	예
명사	사람이나 사물의 구체적 이름을 나타냄.	달맞이꽃이 예쁘게 피었다.
대명사	명사를 대신하여 나타냄.	이것을 뭐라고 부릅니까?
수사	사람이나 사물의 수량, 차례를 나타냄.	우리 반 애들 셋이 결석했다. / 건강이 첫째이다.
동사	사람이나 사물의 움직임을 나타냄.	영희가 책을 읽는다. / 토마토가 잘 큰다.
형용사	사람이나 사물의 성질, 상태를 나타냄.	기성이가 매우 착하다. / 잠을 못 자 매우 피곤하다.
관형사	체언을 꾸며 줌.	어느 곳에도 갈 수 없다. / 나는 새 집으로 이사했다.
부사	주로 용언을 꾸며 줌.	나는 열심히 공부했다. / 그는 멀리 달아났다.
조사	다른 말과의 문법적 관계를 나타내거나 특별한 의미를 더함.	내가 요리를 가장 잘한다. / 오이만 빼고 다 잘 먹는다.
감탄사	놀람, 느낌, 부름이나 대답을 나타냄.	아, 세월이 빠르구나. / 네, 제가 먹었습니다.

● 단어를 나누는 기준으로서의 '의미'는 개별 단어의 어휘적 의미를 말하는 것이 아니라, 형식적 의미를 말한다.

참고 품사를 구분하는 순서

① 실질적인 뜻을 지니고 있지 않은 조사를 먼저 고른다.
② 실질적인 뜻을 지닌 단어 중 뒤에 오는 단어를 꾸미는 역할을 하는 관형사와 부사를 고른다.
③ 형태가 변하지 않는 단어인 체언(명사, 대명사, 수사)과 형태가 변하는 단어인 용언(동사, 형용사)을 고른다.
④ 독립적으로 쓰이는 감탄사를 고른다.

국어 문법 100% 공략을 위한 2단계 트레이닝

정답과 해설 13쪽

1단계 기본 트레이닝

품사의 개념 ① **빈칸에 들어갈 알맞은 말을 각각 쓰시오.**

01

형태	기능	의미
불변어	체언	명사
		대명사
		(1)
	(2)	관형사
		부사
	독립언	(3)
	관계언	조사
가변어		서술격 조사
	(4)	동사
		형용사

품사의 개념 ② **다음 설명에 해당하는 품사를 각각 쓰시오.**

02 사람이나 사물의 이름을 나타낸다. (　　　)

03 사람이나 사물의 이름을 대신 나타낸다. (　　　)

04 화자의 감정, 부름이나 응답을 나타낸다. (　　　)

05 사람이나 사물의 동작이나 작용을 나타낸다. (　　　)

06 사람이나 사물의 수량 또는 순서를 나타낸다. (　　　)

07 사람이나 사물의 성질이나 상태를 나타낸다. (　　　)

08 체언 앞에 놓여 그 체언의 내용을 '어떠한'의 방식으로 꾸며 준다. (　　　)

09 용언 앞에 놓여 그 용언의 내용을 '어떻게'의 방식으로 꾸며 준다. (　　　)

10 체언의 뒤에 붙어 그 말과 다른 말과의 문법적 관계를 표시하거나 특별한 의미를 더해 준다. (　　　)

품사의 분류 **밑줄 친 단어들을 기능에 따라 분류할 때, 나머지와 성격이 다른 하나를 고르시오.**

11
- 학교가 멀다. • 신발을 샀다. • 게임에 중독되었다.
- 그게 바로 정답이다. • 너무 떠들지 마라.

12
- 가을 하늘이 드높다. • 산이 푸르게 나무를 심자.
- 긴 머리가 찰랑거린다. • 새 집에 입주했다.

13
- 순 살코기 • 저 어린이 • 매우 빨리 • 푸른 들녘

2단계 실전 트레이닝

14 〈보기〉의 단어의 품사를 분류할 때 적절하지 않은 것은?

〈보기〉
공원, 과연, 놀라다, 다섯, 달리다, 매우, 먹다, 빨리, 셋째, 어설프다, 예쁘다, 온갖, 차갑다, 하나, 하늘, 학교

① 명사: 공원, 하늘, 학교
② 수사: 다섯, 셋째, 하나
③ 동사: 놀라다, 달리다, 먹다
④ 부사: 과연, 매우, 빨리, 온갖
⑤ 형용사: 어설프다, 예쁘다, 차갑다

15 〈보기〉를 참고할 때 밑줄 친 단어 중 체언이 아닌 것은?

〈보기〉
체언은 형식상 불변어로, 문장에서 주어, 목적어, 보어 등의 기능을 한다.

① 형은 엄마와 함께 감자를 캤다.
② 셋에서 둘을 빼면 하나가 남는다.
③ 그를 보고 다들 미남이라고 부른다.
④ 국민이 정부보다 훨씬 더 지혜롭다.
⑤ 김 사장의 말은 결코 사실이 아니다.

16 〈보기〉의 단어들에 대한 설명으로 적절하지 않은 것은?

〈보기〉
㉠ 헌, 모든, 여러
㉡ 가, 를, 도, 에서
㉢ 몹시, 더욱, 빨리
㉣ 달리다, 높다, 자다
㉤ 어이쿠, 우아, 앗, 어머나

① 단어의 의미에 따라 ㉠~㉤을 구분할 수 있다.
② 문장 안에서의 기능에 따라 ㉠과 ㉢을 구분할 수 있다.
③ 단어의 형태가 변하는지에 따라 ㉠과 ㉣을 구분할 수 있다.
④ 문법적인 관계를 나타내는지에 따라 ㉡과 ㉢을 구분할 수 있다.
⑤ 문장 안에서 독립성을 지니는지에 따라 ㉣과 ㉤을 구분할 수 있다.

19 체언

최근 5개년 출제 지수 ●●●○○

1 명사 名이름명 詞말사

1. 명사의 개념

명사는 사람이나 사물의 이름을 나타내는 단어이다.

2. 명사의 종류

지시 대상의 유일성 여부	보통 명사	우리나라의 광역시는 모두 6개이다.
	고유 명사	인천광역시는 백령도를 포함한다.
자립성 유무	자립 명사	그 영화는 기본이 결여되어 있다.
	의존 명사	기타를 칠 줄 아는 것이 감사할 따름이다.

3. 명사의 특성

명사는 앞에 관형어•를 둘 수 있고, 뒤에는 조사를 동반할 수 있다.

예 마을의(관형어) 둘레에(명사) 맑은 강물이(명사+조사) 흐르고 있다.

참고 명사와 명사형의 구분

(가) 피카소의 그림은 의미가 심오하다.
(나) 피카소가 그렇게 그림은 깊은 뜻이 있기 때문이다.

(가)의 '그림'은 관형어인 '피카소의'의 수식을 받고 있으므로 명사이다. 그러나 (나)의 '그림'은 비록 조사 '은'이 붙었지만 관형어 대신 부사어 '그렇게'의 꾸밈을 받고 있기 때문에 동사(동사의 명사형)이다.

참고 의존 명사

문장에서 관형어가 없이는 홀로 쓰일 수 없는 명사가 있는데, 이를 자립 명사와 구분하여 의존 명사라고 한다. 대표적인 의존 명사로는 '데, 수, 이, 것, 바, 따름' 등이 있다.

예
- 이것을 다 보는 데 세 시간이나 걸렸다.
- 사람은 떡으로만 살 수가 없다.
- 모두 말하는 이를 쳐다보았다.

● 관형어는 체언 앞에 붙어 체언을 꾸며 주는 기능을 하는 문장 성분이다.

2 대명사 代대신할대 名이름명 詞말사

1. 대명사의 개념

사람이나 사물의 이름을 대신 나타내는 단어이다.

2. 대명사의 종류

인칭 대명사	일인칭	나, 저, 우리, 저희
	이인칭	너, 자네, 당신, 너희, 여러분
	삼인칭	그, 이이, 그이, 저이, 이분, 그분, 저분
	재귀칭•	저, 자기, 당신
지시 대명사	사물을 지시	이것, 그것, 저것
	처소를 지시	여기, 거기, 저기, 이곳, 그곳, 저곳
미지칭 대명사	모르는 사람이나 사물을 가리킴.	누구, 어디, 무엇
부정칭 대명사	특정 대상을 가리키지 않음.	아무, 아무개

● '재귀칭'은 앞에 나온 체언을 도로 나타내는 대명사이다. 재귀 대명사는 지시 대상(선행 체언)의 유형에 따라 다음과 같이 다양하게 표현된다.

중이	제(저의)	머리를 못 깎는다.(깎으신다.)
철수가	자기의	
선생님이	당신의	

3. 대명사의 특성

똑같은 말이라도 발화 상황, 즉 화자와 청자의 관계에 따라 의미가 달라진다.

예 철수: 나(=철수)는 이것(=사과)이 좋아.
영희: 너(=철수)는 그것(=사과)이 좋다고? 나(=영희)는 이것(=수박)이 좋은데.

3 수사 數셀수 詞말사

1. 수사의 개념

사물의 수량이나 순서를 나타내는 단어이다.

2. 수사의 종류

양수사	수량을 나타냄.	하나, 둘, 셋, … / 일, 이, 삼, …
서수사	순서를 나타냄.	첫째, 둘째, 셋째, … / 제일, 제이, 제삼, …

참고 수사의 특성

① 수사는 본래 관형사의 꾸밈을 받을 수 없지만, 특정한 상황에서는 관형사의 꾸밈을 받기도 한다.
　예 저 셋이 단짝이야.
② 수사는 접두사나 접미사가 붙을 수 있다.
　예 제일(第一), 제이(第二), 둘째, 셋째
③ 수사는 부사어처럼 쓰이는 경우도 있다.
　예 나는 사과를 하나 먹었다.

알아 둘 것 수사는 오로지 수사로만 쓰일까? 품사가 수사인 단어를 국어사전에서 찾아보면 수사 외에도 다른 품사가 함께 있는 걸 볼 수 있어. 예를 들어 '첫째'를 국어사전에서 찾아보면 품사가 '수사, 관형사, 명사'로 표시되어 있지. 따라서 단어의 품사를 판단할 때는 문장 안에서 어떤 뜻으로 쓰였는지 먼저 확인해 봐야 해.

국어 문법 100% 공략을 위한 **2단계 트레이닝**

정답과 해설 14쪽

1단계 기본 트레이닝

명사의 종류 **다음에 해당하는 명사를 〈보기〉에서 각각 찾아 쓰시오.**

〈 보기 〉

사과, (노력한) 만큼, 이순신,
(한) 그루, (공부할) 수, 한강, (두) 명

01 보통 명사: ________ **02** 고유 명사: ________

03 자립 명사: ________ **04** 의존 명사: ________

대명사의 종류 **다음 설명이 맞으면 ○, 틀리면 × 표시를 하시오.**

〈 보기 〉

상진: 지민아, ㉠ 너는 중간고사 어떻게 준비하고 있니?
지민: 그냥, 필기한 거 잘 살펴보고, 문제집 좀 풀고…….
상진: 문제집은 ㉡ 뭐가 좋아?
지민: 수업 시간에 부교재로 썼던 ㉢ 이거면 충분해. 작년에도 거기서 많이 출제됐대.
상진: 걔는 다른 책도 보던데 ㉣ 그거는 볼 필요 없어?
지민: 걘 ㉤ 자기가 욕심이 많아 다른 책까지 보는 거야.

05 ㉠은 이인칭 대명사에 해당한다. ( )

06 ㉡은 특정 대상을 가리키지 않는 부정칭 대명사에 해당한다. ( )

07 ㉢, ㉣은 처소를 가리키는 지시 대명사에 해당한다. ( )

08 ㉤은 앞에 나온 명사를 다시 가리키는 재귀칭 대명사에 해당한다. ( )

수사의 종류 **단어와 품사를 바르게 연결하시오.**

09 하나 •

10 삼 • • 서수사

11 셋째 • • 양수사

12 제일(第一) •

2단계 실전 트레이닝

13 밑줄 친 단어 중 의존 명사가 아닌 것은?

① 날 알아주는 사람은 너뿐이다.
② 그저 당신을 만나러 왔을 따름입니다.
③ 나는 순희가 먹을 것이 무엇인지 궁금했다.
④ 문이 잠겨 있었으므로 그가 나갔을 리 없다.
⑤ 심 봉사는 더할 나위 없이 효성스러운 딸을 두었다.

14 〈보기〉의 설명에 해당하는 품사가 사용된 문장이 아닌 것은?

〈 보기 〉

- 형태상 불변어이다.
- 기능상 체언에 해당한다.
- 조사와 결합하여 다양한 문장 성분으로 사용될 수 있다.
- 사람, 사물, 장소, 현상 등을 나타내는 이름을 대신해서 가리킨다.

① 이 정도 일은 아무라도 할 수 있다.
② 그 사람은 형과 같은 학교 출신이다.
③ 대감마님, 소인은 이만 물러가겠습니다.
④ 죄를 지은 사람은 누구나 벌을 받아야 한다.
⑤ 동생은 자기 것이라면 아주 소중히 여기는 편이다.

15 〈보기〉를 참고할 때 밑줄 친 단어의 품사가 다른 하나는?

〈 보기 〉

첫째
[Ⅰ] 「수사」 순서가 가장 먼저인 차례
[Ⅱ] 「명사」
(1) (주로 '첫째로'의 꼴로 쓰여) 무엇보다도 앞서는 것
(2) 맏이

① 우리 집 첫째가 벌써 돌이 되었다.
② 사람은 첫째로 마음이 편해야 한다.
③ 요리를 할 때는 첫째, 손을 깨끗이 씻어야 한다.
④ 그 집안의 첫째는 성실하기로 이름이 난 사람이다.
⑤ 수험생이 첫째로 가져야 할 것은 차분한 마음가짐이다.

20 용언

최근 5개년 출제 지수 ●●●●○

❶ 동사 動움직일동 詞말사

1. 동사의 개념

사람 또는 사물의 움직임이나 과정, 작용을 나타내는 단어이다.

예 우리 팀이 상대의 수비진을 격파했다. → '우리 팀'의 동작을 나타냄.
물이 차갑게 식었다. → '물'의 변화 과정을 나타냄.

2. 동사의 종류

자동사	동작이나 작용이 주어에만 영향을 미쳐 목적어가 필요 없는 동사	• 마당에 꽃이 활짝 피었다. • 강물이 하류로 흘러간다.
타동사	동작이나 작용이 다른 사물에 영향을 미쳐 목적어를 필요로 하는 동사	• 그는 노래를 부른다. • 나는 밥을 먹는다.

→ 동사 중에는 자동사로도 쓰이고 타동사로도 쓰이는 것이 있다. 이를 자타 양용 동사, 또는 능격 동사라고 하는데, 이러한 유형의 동사에는 '그치다, 멈추다, 다치다, 휘다, 불다, 움직이다' 등이 있다.

❷ 형용사 形모양형 容얼굴용 詞말사

1. 형용사의 개념

사람 또는 사물의 성질이나 상태를 나타내는 단어이다.

예 음식이 짜다. → 성질을 나타냄.
그는 머리가 좋다. → 상태를 나타냄.

2. 형용사의 종류

성상 형용사	사물의 성질이나 상태를 나타내는 형용사	• 뜨겁다, 달다, 착하다, 곱다 → 성질을 나타냄. • 피곤하다, 아프다, 바쁘다, 좋다, 기쁘다 → 상태를 나타냄.
지시 형용사	사물의 성질, 시간, 수량 따위가 어떠하다는 것을 형식적으로 나타내는 형용사	이러하다(이렇다), 그러하다(그렇다), 저러하다(저렇다), 어떠하다, 아무러하다

알아 둘 것! 동사는 동작이나 작용을 나타내고, 형용사는 상태나 성질을 나타낸다는 건 다 알지? 그런데 이것만으로 동사와 형용사를 명확히 구분하기가 어려운 경우가 있어. 그럴 때는 다음 방법들을 적용해 보자.
첫째, 현재 시제를 나타내는 어미 '-ㄴ/-는'이 결합할 수 있으면 동사이고, 그렇지 않으면 형용사야.
예 먹는다(○) → 동사 / 예쁜다(×) → 형용사
둘째, 관형사형 어미 '-는'이 결합할 수 있으면 동사이고, 그렇지 않으면 형용사야.
예 달리는(○) → 동사 / 빠르는(×) → 형용사
셋째, 의도나 목적을 뜻하는 어미 '-러/-려'가 결합할 수 있으면 동사이고, 그렇지 않으면 형용사야.
예 들으려(○) → 동사 / 착하려(×) → 형용사
넷째, 명령형 어미 '-아라/-어라' 또는 청유형 어미 '-자'가 결합할 수 있으면 동사이고, 그렇지 않으면 형용사야.
예 일어나라, 일어나자(○) → 동사 / 예뻐라, 예쁘자(×) → 형용사

❸ 용언의 구성과 활용

1. 용언의 구성

어간	• 용언이 문장에서 쓰일 때 고정되어 변하지 않는 부분 • 단어의 실질적 의미를 나타냄.
어미	• 어간 뒤에 붙어서 변하는 부분 • 단어의 다양한 문법적 의미를 나타냄. – 어말 어미: 단어의 맨 뒤에 오는 어미. 종결 어미, 연결 어미, 전성 어미가 있음. – 선어말 어미: 어말 어미 앞에 나타나는 어미. 높임, 시제, 화자의 심리적 태도(추정, 확신 등)를 나타냄.

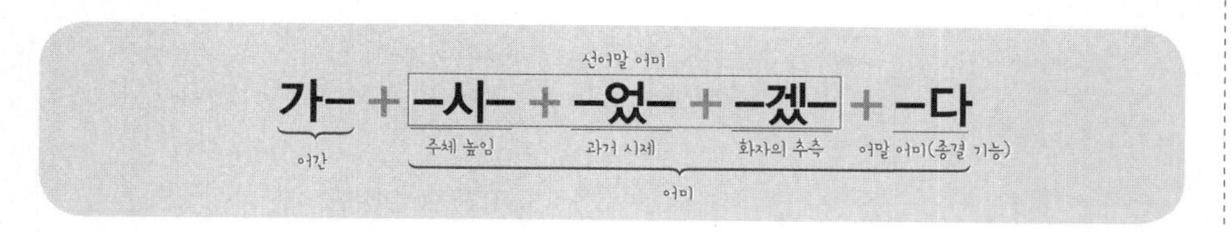

참고 어말 어미
① 종결 어미: 문장을 끝맺는 기능을 하는 어말 어미이다. '간다/가느냐/가라/가자/가는구나'와 같이 문장의 유형을 결정한다.
② 연결 어미: 문장을 끝맺지 않고 다음 문장과 연결시켜 주는 기능을 하는 어말 어미이다. '봄이 가고 여름이 온다.'와 같이 두 문장을 대등하게 연결하기도 하고, '머리가 아파서 잠을 잤다.'와 같이 종속적 관계로 문장을 연결하기도 한다.
③ 전성 어미: 용언의 서술 기능을 다른 기능으로 바꾸어 주는 어말 어미이다. '예쁜 소녀'와 같이 형용사를 관형어로 전성시켜 뒤의 명사를 수식하게 하거나 '문법은 공부하기가 어렵다.'와 같이 동사를 명사형으로 전성시키기도 한다. '꽃이 아름답게 피었다.'와 같이 형용사를 부사어로 전성시켜 뒤의 서술어를 수식하게 만들기도 한다.

2. 용언의 활용

☆ **교과서 정의** 용언의 활용은 용언이 문장 속에서 그 기능에 따라 형태를 달리하는 것을 말한다.

★ **쉽게 쓴 정의** 용언의 활용은 용언의 어간에 어미가 다양한 모습으로 결합하는 현상이다.

용언의 활용을 음운 규칙으로 설명할 수 있으면 '규칙 활용', 음운 규칙으로 설명할 수 없으면 '불규칙 활용'이라 한다.

(1) 규칙 활용

① 어간과 어미의 형태가 변하지 않는 경우

② 어간과 어미의 형태가 변하더라도 음운 규칙으로 설명할 수 있는 경우

(2) 불규칙 활용

① 어간이 바뀌는 불규칙 활용

분류	활용 양상	용례
'ㄷ' 불규칙	'ㄷ'이 모음 어미 앞에서 'ㄹ'로 변함.	듣-(聽)+-어 → 들어 / 묻(問)-+-어 → 물어
'ㅂ' 불규칙	'ㅂ'이 모음 어미 앞에서 '오/우'로 변함.	돕-+-아 → 도와 / 줍-+-어 → 주워
'ㅅ' 불규칙	'ㅅ'이 모음 어미 앞에서 탈락함.	잇-+-어 → 이어 / 긋-+-어 → 그어
'ㄹ' 불규칙	'ㄹ'가 모음 어미 앞에서 'ㄹㄹ'로 변함.	흐르-+-어 → 흘러 / 이르-+-어 → 일러(謂, 早)
'우' 불규칙	'우'가 모음 어미 앞에서 탈락함.	푸-+-어 → 퍼

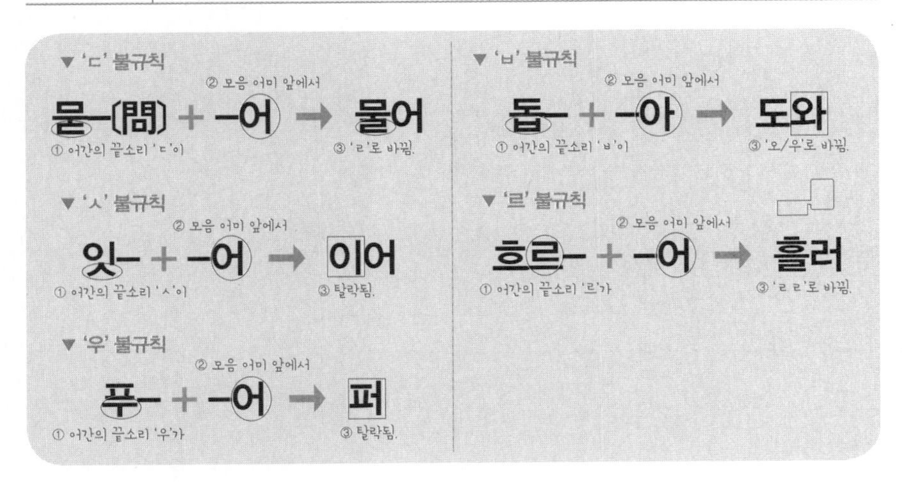

② 어미가 바뀌는 불규칙 활용

분류	활용 양상	용례
'러' 불규칙	(어간이 'ㄹ'로 끝나는 일부 용언에서) 어미 '-어'가 '-러'로 변함.	푸르-+-어 → 푸르러 / 이르-+-어 → 이르러(至)
'여' 불규칙	어간 '하-' 뒤에 오는 어미 '-아/-어'가 '-여'로 변함.	공부하-+-어 → 공부하여 / 정직하-+-어 → 정직하여

참고 **어간이 바뀌는 불규칙 용언**

① 'ㄷ' 불규칙 용언에는 '걷다, 싣다, 깨닫다' 등이 있다.

② 'ㅂ' 불규칙 용언에는 '곱다, 눕다, 덥다' 등이 있다.

③ 'ㅅ' 불규칙 용언에는 '붓다, 낫다, 짓다, 젓다' 등이 있다.

④ 'ㄹ' 불규칙 용언에는 '가르다, 고르다, 기르다, 마르다, 빠르다, 가파르다, 배부르다, 나르다' 등이 있다.

⑤ '우' 불규칙 용언에는 '푸다' 하나만 있다.

알아 둘 것 오너라, 오거라, 와라… 예전엔 '오너라'만 가능했지만 지금은 모두 허용되는 말이다. 전에는 표준 문법에서 '오' 불규칙, '거라' 불규칙, '너라' 불규칙을 인정하였지만, 현재는 현실 언어를 반영해 '-아라/-어라'와 '-거라', '-너라'가 의미와 어감이 다르다고 보아 모두 표준형으로 인정하고 있다.

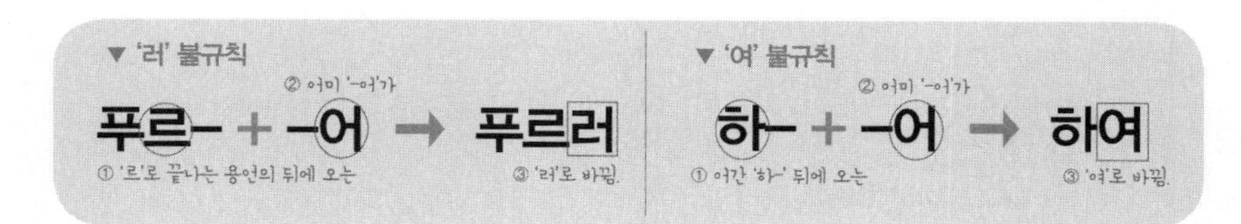

③ 어간과 어미가 모두 바뀌는 불규칙 활용

분류	활용 양상	용례
'ㅎ' 불규칙	'ㅎ'으로 끝나는 어간에 어미 '-아/-어'가 오면 어간의 일부인 'ㅎ'이 없어지고 어미도 변함.	파랗-+-아 → 파래 / 하얗-+-아서 → 하얘서

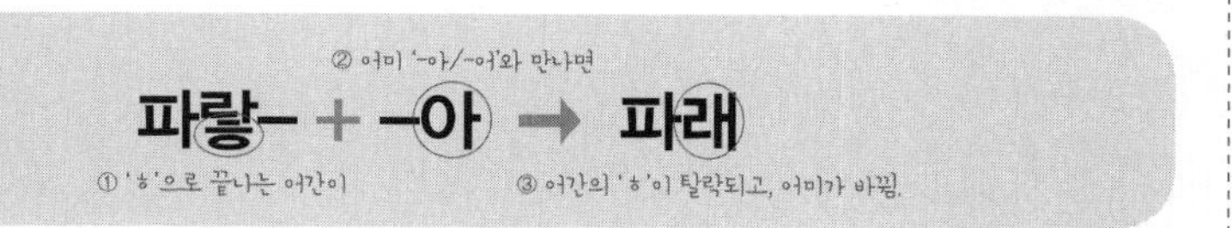

참고 어간과 어미가 모두 바뀌는 불규칙 용언
'ㅎ' 불규칙 용언에는 '까맣다, 노랗다, 누렇다, 빨갛다' 등이 있다.

❹ 보조 용언

혼자서는 쓰이지 못하고 반드시 다른 용언 뒤에 붙어 의미를 더하여 주는 용언으로, 보조적 연결 어미인 '-아/-어, -게, -지, -고' 등과 연결되거나 의존 명사 '양, 척, 체, 만, 법, 듯' 등에 '-하다, -싶다'가 붙어서 이루어진다*. 보조 용언에는 보조 동사와 보조 형용사가 있다.

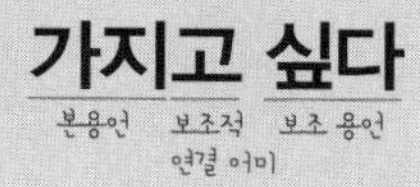

먹어 보다
본용언 보조적 연결 어미 보조 용언

참고 본용언과 보조 용언
우리 말에서 두 개 이상의 용언이 연달아 쓰이는 경우가 있는데, 이때 하나는 반드시 본용언이며 나머지는 그 의미와 기능에 따라 본용언일 수도 있고 보조 용언일 수도 있다.
예 • 나는 실망하고 말았다.(본용언+보조 용언)
• 형은 노래하며 춤추었다.(본용언+본용언)

* 의존 명사에 '-하다, -싶다'가 붙어 이루어지는 보조 용언의 경우, 앞에 오는 본용언이나 '이다'에 관형사형 어미가 연결되는 것이 특징이다. 단, '직하다'는 본용언이나 '이다'에 '-음/-ㅁ'이 연결된다.
예 • 그는 동생을 모르는 체했다.
• 금방이라도 비가 올 듯싶다.
• 영수의 말이 사실임 직하다.

1. 보조 동사

본용언과 연결되어 의미를 보충하는 역할을 하는 동사이다. 동사처럼 활용한다.

의미	용례
완료	다 먹어 버렸다. / 약속을 받아 냈다. / 이야기를 듣고 나서 말했다.
진행	일이 다 끝나 간다. / 아침이 밝아 온다. / 지금 공부를 하고 있다.
유지	짐을 벗어 놓고 나왔다. / 그냥 남겨 두고 돌아왔다. / 과일을 사 가지고 왔다.
부정	그를 만나지 않았다. / 아직 끝내지 못했다.

2. 보조 형용사

본용언과 연결되어 의미를 보충하는 역할을 하는 형용사이다. 형용사처럼 활용한다.

의미	용례
추측	그는 내일 올 듯하다. / 공부를 열심히 했나 보구나.
가능성	비가 올 법한 날씨다. / 큰 사고가 날 뻔했다. / 그의 말이 사실임 직하다.
소망	여행을 가고 싶다.
도달	당장 굶어 죽게 생겼다.

참고 보조 형용사의 대표적 예
보조 형용사는 보조 동사만큼 그 수가 많지 않다. 보조 형용사의 대표적인 예는 다음과 같다.
예 • 몸에 열이 나는 듯한데.
• 영화가 볼 만하군.
• 그럴 법하지.
• 정신 상태가 썩어 빠졌다.
• 넘어질 뻔했다.
• 굶어 죽게 생겼다.
• 먹이를 먹었음 직하다.

국어 문법 100% 공략을 위한 2단계 트레이닝

1단계 기본 트레이닝

(동사, 형용사의 구별) **밑줄 친 단어의 품사를 쓰시오.**

01 철수가 책을 읽는다. ( )

02 책상 위에 공이 있다. ( )

03 젊은 나이에 성공을 했다. ( )

04 나이에 비해 얼굴이 늙었다. ( )

05 지금 그림 상태는 이렇습니다. ( )

06 그 백화점은 개점 시간이 늦다. ( )

07 그는 친구에게 급히 편지를 보냈다. ( )

08 그녀는 손가락으로 머리카락을 쓸었다. ( )

(불규칙 활용의 종류) **다음 사례에 해당하는 불규칙 활용을 쓰시오.**

09 푸-+-어 → 퍼: ( ) 불규칙

10 돕-+-아 → 도와: ( ) 불규칙

11 싣-+-어 → 실어: ( ) 불규칙

12 긋-+-어 → 그어: ( ) 불규칙

13 파랗-+-아 → 파래: ( ) 불규칙

14 하얗-+-아서 → 하얘서: ( ) 불규칙

15 푸르-+-어 → 푸르러: ( ) 불규칙

16 가파르-+-아 → 가팔라: ( ) 불규칙

17 공부하-+-어 → 공부하여: ( ) 불규칙

(보조 용언의 쓰임) **밑줄 친 용언의 구성 방식을 〈보기〉와 같이 쓰시오.**

〈보기〉
영화는 밥을 먹고 보자. → 본용언+본용언

18 제주도로 여행을 가고 싶다. → ________

19 철수는 낮잠을 자고 일어났다. → ________

20 힘이 드니 잠시 여기 있다 가자. → ________

21 친구들과 운동장에서 놀고 있다. → ________

22 그는 결국 소원을 이루게 되었다. → ________

23 그녀는 온갖 어려움을 견뎌 냈다. → ________

2단계 실전 트레이닝

24 밑줄 친 단어 중 품사가 다른 것은?

① 날이 밝는 대로 길을 떠나자.
② 바쁘실 텐데 와 주셔서 감사합니다.
③ 그도 늙었고 나 역시 나이가 들었다.
④ 날씨가 건조하면 나무가 크지 못한다.
⑤ 옛말에 비 온 뒤에 땅이 굳는다고 했다.

25 밑줄 친 용언 중 〈보기〉의 ㉠에 해당하는 것은?

〈보기〉
• 모음으로 시작하는 어미 앞에서 어간이 바뀌는 경우
• 일부 어간 뒤에서 어미가 바뀌는 경우
• ㉠ 어간과 어미가 모두 바뀌는 경우

① 마음에 드는 것을 골라 보렴.
② 비가 와서 더 푸르러 보인다.
③ 열심히 일하여 돈을 모을 것이다.
④ 넌 피부가 하얘서 붉은색이 잘 어울려.
⑤ 아무리 물어도 그는 끝내 대답을 하지 않았다.

26 〈보기〉의 자료를 바탕으로 용언에 대해 탐구한 결과로 적절하지 않은 것은?

〈보기〉
ㄱ. 날씨가 덥다.
ㄴ. 밥이 다 되어 간다.
ㄷ. 철수가 물을 먹고 갔다.
ㄹ. 영희가 종이배를 접어서 띄웠다.

① ㄱ, ㄴ으로 볼 때, 한 용언이 홀로 쓰이기도 하고 다른 용언과 어울려 쓰이기도 하는군.
② ㄴ의 경우, 뒤의 용언이 앞의 용언의 의미를 보조하는 역할을 하는군.
③ ㄷ으로 볼 때, 문장 안에서 두 용언이 모두 실질적인 의미를 가지고 있으면 띄어 써야 하는군.
④ ㄴ도 ㄹ과 같이 앞의 용언에 연결 어미 '-어서'를 붙여 쓸 수 있군.
⑤ ㄴ~ㄹ로 볼 때, 두 용언이 어울려 쓰일 경우 연결 어미가 사용되는군.

21 수식언

최근 5개년 출제 지수 ●●●○○

❶ 관형사 冠갓관 形모양형 詞말사

1. 관형사의 개념

체언 앞에 놓여서, 체언을 꾸며 주는 단어이다.

예 온갖 새들　　그 사람들　　세 사람

2. 관형사의 특징

(1) 형태가 고정되어 있으며, 활용을 하지 않는다.

예 순 살코기　　헌 신발

(2) 고유 명사나 수사를 꾸밀 수 없고, 조사와 결합할 수 없다.

예 저 김철수 (×)　　온갖{은/도/만} (×)

3. 관형사의 종류

성상 관형사	대상의 모양, 성질, 상태를 나타내는 관형사	새 책, 헌 옷, 옛 소리, 외딴 마을, 순 거짓말
지시 관형사	특정한 대상을 지시하여 가리키는 관형사	이 집, 그 개, 저 사람, 무슨 일, 어느 곳
수 관형사	대상의 수나 양을 나타내는 관형사	두 사람, 세 근, 여러 번, 모든 것

참고 **지시 관형사와 대명사의 구별**
① 뒤에 체언이 오면 지시 관형사이다.
예 그 사람은 훌륭한 학생이다.
② 뒤에 조사가 오면 대명사이다.
예 그는 훌륭한 학생이다.

참고 **수 관형사와 수사의 구별**
① 뒤에 명사가 오면 수 관형사이다.
예 고양이 한 마리를 기른다.
② 뒤에 조사가 오거나 올 수 있으면 수사이다.
예 사과 하나(를) 주세요.

알아 둘 것! 관형사가 여럿 올 때는 '지시 관형사 – 수 관형사 – 성상 관형사'의 순서로 배열해야 돼.
예 '저 한 외딴 집'

❷ 부사 副도울부 詞말사

1. 부사의 개념

주로 용언 앞에 놓여서, 그 뜻을 수식하는 단어이다.

예 언니는 물을 많이 마신다.　　신발이 너무 크다.

2. 부사의 특징

(1) 형태가 고정되어 있으며, 활용을 하지 않는다.

(2) 용언 이외의 품사를 수식하기도 한다.

예 바로 옆에 있다. → 부사가 명사 수식　　범인은 바로 당신이다. → 부사가 대명사 수식
오직 하나뿐인 그대 → 부사가 수사 수식　　아주 헌 책이다. → 부사가 관형사 수식
매우 빨리 달린다. → 부사가 부사 수식　　제발 내 소원을 들어주세요. → 부사가 문장 전체 수식

(3) 보조사(는, 도, 들)와 결합할 수 있다.

예 깨끗이(는/도/들) 먹었구나.

3. 부사의 종류

(1) 성분 부사: 문장의 한 성분을 꾸며 주는 부사이다.

성상 부사	뒷말의 모양, 상태, 성질, 정도를 한정해서 꾸미는 부사	천천히 걷다. / 아주 모범생이다.
지시 부사	처소나 시간을 가리켜 한정하거나 앞의 이야기에 나온 사실을 가리키는 부사	내일 이리 와라.
부정 부사	용언의 앞에 놓여 그 내용을 부정하는 부사	저녁을 안 먹었다. / 시끄러워서 못 들었다.

(2) 문장 부사: 뒤에 올 문장 전체를 꾸며 주는 부사이다.

양태 부사	화자의 심리적 태도를 나타내는 부사	제발 용서해 주세요. / 모름지기 사람은 양심이 있어야 한다.
접속 부사	앞의 단어나 문장의 뜻을 뒤의 단어나 문장에 이어 주면서 뒷말을 꾸며 주는 부사	[단어 접속] 사과 또는 배 / 미술 혹은 음악 [문장 접속] 아기는 엄마를 사랑해. 그리고 아빠도 사랑해. / 난 생선을 좋아한다. 하지만 고기는 싫어한다.

알아 둘 것! 문장 부사는 성분 부사와 달리 문장 속에서 여러 위치에 나타날 수 있어.

분명히 준영이는 공부에 최선을 다했다.
준영이는 분명히 공부에 최선을 다했다.
준영이는 공부에 분명히 최선을 다했다.

1단계 기본 트레이닝

수식언의 특징 **다음 설명이 맞으면 ○, 틀리면 × 표시를 하시오.**

01 관형사는 체언을 꾸며 주는 단어이다. ( )

02 관형사는 고유 명사나 수사를 꾸밀 수 없고, 조사와 결합할 수 없다. ( )

03 관형사가 여럿 올 때는 '지시 관형사－성상 관형사－수 관형사'의 순서로 배열한다. ( )

04 부사는 활용을 하여 형태가 변한다. ( )

05 부사는 크게 성분 부사와 문장 부사로 나눌 수 있다. ( )

수식언의 구별 **밑줄 친 단어가 체언이면 '체', 수식언이면 '수'라고 쓰시오.**

06 이 역시 좋을 것이다. ( )

07 다섯 사람이 시험에 합격했다. ( )

08 이는 우리가 생각하던 바입니다. ( )

09 이 나무는 모양새가 아주 좋군요. ( )

관형사의 구별 **( ) 안에서 이질적인 품사를 찾아 ○ 표시를 하시오.**

10 (새, 헌, 외딴, 작은) 집을 발견했다.

11 (바로, 오직, 다만, 첫째) 이것이 나의 소원이다.

12 (뭇, 온갖, 많은, 온) 나라에서 축전을 보내왔다.

13 (웬, 어떤, 한, 잘생긴) 남자가 너를 찾아왔더구나.

14 (옛, 김(金), 구(舊), 전(前)) 반장님이 오랜만에 생각났다.

부사의 종류 **밑줄 친 부사가 문장 부사이면 '문', 성분 부사이면 '성'이라고 쓰시오.**

15 이리 가까이 오게. ( )

16 부디 건강하시기 바랍니다. ( )

17 몸살이 된통 걸려 거의 사흘을 앓았다. ( )

18 불행히 내 작품은 신춘문예에 당선되지 못했다. ( )

부사와 관형사의 구별 **밑줄 친 단어의 품사를 각각 쓰시오.**

19 영화가 참 재미있어요. ( )

20 그는 이 근방에서 키가 가장 크다. ( )

21 다른(他) 사람은 다 가고 나만 남았다. ( )

2단계 실전 트레이닝

22 밑줄 친 단어 중 〈보기〉의 설명에 해당하는 품사가 아닌 것은?

〈보기〉

ㄱ. 다른 말과 띄어 쓴다.
ㄴ. 어떠한 경우라도 조사를 취하지 않는다.
ㄷ. 어형이 고정되어 있으므로 활용하지 않는다.
ㄹ. 뒤에 오는 체언을 수식한다.

① 비가 내리던 어느 가을 저녁이었다.
② 그는 자기 일 밖의 다른 일에는 관심이 없다.
③ 그는 취직을 시켜 달라고 여러 차례 간청하였다.
④ 온갖 종류의 꽃들이 이번 전시회에 전시될 것이다.
⑤ 백화점에서는 봄을 맞아 최신 상품을 새롭게 선보였다.

23 〈보기〉의 내용으로 볼 때 밑줄 친 단어 중 지시 부사의 예로 적절하지 않은 것은?

〈보기〉

지시 부사란 발화 현장을 중심으로 처소나 시간을 가리키는 것, 앞에 나온 이야기의 내용을 지시하는 것 등이 있다.

① 그리 가면 우체국이 바로 나올 겁니다.
② 여기에서 하루를 보내고 내일 다시 도전하자.
③ 중동 지역은 언제 전쟁이 터질지 모르는 상황이다.
④ 한낱 동물도 저리 부모를 찾는데, 인간은 오죽하랴.
⑤ 오늘 우리는 드디어 역사적인 위업을 달성했습니다.

24 〈보기〉를 참고할 때 밑줄 친 부사의 쓰임이 어색한 문장은?

〈보기〉

양태 부사는 문장 내에서 위치가 자유로울 뿐만 아니라, 일정한 서술어와 호응하는 경향이 있다.

① 설마 은주가 그런 말을 했을까?
② 제발 다시는 그런 짓 하지 말아라.
③ 과연 그 아이는 재능이 뛰어나더군.
④ 아무쪼록 잘 살고나 있는지 궁금하구나.
⑤ 설령 죄를 지었더라도 그를 만나 보겠어.

22 관계언

최근 5개년 출제 지수 ●●●○○

❶ 조사 助도울조 詞말사

1. 조사의 개념과 특징

체언이나 부사, 어미 따위에 붙어 그 말과 다른 말과의 문법적 관계를 표시하거나 그 말의 뜻을 도와주는 단어이다.

(1) 홀로 쓰일 수 없으며, 다른 말(주로 체언)에 붙어서 사용된다.

예 바람이 분다. → 체언에 붙음. 비행기가 멀리도 날아간다. → 부사에 붙음. 사과가 많네요. → 어미에 붙음.

(2) 형태가 고정되어 활용하지 않는다.(서술격 조사 '이다' 제외)

(3) 다른 조사와 결합하여 쓰이기도 한다.

예 저기까지는(까지+는) 데려다 줄게.

2. 조사의 종류

(1) 격 조사: 앞의 체언에 일정한 자격(주격, 목적격, 부사격 등)을 부여하는 조사이다.

주격 조사	앞의 체언으로 하여금 '행위나 현상의 주체'가 되게 한다.	이/가, 에서, 께서 예 바람이 불어온다. / 학교에서 폭력 추방을 결의했다.
목적격 조사	앞의 체언으로 하여금 '행위의 대상물'이 되게 한다.	을/를 예 나는 아침밥을 먹었다.
보격 조사	'되다', '아니다' 앞에 오는 (주어 이외의) 필수 성분이다.	이/가 예 나는 대학생이 된다. / 나는 바보가 아니다.
서술격 조사	체언을 문장의 서술어로 만든다.	이다 예 나는 신입생이다.
관형격 조사	체언을 관형어로 만든다.	의 예 박수근의 그림을 발견했다.
부사격 조사	체언을 부사어로 만드는 기능을 한다.	'에, 에서, 에게, (으)로, (으)로서/(으)로써, (라)고● 예 그는 산에서 물로 이틀을 버텼다.
호격 조사	체언을 부름의 자리에 놓이게 하여 독립어로 만드는 기능을 한다.	아, 야, 이여 예 사랑이여, 영원하라!

(2) 보조사: 앞에 오는 말에 특별한 의미를 더해 주는 조사이다.

보조사	의미	예
은/는	대조, 강조	사람은 공부만 하고 살 수는 없다.
만, 뿐	단독, 한정, 강조	이 일을 할 수 있는 사람은 너뿐이다.
(이)라도	차선의 선택	일이 없으면 영화라도 보러 가자.
부터	시작, 먼저	너부터 먼저 가거라.
(이)나	선택	과일이나 과자를 주어라.
(이)야말로	강조, 확인	너야말로 이 나라의 진정한 기둥이다.
밖에	그것 말고는, 그것 이외에는	이젠 내겐 너밖에 없어.
마다	낱낱이 모두	산골짝마다 눈이 쌓였다.
까지	범위의 끝, 더함	시간도 없는데 교통까지 말썽이구나.
도	더함, 아우름	네가 가면 나도 가야지.
조차	더함	날씨조차 길을 막고 있다.
요	존대	이것을 같이 들어요.

(3) 접속 조사: 앞의 단어와 뒤의 단어를 같은 자격으로 이어 주는 조사이다. '와/과, (이)랑, 하고, (이)며, 에(다)' 등이 있다.

예 철수(와/랑/하고) 영수는 우등생이다. → '철수는 우등생이다.'+'영수는 우등생이다.'의 접속

참고 서술격 조사 '이다'의 특징

① 다른 조사와 마찬가지로 홀로 쓰일 수 없으며, 문법적인 관계를 나타내는 역할을 한다.
예 철수와 나는 죽마고우이다.
→ 서술어임을 나타내는 서술격 조사
② 다른 조사와 달리 활용하여 다양한 형태로 쓰인다.
예 학생이다, 학생이니, 학생인지, 학생이어서 등
③ 용언은 단독으로 서술어가 될 수 있지만, 서술격 조사는 체언에 의존하여 서술어가 된다.
예 그것은 나의 잘못이다.

● '인용'의 기능을 하는 부사격 조사 중 '라고'는 직접 인용에, '고'는 간접 인용에 사용된다.

참고 보조사의 특징

격 조사가 문법적 관계를 나타내 주는 것과 달리, 보조사는 앞말에 결합하여 의미를 첨가하는 기능을 한다.

참고 접속 조사 '와/과'와 부사격 조사 '와/과'의 구별

① 접속 조사 '와/과'로 이어진 두 단어는 문장 성분 역시 동일하다.
예 개나리와 진달래가 폈다. → 개나리, 진달래를 주어 자격으로 이어 줌.
② 부사격 조사 '와/과'는 비교나 기준으로 삼는 대상, 일 따위를 함께 하는 대상, 상대로 하는 대상을 나타낸다.
예 • 빠르기가 번개와 같다. → 비교하거나 기준으로 삼는 대상
• 나는 오빠와 함께 청소를 했다. → 함께 하는 대상
• 그와 맞서려 하지 마라. → 상대로 하는 대상

1단계 기본 트레이닝

주격 조사와 보격 조사의 구별 **밑줄 친 조사가 주격 조사이면 '주', 보격 조사이면 '보'라고 쓰시오.**

01 민영이가 선생님이 되었다. (   )

02 태희는 동아리 부장이 아니다. (   )

03 비닐하우스의 지붕이 무너졌다. (   )

부사격 조사의 쓰임 **빈칸에 들어갈 알맞은 조사를 〈보기〉에서 골라 쓰시오.**

〈보기〉
- (으)로: 장소와 방향
- 하고: 구어체 접속 조사
- 에게: 행위의 대상(유정물)
- 에서: 행위의 장소 혹은 출발점
- 에: 행위의 장소나 대상(무정물) 혹은 도착점

04 고양이(   ) 밥 주는 거 잊지 마.

05 그는 어렸을 때 부산(   ) 살았다.

06 모든 길은 로마(   ) 통한다고 한다.

07 지호(   ) 영희가 사귄다는 소문이 있다.

08 인수는 밥(   ) 물을 부어 먹는 것을 좋아한다.

09 오늘 운동장(   ) 놀다가 핸드폰을 잃어버렸다.

10 집(   ) 일찍 출발했지만 차가 막혀 학교(   ) 늦게 도착했다.

보조사의 쓰임 **밑줄 친 보조사와 보조사가 더해 주는 의미를 바르게 연결하시오.**

11 나만 그 사실을 몰랐다. • • (1) 단독

12 사람마다 성격이 다르다. • • (2) 먼저

13 인생은 짧고, 예술은 길다. • • (3) 대조

14 내일은요, 친구와 만나 영화를 보기로 했어요. • • (4) 존대

15 잔말 말고 어서 결론부터 말해라. • • (5) 낱낱이 모두

2단계 실전 트레이닝

16 밑줄 친 단어 중 보조사인 것은?

① 하늘이 참 푸르다.
② 자갈이 모래가 되었다.
③ 정부에서 담화문을 발표하였다.
④ 학생으로서 해야 할 일이 무엇일까?
⑤ 그렇게 공부만 하던 철수조차 시험에 떨어졌다.

2006학년도 9월 고3 모의평가

17 〈보기〉를 바탕으로 조사(助詞)에 대해 탐구 학습을 해 보았다. 학습의 결과로 적절하지 않은 것은?

〈보기〉
ㄱ. 할머니께서 집에 오셨다.
ㄴ. 형과 동생이 다시 만났다.
ㄷ. 너와 나만의 추억을 간직하자.

① ㄱ의 '께서, 에'는 앞말이 각각 주어, 부사어의 역할을 하도록 하고 있군.
② ㄱ의 '께서'에는 ㄴ의 '이'와 달리 존대의 의미가 담겨 있군.
③ ㄴ의 '이'는 '동생'이 아니라 '형과 동생'에 결합하는군.
④ ㄴ의 '과'와 ㄷ의 '와'는 앞말의 의미에 의해 선택되는군.
⑤ ㄷ의 '만의'를 보면 조사끼리의 결합도 가능하군.

18 〈보기〉를 바탕으로 목적격 조사 '을/를'에 대해 탐구한 내용으로 적절하지 않은 것은?

〈보기〉
ㄱ. 나는 너만을 좋아해.
ㄴ. 나는 사과는 좋아해.
ㄷ. 그는 누굴 더 사랑할까?
ㄹ. 선생님께서 책을 열 권을 주셨다.
ㅁ. 나는 영수와 만났다. / 나는 영수를 만났다.

① ㄱ: 목적격 조사 앞에 보조사 '만'이 올 수 있다.
② ㄴ: 보조사 '는'이 목적격 조사 '를' 대신 쓰이기도 한다.
③ ㄷ: 목적격 조사가 'ㄹ'의 형태로 나타나기도 한다.
④ ㄹ: 한 문장에서 목적격 조사가 두 번 나오더라도 이를 생략해서는 안 된다.
⑤ ㅁ: 부사격 조사 '와'를 목적격 조사 '를'로 바꾸어 쓸 수도 있다.

23 독립언

최근 5개년 출제 지수 ●●○○○

❶ 감탄사 感느낄감 歎읊을탄 詞말사

1. 감탄사의 개념

부름, 느낌, 응답 등을 나타내는 단어이다.

2. 감탄사의 특징

(1) 조사와 결합하지 않고, 형태가 변하지 않는다.

조사와 결합할 수 없음.
아이고 ✻ {이/가/은/는/도/만}
활용하지 않음.

※ 예외로 아니(요), 글쎄(요) 등과 같이 조사와 결합하는 감탄사도 있다.

(2) 독립성이 강하여 단독으로도 문장을 이룰 수 있다.

"아서라." → 하나의 문장임. | "에끼." → 하나의 문장임.

(3) 다른 품사에 비해 위치 이동이 비교적 자유롭다.

오늘✓ 바쁘면✓ 할 수 없지,✓ 뭐. → 감탄사 '뭐'는 ✓ 위치에 모두 들어갈 수 있음.

3. 감탄사의 종류

(1) 감정 감탄사: 듣는 이를 의식하지 않고 말하는 사람의 감정을 나타내는 감탄사이다.

예 아, 아차, 아하, 아이코, 어머, 아무렴, 저런, 웬걸

(2) 의지 감탄사: 듣는 이를 의식하면서 자기의 생각을 드러내는 감탄사이다. 듣는 이를 부르는 말이나 물음에 대한 긍정 또는 부정의 대답 등이 포함된다.

예 여보, 여보세요, 쉬, 자, 그렇지, 아서라, 글쎄, 옳지, 천만에, 네, 아니요, 그래

(3) 무의미 감탄사: 입버릇처럼 하는 말이나 말문이 막혀 생각나지 않을 때 더듬거리는 소리이다.

예 어, 아, 에, 에헴, 뭐, 그, 저

4. 감탄사와 다른 품사의 구별

조사와의 결합 여부	약속 지켜야 돼, 정말! (감탄사) ↔ 정말로 고맙습니다. (부사) 어디, 아픈 곳 좀 보자. (감탄사) ↔ 어디에 있을까? (대명사)
활용 여부	옳소, 그 의견대로 진행합시다. (감탄사) ↔ 당신 말이 옳소. (형용사)

알아 둘 것!
다음 두 문장의 밑줄 친 부분은 감탄사일까?

- 청춘, 이는 듣기만 하여도 가슴이 설레는 말이다.
- 철수야, 집에 가자.

감탄사가 말하는 사람의 부름, 느낌, 응답 등을 나타내는 품사라는 점을 생각해 보면 맞는 것 같기도 하지? 그런데 둘 다 감탄사가 아니야. 앞의 것은 명사이고, 뒤의 것은 명사에 호격 조사가 결합된 형태야. 이렇게 헷갈리는 이유는 뭘까? 그것은 단어의 품사와 문장 성분을 구별하지 못했기 때문이지. '청춘'과 '철수야'는 문장 성분으로는 독립어에 해당하지만, 품사로는 감탄사가 아니라는 점에 주의해야 해!

참고 감탄사가 아닌 경우

① 용언의 감탄형 활용
　예 네 정성이 갸륵하구나! → 형용사
② 문장 첫머리의 제시어나 표제어
　예 돈, 돈이면 다 되는 세상인가? → 명사
③ 명사 뒤에 호격 조사가 붙은 형태
　예 영미야, 보고 싶다. → 명사+조사

참고 부사와 감탄사의 차이

부사	• 용언을 꾸밈. • 보조사를 취할 수 있음. • 문장 성분 – 부사어
감탄사	• 독립적으로 쓰임. • 조사를 취할 수 없음. • 문장 성분 – 독립어

1단계 기본 트레이닝

감탄사의 특징 **다음 설명이 맞으면 ○, 틀리면 × 표시를 하시오.**

01 감탄사는 문장 속의 다른 성분과 직접적인 관계 없이 독립적으로 쓰이는 단어이다. ( )

02 감탄사는 격조사와 결합할 수 있다. ( )

03 감탄사의 문장 성분은 독립어이다. ( )

04 감탄사는 단독으로는 문장을 이룰 수 없다. ( )

05 감탄사는 구어체보다 문어체에 많이 쓰인다. ( )

06 감탄사는 어형이 고정되어 형태가 변하지 않는다. ( )

감탄사의 종류 **〈보기〉의 밑줄 친 감탄사를 다음의 기준에 따라 분류하시오.**

〈보기〉
- 응, 네 말이 맞아.
- 아이고, 큰일 났다.
- 여보, 빨리 말해 보시오.
- 자, 같이 공부를 해 볼까?
- 그건, 뭐, 네가 알아서 해.
- 허허, 기가 막힌 일이로군.
- 아뿔싸, 열쇠를 놓고 왔네.
- 후유, 이제 겨우 한시름 놓겠군.
- 끝으로, 에, 다시 강조하자면…….

07 자신의 감정을 표출하는 말: ____________

08 더듬거리며 별 의미 없이 하는 말: ____________

09 상대방을 의식하며 생각을 드러내는 말: ____________

감탄사의 구별 **다음 밑줄 친 말 중에서 감탄사가 아닌 것을 찾고, 그 품사를 쓰시오.**

아름답구나, 산사의 새벽을 깨우는 상원사의 종소리여. 아하, 바로 너였구나. 겨우내 두터워진 계곡의 얼음을 녹이고 얼어붙은 땅 위로 복수초 피워 낸 것이. 어디, 이제 보니 내 마음속 깊은 곳에서도 무언가 따듯한 기운이 이는 듯하구나. 소 모는 촌로들의 '이랴, 워' 하는 소리가 더욱 정겹다.

10 ____________

2단계 실전 트레이닝

11 밑줄 친 말 중 감탄사에 해당하는 것은?

① 정말로 네 말이 맞았구나.
② 그래서 그 애가 그랬구나.
③ 김 선생님, 퇴근 안 하세요?
④ 이런, 내 정신 좀 봐. 불을 켜 놓고 나왔네.
⑤ 돈, 그것은 많아도 문제, 부족해도 문제이다.

12 〈보기〉의 밑줄 친 부분에 대한 설명으로 적절하지 않은 것은?

〈보기〉
ㄱ. 뭐, 담뱃값이 2,000원이나 오른다고?
ㄴ. 예, 그러니까 이제 담배 끊으세요.
ㄷ. 그래, 뭐 그럴 수밖에 없겠네.
ㄹ. 오냐, 생각해 보마. 너 공부는 열심히 하고 있지?
ㅁ. 아, 예. 그럼요. 그런데 용돈이 좀 모자라요.
ㅂ. 그럼, 용돈은 부족하지 않게 줄 테니까 공부나 열심히 해.

① ㄱ의 '뭐'는 놀람의 의미를 담고 있다.
② ㄴ의 '예'는 긍정하여 대답하는 의미를, ㄷ의 '그래'는 상대방의 말에 수긍하는 의미를 담고 있다.
③ ㄷ의 '그래'와 ㄹ의 '오냐'는 대답하는 말로, 주로 문장의 첫머리에 고정되어 쓰인다.
④ ㄷ의 '뭐'와 ㅁ의 '아'는 별다른 뜻 없이 사용되었다.
⑤ ㅁ의 '그럼요'와 ㅂ의 '그럼'은 모두 상대방의 의견에 찬동하는 의미를 담고 있다.

13 〈보기〉의 밑줄 친 말의 품사를 탐구할 때 ㉠에 들어갈 내용으로 적절하지 않은 것은?

〈보기〉
ㄱ. 아뿔싸, 이건 꿈에도 생각지 못했던 일이야.
ㄴ. 네가 한 일이 아니었구나, 아뿔싸.
ㄷ. 여기다 넣어 놓았었는데, 아뿔싸, 이제야 생각이 나다니.

[결론] '아뿔싸'는 (㉠) 감탄사이다.

① 활용하지 않으므로
② 문장 전체를 수식하고 있으므로
③ 조사나 어미와 결합하지 않으므로
④ 문장 내에서 위치가 자유로우므로
⑤ 놀라움의 감정을 표출하고 있으므로

2016학년도 9월 고3 모의평가 A형

01 밑줄 친 부분이 〈보기〉의 ㉠에 해당하지 않는 것은?

〈보기〉

국어에서는 의존 명사가 수량을 표현하는 말 뒤에 쓰여 수효나 분량 따위의 단위를 나타내는 경우가 일반적이지만, ㉠ 자립 명사가 단위를 나타내는 경우도 있다. 예를 들어 '사람'은 자립 명사로 쓰이기도 하지만 수량을 표현하는 말 뒤에 쓰여 사람을 세는 단위를 나타낼 수도 있다.

- 의존 명사: 그 아이는 올해 아홉 살이다.
- 자립 명사: 그는 사람을 부리는 재주가 있다.
- 자립 명사가 단위를 나타내는 경우
  : 친구 다섯 사람과 함께 도서관에 갔다.

① 이 글에는 여러 군데 잘못이 있다.
② 앉은자리에서 밥 두 그릇을 다 먹었다.
③ 시장에서 수박 세 덩어리를 사 가지고 왔다.
④ 할아버지께서는 밥을 몇 숟가락 겨우 뜨셨다.
⑤ 나는 서너 발자국 뒤로 물러서다가 냅다 도망쳤다.

2007학년도 고3 6월 모의평가

02 〈보기〉의 ㉠에 해당하는 예로 볼 수 있는 것은?

〈보기〉

대명사는 인칭에 따라 '나, 우리'와 같은 1인칭, '너, 자네, 그대'와 같은 2인칭, '이분, 그분, 이이, 그이'와 같은 3인칭으로 나뉜다. ㉠ 그런데 다음에서 볼 수 있듯이 동일한 형태가 1인칭, 2인칭, 3인칭 중에서 두 가지 인칭으로 쓰이기도 한다.

가. 당신은 누구십니까? (2인칭)
나. 할머니께서는 당신이 젊었을 때 미인이셨다. (3인칭)

① 가. 그 일은 저희들이 마저 하겠습니다.
　나. 애들이 어려서 저희들밖에 모른다.
② 가. 그렇게 말하는 너는 누구냐?
　나. 누구도 그 일에 대해 말하지 않는다.
③ 가. 그는 참으로 좋은 사람이다.
　나. 그와 같은 사실에 깜짝 놀랐다.
④ 가. 너희를 누가 불렀니?
　나. 나는 너희 학교가 마음에 든다.
⑤ 가. 우리 먼저 갈게요.
　나. 우리 팀이 그 대회에서 우승했다.

03 〈보기〉의 ㉠~㉦에 대한 설명으로 적절하지 않은 것은?

〈보기〉

㉠ 내 부탁 하나만 들어주세요. ㉡ 나는 ㉢ 그쪽에서 ㉣ 우리 아버지의 책을 맡아 주었으면 해요. 이건 우리 아버지의 뜻이기도 하답니다. 아버지께서는 ㉤ 당신의 책을 목숨처럼 소중하게 생각하시지요. ㉥ 당신에게 그 책을 맡기시려는 ㉦ 것을 보니 당신을 무척 믿으시는 것 같아요.

① ㉠은 '나의'가 줄어든 말이겠군.
② ㉢과 ㉥은 가리키는 대상이 같아.
③ ㉣은 ㉡과 ㉢을 아울러 가리키는 말이야.
④ ㉤은 '자기'를 높여 이르는 말이야.
⑤ ㉦은 ㉠~㉥과 달리 관형어의 꾸밈을 받아야만 해.

04 동사와 형용사를 구별하기 위해 〈보기〉와 같은 표를 만들어 보았다. A에 들어갈 수 있는 단어로 적절한 것은?

〈보기〉

구별 요소	종결 어미		연결 어미		전성 어미
	현재형	명령형	목적형	의도형	관형사형
	-ㄴ다/-는다	-아라/-어라	-(으)러	-(으)려	-는
결합 결과	○	○	○	○	○

⬇

A

① 젊다　② 높다　③ 없다
④ 놓다　⑤ 행복하다

05 〈보기〉에서 밑줄 친 동사의 성격을 골라 연결할 때 적절하지 않은 것은?

〈보기〉

자동사, 타동사, 보조 동사, 규칙 동사, 불규칙 동사

① 사람들이 길게 줄을 서서 기다리고 있다. – 타동사
② 둘이 차를 타고 갔으니 곧 도착할 거야. – 보조 동사
③ 그는 놀이터에서 놀고 있는 아이들을 보았다. – 자동사
④ 모르는 문제가 있으면 언제든지 내게 물으렴. – 불규칙 동사
⑤ 이 경기에서는 상대방보다 먼저 주도권을 잡는 게 유리하다. – 규칙 동사

06 〈보기〉의 설명을 참고할 때 밑줄 친 단어에 대해 잘못 이해한 것은?

〈보기〉

관형사는 자립성을 가지고 뒤의 체언과 띄어 쓰나, 접두사는 어근에 강하게 의존하므로 붙여 쓴다. 또 관형사와 뒤의 체언 사이에는 다른 말이 끼어들 수 있으나, 접두사와 어근 사이에는 다른 말이 끼어 들 수 없다. 한편 접두사는 용언 앞에도 붙을 수 있으나, 특정 어근과만 결합하는 분포상의 제약을 갖는다.

① '날이 더워 홑이불만 덮었다.'에서 '홑이불'의 '홑'은 일부 체언 앞에만 붙으므로 분포 제약이 있군.
② '새 옷을 입으니 기분이 좋다.'에서 '새 옷'은 중간에 다른 말이 끼어들 수 없으므로 '새'는 접두사겠군.
③ '그의 노력은 헛수고로 끝났다.'에서 '헛수고'의 '헛'은 '헛'과 '수고' 사이에 다른 말이 끼어들 수 없으므로 접두사겠군.
④ '군식구가 더 늘어난 셈이었다.'에서 '군식구'의 '군'은 의존성이 강한 말이므로 접두사로 보아 '식구'와 붙여 쓰는 것이겠군.
⑤ '맨손으로 싸워서 적을 물리쳤다.'에서 '맨손'의 '맨'은 '맨몸, 맨눈, 맨주먹' 정도의 제한된 어휘밖에 생성하지 못하므로 접두사겠군.

07 밑줄 친 부사 중 조사와 결합하기 어려운 것은?

① 아직 시간이 남았다.
② 들판의 꽃이 무척 곱다
③ 그 사람이 일을 빨리 한다.
④ 수박 또는 참외를 사 오너라.
⑤ 찬밥도 좋으니 얼른 먹게 해 주세요.

08 [ ] 안에 〈보기〉의 ㄱ~ㄷ에 해당하는 조사가 들어갈 수 없는 것은?

〈보기〉

부사격 조사
ㄱ. 앞말이 원인의 뜻을 갖게 하는 격 조사
ㄴ. 앞말이 처소의 뜻을 갖게 하는 격 조사
ㄷ. 앞말이 출발점의 뜻을 갖게 하는 격 조사

① 힘든 일과를 마치고 집[ ] 도착했다.
② 나는 피곤한 몸을 이끌고 학교[ ] 갔다.
③ 우리는 서울[ ] 제주도까지 전국을 여행할 계획이다.
④ 앞으로 네가 나[ ] 무슨 말을 해도 믿지 않을 생각이다.
⑤ 그는 부당한 정책[ ] 고통받는 사람들을 돕고자 노력한다.

09 〈보기〉를 참고할 때 관형격 조사에 대해 잘못 이해한 것은?

〈보기〉

ㄱ. 내 사랑, 제 머리, 네 돈
ㄴ. 아빠(의) 친구가 전화를 하셨다.
ㄷ. 누가 철학의 종말을 두려워하는가?
ㄹ. 사람들의 기막힌 사연을 들어 보아라.

① '의'를 생략해도 자연스러운 경우가 있다.
② '의'가 생략되더라도 체언의 역할은 달라지지 않는다.
③ '의'가 인칭 대명사와 결합하여 '내, 제, 네'로 축약되기도 한다.
④ '의'가 결합한 체언은 명사뿐만 아니라 명사구를 수식하기도 한다.
⑤ '의'를 생략할 경우는 앞 체언이 뒤 체언의 의미상 목적어일 때이다.

10 〈보기〉의 감탄사 분류를 참고할 때 밑줄 친 단어 중 그 유형이 다른 것은?

〈보기〉

화자의 부름, 대답, 느낌, 놀람 등을 나타내는 데 쓰이면서, 다른 성분들에 비하여 비교적 독립성이 있는 말을 감탄사라 한다.

ㄱ. 감정 감탄사: 상대방을 의식하지 않고 감정을 표출하는 감탄사
예 아이코, 뭐 이런 경우가 다 있다지?
ㄴ. 의지 감탄사: 상대방을 의식하며 자기의 생각을 드러내는 감탄사
예 이봐, 자네 행동이 그게 뭔가?
ㄷ. 무의미 감탄사: 입버릇이나 더듬거리는 의미 없는 소리
예 에, 그 새로 이사 온 이웃이 알고 보니 동향 사람이야.

① 여보, 길 좀 물어봅시다.
② 아서라, 그러다 싸움 나겠다.
③ 아뿔싸, 내가 그걸 몰랐구나.
④ 자, 이제 결론을 내리도록 해라.
⑤ 어따, 그만 떠들고 이제 집으로 가세나.

문장 성분과 문장의 구조

다음 문장을 읽으면 어떤 장면이 떠오르나요?
"날 생각하지 마."
혹시 이별 장면이 떠오르지는 않나요? 그럼 이어지는 문장을 더 읽어 보세요.

"날 생각하지 마. 날개도 없으면서."

'나'를 생각하지 말라는 의미가 아니라, 하늘을 '날' 생각하지 말라는 의미였습니다. '하늘을'이라는 목적어를 빼먹으면 엉뚱한 이별 장면을 떠올리게 되는 거죠.
이처럼 문장은 목적어와 같이 꼭 필요한 문장 성분인 주성분, 주성분을 꾸며 주는 부속 성분, 그리고 다른 문장 성분과 직접적 관련이 없는 독립 성분으로 이루어져 있습니다. 이 단원을 통해 문장 성분이 무엇인지, 문장은 어떻게 짜여 있는지를 학습할 수 있습니다.

| 문장 성분 |

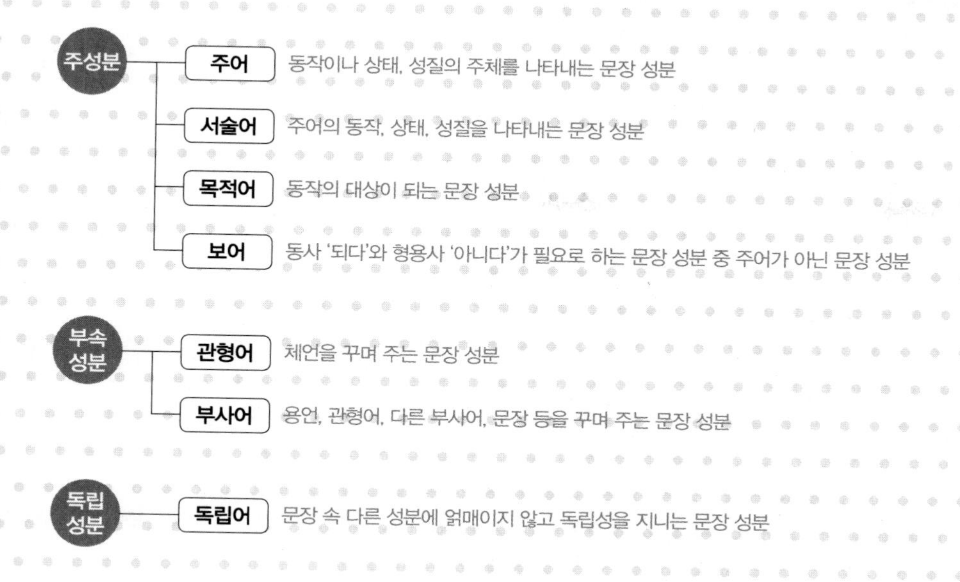

주성분
주어
동작이나 상태, 성질의 주체를 나타내는 문장 성분
서술어
주어의 동작, 상태, 성질을 나타내는 문장 성분
목적어
동작의 대상이 되는 문장 성분
보어
동사 '되다'와 형용사 '아니다'가 필요로 하는 문장 성분 중 주어가 아닌 문장 성분
부속 성분
관형어
체언을 꾸며 주는 문장 성분
부사어
용언, 관형어, 다른 부사어, 문장 등을 꾸며 주는 문장 성분
독립 성분
독립어
문장 속 다른 성분에 얽매이지 않고 독립성을 지니는 문장 성분

| 문장의 구조 |

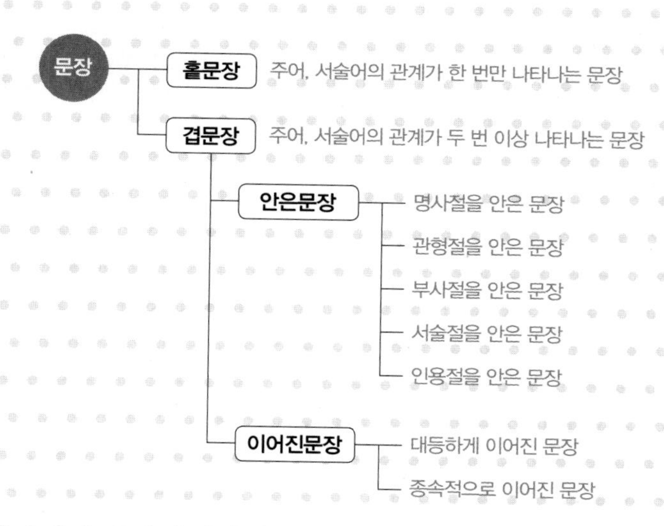

문장
홑문장
주어, 서술어의 관계가 한 번만 나타나는 문장
겹문장
주어, 서술어의 관계가 두 번 이상 나타나는 문장
안은문장
명사절을 안은 문장
관형절을 안은 문장
부사절을 안은 문장
서술절을 안은 문장
인용절을 안은 문장
이어진문장
대등하게 이어진 문장
종속적으로 이어진 문장

24 문장의 개념과 구성단위

최근 5개년 출제 지수 ●●○○○

① 문장 文글월문 章글장

☆ **교과서 정의** 문장은 우리의 생각이나 감정을 완결된 내용으로 표현하는 최소의 언어 형식이다.

★ **쉽게 쓴 정의** 문장이란 하나의 완전한 생각을 나타내는, 단어들의 결합이다.

1. 문장의 조건

(1) 의미상으로 완결된 내용을 이루고, 주어와 서술어를 갖추어야 한다.

(2) 형식상으로 문장이 끝났음을 나타내는 표지가 있어야 한다.

2. 문장의 골격

국어의 문장은 다음 세 가지의 기본 골격을 가지고 있다.

무엇이 어찌한다. (동사(동작))	무엇이 무엇이다. (체언+서술격 조사)
무엇이 어떠하다. (형용사(상태))	

참고 생략문

"영호야, 아침에 뭐 먹었니?"
"빵."

위의 대화에서 "영호야, 아침에 뭐 먹었니?"라는 문장이 하나의 문장이듯, "빵." 역시 하나의 문장이다. 문장은 의미상으로 완결된 내용을 갖추고 형식상으로 문장이 끝났음을 나타내는 표지가 있는 것을 가리키는데, 위 대화에서 "빵."은 문맥상 영호가 아침에 빵을 먹었다는 완결된 의미를 전하고 있으며, 마침표(.)를 통해 문장이 끝났음을 나타내고 있기 때문이다. 위 대화의 "빵."과 같이 발화의 목적이나 환경에 따라 일정한 문장 성분을 줄여 이룬 문장을 '생략문'이라고 한다.

알아 둘 것 주어와 서술어를 완전하게 갖고 있지 않은 문장 중에는 '소형문(小型文)'이라는 것이 있어. '불이야!'와 같은 문장이 대표적인 소형문이야. 소형문은 '여기가 불이야!'처럼 주어 등을 넣으면 생략문과 달리 이상한 문장이 돼.

② 문장의 구성단위

1. 절(節)*

둘 이상의 어절이 모여 하나의 의미 단위를 이룬 것으로, 주어와 서술어를 갖추고 있다. 절은 문장 안에 포함되어 문장 성분으로 기능한다.

우리가 심었던 나무가 잘 자라고 있다.
(우리가: 주어, 심었던: 서술어 / 우리가 심었던: 관형절(관형어 구실) — 꾸밈 → 나무가: 체언)

* 절에는 명사 구실을 하는 명사절, 관형어 구실을 하는 관형절, 부사어 구실을 하는 부사절, 서술어 구실을 하는 서술절, 인용한 내용을 나타내는 인용절이 있다.

2. 구(句)*

둘 이상의 어절이 모여 하나의 단어와 동등한 기능을 수행하는 단위로, 그 자체에 주어와 서술어 관계를 가지고 있지는 않다. 구는 일반적으로 문장에서 주어, 서술어, 관형어, 부사어 등의 기능을 수행한다.

그 책은 내 책이다. (그 책은: 구(주어 기능))	햇살이 매우 눈부시다. (매우 눈부시다: 구(서술어 기능))

* 구는 그 기능에 따라 명사구, 관형사구, 부사구, 형용사구, 동사구 등으로 나눌 수 있다.
  - 명사구: 저 새 가방은 네 것이다. → 주어 기능
  - 관형사구: 저 헌 가방이 내 것이다. → 관형어 기능
  - 부사구: 나는 아주 빨리 걷는다. → 부사어 기능
  - 형용사구: 승호는 매우 친절하다. → 서술어 기능
  - 동사구: 꽃이 활짝 피었다. → 서술어 기능

알아 둘 것 구와 절은 구분이 쉽지 않을 때가 있어. '웃는 아기가 예쁘다.'에서 '웃는 아기'는 '아기가 웃는다.'가 '아기가 예쁘다.'라는 문장에 안긴 형태로 봐. 그래서 '절'이라고 해. 그런데 '헌 가방이 내 것이다.'에서 '헌 가방'은 '가방이 헐다.'에서 온 것이 아니고 관형사 '헌'이 쓰인 것이기 때문에 '절'이 아니라 '구'라고 해.

3. 어절(語節)

문장을 구성하는 각각의 마디로, 띄어쓰기의 단위와 일치한다.

예 어제부터 / 날씨가 / 참 / 좋구나. → 4어절

참고 문법의 단위

어절<구, 절<문장

문장은 문법의 가장 큰 단위이다.

1단계 기본 트레이닝

문장의 개념 **빈칸에 들어갈 알맞은 말을 쓰시오.**

01 문장은 의미상으로 완결된 (   )을/를 갖추고 형식상으로 문장이 끝났음을 나타내는 (   )이/가 있는 것을 가리킨다.

02 문장은 (   )와/과 (   )을/를 갖추는 것이 일반적이나, 그렇지 않은 경우도 있다.

문장의 기본 골격 **문장의 기본 골격에 해당하는 것을 〈보기〉의 ㉠~㉢에서 찾아 쓰시오.**

〈보기〉

㉠ 무엇이 어찌한다. ㉡ 무엇이 어떠하다.
㉢ 무엇이 무엇이다.

03 내 취미는 테니스이다. (   )

04 내 동생은 나보다 키가 크다. (   )

05 화단에 있는 꽃이 참 아름답다. (   )

06 내가 심었던 나무가 많이 자랐다. (   )

07 내 동생은 사물놀이 동아리 회장이다. (   )

08 나는 지난 토요일 운동장에서 축구를 했다. (   )

절의 성분 **밑줄 친 절의 주어와 서술어를 차례대로 쓰시오.**

09 토끼는 앞발이 짧다. ________

10 이 영화는 내가 초등학생 때 본 영화이다. ________

11 그가 거짓말했음이 경찰 수사를 통해 밝혀졌다. ________

12 사람들이 오랫동안 기다렸던 아저씨가 돌아왔다. ________

구의 기능 **문장에서 밑줄 친 구의 기능을 쓰시오.**

13 내 목소리는 아주 작다. ________

14 그는 오늘도 열심히 뛰었다. ________

15 우리 집의 대문은 붉은색이다. ________

16 내 동생은 매우 빠르게 식사한다. ________

17 가을 하늘은 오늘따라 높기만 하다. ________

2단계 실전 트레이닝

18 〈보기〉의 ㉠과 ㉡에 대한 설명으로 적절하지 않은 것은?

〈보기〉

영호: 윤하야, 일요일인데, 어디 가니?
윤하: ㉠우리 동네에 있는 도서관에. ㉡내가 읽고 싶은 책이 있어서 빌리려고.
영호: 그렇구나.

① ㉠도 하나의 문장에 해당한다.
② ㉠에는 주어, 서술어가 생략되어 있다.
③ ㉠의 '우리 동네'는 하나의 구를 이루고 있다.
④ ㉡은 세 어절로 이루어져 있다.
⑤ ㉡은 '책'을 꾸미는 구에 해당한다.

19 〈보기〉의 ㉠~㉢에 해당하는 사례로 적절하지 않은 것은?

〈보기〉

문장의 기본 골격은 ㉠'무엇이 어찌한다.', ㉡'무엇이 어떠하다.', ㉢'무엇이 무엇이다.'로 분류할 수 있다.

① ㉠: 철호는 비빔밥을 맛있게 먹었다.
② ㉠: 우리는 오랜 등반 끝에 산 정상에 올랐다.
③ ㉡: 우리가 기다려 온 아침이 밝는다.
④ ㉡: 생각보다 쉬는 시간이 길지 않다.
⑤ ㉢: 내 동생은 학생회 부회장이다.

20 다음 밑줄 친 구 중 관형어 기능을 하는 것은?

① 그 가수는 춤도 잘 춘다.
② 소리를 좀 더 크게 질러 봐.
③ 우리 학교의 교화는 무궁화이다.
④ 옛날 노래는 언제 들어도 참 좋다.
⑤ 선생님이 오시자 학생들이 모두 일어섰다.

21 〈보기〉를 문장의 구성 단위에 따라 분석할 때 적절하지 않은 것은?

〈보기〉

그는 지아가 기타를 잘 친다는 것을 이미 알고 있었다.

① 모두 9개의 어절로 이루어져 있다.
② 전체 문장의 주어는 '그는'이다.
③ 전체 문장의 서술어는 '알고 있었다'이다.
④ '이미 알고 있었다'는 부사어 기능을 하는 구이다.
⑤ '지아가 기타를 잘 친다'라는 절이 포함되어 있다.

25 문장 성분

최근 5개년 출제 지수 ●●●●○

❶ 문장 성분 文글월문 章글장 成이룰성 分나눌분

1. 문장 성분의 뜻

한 문장을 구성하는 요소로 문장 안에서 일정한 문법적 기능을 하는 각 부분들이다.

2. 문장 성분의 종류

문장 성분에는 문장의 골격이 되는 주성분, 주성분을 수식하는 부속 성분, 다른 문장 성분과 직접적인 관련이 없는 독립 성분이 있다.

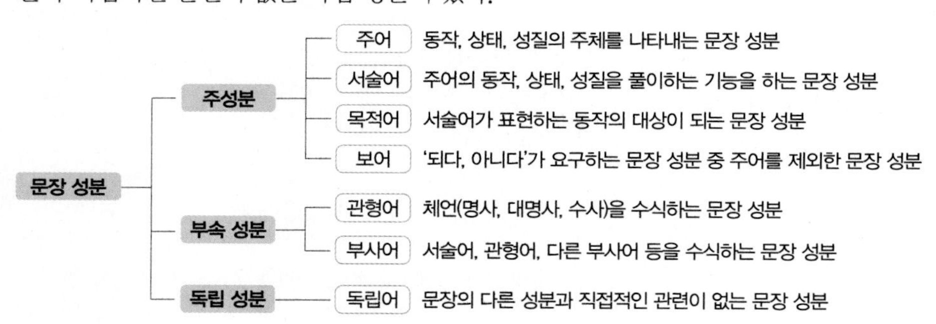
문장 성분
주성분
주어 동작, 상태, 성질의 주체를 나타내는 문장 성분
서술어 주어의 동작, 상태, 성질을 풀이하는 기능을 하는 문장 성분
목적어 서술어가 표현하는 동작의 대상이 되는 문장 성분
보어 '되다, 아니다'가 요구하는 문장 성분 중 주어를 제외한 문장 성분
부속 성분
관형어 체언(명사, 대명사, 수사)을 수식하는 문장 성분
부사어 서술어, 관형어, 다른 부사어 등을 수식하는 문장 성분
독립 성분
독립어 문장의 다른 성분과 직접적인 관련이 없는 문장 성분

참고 문장 성분과 품사

문장 성분이란 문장을 이루는 구성 요소가 문장에서 하는 역할과 관련 있지만, 품사는 문장에서의 역할과는 상관없이 단어가 가진 성격과 관련 있다.

예를 들어 '물살이 빠르게 흐른다.'라는 문장에서 '빠르게'의 품사는 형용사이지만, 문장 성분은 '흐른다'를 꾸며 주는 부사어이다.

- 문장 성분: 주어, 서술어, 목적어, 보어, 관형어, 부사어, 독립어
- 품사: 명사, 대명사, 수사, 관형사, 부사, 동사, 형용사, 감탄사, 조사

알아 둘 것! 문장을 이룰 때, 주어와 서술어는 반드시 있어야 하고, 타동성 서술어는 목적어를 요구하며, 불완전 서술어는 보어를 요구해. 따라서 '주술목보'(주어, 서술어, 목적어, 보어)가 문장의 주성분임을 알 수 있어. 그리고 부속 성분은 관형어와 부사어, 독립 성분은 독립어라는 것을 기억해야 돼.

❷ 서술어의 자릿수

1. 한 자리 서술어

주어 하나만을 필요로 하는 서술어이다.

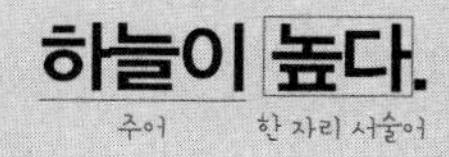

하늘이(주어) 높다.(한 자리 서술어)

장미꽃은(주어) 예쁘다.(한 자리 서술어)

알아 둘 것! 서술어는 주어를 반드시 필요로 해. 주어 외에 더 필요로 하는 문장 성분이 있는가, 만약 그렇다면 몇 개의 문장 성분이 더 필요한가에 따라 서술어의 자릿수가 달라지게 돼.

2. 두 자리 서술어

주어 외에 목적어나 보어 또는 부사어 중 하나의 성분을 더 필요로 하는 서술어이다.

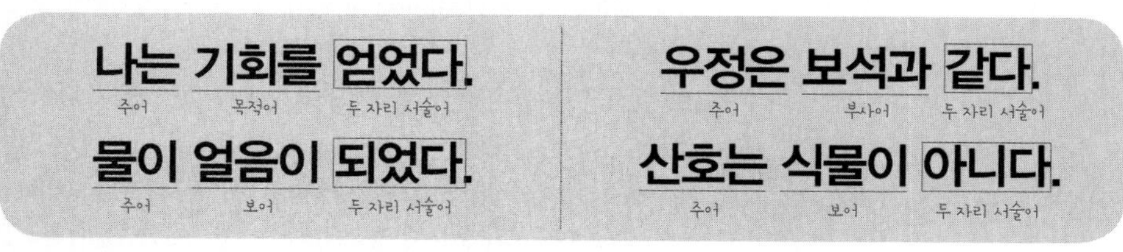

나는(주어) 기회를(목적어) 얻었다.(두 자리 서술어)

물이(주어) 얼음이(보어) 되었다.(두 자리 서술어)

우정은(주어) 보석과(부사어) 같다.(두 자리 서술어)

산호는(주어) 식물이(보어) 아니다.(두 자리 서술어)

참고 필수적 부사어

문장의 성립에 반드시 필요한 부사어를 필수적 부사어라고 한다. 일반적으로 부사어는 부속 성분으로 문장을 구성하는 데 있어 필수적이지 않으나, 필수적 부사어가 없으면 문장이 어색해진다.

예
- 이것은 그것과 다르다.
- 진희는 아빠와 닮았다.
- 그 아이는 예쁘게 생겼다.

3. 세 자리 서술어

주어, 목적어, 부사어를 모두 필요로 하는 서술어이다.

동생이(주어) 나에게(부사어) 연필을(목적어) 주었다.(세 자리 서술어)

1단계 기본 트레이닝

문장 성분의 개념 **빈칸에 들어갈 알맞은 말을 쓰시오.**

01 체언을 수식하는 문장 성분을 (　　　　)(이)라고 한다.

02 용언, 다른 부사어 등을 수식하는 문장 성분을 (　　　　)(이)라고 한다.

03 서술어가 표현하고 있는 동작의 대상이 되는 문장 성분을 (　　　　)(이)라고 한다.

04 문장의 다른 성분과 직접적으로 관련을 맺지 않는 문장 성분을 (　　　　)(이)라고 한다.

05 문장에서 주어의 동작, 상태, 성질을 풀이하는 기능을 갖는 문장 성분을 (　　　　)(이)라고 한다.

06 서술어에 의해 표현되는 동작, 상태, 성질의 주체가 되는 문장 성분을 (　　　　)(이)라고 한다.

07 '되다, 아니다'가 요구하는 문장 성분 중에서 주어를 제외한 문장 성분을 (　　　　)(이)라고 한다.

문장 성분 파악 **밑줄 친 말의 문장 성분을 쓰시오.**

08 나는 드디어 그곳에 갔다. ________

09 우리는 아직 대학생이 아니다. ________

10 다행히도 다친 사람이 없었다. ________

11 나는 아침마다 우유를 마신다. ________

12 내게는 파란 옷이 잘 어울린다. ________

13 영호야, 그 볼펜 좀 빌려줄 수 있겠니? ________

14 우리는 좁은 길을 따라 목적지에 도착했다. ________

서술어의 자릿수 구별 **밑줄 친 서술어의 자릿수를 쓰시오.**

15 그녀는 예쁘다. ________

16 가을 햇살이 따스하다. ________

17 소진이가 반장이 되었다. ________

18 그는 정직을 신조로 삼는다. ________

19 친구가 나에게 편지를 보냈다. ________

20 나는 오늘 청소 당번이 아니다. ________

21 그녀는 아주 이국적으로 생겼다. ________

22 할머니께서 우리에게 용돈을 주셨다. ________

23 철수는 어제 길에서 중학교 선배를 만났다. ________

2단계 실전 트레이닝

24 〈보기〉의 ㉠~㉤에 대한 설명으로 적절하지 않은 것은?

〈 보기 〉

㉠ 기다림은 시간의 낭비가 ㉡ 아니라 기다리는 대상과 ㉢ 기다리는 마음을 소중하게 만드는 ㉣ 과정이다. 속성은 대개 ㉤ 종속이 된다. 반면 오랜 시간을 들여 만든 것은 저절로 소중한 것이 된다. – 이남호, 「느림의 미학」

① ㉠은 주어이다. ② ㉡은 부사어이다.
③ ㉢은 관형어이다. ④ ㉣은 서술어이다.
⑤ ㉤은 보어이다.

25 〈보기〉의 ㉠~㉤ 중 주성분에 해당하는 것은?

〈 보기 〉

시골에 살다가 ㉠ 큰 도시에 가면, ㉡ 정신을 놓치기 쉽다. 사람들은 모두 정신없이 ㉢ 허겁지겁 달려가고 있다. 눈이 ㉣ 팽팽 돌아가게 바쁜 모습이다. 그러나 정작 ㉤ 시골에서 올라온 자신이 느리게 살고 있다는 생각은 하지 못한다. – 안광복, 「철도와 시간」

① ㉠ ② ㉡ ③ ㉢ ④ ㉣ ⑤ ㉤

26 밑줄 친 서술어의 자릿수가 〈보기〉와 다른 것은?

〈 보기 〉

우리 조상들은 씨뿌리기와 가을걷이가 끝나는 음력 5월과 10월에 큰 모임을 열었다.

① 그는 커서 선생님이 되었다.
② 그는 사람들의 마음을 잘 읽는다.
③ 그 책은 아이들이 읽기에 알맞다.
④ 정규는 남들보다 밥을 많이 먹는다.
⑤ 나는 현성이를 가장 소중한 친구로 여긴다.

26 주성분

최근 5개년 출제 지수 ●●●○○

❶ 주어 主주인주 語말씀어

1. 주어의 개념

동작 또는 상태나 성질의 주체가 되는 문장 성분이다. 문장의 기본 골격*에서 '무엇이'에 해당한다.

2. 주어의 실현 방법

체언이나 체언 역할을 하는 구나 절에 주격 조사 '이/가', '께서', '에서'가 붙어 나타난다. 주격 조사가 생략되기도 하며, 주격 조사와 보조사가 함께 붙거나 보조사만 붙기도 한다.

예 철수가 공부를 한다. → 체언+주격 조사
영희 언제 집에 오니? → 체언(+주격 조사 생략)
그녀는 얼굴이 작은 편이다. → 체언+보조사
아버지께서만 아무 말씀도 하지 않으셨다. → 체언+주격 조사+보조사

* 국어 문장은 '무엇이 어찌한다.', '무엇이 어떠하다.', '무엇이 무엇이다.'의 세 가지 기본 골격을 바탕으로 한다.

참고 주어를 생략할 수 있는 경우
주어는 문장에서 꼭 필요한 주성분이지만, 이야기 맥락 속에서 주어가 무엇인지 알 수 있을 때는 주어를 생략할 수 있다. 또한 주어가 분명하지 않은 경우, 주어를 만들어 넣으면 오히려 어색한 문장이 되기에 생략하기도 한다.
예 • (너는) 언제 도착했니?
• 도둑이야!

❷ 서술어 敍쓸서 述지을술 語말씀어

1. 서술어의 개념

주어의 동작이나 성질, 상태 따위를 풀이하는 기능을 하는 문장 성분이다. 문장의 기본 골격에서 '어찌한다', '어떠하다', '무엇이다'에 해당한다.

2. 서술어의 실현 방법

동사나 형용사가 그 자체로 서술어가 되거나, 체언 또는 체언 역할을 하는 구나 절에 서술격 조사 '이다'가 붙어 서술어가 된다. 서술절이 그대로 서술어가 되는 경우도 있다.

예 나는 산에 올라간다. → 동사 단독
우리 집은 여기서 멀다. → 형용사 단독
명호는 우리 학급의 회장이다. 체언+서술격 조사
내 동생은 체격이 건장하다. → 서술절

참고 서술어를 생략할 수 있는 경우
여러 개의 문장이 이어졌을 때, 똑같은 서술어가 반복되어 쓰이는 경우에는 서술어를 생략할 수 있다. 또한 문맥에 의해 서술어가 무엇인지 예측할 수 있는 경우에도 서술어를 생략할 수 있다.
예 • 재호는 국어를 (잘하고), 미선이는 수학을 잘한다.
• 나는 어제 영화를 봤어. / 나도. (어제 영화를 봤어.)

❸ 목적어 目항목목 的과녁적 語말씀어

1. 목적어의 개념

서술어의 동작의 대상이 되는 문장 성분이다. '무엇이 무엇을 어찌한다.'에서 '무엇을'에 해당한다. 타동사가 서술어로 쓰일 때 목적어가 필요하다.

2. 목적어의 실현 방법

체언이나 체언 역할을 하는 구, 절에 목적격 조사 '을/를'이 붙어 목적어가 된다. 목적격 조사와 보조사가 함께 붙기도 하며, 목적격 조사가 생략되거나 보조사만 붙기도 한다.

예 재희는 책을 읽었다. → 체언+목적격 조사
나 오늘 상 탔어. → 체언(+목적격 조사 생략)
당신만을 사랑한다. → 체언+보조사+목적격 조사
나는 아직 밥도 못 먹었다. → 체언+보조사

알아 둘 것 목적어는 일반적으로 주어와 서술어 사이에 놓여. 그런데 문장 안에서 어느 것이 목적어인지 분명한 경우에는 목적격 조사를 생략해도 무방하지. 목적격 조사가 생략되는 경우가 많은 이유는 목적어라는 것을 알려 주는 기능 말고는 다른 뚜렷한 의미를 나타내 주지 못하기 때문이야.

❹ 보어 補도울보 語말씀어

1. 보어의 개념

서술어 '되다', '아니다'가 필수적으로 요구하는 문장 성분 가운데 주어가 아닌 문장 성분이다.

2. 보어의 실현 방법

체언 또는 체언 역할을 하는 구나 절에 보격 조사 '이/가'가 붙어 보어가 된다. 보격 조사와 보조사가 함께 붙기도 하며, 보격 조사가 생략되고 보조사만 붙기도 한다.

예 물이 얼음이 되었다. → 체언+보격 조사
문제는 이것만이 아니다. → 체언+보조사+보격 조사
명호는 우리 학급의 회장도 아니다. → 체언+보조사

참고 보어의 범위
보어란 주어, 서술어, 목적어가 아니면서 문장에서 필수적으로 요구하는 성분이다. 학교 문법에서 보어는 '되다', '아니다' 앞에 오는 것 중 주어를 제외한 것으로, 조사 '이/가'를 취하여 나타난다고 규정한다.
따라서 다음과 같은 경우에 주의할 필요가 있다.

(가) 물이 얼음이 되었다. (나) 물이 얼음으로 되었다.

(가)의 '얼음이'는 보어이고 '이'는 보격 조사지만, (나)의 '얼음으로'는 부사어이고 '으로'는 부사격 조사이다.

1단계 기본 트레이닝

주성분의 구별 **다음 문장에서 주성분을 찾아 ○ 표시를 하시오.**

01 무지개가 정말 예쁘다.

02 아, 벌써 달이 뜨는구나.

03 그것은 너의 잘못이 아니다.

04 명수는 시장에서 사과를 샀다.

05 큰아버지께서 드디어 교수님이 되셨다.

06 아버지께서 밝은 표정으로 노래하셨다.

07 우리는 학교 도서관에서 책을 열심히 읽었다.

주성분의 실현 방법 **밑줄 친 부분의 문장 성분을 밝히고, 〈보기〉의 실현 방법 a~d 중 어느 것에 해당하는지 쓰시오.**

〈보기〉

a. 체언+격 조사　　　b. 체언(+격 조사의 생략)
c. 체언+격 조사+보조사　　　d. 체언+보조사

08 영희는 반장도 아니다. ________

09 동생 어디에 있는 거야? ________

10 청소년은 나라의 기둥이다. ________

11 그는 열심히 운동하고 있다. ________

12 그는 열대 과일을 참 좋아한다. ________

13 아버지께서도 그 친구를 잘 아신다. ________

14 나는 오늘 동생이랑 싸워서 벌 받았어. ________

서술어의 실현 방법 **밑줄 친 부분이 〈보기〉의 서술어 실현 방법 a~d 중 어느 것에 해당하는지 쓰시오.**

〈보기〉

a. 동사 단독　　　b. 형용사 단독
c. 체언+서술격 조사　　　d. 서술절

15 토끼는 귀가 길다. ________

16 동생은 우리 집의 재간둥이이다. ________

17 대부분의 배구 선수는 키가 크다. ________

18 철쭉꽃이 산에 무척이나 예쁘게 피었다. ________

19 매일 집을 구석구석 청소하기는 힘들다. ________

20 그는 아침마다 팔 굽혀 펴기를 20회씩 한다. ________

2단계 실전 트레이닝

21 〈보기〉의 ㉠~㉤ 중 주성분에 해당하지 않는 것은?

〈보기〉

"내 이름 ㉠백화가 아니에요. 본명은요…… ㉡이점례예요."

여자는 개찰구로 뛰어나갔다. ㉢잠시 후에 기차가 떠났다. / 그들은 나무 의자에 기대어 한 시간쯤 ㉣잤다. 깨어 보니 대합실 바깥에 다시 ㉤눈발이 흩날리고 있었다.

– 황석영, 「삼포 가는 길」

① ㉠　② ㉡　③ ㉢　④ ㉣　⑤ ㉤

2014학년도 예비 수능 A형

22 〈보기〉를 바탕으로 '목적어'에 대해 탐구한다고 할 때 적절하지 않은 것은?

〈보기〉

㉠오늘 아침에 나는 빵을 먹었다. 내가 ㉡빵을 먹은 건, 늦잠을 잤기 때문이다. ㉢그런 내 모습을 어머니께서 보시고, "공부하느라 힘들지?" 하면서 냉장고에서 ㉣우유를 꺼내 주셨다. 고맙기도 하고 죄송하기도 해서 같이 드시지 않겠냐고 여쭤 보았다. 어머니께서는 "그럼, ㉤우유나 마실까?" 하면서 식탁에 앉으셨다. 어머니께서 환하게 웃으셨는데 ㉥그 모습이 참 고우셨다.

① ㉠과 ㉢을 비교해 보니, 목적어는 동작을 나타내는 서술어의 대상으로 쓰이는군.
② ㉠과 ㉢을 비교해 보니, 문장 안에서 목적어의 자리는 고정적이지 않군.
③ ㉠과 ㉤을 비교해 보니, 목적어가 생략될 수도 있군.
④ ㉠과 ㉥을 비교해 보니, 목적어가 필요 없는 문장도 있군.
⑤ ㉡과 ㉣을 비교해 보니, 자음 뒤에 '을', 모음 뒤에 '를'이라는 목적격 조사가 쓰이는군.

23 〈보기〉의 밑줄 친 부분의 예로 적절하지 않은 것은?

〈보기〉

주어는 대개 체언에 주격 조사가 붙어 나타나지만 주격 조사 생략 후 보조사만 붙을 수도 있다.

① 영주도 경주에 가기로 했다.
② 그의 아내마저 그를 외면했다.
③ 동생만 아무 말도 하지 않았다.
④ 그는 달리기가 매우 빠른 편이다.
⑤ 할머니께서 오랜만에 집에 오셨다.

27 부속 성분과 독립 성분

최근 5개년 출제 지수 ●●●○○

❶ 부속 성분

1. 관형어 冠갓관 形모양형 語말씀어

(1) 관형어의 개념: 체언 앞에서 그 체언을 수식하는 문장 성분이다.

(2) 관형어의 실현 방법: 관형사는 그 자체로 관형어가 되고, 체언도 단독으로 관형어의 역할을 할 수 있다. 체언에 관형격 조사 '의'가 결합하여 관형어로 쓰이기도 하며, 관형격 조사 '의'가 생략되어 쓰일 수도 있다. 또한 용언(동사, 형용사), 서술격 조사의 어간에 관형사형 어미 '-는, -(으)ㄴ, -(으)ㄹ, -던'이 결합하여 실현될 수도 있다.

예 어머니께서 새 옷을 사셨다. → 관형사 단독 / 우리(의) 소원은 통일이다. → 체언(+관형격 조사)
빨간 꽃이 피었다. → 용언의 어간+관형사형 어미 / 학생인 철수 → 서술격 조사의 어간+관형사형 어미

참고 관형사와 관형어
관형사는 체언 앞에 놓여서 그 체언의 내용을 자세히 꾸며 주는 품사로, 조사도 붙지 않고 어미 활용도 하지 않는 특성을 지닌다. '순 살코기'의 '순'과 같은 성상 관형사, '저 어린이'의 '저'와 같은 지시 관형사, '한 사람'의 '한'과 같은 수 관형사 따위가 있다.
관형어는 체언 앞에서 체언의 뜻을 꾸며 주는 구실을 하는 문장 성분이다. 관형사, 체언, 체언에 관형격 조사 '의'가 붙은 말, 동사와 형용사의 관형사형, 동사와 형용사의 명사형에 관형격 조사 '의'가 붙은 말 따위가 있다.

알아 둘 것! 관형어는 부사어처럼 없어도 문장이 성립하는 수의적 성분이지만 의존 명사 앞에는 반드시 관형어가 와야 해. 의존 명사는 반드시 앞에 꾸며 주는 말이 와야 하거든.

2. 부사어 副도울부 詞말사 語말씀어

(1) 부사어의 개념: 주로 용언을 수식하는 문장 성분이다. 용언 외에 관형어나 다른 부사어, 문장 등을 수식하기도 하고, 문장이나 단어를 이어 주기도 한다.

(2) 부사어의 종류

① 꾸미는 범위에 따라 성분 부사어와 문장 부사어로 나뉜다.•

예 단풍 색깔이 퍽 곱다. → 성분 부사어 / 틀림없이 정의는 승리할 것이다. → 문장 부사어

② 문장에서 꼭 필요한 부사어인지의 여부에 따라 필수적 부사어와 수의적 부사어로 나뉜다.•

예 경수는 아버지와 닮았다. → 필수적 부사어 / 기차가 무척 빨리 달리고 있다. → 수의적 부사어

(3) 부사어의 실현 방법: 모든 부사는 그 자체로 부사어가 된다. 체언에 부사격 조사가 붙거나 부사에 보조사가 붙어 부사어가 되기도 한다. 또한 용언의 어간에 '-게, -도록'과 같은 부사형 어미가 붙어 부사어로 실현되기도 한다.

예 나는 공을 멀리 던졌다. → 부사 단독 / 이제 학교로 가자. → 체언+부사격 조사
산이 무척이나 높아 보인다. → 부사+보조사 / 이곳이 낯설게 느껴진다. → 어간+부사형 어미

• 성분 부사어는 문장 성분을 수식하는 부사어이고, 문장 부사어는 문장 전체를 수식하는 부사어이다.

• 문장에서 꼭 필요한 부사어를 필수적 부사어라고 하고, 그렇지 않은 부사어를 수의적 부사어라고 한다.

참고 부사어를 필수적으로 취하는 서술어
서술어에 따라 부사어가 반드시 있어야 문장이 성립하는 경우가 있는데, 이때 반드시 필요한 부사어를 '필수적 부사어'라고 한다. 부사어를 필수적으로 취하는 경우는 세 자리 서술어인 '주다, 삼다, 넣다, 두다' 등과 두 자리 서술어인 '같다, 비슷하다, 닮다, 다르다' 등이 쓰일 때이다.

❷ 독립 성분

독립어 獨홀로독 立설립 語말씀어

(1) 독립어의 개념: 문장의 어느 성분과도 직접적인 관련이 없는 문장 성분이다.

(2) 독립어의 실현 방법: 감탄사 자체로 독립어가 되거나, 체언에 호격 조사가 붙어 실현되기도 한다. 제시어와 같은 말도 독립어가 될 수 있다.

예 야, 이제 떠날 시간이다. → 감탄사 단독 / 대호야, 밥 먹으러 가자. → 체언+호격 조사
청춘, 이 말은 듣기만 해도 가슴이 설렌다. → 제시어(체언)

참고 감탄사와 독립어
감탄사는 말하는 이의 느낌, 부름, 응답 따위를 나타내는 말의 부류로, 단독으로 쓰였을 때 독립어에 속한다. 독립어는 감탄사를 포함한다.

알아 둘 것! 독립어는 문장의 다른 성분과 직접적인 관련을 맺지 않는 성분이야. 하지만 체언에 호격 조사가 붙어 이루어졌을 때는 부르는 말에 따라 뒤에 오는 종결 어미의 상대 높임법이 달라진다는 점에 유의해야 해.

1단계 기본 트레이닝

부속 성분의 구별 **다음 문장에서 부속 성분을 찾아 ○ 표시를 하시오.**

01 이 자리는 반드시 지켜야 한다.

02 나는 아름다운 얼굴을 좋아한다.

03 동생은 울음이 먼저 터져 나왔다.

04 비가 아이 얼굴에 흠뻑 쏟아졌다.

05 학교에 많은 사람들이 와 있었다.

06 영호야, 너 한문은 얼마나 배웠지?

07 그녀의 몸짓은 간절함의 신호이다.

08 모든 사람들은 행복해지기를 바란다.

09 그는 아이를 안고 황급히 집을 나섰다.

10 아이는 아직 심호흡을 하며 기다리고 있었다.

11 나는 지금도 선생님의 그 모습을 잊지 못한다.

부속 성분의 실현 방법 **밑줄 친 문장 성분은 〈보기〉의 실현 방법 a와 b 중 어느 것에 해당하는지 쓰시오.**

〈보기〉

a. 관형사 또는 부사 단독　　b. 체언+격 조사

12 학교에 어머니께서 찾아오셨다. ________

13 눈이 맑은 아이가 자꾸 나를 쳐다본다. ________

14 나에게 작은 소망이 있다면, 건강해지는 것이다. ________

15 그는 자신의 몸뚱이에 비해 헐렁하기 짝이 없는 헌 양복을 걸치고 있었다. ________

독립 성분의 구별 **다음 문장에서 독립 성분을 찾아 ○ 표시를 하시오.**

16 아이구, 허리가 아파 죽겠다.

17 순영아, 저 하늘에 떠 있는 것이 무엇일까?

18 인생, 나는 아직도 이것이 무엇인지 잘 알지 못한다.

독립 성분의 실현 방법 **밑줄 친 독립어의 실현 방법을 쓰시오.**

19 어, 정말 잘했군. ________

20 명희야, 어디 가니? ________

21 끈기, 이것은 일을 하는 데 가장 중요한 것이다. ________

2단계 실전 트레이닝

22 밑줄 친 부분이 필수적 부사어에 해당하는 것은?

① 꽃이 아주 예쁘다.
② 나는 동생과 닮았다.
③ 진호는 급히 달려갔다.
④ 오늘 누나는 늦잠을 잤다.
⑤ 사람은 모름지기 신용이 있어야 한다.

23 〈보기〉의 ㉠~㉤에 대한 설명으로 적절하지 않은 것은?

〈보기〉

같은 주막에서 잠자고 같은 달빛에 젖으면서 장에서 장으로 걸어 다니는 동안에 ㉠ 이십 년의 세월이 사람과 짐승을 함께 늙게 하였다. ㉡ 가스러진 목 뒤 털은 주인의 머리털과도 같이 바스러지고, 개진개진 젖은 눈은 ㉢ 주인의 눈과 같이 눈곱을 흘렸다. ㉣ 몽당비처럼 짧게 쓸린 꼬리는 파리를 쫓으려고 기껏 휘저어 보아야 벌써 다리까지는 닿지 않았다. 닳아 없어진 굽을 몇 번이나 도려내고 ㉤ 새 철을 신겼는지 모른다. – 이효석, 「메밀꽃 필 무렵」

① ㉠: 수 관형사가 관형어로 쓰인 것이다.
② ㉡: 용언의 관형사형이 관형어로 쓰인 것이다.
③ ㉢: 체언과 관형격 조사의 결합형이 관형어로 쓰인 것이다.
④ ㉣: 관형절이 관형어로 쓰인 것이다.
⑤ ㉤: 체언이 관형어로 쓰인 것이다.

24 〈보기〉에서 밑줄 친 말의 공통적인 성격으로 적절한 것은?

〈보기〉

• 신이시여, 저희에게 은총을 내리소서.
• 글쎄, 희주가 많이 아프다네요.
• 음, 그 말을 믿어도 되겠니?

① 항상 말의 시작 부분에 놓인다.
② 어떤 경우에도 생략이 불가능하다.
③ 주성분의 내용을 꾸며 뜻을 더해 준다.
④ 문장에서 반드시 있어야 하는 성분이다.
⑤ 문장의 어느 성분과도 직접적인 관련을 맺지 않는다.

01 다음 문장에서 ㉠~㉤의 문장 성분을 잘못 파악한 것은?

> • ㉠ 형식만 강조하시지만, 선생님은 실은 매우 ㉡ 소탈하신 분이다.
> • ㉢ 지하철에 사람들이 ㉣ 꽉 ㉤ 차 있었다.

① ㉠: 목적어
② ㉡: 관형어
③ ㉢: 주어
④ ㉣: 부사어
⑤ ㉤: 서술어

2012학년도 6월 고2 학력평가 A형

02 〈보기 1〉을 참고할 때 〈보기 2〉에 대한 설명으로 적절하지 않은 것은?

〈보기 1〉

> • 서술어의 자릿수: 문법적으로 문장이 성립하기 위해서 서술어가 요구하는 최소한의 문장 성분의 수
>
> 예를 들어, '노래하다'는 '누가'와 같은 성분 하나만 있으면 문장이 성립하므로 한 자리 서술어이고, '굴리다'는 '누가', '무엇을'과 같은 성분을 필요로 하므로 두 자리 서술어이다. '주다'는 '누가', '누구에게', '무엇을'과 같은 성분을 필요로 하므로 세 자리 서술어이다.

〈보기 2〉

> ㄱ. 기차가 달린다.
> ㄴ. 철수가 도서관에서 책을 읽는다.
> ㄷ. 어머니가 영희에게 옷을 입혔다.
> ㄹ. 나는 너를 친구로 여긴다.
> ㅁ. 상우는 아버지와 닮았다.

① ㄱ의 '달린다'는 한 자리 서술어이다.
② ㄴ의 '읽는다'는 '철수가'와 '책을'을 필수적으로 요구하므로 두 자리 서술어이다.
③ ㄷ의 '입혔다'는 '영희가 옷을 입었다.'의 '입었다'와 서술어의 자릿수가 다르다.
④ ㄹ의 '여긴다'는 '최 진사가 꽃분이를 며느리로 삼았다.'의 '삼았다'와 서술어의 자릿수가 같다.
⑤ ㅁ의 '닮았다'는 '아버지와'를 필수적으로 요구하지 않으므로 한 자리 서술어이다.

2007학년도 9월 고3 모의평가

03 문장에서 일부 문장 성분들을 생략하거나 보충하는 활동을 통해 '필요한 문장 성분'에 대해 탐구해 보았다. 〈보기〉를 바탕으로 판단한 내용으로 적절하지 않은 것은?

〈보기〉

> ㄱ. 아이가 작은 침대에서 예쁘게 잔다.
> ㄴ. 학생들이 식당에서 점심을 먹는다.
> ㄷ. 그 아이는 예쁘게 생겼다.
> ㄹ. 작은 것이 아름답다.
> ㅁ. 우리도 언제 개통될지 모른다.

① ㄱ에는 문장 성분이 여러 개 있지만 필수적인 것은 주어와 서술어야.
② ㄴ에서 필수적인 문장 성분은 네 개야.
③ ㄷ을 보면 부사어도 필수적인 문장 성분이 될 수 있어.
④ 관형어는 일반적으로 생략될 수 있지만 ㄹ처럼 필수적인 경우도 있어.
⑤ ㅁ에서 필수적인 문장 성분이 빠졌으니 서술어 '개통되다'의 주어를 보충해야 해.

04 다음 문장을 이루는 데 필수적인 문장 성분만 바르게 고른 것은?

① 그분은 결코 거짓말을 하지 않는다.
→ 그분은, 하지 않는다
② 그 선수는 경기 후 최우수 선수로 뽑혔다.
→ 그, 선수는, 최우수 선수로, 뽑혔다
③ 많은 사람들이 차례대로 버스에 올라탔다.
→ 사람들이, 차례대로, 버스에, 올라탔다
④ 어제 경철이는 벽에 매우 큰 그림을 걸었다.
→ 경철이는, 벽에, 그림을, 걸었다
⑤ 선생님은 지각한 학생들에게 청소를 시켰다.
→ 선생님은, 청소를, 시켰다

05 밑줄 친 부분에 대한 설명으로 적절하지 않은 것은?

① 해가 꽤 기울어졌다. – 부사가 부사어로 쓰인 것이다.
② 좀 더 빠르게 달리자. – '-게'에 의한 활용형이 부사어로 쓰인 것이다.
③ 우리는 들은 대로 그에게 이야기했다. – 부사절이 부사어로 쓰인 것이다.
④ 추석이 되어 우리 가족은 고향으로 내려갔다. – 체언과 조사의 결합형이 부사어로 쓰인 것이다.
⑤ 일이 계획했던 만큼 진행되지 않아서 걱정이야. – 관형어와 부사성 의존 명사의 결합형이 부사어로 쓰인 것이다.

2011학년도 11월 고1 학력평가

06 국어 수업 시간에 〈보기〉를 통해 관형어의 특성에 대해 알아보았다. 탐구의 결과로 적절하지 않은 것은?

〈보기〉

ㄱ. 내가 가던 바다 / 내가 가는 바다 / 내가 갈 바다
ㄴ. 새로운 제품 / 예쁜 누나 / 달리는 동생
ㄷ. 대학생인 오빠 / 사장인 아빠
ㄹ. 온갖 새 물건들 / 저 두 남자

① ㄱ을 보니, 관형어의 어미에는 시간의 의미를 담을 수 있겠군.
② ㄴ을 보니, 품사가 달라도 문장에서 관형어의 역할을 할 수 있군.
③ ㄹ을 보니, 두 관형어가 나열될 때에는 관형어가 관형어를 꾸미기도 하는군.
④ ㄴ과 ㄷ을 보니, 용언과 서술격 조사 '이다'가 변형되어 관형어로 쓰일 수 있군.
⑤ ㄱ~ㄹ을 통해 관형어는 꾸밈을 받는 말 앞에 위치한다는 것을 알 수 있군.

2014학년도 9월 고2 학력평가 A형

07 〈보기〉의 예로 적절하지 않은 것은?

〈보기〉

관형어는 체언을 수식하는 문장 성분이다. 관형어가 체언을 수식하는 방법은 여러 가지이다. 가장 기본적인 것은 관형사가 그대로 관형어가 되는 경우이고, 두 번째는 체언에 관형격 조사 '의'가 결합되어 실현되는 경우이고, 세 번째는 용언 어간에 관형사형 어미가 결합되어 실현되는 것이다. 네 번째는 관형격 조사 '의'가 생략되어 '체언+체언'의 구성으로 된 경우이다.

① 그는 새 운동화를 신었다.
② 그녀는 겨우 작품을 완성했다.
③ 소녀는 시골 풍경을 좋아한다.
④ 이곳은 내가 다니던 학교이다.
⑤ 지도자는 국민의 단결을 호소했다.

2013학년도 6월 고3 모의평가

08 〈보기〉의 ㉠의 예로만 짝 지은 것은?

〈보기〉

부사어는 다른 말을 꾸며 주는 성분의 하나이므로 대개 문장을 구성하는 데에 꼭 필요하지는 않다. 그러나 어떤 서술어는 부사어를 반드시 요구하기도 하는데, 이처럼 문장의 성립에 반드시 필요한 부사어를 ㉠'필수적 부사어'라 한다. 해당 문장의 서술어가 무엇이냐에 따라 동일한 '체언+격조사' 구성의 부사어라도 필수적 부사어일 수도 있고 아닐 수도 있다.

① 나는 삼촌과 영화를 보았다. / 어제 본 것은 이것과 꽤 비슷하다.
② 인공위성이 궤도에서 이탈하였습니다. / 우리는 공원에서 선생님을 만났습니다.
③ 그들은 몽둥이로 멧돼지를 잡았다. / 왕은 그 용감한 기사를 사위로 삼았다.
④ 이 지역의 기후는 벼농사에 적합하다. / 나는 오후에 할머니 댁을 방문했습니다.
⑤ 선생님께서 지혜에게 선행상을 주셨다. / 홍길동 씨는 친구에게 5만 원을 빌렸다.

2013학년도 6월 고2 학력평가 A형

09 〈보기〉를 통해 '부사어'의 특징을 학습한 내용으로 적절하지 않은 것은?

〈보기〉

보름달은 ㉠정말 아름답다. 보름달은 친한 ㉡친구처럼 다정하다. ㉢대체 누가 보름달을 만들었을까. 밝은 보름달이 ㉣점점 다가온다. 보름달을 ㉤친구에게 ㉥꼭 보여 주고 싶다.

① ㉠과 ㉣을 비교해 보니, 부사어는 형용사를 수식하기도 하고 동사를 수식하기도 하는군.
② ㉡과 ㉣을 보니, 부사어는 그 문장 내에서 문장 끝만 제외하면 어느 곳으로 옮겨도 자연스럽군.
③ ㉢과 ㉤을 비교해 보니, 부사어 중에는 생략될 수 있는 것도 있고, 없는 것도 있군.
④ ㉢과 ㉥을 비교해 보니, 부사어는 문장 전체를 수식하기도 하고 특정한 문장 성분을 수식하기도 하는군.
⑤ ㉤과 ㉥을 보니, 문장 안에서 부사어가 연달아 쓰이기도 하는군.

28 문장의 짜임 1

최근 5개년 출제 지수 ●●●●○

❶ 홑문장과 겹문장

주어와 서술어의 관계가 한 번 나타나는 문장을 '홑문장'이라 하고, 주어와 서술어의 관계가 두 번 이상 나타나는 문장을 '겹문장'이라 한다.

나는 학교에 간다. → 홑문장
(주어 ---- 서술어)

인생은 짧고 예술은 길다. → 겹문장
(주어 ---- 서술어 / 주어 ---- 서술어)

나는 그가 거짓말했음을 알게 되었다. → 겹문장
(주어 / 주어 ---- 서술어 / 서술어)

알아 둘 것! 문장은 크게 홑문장과 겹문장으로 나눌 수 있고, 겹문장은 다시 안은문장과 이어진문장으로 나눌 수 있어. 이를 다음과 같이 도식화해서 꼭 기억해 두도록 해.

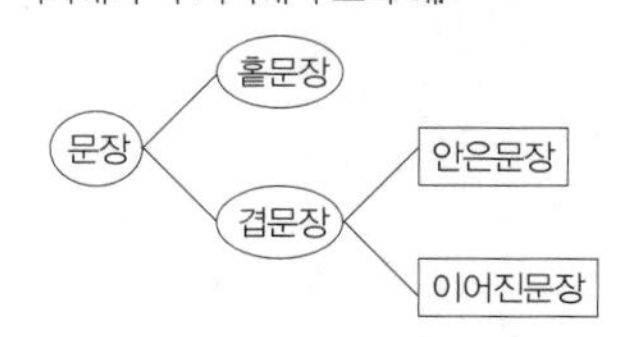

참고 겹문장에서 주어나 서술어의 생략
겹문장에서 주어나 서술어는 맥락에 따라 생략되어 나타나기도 한다. 예를 들어 '비가 오니까 슬프네.'라는 문장에는 '슬프네'라는 서술어에 대한 주어가 생략되어 있지만 겹문장에 해당하고, '하늘을 보니 좋다.'라는 문장에도 앞 절(하늘을 보니)과 뒤 절(좋다)에서 주어가 생략되어 있지만 겹문장에 해당한다.

❷ 안은문장과 안긴문장

한 문장이 다른 홑문장을 한 성분으로 안아서 겹문장이 되면 이를 '안은문장'이라고 하며, 이때 안겨 있는 문장을 '안긴문장'이라고 한다.

1. 명사절을 안은 문장

문장에서 주어, 목적어, 보어, 부사어의 기능을 하는 명사절을 안고 있는 문장이다.

예 내가 그 일을 하기가 쉽지 않다. → 명사절(주어 역할)
나는 그가 정당했음을 깨달았다. → 명사절(목적어 역할)

2. 관형절을 안은 문장

문장에서 관형어의 기능을 하는 관형절을 안고 있는 문장이다.

예 이것은 내가 읽은 책이다. → 관형절(관형어 역할)

3. 부사절을 안은 문장

문장에서 부사어의 기능을 하는 부사절을 안고 있는 문장이다.

예 철수가 소리도 없이 내 뒤로 다가왔다. → 부사절(부사어 역할)

4. 서술절을 안은 문장

문장에서 서술어의 기능을 하는 서술절을 안고 있는 문장이다.

예 선아는 눈이 예쁘다. → 서술절(서술어 역할)

5. 인용절을 안은 문장

다른 사람의 말을 인용한 인용절을 안고 있는 문장이다.

예 동생이 "난 저런 별은 처음 봤어."라고 말했다. → 인용절(다른 사람의 말을 인용)

알아 둘 것! 안은문장 중 명사절을 안은 문장은 '-(으)ㅁ'과 '-기'가 붙어서 만들어지고, 관형절을 안은 문장은 '-(으)ㄴ', '-는', '-(으)ㄹ', '-던'이 붙어서 만들어져. 그리고 부사절은 '-이', '-게', '-도록', '-어서' 등이 붙어서 만들어지지.

참고 관형절의 종류
① 동격 관형절: 모든 문장 성분을 갖추고 체언을 수식하는 절로, 꾸밈을 받는 성분과 꾸미는 문장이 동격이다.
예 나는 그분이 마을 사람들을 위해 애썼다는 소문을 들었다. → 그분이 마을 사람들을 위해 애썼다 = 소문
② 관계 관형절: 문장 성분 중의 일부가 생략되어 안긴 절로, 생략된 문장 성분은 안은문장의 어떤 성분과 동일한 대상을 지시한다.
예 • 하얀 토끼가 깡충깡충 뛴다.
→ (토끼가) 하얗다. ⇒ 주어 생략
• 그분이 쓴 소설이 독자들의 사랑을 받았다.
→ 그분이 (소설을) 썼다. ⇒ 목적어 생략

참고 인용절의 종류
인용절은 주어진 문장을 그대로 인용하는 직접 인용절과 화자의 표현으로 바꾸어 인용하는 간접 인용절로 나뉜다.
예 • 철수는 "밥 먹으러 가자."라고 했다.(직접 인용절)
• 철수는 밥 먹으러 가자고 했다.(간접 인용절)

국어 문법 100% 공략을 위한 **2단계 트레이닝**

정답과 해설 19쪽

1단계 기본 트레이닝

문장의 짜임 **빈칸에 들어갈 알맞은 말을 쓰시오.**

01

홑문장과 겹문장의 구별 **다음 문장이 홑문장에 속하면 '홑', 겹문장에 속하면 '겹'이라고 쓰시오.**

02 산이 높고 물이 깊다. ( )

03 철호는 키가 아주 크다. ( )

04 나는 초등학생이 아니다. ( )

05 해가 뜨면 별이 사라진다. ( )

06 나는 봄이 오기를 기다린다. ( )

07 철수가 소리도 없이 다가왔다. ( )

08 형배와 병구는 사이가 안 좋다. ( )

09 순희가 우리 반 회장이 되었다. ( )

10 그는 눈이 예쁜 아이를 좋아한다. ( )

11 노르웨이와 스웨덴은 북유럽 국가이다. ( )

12 낮말은 새가 듣고, 밤말은 쥐가 듣는다. ( )

안긴문장의 종류 **다음 안은문장에 포함된 안긴문장의 종류를 쓰시오.**

13 토끼는 앞발이 짧다. ( )

14 나는 땀이 나도록 뛰었다. ( )

15 영희는 마음씨가 참 곱다. ( )

16 위험은 경고도 없이 다가온다. ( )

17 이 책은 요즘 내가 읽는 책이다. ( )

18 그는 자신이 실수했음을 깨달았다. ( )

19 어제 내가 본 영화가 참 재미있었다. ( )

20 형주가 이상한 소리가 들린다고 말했다. ( )

21 아직은 집에 돌아가기에 이른 시간이다. ( )

22 승혜는 "오늘 너무 피곤해."라고 중얼거렸다. ( )

2단계 실전 트레이닝

2014학년도 수능 A형

23 **〈보기〉의 ㉠~㉤에 대한 설명으로 적절하지 않은 것은?**

〈보기〉

명사절은 명사와 마찬가지로 문장에서 다양한 문장 성분으로 쓰인다. 다음의 밑줄 친 명사절이 어떤 문장 성분으로 쓰이는지 알아보자.

㉠ 색깔이 희기가 눈과 같다.
㉡ 농부들은 비가 오기를 기다린다.
㉢ 부모는 언제나 자식이 행복하기 바란다.
㉣ 제비는 겨울이 오기 전에 남쪽으로 떠났다.
㉤ 지금은 우리가 학교에 가기에 아직 이르다.

① ㉠: 명사절이 조사와 결합하여 주어로 쓰였다.
② ㉡: 명사절이 조사와 결합하여 목적어로 쓰였다.
③ ㉢: 명사절이 조사와 결합하지 않고 목적어로 쓰였다.
④ ㉣: 명사절이 조사와 결합하지 않고 부사어로 쓰였다.
⑤ ㉤: 명사절이 조사와 결합하여 부사어로 쓰였다.

2015학년도 6월 고2 학력평가

24 **〈보기〉의 ㉠~㉤에 대한 설명으로 적절하지 않은 것은?**

〈보기〉

'안긴문장'은 다른 문장 속에 들어가 하나의 성분처럼 쓰이는 문장을 말하며, '안은문장'은 안긴문장을 포함하고 있는 문장을 말한다. 안긴문장은 기능에 따라 명사절, 관형절, 부사절, 서술절, 인용절로 나뉜다.

㉠ 영수는 키가 매우 크다.
㉡ 영수는 꽃이 핀 사실을 몰랐다.
㉢ 영수는 말도 없이 학교로 가 버렸다.
㉣ 영수는 공원을 산책하기를 좋아한다.
㉤ 영수는 영희에게 빨리 오라고 외쳤다.

① ㉠의 안긴문장은 안은문장의 서술어 기능을 한다.
② ㉡의 안긴문장은 체언의 뜻을 제한하는 기능을 한다.
③ ㉢의 안긴문장은 안은문장의 부사어를 수식한다.
④ ㉣의 안긴문장의 주어는 안은문장의 주어와 동일하다.
⑤ ㉤의 안긴문장은 안은문장의 주어가 한 말을 인용한 것이다.

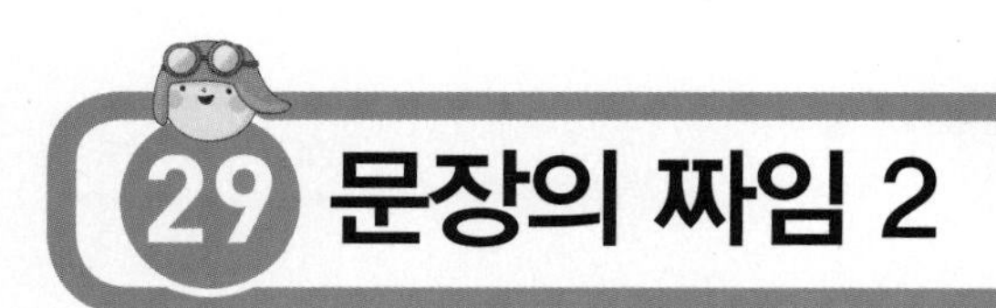

29 문장의 짜임 2

최근 5개년 출제 지수 ●●●●○

① 대등하게 이어진 문장 對대할대 等무리등

☆ **교과서 정의** 대등하게 이어진 문장은 홑문장이 대등한 의미 관계로 이어진 문장이다.

★ **쉽게 쓴 정의** 대등하게 이어진 문장은 두 문장이 의미상 '그리고'나 '또는', '하지만' 등으로 이어진 문장이다.

대등하게 이어진 문장은 앞 절이 뒤 절과 '나열, 대조, 선택' 등의 대등한 의미 관계를 이룬다. '-고, -(으)며, -지만, -(으)나, -거나, -든지' 등의 연결 어미가 사용된다.

하늘은 푸르고, 구름은 하얗다. → 나열
(절 = 대등 = 절)

밖은 시끄럽지만, 안은 조용하다. → 대조
(절 = 대등 = 절)

참고 **대등하게 이어진 문장에서의 주어와 서술어의 생략**
대등하게 이어진 문장에서 앞 절과 뒤 절의 주어가 공통되는 경우에는 주어를 생략할 수 있고, 서술어가 공통되는 경우에는 서술어를 생략할 수 있다.

ㄱ. 철수는 용감하고 씩씩하다.
ㄴ. 철수는 배를, 영희는 사과를 먹는다.

ㄱ에서는 뒤 절의 주어 역시 '철수는'이므로 생략되었고, ㄴ에서는 앞 절의 서술어 역시 '먹다'의 활용형('먹고')이므로 생략되었다.

② 종속적으로 이어진 문장 從따를종 屬무리속

☆ **교과서 정의** 종속적으로 이어진 문장은 앞 절과 뒤 절의 의미가 대등하지 못하고 종속적인 관계에 있는 문장이다.

★ **쉽게 쓴 정의** 종속적으로 이어진 문장은 두 문장이 이유, 조건, 결과 등을 나타내는 연결 어미로 이어진 문장이다.

1. 원인(이유)을 나타내는 종속적 연결 어미
'-아서/-어서', '-(으)니', '-(으)니까', '-(으)므로' 등이 있다.
예 강물이 불어서, 우리는 야영을 포기했다.

2. 조건을 나타내는 종속적 연결 어미
'-(으)면', '-거든', '-아야/-어야/-여야', '-던들' 등이 있다.
예 열심히 노력하면, 무엇이든 이룰 수 있다.

3. 목적(의도)을 나타내는 종속적 연결 어미
'-(으)러', '-(으)려고', '-고자', '-게', '-도록' 등이 있다.
예 학용품을 구입하려고, 문방구에 갔다.

4. 가정이나 양보를 나타내는 종속적 연결 어미
'-아도/-어도', '-더라도', '-(으)ㄴ들', '-(으)ㄹ지라도', '-(으)ㄹ망정', '-(으)ㄹ지언정' 등이 있다.
예 시간이 부족할지라도, 우리는 일을 끝마쳐야만 한다.

5. 배경(상황)을 나타내는 종속적 연결 어미
'-(으)ㄴ데/-는데' 등이 있다.
예 내가 학교를 가고 있는데, 친구가 나를 불렀다.

6. 시간 순서를 나타내는 종속적 연결 어미
'-아서/-어서/-여서', '-고서', '-자', '-자마자' 등이 있다.
예 나는 밥을 먹고서, 텔레비전을 보았다.

참고 **종속적으로 이어진 문장의 특성**
종속적으로 이어진 문장은 대등하게 이어진 문장과 달리 앞 절이 뒤 절 속으로 이동할 수 있다.

ㄱ. 하늘은 높고 구름은 희다.
→ 구름은 하늘은 높고 희다. (×)
ㄴ. 눈이 와서 길이 미끄럽다.
→ 길이 눈이 와서 미끄럽다. (○)

ㄱ은 대등하게 이어진 문장이므로 앞 절이 뒤 절의 중간에 올 수 없는 반면, ㄴ은 종속적으로 이어진 문장이므로 앞 절이 뒤 절의 중간에 올 수 있다.

알아 둬 게! 종속적으로 이어진 문장에서는 뒤 절이 주(主)가 되고 앞 절이 종(從)이 돼. '성격이 까다로우니까 친구들이 싫어해.'에서 보면 '친구들이 싫어해.'가 주가 되는 것을 알 수 있지.

참고 **대등하게 이어진 문장과 종속적으로 이어진 문장의 차이**
① 대등하게 이어진 문장은 앞뒤 절의 구조가 대칭을 이루므로 앞 절과 뒤 절의 순서를 바꿀 수 있지만, 종속적으로 이어진 문장은 앞 절과 뒤 절의 순서를 바꿀 수 없다.
② 대등하게 이어진 문장은 앞 절과 뒤 절의 서술어가 동일할 경우에는 하나의 서술어를 생략할 수 있지만, 종속적으로 이어진 문장은 서술어의 생략이 불가능하다.

국어 문법 100% 공략을 위한 2단계 트레이닝

정답과 해설 20쪽

1단계 기본 트레이닝

이어진문장의 구별 **다음 문장이 대등하게 이어진 문장이면 '대등', 종속적으로 이어진 문장이면 '종속'이라고 쓰시오.**

01 봄이 오면 꽃이 핀다. ( )

02 그녀는 눈만 뜨면 책을 읽는다. ( )

03 남편은 친절하며 부인은 인정이 많다. ( )

04 그녀는 마음은 착하나 현명하지 못하다. ( )

05 그렇게 음식을 마구 먹으니까 배탈이 나지. ( )

06 네가 약속을 한 거니까 가기 싫어도 가야 한다. ( )

07 어른 앞에서 팔짱을 끼거나 다리를 꼬아서는 안 된다. ( )

08 영수는 방에서 공부를 하고 철수는 거실에서 텔레비전을 시청한다. ( )

종속적 연결 어미의 구별 **밑줄 친 부분이 〈보기〉의 연결 어미 a~f 중 어느 것에 해당하는지 쓰시오.**

〈보기〉

a. 원인(이유)을 나타내는 종속적 연결 어미
b. 조건을 나타내는 종속적 연결 어미
c. 목적(의도)을 나타내는 종속적 연결 어미
d. 가정이나 양보를 나타내는 종속적 연결 어미
e. 배경(상황)을 나타내는 종속적 연결 어미
f. 시간 순서를 나타내는 종속적 연결 어미

09 점심을 먹으러 집에 간다. ( )

10 까마귀 날자 배 떨어진다. ( )

11 그 길은 좋지 않으니 이 길로 가거라. ( )

12 나는 어제 잠이 와서 시험 공부를 못 했다. ( )

13 그는 무엇을 찾으려고 남의 가방을 뒤졌을까? ( )

14 이 유리판은 두께가 얇아도 잘 깨지지 않는다. ( )

15 내가 텔레비전을 보고 있는데 전화벨이 울렸다. ( )

16 그분을 만나거든 꼭 제 인사 말씀을 전해 주세요. ( )

17 무슨 일이 있더라도 올해 안으로 일을 마쳐야 한다. ( )

2단계 실전 트레이닝

18 이어진문장에 해당하는 것은?

① 대호는 행동이 언제나 느리다.
② 철호가 집에서 전화를 받았다.
③ 형이 "날 따라와."라고 말했다.
④ 불이 꺼지니까 방 안이 어두워졌다.
⑤ 내가 태어나던 2001년에는 가뭄이 심했다.

19 대등적 연결 어미에 의해 이어진 문장으로 적절하지 않은 것은?

① 밥도 먹었고 빵도 먹었다.
② 술을 마시거나 담배를 피우지 마라.
③ 자그마한 초가집이지만 참 아름답다.
④ 밤새 매미가 울어서 잠을 제대로 못 잤다.
⑤ 동생은 시험에 합격했으나 형은 그러지 못했다.

20 〈보기〉의 밑줄 친 부분의 예로 적절하지 않은 것은?

〈보기〉

종속적 연결 어미는 조건이나 가정, 이유나 원인, 목적이나 의도, 양보, 배경 등을 나타내는 기능을 한다.

① 두부를 사러 시장에 갔다.
② 길이 좁아서 차가 못 지나간다.
③ 네가 우리 집에 오면 맛있는 밥을 해 줄게.
④ 내가 지금 가기는 하지만 곧 돌아올 것이다.
⑤ 그는 능력은 있는데 이번 일에는 어울리지 않아.

2015학년도 10월 고3 학력평가 A형

21 〈보기〉를 이해한 내용으로 적절한 것은?

〈보기〉

ㄱ. 지훈이가 눈이 크다.
ㄴ. 그는 지훈이가 성실하고 눈이 크다는 사실을 알고 있었다.

① ㄱ의 '크다'와 ㄴ의 '알고 있었다'는 전체 문장의 서술어 역할을 한다.
② ㄱ은 주어와 서술어의 관계가 한 번만 나타나므로 홑문장이다.
③ ㄴ의 '성실하고'와 '크다'의 주어는 모두 '지훈이가'로 동일하다.
④ ㄴ의 안긴문장에서 앞뒤 절은 종속적으로 이어져 있다.
⑤ ㄴ의 안긴문장은 목적어를 가지지 않는다.

01 〈보기〉를 참고할 때 홑문장에 해당하는 것은?

〈보기〉

문장은 주어와 서술어를 기본 골격으로 하는데, 주어와 서술어의 관계가 몇 번 나타나느냐에 따라 홑문장과 겹문장으로 나뉜다. 주어와 서술어의 관계가 한 번 나타나는 문장은 홑문장, 두 번 이상 나타나는 문장은 겹문장이라고 한다.

① 영호는 키가 매우 크다.
② 그이는 집에서 늘 양말을 신고 있다.
③ 나는 수정이가 최선을 다했음을 알았다.
④ 수희는 나에게 "나는 네가 좋아."라고 말했다.
⑤ 형기는 누구나 그의 목소리를 들을 수 있도록 큰 소리로 말했다.

2009학년도 9월 고1 학력평가

02 〈보기 1〉을 읽고 〈보기 2〉의 문장을 탐구한 결과로 적절하지 않은 것은?

〈보기 1〉

- 홑문장: 주어와 서술어의 관계가 한 번씩만 이루어진 문장
- 겹문장: 주어와 서술어의 관계가 두 번 이상 이루어진 문장
  - 안은문장(안긴문장): 명사절, 서술절, 관형절, 부사절, 인용절
  - 이어진문장
    - 대등하게 이어진문장: 나열, 선택, 대조 관계
    - 종속적으로 이어진문장: 원인, 조건, 의도, 양보 관계

*문장은 그 짜임새에 따라 내용의 논리성, 집약성, 명확성 등에 차이가 있다.

〈보기 2〉

(가) ⓐ 나는 첫차를 탔다. 나는 새벽에 일어났다.
ⓑ 나는 첫차를 탔다. 첫차는 4시 30분에 출발한다.
(나) ⓐ′ 나는 첫차를 타려고, 새벽에 일어났다.
ⓑ′ 나는 4시 30분에 출발하는 첫차를 탔다.

① (가)는 주어와 서술어의 관계가 한 번씩만 나타나는 홑문장들이군.
② (나)의 ⓐ′는 홑문장과 홑문장이 '의도'의 관계에 의해 종속적으로 이어진 문장이군.
③ (나)의 ⓑ′는 부사어의 역할을 하는 홑문장을 안은 문장이군.
④ (나)의 ⓐ′는 (가)의 ⓐ보다 내용의 논리적 관계가 훨씬 명확하게 드러나는 문장이군.
⑤ (나)의 ⓑ′는 (가)의 ⓑ보다 전달하려는 내용을 집약적으로 표현한 문장이군.

2015학년도 수능 A형

03 다음 ㉠, ㉡의 문장 성분과 문장 구조에 대한 설명이 옳은 것은?

㉠ 친구들은 내가 노래 부르기를 원한다.
㉡ 우리는 이 지역 토양이 벼농사에 적합함을 몰랐다.

① ㉠에는 부사어가 있지만 ㉡에는 부사어가 없다.
② ㉠에는 명사절이 안겨 있지만 ㉡에는 부사절이 안겨 있다.
③ ㉠에는 서술절이 안겨 있지만 ㉡에는 관형절이 안겨 있다.
④ ㉠의 안긴문장 속에는 관형어가 있지만 ㉡의 안긴문장 속에는 관형어가 없다.
⑤ ㉠의 안긴문장 속에는 목적어가 있지만 ㉡의 안긴문장 속에는 목적어가 없다.

2013학년도 4월 고3 학력평가 A형

04 〈보기〉는 이어진문장과 안은문장에 대해 정리한 것이다. 탐구의 결과로 적절하지 않은 것은?

〈보기〉

- 이어진문장: 둘 이상의 홑문장이 대등하거나 종속적으로 이어진문장
  ㄱ. 동생은 과일은 좋아하지만, 야채는 싫어한다.
  동생은 야채는 싫어하지만, 과일은 좋아한다.
  (동생은 과일을 좋아하다. / 동생은 야채를 싫어하다.)
  ㄴ. 철수가 오면 그들은 출발할 것이다.
  그들이 출발하면 철수가 올 것이다.
  (철수가 오다. / 그들이 출발하다.)
- 안은문장: 홑문장을 전체 문장의 한 성분으로 안고 있는 문장
  ㄷ. 언니는 그 아이가 학생임 을 알았다.
  (언니는 그것을 알다. / 그 아이가 학생이다.)
  ㄹ. 책을 읽던 영수가 수지에게 다가왔다.
  (영수가 책을 읽다. / 영수가 수지에게 다가오다.)
  * ▒▒ 표시: 안긴문장임.

① ㄱ과 ㄴ으로 볼 때, 이어진문장은 두 문장이 '대조'나 '조건'의 의미 관계로 연결되기도 하는군.
② ㄱ과 ㄴ으로 볼 때, 이어진문장은 앞뒤 문장의 순서가 바뀌어도 동일한 의미를 나타내는군.
③ ㄱ과 ㄹ로 볼 때, 이어진문장과 안은문장 모두 중복된 내용을 생략할 수 있군.
④ ㄷ과 ㄹ로 볼 때, 안긴문장은 안은문장에서 명사처럼 쓰이거나 명사를 꾸미는 등 다양한 역할을 하는군.
⑤ ㄷ과 ㄹ로 볼 때, 안긴문장과 안은문장의 주어는 같을 수도 있고 서로 다를 수도 있군.

2015학년도 4월 고3 학력평가 A형

05 〈보기〉의 ㉠~㉣에 대한 설명으로 적절하지 않은 것은?

〈보기〉

- 영수는 ㉠ 집에 가기를 원한다.
- 친구는 ㉡ 밥을 먹기에 바쁘다.
- 영희는 ㉢ 동생이 산 빵을 먹었다.
- 그는 ㉣ 우리가 돌아온 사실을 모른다.

① ㉠은 조사 '를'과 결합하여 안은문장의 목적어로 쓰이고 있다.
② ㉡은 조사 '에'와 결합하여 안은문장의 서술어를 수식하고 있다.
③ ㉢은 안은문장의 목적어를 수식하는 관형절이다.
④ ㉡과 달리 ㉣의 주어는 안은문장의 주어와 다르다.
⑤ ㉢과 달리 ㉣에서 생략된 문장 성분은 안은문장의 목적어이다.

06 〈보기 1〉의 ⓐ~ⓒ가 활용된 문장을 〈보기 2〉에서 찾아 바르게 연결한 것은?

〈보기 1〉

연결 어미는 두 개의 문장을 이어 주는 기능을 한다. 연결 어미는 두 문장을 대등적으로 이어 주는 ⓐ 대등적 연결 어미, 앞의 문장을 뒤의 문장에 종속시키는 ⓑ 종속적 연결 어미, 본용언에 보조 용언을 이어 주는 ⓒ 보조적 연결 어미로 나뉜다.

〈보기 2〉

㉮ 아직 봄이 오지 않았다.
㉯ 내가 떠나면 날이 개리라.
㉰ 인생은 짧고 예술은 길다.
㉱ 고기를 잡으러 바다로 갈까?
㉲ 눈이 오거나 비가 오거나 한다.
㉳ 학생들이 운동장에서 교가를 부르고 있다.
㉴ 우리도 이번에 국제 대회에 출전하게 된다.

	ⓐ	ⓑ	ⓒ
①	㉮, ㉴	㉯, ㉰, ㉱	㉲, ㉳
②	㉯, ㉱	㉮, ㉴	㉰, ㉲, ㉳
③	㉰, ㉲	㉯, ㉱	㉮, ㉳, ㉴
④	㉮, ㉰, ㉱	㉯, ㉲	㉳, ㉴
⑤	㉯, ㉳, ㉴	㉮, ㉰	㉱, ㉲

2012학년도 수능

07 〈보기〉를 바탕으로 '동시'의 의미를 나타내는 연결 어미 '-(으)면서'와 '-자'에 대해 탐구한 내용으로 적절하지 않은 것은?

〈보기〉

ㄱ. 동수는 피아노를 치면서/*쳤으면서 노래를 불렀다.
ㄴ. 동수가 집을 나서자/*나섰자 비가 쏟아지기 시작했다.
ㄷ. *동수가 집을 막 나서자 (동수는) 학교에 갔다.
ㄹ. 동수는 상냥하면서/*상냥하자 차분하다.
ㅁ. 동수야, 빵 먹으면서/*먹자 공부해라./공부하자./공부할래?
ㅂ. 동수는 뉴스를 보지 않으면서 텔레비전을 켜 놓았다.
*는 문법적으로 잘못된 것.

① ㄱ과 ㄴ을 보니, '-(으)면서'와 '-자'는 과거 시제를 나타내는 어미와 함께 쓰일 수 없군.
② ㄱ, ㄴ과 ㅁ을 보니, '-(으)면서'는 '-자'와 달리 다양한 문장 유형과 어울릴 수 없군.
③ ㄴ과 ㄷ을 보니, '-자'로 연결된 문장은 앞뒤 주어가 달라야 하는군.
④ ㄹ을 보니, '-(으)면서'는 '-자'와 달리 형용사와 어울릴 수 있는데, 이 경우 '동시'와 '나열'의 의미를 모두 나타내는군.
⑤ ㅂ을 보니, '-(으)면서'가 부정 표현과 어울리면 '동시'의 의미를 나타내기보다는 그 행위를 하지 않음을 강조하는군.

08 〈보기〉의 ㉠에 들어갈 예로 적절한 것은?

〈보기〉

-며 「어미」
('이다'의 어간, 받침 없는 용언 어간, 'ㄹ' 받침인 용언 어간 또는 어미 '-으시-' 뒤에 붙어)
(1) 두 가지 이상의 동작이나 상태 따위를 나열할 때 쓰는 연결 어미
¶ 이것은 감이며 저것은 사과이다.
(2) 두 가지 이상의 움직임이나 사태 따위가 동시에 겸하여 있음을 나타내는 연결 어미(= -면서)
¶ [㉠]

① 여름은 더우며 겨울은 춥다.
② 그는 음악을 들으며 공부를 한다.
③ 형은 키가 크며 동생은 얼굴이 잘생겼다.
④ 철수는 축구를 잘하며 정우는 야구를 잘한다.
⑤ 나는 책을 읽으며 여자 친구는 텔레비전을 본다.

국어의 문법 범주

30 문장 종결 표현 / 31 높임 표현 / 32 시간 표현
33 능동과 피동 표현 / 34 주동과 사동 표현 / 35 부정 표현 / **실력 테스트**

한 남자가 기자들 앞에서 이렇게 외쳤습니다.
"그가 범인이라고 볼 수 있다."
이 말을 들은 기자들이 증거가 있느냐, 그 말에 책임질 수 있느냐며 남자에게 질문을 쏟아 내자 남자는 말을 이렇게 바꾸었습니다.

"그가 범인이라고 보여진다."

남자는 교묘하게 이중 피동을 사용하면서, '그'를 범인으로 지목한 것이 제힘으로 움직인 게 아니라 다른 힘에 의해 움직인 것인 양 말을 살짝 바꾸었습니다. 그리고 말에 대한 책임에서도 슬쩍 멀어졌습니다.
이처럼 문장에는 피동, 사동, 시제, 높임, 부정 표현 등 다양한 문법 요소들이 작용합니다. 이 단원을 통해 문법 요소에는 무엇이 있는지, 각각의 문법 요소들은 문장에 어떻게 작용하는지를 학습할 수 있습니다.

| 문법 범주 |

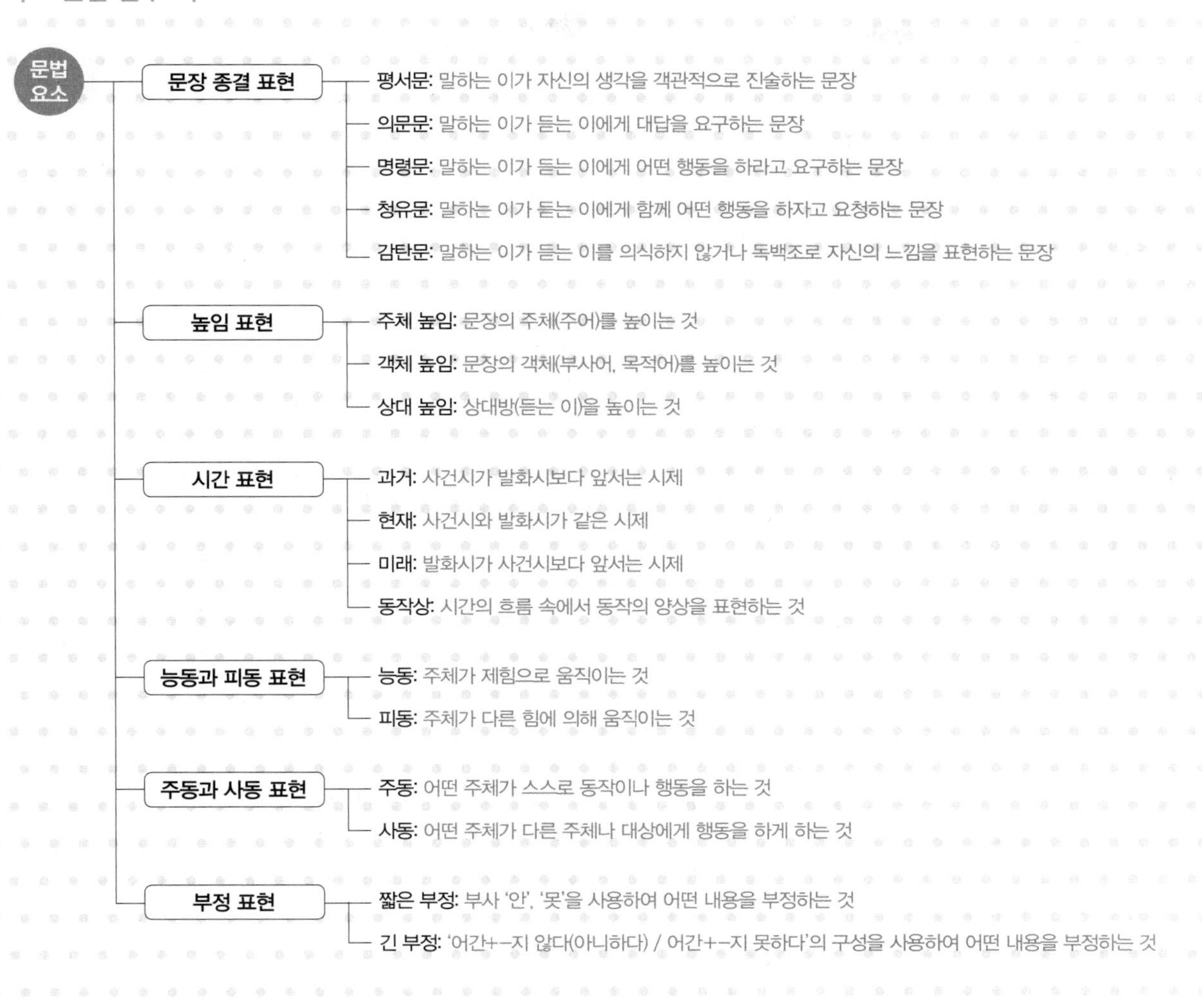
문법 요소
문장 종결 표현
평서문: 말하는 이가 자신의 생각을 객관적으로 진술하는 문장
의문문: 말하는 이가 듣는 이에게 대답을 요구하는 문장
명령문: 말하는 이가 듣는 이에게 어떤 행동을 하라고 요구하는 문장
청유문: 말하는 이가 듣는 이에게 함께 어떤 행동을 하자고 요청하는 문장
감탄문: 말하는 이가 듣는 이를 의식하지 않거나 독백조로 자신의 느낌을 표현하는 문장
높임 표현
주체 높임: 문장의 주체(주어)를 높이는 것
객체 높임: 문장의 객체(부사어, 목적어)를 높이는 것
상대 높임: 상대방(듣는 이)을 높이는 것
시간 표현
과거: 사건시가 발화시보다 앞서는 시제
현재: 사건시와 발화시가 같은 시제
미래: 발화시가 사건시보다 앞서는 시제
동작상: 시간의 흐름 속에서 동작의 양상을 표현하는 것
능동과 피동 표현
능동: 주체가 제힘으로 움직이는 것
피동: 주체가 다른 힘에 의해 움직이는 것
주동과 사동 표현
주동: 어떤 주체가 스스로 동작이나 행동을 하는 것
사동: 어떤 주체가 다른 주체나 대상에게 행동을 하게 하는 것
부정 표현
짧은 부정: 부사 '안', '못'을 사용하여 어떤 내용을 부정하는 것
긴 부정: '어간+-지 않다(아니하다) / 어간+-지 못하다'의 구성을 사용하여 어떤 내용을 부정하는 것

30 문장 종결 표현

최근 5개년 출제 지수 ●●●●○

❶ 문장 종결 표현의 개념

문장 종결 표현이란 문장을 끝맺는 표현을 말한다. 국어는 문장의 종결 표현에 의해 문장의 종류가 구분되고, 말하는 이의 심리와 태도가 드러난다.

철수가 학교에 간다. → 관찰 사실의 단순한 진술
(평서형 종결 어미)

철수가 학교에 가네. → 단순한 진술 또는 지금 깨달은 일 진술
(평서형 종결 어미)

철수가 학교에 가니? → 진술 내용에 대한 듣는 이의 확인 요구
(의문형 종결 어미)

철수야, 학교에 가라. → 듣는 이인 철수에 대한 요구를 담은 진술
(명령형 종결 어미)

철수야, 학교에 가자. → 듣는 이인 철수에게 같이 행동할 것을 요청
(청유형 종결 어미)

철수가 학교에 가는구나! → 사실에 대한 말하는 이의 느낌 표현
(감탄형 종결 어미)

참고 서술격 조사 '이다'의 종결 표현
서술격 조사 '이다'에는 동사나 형용사에서 쓰이지 않는 독특한 종결 표현이 나타나는 경우가 있다.
① 평서문 하게체의 경우: 그가 바로 자네의 진정한 친구일세.
② 의문문 비격식체의 경우: 네가 내 친구야?
③ 감탄형 격식체의 경우: 자네가 진정 내 친구로구나/로구먼/로구려.

❷ 종결 표현에 따른 문장의 종류

1. 평서문

(1) 말하는 이가 듣는 이에게 특별히 요구하는 바 없이, 하고 싶은 말을 객관적으로 진술하는 문장이다. 평서문은 '-다, -네, -ㅂ니다' 등의 종결 어미가 붙어 표현되며, 마침표(.)를 사용한다.

[동사] 눈이 내린다 / 내리네 / 내리오 / 내립니다.
[형용사] 날이 차다 / 차네 / 차오 / 찹니다.

알아 둘 것 평서문은 보통 '-았-/-었-, -겠-' 등의 선어말 어미에 종결 어미 '-다'가 결합되어 표현되지만 어간에 직접 종결 어미 '-다'가 붙기도 해.
예 새해가 밝아 오다.
→ 밝-+-아+오-+-다

(2) 평서문을 표현하는 특수한 종결 어미로 '-니라', '-(으)렷다', '-(으)마', '-ㄹ게/-(을)게' 등이 있다.

예 어떤 경우에도 원칙을 지키는 것이 최고니라. → 원칙 평서문
이 물건이 진짜가 틀림없으렷다. → 확인 평서문
내 너를 꼭 지켜 주마. → 약속 평서문
너에게 꼭 돌아올게. → 약속 평서문

(3) 평서문의 다양한 종결 어미는 간접 인용절로 안길 때 모두 '-다'로 바뀐다.

예 그는 나에게 "날이 매우 차다/차네/차오/찹니다."라고 말했다. → 직접 인용
그는 나에게 날이 차다고 말했다. → 간접 인용

2. 의문문

(1) 말하는 이가 듣는 이에게 질문하여 대답을 요구하는 문장이다. 의문문은 '-느냐, -ㅂ니까' 등의 종결 어미가 붙어 표현되며, 물음표(?)를 사용한다.

[동사] **밖에 누가 왔느냐 / 왔는가 / 왔오 / 왔습니까?**

[형용사] **문제가 쉽냐 / 쉬운가 / 쉽소 / 쉽습니까?**

(2) 의문문의 종류

① 설명 의문문: '누구, 왜, 어찌' 등과 같은 의문사가 포함되어 그에 대한 설명을 요구하는 의문문이다.

예 너는 누구와 영화를 보았니? → '누구'에 대한 설명을 요구

② 판정 의문문: 종결 표현 앞의 명제 내용에 대한 듣는 이의 긍정 혹은 부정의 대답을 요구하는 의문문이다.

예 너 철수와 영화를 보았지? → '네' 또는 '아니요'의 대답을 요구

③ 수사 의문문(반어 의문문): 듣는 이의 대답을 요구하지 않는 의문문으로, 수사적인 표현 효과를 갖는다.

예 내가 동생에게 옷 한 벌 못 사 주겠니? → 긍정을 강조하는 반어적 의문문
우리 사는 세상이 얼마나 아름다우냐? → 의문문 형식이나 실제로는 감탄의 뜻을 나타냄.
계속 그렇게 꾸물대고만 있을래? → 의문문 형식이나 실제로는 명령의 뜻을 나타냄.

(3) 의문문의 다양한 종결 어미는 간접 인용절로 안길 때 '-(느)냐' 또는 '-(으)냐'로 바뀐다.

예 그는 나에게 "물은 어디 있느냐/있는가/있오/있습니까?"라고 물었다. → 직접 인용
그는 나에게 물이 어디 있느냐고 물었다. → 간접 인용

알아 둘 것! 국어는 청자 중심의 언어야. 그래서 상대방이 긍정 형태로 물을 때, 질문을 긍정하면 '네', 질문을 부정하면 '아니요'로 대답해야 해.
예 선생님: 교실이 춥지?
학생: 네. → 춥다는 의미
아니요. → 춥지 않다는 의미
상대방이 부정 형태로 물을 때에는 어떻게 대답해야 할까? 부정 형태의 질문을 긍정하면 '네', 질문을 부정하면 '아니요'로 대답하면 돼.
예 선생님: 교실이 안 춥지?
학생: 네. → 춥지 않다는 의미
아니요. → 춥다는 의미

3. 명령문

(1) 말하는 이가 듣는 이에게 어떤 행동을 하도록 강하게 요구하는 문장이다. 명령문은 듣는 이에게 직접 행동을 요구하는 '직접 명령문'과 매체를 통해 간접적으로 지시하는 '간접 명령문'으로 나눌 수 있다. 직접 명령문은 '-아라/-어라, -게' 등의 종결 어미가 붙어 표현되며, 간접 명령문은 '-(으)라' 등의 종결 어미가 붙어 표현된다.

[직접 명령문] **기회를 잡아라 / 잡게 / 잡으오 / 잡으십시오.**

[간접 명령문] **기회를 잡으라 / 잡으시라.**

(2) 허락이나 부탁의 의미를 나타내는 명령문도 있다.

밥이나 먹고 가렴. → 허락의 의미 **저를 용서하소서.** → 부탁의 의미

(3) 명령문의 다양한 종결 어미는 간접 인용절로 안길 때 모두 '-(으)라'로 바뀐다.

예 그는 나에게 "어서 가라/가게/가오/가십시오."라고 말했다. → 직접 인용
그는 나에게 어서 가라고 말했다. → 간접 인용

참고 명령문의 제약
① 서술어로는 동사만 올 수 있다.
② 과거를 나타내는 선어말 어미 '-았-/-었-'이 함께 쓰일 수 없다.
③ 주어는 반드시 듣는 이어야 한다.

참고 형용사 + 명령형 종결 어미
'성실해라, 부지런해라'와 같이 몇몇 형용사에서 예외적으로 명령형 종결 표현이 사용되기도 하는데, 이는 당부의 의미를 나타내며, 바른 표현은 '성실해져라, 부지런해져라'이다.

4. 청유문

(1) 말하는 이가 듣는 이에게 어떤 행동을 함께 하도록 요청하는 문장이다. 청유문은 '-자, -세, -ㅂ시다' 등의 종결 어미가 붙어 표현된다.

> **우리 주말에 등산 가자 / 가세 / 갑시다 / 가시지요.**
> 말하는 이 + 듣는 이

(2) 말하는 이나 듣는 이 한쪽에만 해당되는 의미를 가질 수 있다.

예 (버스 승객들에게) 좀 내립시다. → 말하는 이의 행동 예고
얘들아, 좀 조용히 하자. → 듣는 이에 대한 행동 촉구

(3) 청유문의 다양한 종결 어미는 간접 인용절로 안길 때 모두 '-자'로 바뀐다.

예 그는 나에게 "우리 함께 보자/보세/봅시다/보시지요."라고 말했다. → 직접 인용
그는 나에게 우리 함께 보자고 말했다. → 간접 인용

참고 청유문의 제약
① 서술어로는 동사만 올 수 있다.
② 과거를 나타내는 선어말 어미 '-았-/-었-'이 함께 쓰일 수 없다.
③ 주어에 말하는 이와 듣는 이가 모두 포함된다.

5. 감탄문

(1) 말하는 이가 듣는 이를 거의 의식하지 않거나 독백조로 자기의 느낌을 표현하는 문장이다. 감탄문은 '-구나, -네' 등의 종결 어미가 붙어 표현되며, 느낌표(!)를 사용한다.

> [동사] **영희가 춤을 잘도 추는구나 / 추는구려 / 추는구먼!**
> [형용사] **달이 참 밝구나 / 밝네 / 밝구려!**

알아 둘 것! 감탄형 종결 어미 '-구나'가 줄어든 '-군'은 비격식체 표현이야.
예 얼굴이 참 잘생겼군.(해체 – 두루낮춤) / 잘생겼군요.(해요체 – 두루높임)

(2) 느낌의 주체가 말하는 이이고 서술어가 형용사일 때, '-아라/-어라'의 종결 어미가 붙어 감탄문을 표현할 수 있다.

예 아아, 고마워라! 스승의 사랑
아이, 예뻐라!
→ 느낌의 주체가 말하는 이임.

(3) 감탄문의 다양한 종결 어미는 간접 인용절로 안길 때 모두 평서형 종결 어미 '-다'로 바뀐다.

예 그는 나에게 "참 예쁘구나/예쁘구려/예쁘구먼!"이라고 말했다. → 직접 인용
그는 나에게 참 예쁘다고 말했다. → 간접 인용

❸ 억양에 따른 문장의 종류의 구분

종결 어미의 형태가 같거나 생략되었을 경우에는 문장 끝의 억양에 따라 문장의 종류를 구분할 수 있다.

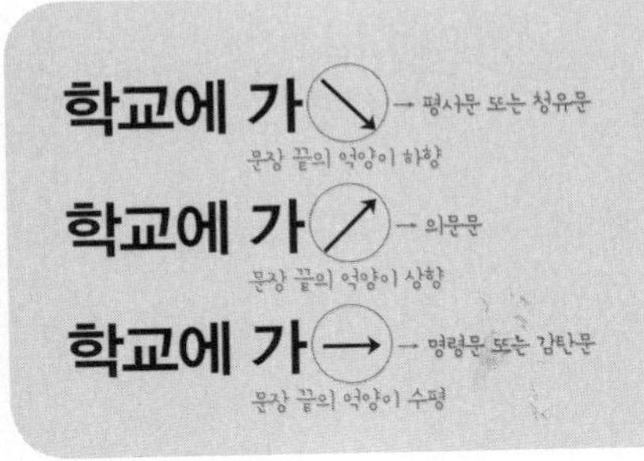

국어 문법 100% 공략을 위한 2단계 트레이닝

정답과 해설 21쪽

1단계 기본 트레이닝

문장 종결 표현 **종결 표현에 따른 다음 문장의 종류를 쓰시오.**

01 그는 나의 오랜 친구라네. (　　　)

02 아유, 떡이 참 맛있게도 생겼네! (　　　)

03 이제 그만 댁으로 들어가십시오. (　　　)

04 왜 사람들이 저기서 웅성거릴까? (　　　)

05 우리 다시 진지하게 생각해 봅시다. (　　　)

의문문과 명령문의 종류 **다음 문장과 문장의 유형을 바르게 연결하시오.**

06 항상 노력하라.	•	• 판정 의문문
07 너 예습은 했니?	•	• 설명 의문문
08 너 언제 도착했니?	•	• 수사 의문문
09 서둘러서 일을 끝내라.	•	• 직접 명령문
10 밖에서 놀다 오려무나.	•	• 간접 명령문
11 그가 나에게 돌아온다면 얼마나 좋을까?	•	• 허락 명령문

종결 표현의 형식과 기능 **〈보기〉를 참고하여 다음 문장의 형식과 기능을 쓰시오.**

〈보기〉

"내가 너에게 그 정도도 못 해 주겠니?"는, 문장의 종류는 의문문이지만 긍정의 기능을 수행한다.

(아버지가 식당에서)
"음식을 꼭꼭 오래 씹어야 소화가 잘 되겠지?"

12 문장의 종류: ________ 기능: ________

(텔레비전만 보는 아들에게)
"이제 공부할 시간이다."

13 문장의 종류: ________ 기능: ________

(식사 중인 사람이 밥을 먹고 나서 떠들고 있는 사람들에게)
"조용히 식사 좀 합시다."

14 문장의 종류: ________ 기능: ________

2단계 실전 트레이닝

15 문장의 종류와 실제 언어 사용에서의 기능이 같은 것은?

① (지각한 부하 직원에게) "자네, 지금 몇 시인가?"
② (안경을 잃어버린 아들에게) "어디서 잃어버렸니?"
③ (금연 구역에서 담배를 피우는 사람에게) "공공질서를 잘 지켜야 하지 않을까요?"
④ (주말에 동물원에 가자고 제안한 친구에게) "너 요즘 내가 마음이 답답한 거 어떻게 알았니?"
⑤ (영화관에서 의자를 발로 차는 뒷사람에게) "영화 관람에 방해가 되니 주의해 주시겠습니까?"

16 밑줄 친 부분이 화자가 청자에게 요청하는 내용이 아닌 것은?

① A: 저기요. 먼저 좀 내립시다.
B: 아, 예. 저도 여기서 내려요.
② A: 어디 보자. 내가 다 챙겼나?
B: 거기서 혼자 뭐 해요. 빨리 나와요.
③ A: 다친 곳은 어떤가? 한번 보세.
B: 보시다시피 많이 좋아졌습니다.
④ A: 저 혹시, 모자를 벗어 주실 수 있을까요?
B: 제가 방해가 되었군요. 미안합니다.
⑤ A: 괜찮다면, 우리 여기서 잠깐 기다릴래요?
B: 좋아요. 10분만 더 기다려요.

2010학년도 수능

17 〈보기〉를 참고할 때 밑줄 친 말이 ㉠에 가장 가까운 것은?

〈보기〉

청유문은 화자가 청자에게 같이 행동할 것을 요청하는 문장이다. 즉, 청유문은 청유형 어미 '-자', '-(으)ㅂ시다' 등이 붙는 서술어의 행동을 화자와 청자가 공동으로 하도록 유발하는 것이다. 그러나 간혹 청자만 행하기를 바라거나 ㉠ 화자만 행하려는 행동을 나타낼 때에도 쓰인다.

① (반장이 떠드는 친구들에게) 조용히 좀 하자.
② (엄마가 아이에게 약을 먹일 때) 자, 이리 와서 약 먹자.
③ (다툰 친구에게 화해를 청하면서) 오늘 영화나 같이 보러 가자.
④ (식사를 먼저 마친 사람들이 귀찮게 말을 걸 때) 밥 좀 먹읍시다.
⑤ (학급 회의에서 논의가 길어질 때) 이 문제는 나중에 다시 토의합시다.

31 높임 표현

최근 5개년 출제 지수 ●●●○○

❶ 주체 높임법

문장의 주어를 높이는 방법이다. 주어에 붙는 접미사 '-님'과 주격 조사 '께서', 서술어에 붙는 높임 선어말 어미 '-(으)시-', 주어를 높이는 특수한 단어*에 의해 실현된다.

1. 직접 높임

주어를 직접 높이는 방법이다.

① 높임의 뜻을 더하는 접미사 '-님'을 붙임.

사장님께서 오늘 우리집에 오셨다.

문장의 주체 ② 문장의 주체를 높이는 조사 '께서'를 씀. ③ 서술어에 높임 선어말 어미 '-시-'를 붙임.

2. 간접 높임

주어의 신체 일부분, 부속물 등을 높임으로써 주어를 간접적으로 높이는 방법이다.

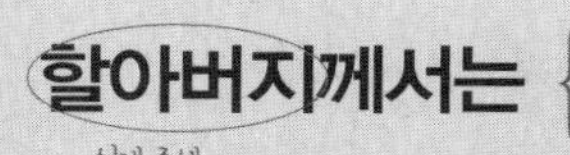

할아버지께서는 { 고민이 / 허리가 } { 있으시다. / 아프시다. }

실제 주체 / 주체의 부속물, 신체 등 / 서술어에 높임 선어말 어미 '-시-'를 붙임.

● 주어를 높이는 특수한 단어

예사말	높임말
있다	계시다
먹다	잡수다(잡수시다), 자시다, 들다(드시다)
마시다	들다(드시다)
아프다	편찮으시다
자다	주무시다
죽다	돌아가시다
말	말씀
밥	진지
집	댁

참고 간접 높임 표현에서 주의할 점

주체 높임에 쓰이는 특수 어휘를 간접 높임에 사용하면 안 된다.

예 ┌ 선생님은 코에 점이 계시다.(×)
└ 선생님은 코에 점이 있으시다.(○)

❷ 객체 높임법

문장의 목적어나 부사어가 지시하는 대상을 높이는 방법이다. 부사어에 부사격 조사 '께'를 붙이거나, 객체를 높이는 특수한 동사*에 의해 실현된다.

나는 아버지를 학교에 { 데리고(×) / 모시고(○) } 갔다.

목적어가 높임의 대상 / ↓ 높임의 특수 어휘를 씀.

① 높임의 부사격 조사 '께'를 씀.

네 삼촌께 이 물건을 갖다 { 주어라.(×) / 드려라.(○) }

부사어가 높임의 대상 / ↓ ② 높임의 특수 어휘를 씀.

● 객체를 높이는 특수한 동사

예사말	높임말
주다	드리다
데리다	모시다
보다	뵈다, 뵙다
묻다	여쭈다, 여쭙다

❸ 상대 높임법

문장의 종결 표현을 통해 대화 상대방(청자)을 높이거나 낮추는 방법이다. 크게 공식적인 대화에서 사용되는 격식체와 비공식적 대화에서 주로 사용되는 비격식체로 나뉜다.

구분		평서법	의문법	명령법	청유법	감탄법
격식체	하십시오체	합니다	합니까?	하십시오	(하시지요)	-
	하오체	하오	하오?	하오	합시다	하는구려
	하게체	하네	하나?	하게	하세	하는구먼
	해라체	한다	하니?	해라	하자	하는구나
비격식체	해요체	해요	해요?	해요	해요	하는군요
	해체	해	해?	해	해	해

↑ 높임의 정도

참고 상대 높임법의 어휘적 실현

자기를 낮추어 가리키는 일인칭 대명사인 '저'나 자기의 말을 낮추어 이르는 말인 '말씀'은 화자를 낮춤으로써 결과적으로 청자를 높여 대우해 주는 상대 높임법이 된다.

예 제 말씀은 그런 뜻이 아닙니다.

1단계 기본 트레이닝

높임 표현 **다음 문장에서 높임 표현이 나타난 어절에 밑줄을 그으시오.**

01 여러분, 책을 읽으십시오.

02 할머니께서 아침을 드신다.

03 영희는 신문을 아버지께 드렸다.

04 나는 부모님을 모시고 학교에 갔다.

05 우리 엄마는 옷을 고르는 안목이 높으셔요.

높임의 대상 **다음 문장에서 높임의 대상을 쓰시오.**

06 할머님께서 귀가 밝으시다. (　　　)

07 선생님께서 교실로 오신다. (　　　)

08 제가 너무 흥분하였던 것 같습니다. (　　　)

09 할아버지, 아버지가 귀가하셨습니다. (　　　)

10 할아버지께서는 걱정거리가 있으시다. (　　　)

11 나는 그것에 대해 아버지께 여쭈어 보았다. (　　　)

특수 어휘에 의한 높임 **밑줄 친 말을 높임법에 맞게 고쳐 쓰시오.**

12 아버지가 <u>잔다</u>. (　　　)

13 선생님께서 떡을 <u>먹는다</u>. (　　　)

14 친구의 할머니가 <u>죽었다</u>. (　　　)

15 어머니를 집에 <u>데려다</u> 드려라. (　　　)

16 오늘 삼촌을 <u>보니</u> 참 기쁩니다. (　　　)

높임법의 구별 **〈보기〉의 ㉠~㉥을 다음의 높임 표현에 해당하는 것끼리 구별하시오.**

〈보기〉

"아버지, 할아버지<u>께서</u>(㉠) 저 물건을 할머니<u>께</u>(㉡) 갖다 <u>드리라고</u>(㉢) 하<u>셨</u>(㉣)<u>어요</u>(㉤). 그래서 가지러 <u>왔습니다</u>(㉥)."

17 주체 높임 표현: ______________

18 객체 높임 표현: ______________

19 상대 높임 표현: ______________

2단계 실전 트레이닝

20 〈보기〉의 ㉠~㉢의 높임 표현이 모두 나타나 있는 것은?

〈보기〉

우리말의 높임 표현은 높임의 대상에 따라 ㉠<u>주체 높임법</u>, ㉡<u>객체 높임법</u>, ㉢<u>상대 높임법</u>으로 나타난다. 주체 높임법은 화자가 서술의 주체를 높이고자 할 때, 객체 높임법은 화자가 서술의 객체를 높이고자 할 때, 상대 높임법은 화자가 청자를 높이고자 할 때 쓰인다.

① 길에서 선생님을 뵈었다.
② 사장님은 돈이 많으시잖아요.
③ 영희는 교수님께 빌린 책을 돌려 드렸다.
④ 할머니는 어머니께서 벌써 모시고 가셨습니다.
⑤ 아버지께서는 퇴근하시고 바로 집으로 가셨다.

21 〈보기〉를 바탕으로 '높임법'에 대해 탐구 학습을 한 내용으로 적절하지 <u>않은</u> 것은?

〈보기〉

ㄱ. 할아버지께서는 걱정이 있으시다.
ㄴ. 나는 아버지를 모시고 병원으로 갔다.
ㄷ. ┌ 내가 너무 흥분했던 것 같네.
　　└ 제가 너무 흥분했던 것 같습니다.

① ㄱ은 주어와 관련된 대상을 높임으로써 실현되는 간접 높임이군.
② ㄴ의 '모시고'는 행위의 대상인 '아버지'를 높이는군.
③ ㄷ은 상대 높임을 제외하면 완전히 동일한 의미로군.
④ ㄱ과 ㄴ의 '-(으)시-'는 동일한 기능의 문법 성분이겠군.
⑤ ㄷ을 보니 어휘 교체에 의해서 상대 높임이 실현될 수 있군.

22 밑줄 친 말을 높임법에 맞게 고쳐 쓴 예로 적절하지 <u>않은</u> 것은?

① 당신을 직접 <u>보게</u>[→ 뵙게] 되어 영광입니다.
② 그분이 <u>죽은</u>[→ 죽으신] 지도 벌써 십 년이 되었다.
③ 손님은 피부가 <u>희니</u>[→ 희시니] 이 옷이 어떨까요?
④ 어느 학교가 좋을지 선생님께 <u>물어볼게요</u>.[→ 여쭤 볼게요.]
⑤ 나는 이메일 보내는 법을 아버지께 설명해 <u>주느라</u>[→ 드리느라] 고생 좀 했다.

32 시간 표현

최근 5개년 출제 지수 ●●●○○

❶ 시제 時때시 制지을제

☆ **교과서 정의** 시제는 어떤 사건이 일어난 시간의 위치를 언어적으로 표현하는 문법 범주이다.

★ **쉽게 쓴 정의** 시제는 과거, 현재, 미래를 나타내는 표현이다.

1. 시제의 개념

발화시•를 기준으로 하여, 사건시•의 시간상의 위치를 나타내는 언어 표현이다.

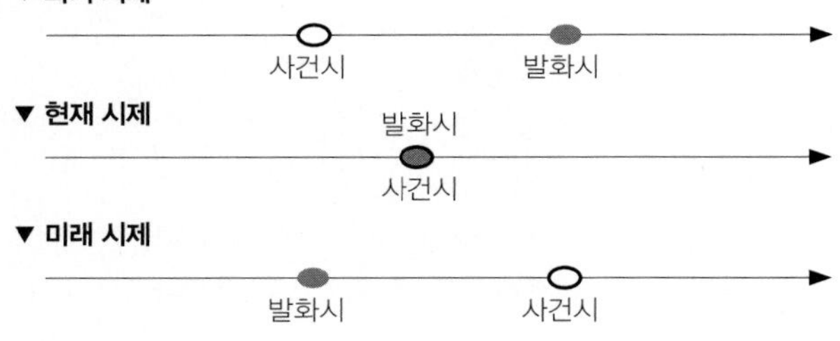

• 발화시는 말하는 시점을 이르는 말이고, 사건시는 상황이나 동작이 일어나는 시점, 즉 말하려는 사건이 일어난 순간을 이르는 말이다.

참고 시제가 사용되지 않는 문장

시제가 사용되지 않는(혹은 현재 시제로만 사용되는) 경우는 다음과 같다.

① 습관 혹은 반복적, 객관적 사실을 기술할 때
예 철수는 잘 때 코를 곤다.

② 속담이나 명언 등 경구
예 빈 수레가 요란하다.

③ 명령, 청유 문장
예 좀 조용히 해라(하자).

2. 시제의 종류

(1) 과거 시제

어떤 사건이 일어난 시간(사건시)이 말하는 시간(발화시)에 앞서는 시제이다.

① 선어말 어미 '-았-/-었-'으로 표현된다.

> **나는 친구를 만났다.** → 만나- + '-았-' + -다
> (선어말 어미 '-았-'으로 실현)

② 선어말 어미 '-더-'로 과거에 경험한 일을 전달하기도 한다.

> **어제 그 아이가 울더라.** → 울- + '-더-' + -라
> (선어말 어미 '-더-'로 실현)

③ 동사 어간에 붙는 관형사형 어미 '-은/-ㄴ'으로 표현된다.

> **나는 밥을 먹은 후에 잠을 잤다.** → 먹- + '-은'
> (관형사형 어미 '-은'으로 실현 / 선어말 어미 '-았-' 사용)

④ '이다'의 어간, 용언의 어간 또는 어미 '-(으)시-, -었-, -겠-' 뒤에 붙는 관형사형 어미 '-던'으로 표현되기도 한다.

> **나는 여기서 놀던 기억이 났다.** → 놀- + '-던'
> (관형사형 어미 '-던'으로 실현 / 선어말 어미 '-았-' 사용)

참고 선어말 어미 '-더라'의 제한

과거를 회상할 때 쓰이는 선어말 어미 '-더라'는 주어가 1인칭일 때는 쓸 수 없다.

예 내가 어젯밤에 너무 떠들더라.(×)

⑤ 선어말 어미 '-았었-/-었었-'을 통해 표현되기도 한다. 선어말 어미 '-았었-/-었었-'은 '-았-/-었-'과 달리 현재와 비교하여 다르거나 단절되어 있는 과거의 사건을 나타낸다.

우리는 전에 부산에서 살았었다. → 살- + '-았었-' + -다 (선어말 어미 '-았었-'으로 실현)

⑥ '그때, 어제'와 같은 과거를 나타내는 시간 부사어와 함께 쓰이는 경우가 많다.

나는 어제 영화를 봤다. (어제: 시간 부사어 / 봤다: 선어말 어미 '-았-' 사용)

(2) 현재 시제

어떤 사건이 일어난 시간(사건시)이 말하는 시간(발화시)과 일치하는 시제이다.

① '있다, 없다, 계시다'의 어간, 동사 어간 또는 선어말 어미 '-(으)시-' 뒤에 붙는 선어말 어미 '-는-/-ㄴ-'으로 실현되며, 형용사나 서술격 조사에서는 선어말 어미 없이 현재 시제가 표현된다.

▼ 동사의 경우

학생들이 축구를 하는구나. → 하- + '-는-' + -구나 (선어말 어미 '-는-'으로 실현)

▼ 형용사의 경우

그녀는 얼굴이 예쁘다. (선어말 어미 없이 실현)

② '있다, 없다, 계시다'의 어간, 동사 어간 또는 선어말 어미 '-(으)시-, -겠-' 뒤에 붙는 관형사형 어미 '-는', 형용사 어간에 붙는 관형사형 어미 '-은/-ㄴ'으로 표현된다.

▼ 동사의 경우

저기 서 있는 사람이 내 친구이다. → 있- + '-는' (관형사형 어미 '-는'으로 실현 / 친구이다: 선어말 어미 없이 실현)

▼ 형용사의 경우

예쁜 아이들이 아주 많다. → 예쁘- + '-ㄴ' (관형사형 어미 '-ㄴ'으로 실현 / 많다: 선어말 어미 없이 실현)

③ '지금'과 같은 현재를 나타내는 시간 부사어와 함께 쓰이는 경우가 많다.

기차가 지금 출발한다. (지금: 시간 부사어 / 출발한다: 선어말 어미 '-ㄴ-' 사용)

(3) 미래 시제

말하는 시간(발화시) 이후에 일어날 사건(사건시)을 표시하는 시제이다.

① 선어말 어미 '-겠-, -(으)리-'로 표현된다.

내일은 비가 오겠습니다. → 오- + '-겠-' + -습니다 (선어말 어미 '-겠-'으로 실현)

참고 현재 시제 선어말 어미

현재 시제 선어말 어미 '-ㄴ-/-는-'은 형용사와 서술격 조사에는 사용되지 않는다.

예 • 아름답다.(○) / 아름답는다.(×)
• 학생이다.(○) / 학생인다.(×)

참고 미래 시제에 담긴 화자의 의지, 추측

'-겠-'과 '-ㄹ 것/-을 것'을 이용한 미래 시제는 주어가 1인칭일 때는 화자의 의지를, 3인칭일 경우에는 화자의 추측을 나타낸다.

예 • 그 모임에는 제가 가겠습니다. (의지)
• 재성이가 지금쯤 학교에 도착했겠다. (추측)

② 관형사형 어미 '–을/–ㄹ'● 로 표현된다.

주말에 입을 옷을 다려 둬라. → 입– + '–을'
관형사형 어미 '–을'로 실현

③ '내일'과 같은 미래를 나타내는 시간 부사어와 함께 쓰이는 경우가 많다.

그는 내일 도착할 것이다.
시간 부사어 / 관형사형 어미 '–ㄹ' 사용

● 관형사형 어미 '–을/–ㄹ'이 시제와 관계없이 수식 기능만 가질 수도 있다.
예 시내에 갈 때 뭘 타고 가야 합니까?

❷ 동작상● 動움직일동 作지을작 相서로상

☆ **교과서 정의** 동작상은 시간의 흐름 속에서 동작의 양상을 표현하는 것이다.

★ **쉽게 쓴 정의** 동작상은 동작이 진행되고 있는 것인지 완료된 것인지를 나타내는 것이다.

● 동작상은 과거, 현재, 미래라는 시간 영역 속에서 어떤 동작이 진행 중인지, 혹은 완료되었는지를 나타낸다. 따라서 시제와는 구별하여 생각해야 한다. 예를 들어, 문장에 과거 시제가 쓰였다고 하여 동작상이 '완료'가 되지는 않는다. 과거라는 시간 속에서 동작이 진행 중이라면 '진행상'으로 나타난다.

1. 동작상의 개념

시간의 흐름 속에서 동작이 끝나지 않고 지속되고 있는지, 아니면 완전히 끝났는지를 표현하는 것이다.

2. 동작상의 종류

(1) 진행상

진행상은 해당 동작이 계속되고 있음을 나타낸다. '–고 있다, –아/–어 가다' 등의 보조 용언을 사용하거나 '–(으)며, –(으)면서' 등의 연결 어미를 사용하여 표현한다.

▼ 보조 용언을 사용한 진행상

그는 학교까지 걸어가고 있다. → 시제: 현재 / 동작상: 진행
'걸어가는' 동작이 계속 진행 중임.

▼ 연결 어미를 사용한 진행상

윤구는 전화를 하며 걸어갔다. → 시제: 과거 / 동작상: 진행
'전화를 하는' 동작이 계속 진행 중임.

참고 진행상이 표시될 수 없는 용언
형용사와 동작이 이루어지는 것이 순간적인 일부 동사들은 진행상과 결합할 수 없다.
예 • 가을 하늘이 높고 있다. (×)
• 열쇠를 잃어버리고 있다. (×)

(2) 완료상

완료상은 해당 동작이 끝났음을 나타낸다. '–아/–어 있다, –아/–어 버리다' 등의 보조 용언을 사용하거나 '–자마자, –아서/–어서, –고서, –다가' 등의 연결 어미를 사용하여 표현한다.

▼ 보조 용언을 사용한 완료상

동생이 과자를 다 먹어 버렸다. → 시제: 과거 / 동작상: 완료
'먹는' 동작을 완료함.

▼ 연결 어미를 사용한 완료상

그는 밥을 먹고서 집을 나섰다. → 시제: 과거 / 동작상: 완료
'밥을 먹는' 동작을 완료함.

참고 부사어를 통한 동작상의 구분 방법

진행상	바야흐로, 한창
완료상	이미, 벌써

국어 문법 100% 공략을 위한 2단계 트레이닝

정답과 해설 22쪽

1단계 기본 트레이닝

시제의 개념 **빈칸에 들어갈 알맞은 말을 쓰시오.**

01 (　　　　　)은/는 사건시가 발화시에 앞서는 시제이다.

02 (　　　　　)은/는 사건시가 발화시와 일치하는 시제이다.

03 (　　　　　)은/는 발화시 이후에 일어날 사건시를 표시하는 시제이다.

04 (　　　　　)은/는 시간의 흐름 속에서 동작이 끝나지 않고 지속되고 있는지, 완전히 끝났는지를 표현하는 것이다.

시제의 종류 **다음 문장의 시제를 각각 쓰시오.**

05 와, 하늘에서 눈이 내린다. (　　　　　)

06 머지않아 폭우가 쏟아지겠어. (　　　　　)

07 나는 영화를 보는 내내 졸았다. (　　　　　)

미래 시제의 의미 **다음 문장에 나타난 미래 시제의 의미를 〈보기〉에서 찾아 기호로 쓰시오.**

〈보기〉

㉠ 명백한 진리　　㉡ 근거 있는 추측
㉢ 화자의 강한 의지　　㉣ 가능성이나 능력

08 내년이면 스무 살이 될 것이다. (　　　　　)

09 이 일은 어린아이라도 쉽게 하겠다. (　　　　　)

10 나는 무슨 일이 있어도 너와 꼭 결혼하겠다. (　　　　　)

11 나는 기어코 이번 시험에서 1등급을 받겠다. (　　　　　)

12 수술 경과를 보니 저 환자는 곧 깨어날 것이다. (　　　　　)

13 말복도 지났으니 조만간 더위가 한풀 꺾이겠다. (　　　　　)

동작상의 종류 **다음 문장을 진행상과 완료상으로 구별하시오.**

14 기차가 플랫폼에 들어오고 있다. (　　　　　)

15 지성이는 지금 의자에 앉아 있다. (　　　　　)

16 선생님은 불편한 구두를 벗어 버렸다. (　　　　　)

17 우리는 운동장에서 줄넘기를 하고 있다. (　　　　　)

2단계 실전 트레이닝

18 밑줄 친 부분의 시제가 의미상 다른 것은?

① 비가 내린 뒤 하늘이 맑게 개었다.
② 영수와 민지는 도서관에서 만났다.
③ 나는 어제 사과와 복숭아를 먹었다.
④ 차가 막히니 제 시간 안에 도착하기는 글렀다.
⑤ 어제 왔던 사람은 우리 지역의 국회 의원이었다.

19 〈보기 1〉의 ㉠~㉢의 시제와 동작상을 〈보기 2〉에서 골라 바르게 연결한 것은?

〈보기 1〉

㉠ 인생은 한순간의 꿈과 같다.
㉡ 그는 책을 단숨에 읽어 버렸다.
㉢ 아무 말 없이 그는 밥을 먹고 있었다.

〈보기 2〉

시제 ─ ⓐ 과거 시제 / ⓑ 현재 시제 / ⓒ 미래 시제
동작상 ─ ⓓ 완료상 / ⓔ 진행상

	㉠	㉡	㉢
①	ⓑ	ⓔ	ⓐ, ⓓ
②	ⓑ	ⓐ, ⓓ	ⓐ, ⓔ
③	ⓒ	ⓓ	ⓑ, ⓔ
④	ⓔ	ⓒ, ⓓ	ⓐ
⑤	ⓑ, ⓓ	ⓐ	ⓔ

2013학년도 7월 고3 학력평가 A · B형

20 〈보기〉의 밑줄 친 부분의 사례에 해당하는 것은?

〈보기〉

선어말 어미 '-겠-'은 일반적으로 미래 시제를 나타내기 위하여 사용되며, 미래의 일에 대한 추측이나 가능성, 말하는 이의 의지 등을 나타내기도 한다. 그러나 특정 담화 상황에서는 말하는 이의 완곡한 태도를 나타내기 위해 사용되기도 한다.

① 제가 잠시 들어가도 되겠습니까?
② 동생은 영화를 보러 가겠다고 한다.
③ 지금 떠나면 저녁에야 도착하겠구나.
④ 다음 달 정도면 날씨가 시원해지겠지?
⑤ 이 정도의 고통은 내 힘으로 이겨 내겠다.

33 능동과 피동 표현

최근 5개년 출제 지수 ●●●●○

❶ 능동 能능할능 動움직일동

☆ **교과서 정의** 능동은 주어가 제힘으로 동작을 하는 것이다.

★ **쉽게 쓴 정의** 능동은 주어가 스스로 움직이는 것이다.

❷ 피동 被입을피 動움직일동

☆ **교과서 정의** 피동은 주어가 다른 주체에 의해서 동작을 당하게 되는 것이다.

★ **쉽게 쓴 정의** 피동은 주어가 남의 힘에 의해 움직이는 것이다.

1. 피동문 만들기

능동문의 주어는 피동문의 부사어가 되고, 능동문의 목적어는 피동문의 주어가 된다.

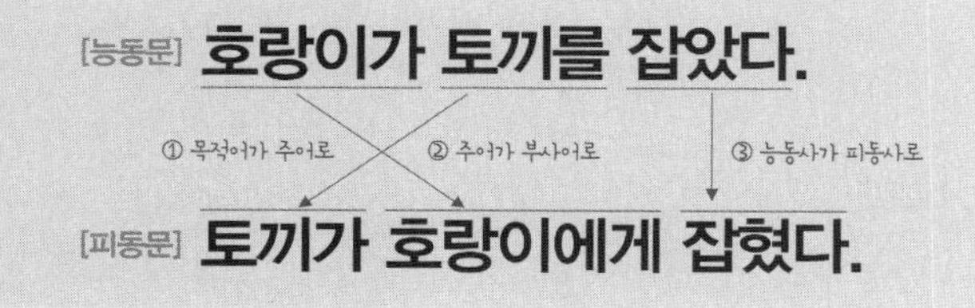

2. 피동문의 종류

(1) 접미사에 의한 피동: 동사 어간에는 '-이-, -히-, -리-, -기-', 명사에는 '-되다' 등의 접사가 붙어 피동문이 만들어진다.

▼ '동사 어간+피동 접미사'에 의한 피동

탁자 위에 책을 놓았다.
어간 '놓-'에 피동 접미사 '-이-'가 결합
→ 책이 탁자 위에 놓였다.

▼ '명사+피동 접미사'에 의한 피동

범인을 체포했다.
명사 '체포'에 피동 접미사 '-되다'가 결합
→ 범인이 체포되었다.

(2) 통사적 방식에 의한 피동: 용언의 어간에 '-어지다', '-게 되다'가 붙어 피동문이 만들어진다.

오해가 풀어졌다.
어간 '풀-'에 '-어지다'가 결합

그가 집을 잃게 되었다.
어간 '잃-'에 '-게 되다'가 결합

참고 피동 표현을 사용하는 경우

① 동작의 주체를 모르거나 밝히기 어려울 때 사용한다.
 예 마감 시간 후에는 요금이 환불되지 않습니다.

② 동작을 당하는 주체에 초점을 둘 때 사용한다.
 예 개가 나를 물었다.(능동)
  → 내가 개에게 물렸다.(피동)

알아 둘 것 원형인 능동문이 없는 피동문도 있어. 예를 들어 '가시가 손에 박히다.'를 능동문으로 바꾸면 '가시를 손에 박았다.'가 되는데, 이는 주어를 정할 수 없으므로 비문이야.

참고 '-되다'에 의한 파생의 조건

'-되다'는 명사 뒤에 붙어 '피동'의 뜻을 더하고 동사를 만드는 접미사이다. 이때의 명사는 서술성을 가진 것이어야 한다.
예 가결되다, 사용되다, 형성되다

참고 피동문의 부사어구 '~에/에게'와 '~에 의해'

① 철수에게(○)/에 의해(×) 종소리가 들렸다.
 → 소극적 주체, 어휘적 피동
② 마을 사람들에(×)/에 의해(○) 진입로가 넓어졌다(확장되었다).
 → 적극적 주체, 통사적 피동
③ 도둑이 경찰에게(○)/에 의해(○) 잡혔다.
 → 중의적 의미, 어휘적 피동, 통사적 피동

이로 보아 '~에 의해'와 같은 부사어구는 ②와 ③에서와 같이, 원래 능동문에서의 주체(주어)의 역할이 적극적이거나 통사적 방식의 피동문에 사용됨을 알 수 있다. ①은 접미사에 의한 피동으로 원래 능동문의 주어인 '철수'의 능동성이 그다지 적극적이지 않기 때문에 '~에 의해'와 같은 부사구의 사용이 어색하게 느껴지는 것이다.

1단계 기본 트레이닝

(능동과 피동의 개념) **빈칸에 들어갈 알맞은 말을 쓰시오.**

01 주어가 제힘으로 동작을 하는 것을 (　　　　)(이)라고 하고, 주어가 다른 주체에 의해서 동작을 당하는 것을 (　　　　)(이)라고 한다.

02 피동 표현은 동작의 (　　　　)을/를 모르거나 밝히기 어려울 때, (　　　　)을/를 당하는 주체에 초점을 둘 때 사용한다.

03 능동문을 피동문으로 바꿀 때 능동문의 (　　　　)이/가 피동문의 주어가 된다.

(능동문과 피동문의 구별) **다음 문장을 능동문과 피동문으로 구별하시오.**

04 마을이 눈에 덮였다. (　　　　)

05 배가 파도에 뒤집혔다. (　　　　)

06 나뭇가지가 바람에 꺾였다. (　　　　)

07 개가 주인의 다리를 물었다. (　　　　)

08 적군은 아군에게 포위되었다. (　　　　)

09 그는 멋진 피리 연주를 들었다. (　　　　)

10 그 그림은 멀리서 보아야 더 잘 보인다. (　　　　)

(피동문 만들기 ①) **다음은 능동문이 피동문으로 만들어지는 과정이다. 빈칸에 들어갈 알맞은 말을 쓰시오.**

11

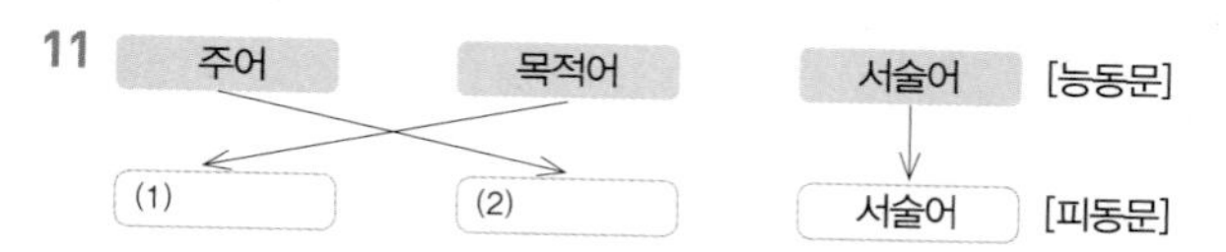

(피동문 만들기 ②) **〈보기〉와 같이 접미사를 이용하여 능동문을 피동문으로 바꿔 쓰시오.**

〈보기〉
경찰이 도둑을 잡았다. → 도둑이 경찰에게 잡혔다.

12 폭풍이 온 마을을 휩쓸었다.
→ ______________________

13 천둥소리가 고막을 찢을 듯하다.
→ ______________________

14 지나가던 사람이 나를 왈칵 떠밀었다.
→ ______________________

2단계 실전 트레이닝

15 피동문의 종류가 다른 것은?

① 도둑이 경찰에게 체포되었다.
② 안건이 만장일치로 가결되었다.
③ 동생은 결국 전학을 가게 되었다.
④ 장마 전선에 의해 비구름이 형성되었다.
⑤ 볼펜이 대중적인 필기도구로 사용되었다.

16 〈보기〉의 ㄱ~ㅁ에 대한 설명으로 옳지 않은 것은?

〈보기〉
ㄱ. 오늘은 날씨가 풀렸다.
ㄴ. 양이 늑대에게 잡혔다.
ㄷ. 온 나라가 태풍에 휩쓸렸다.
ㄹ. 동생이 그의 오해를 풀었다.
ㅁ. 영희가 부지런히 메뚜기를 잡았다.

① ㄱ은 '(누군가가) 날씨를 풀었다.'와 같은 능동문으로부터 만들어진 피동문이다.
② ㄴ은 '양'에 의미상 초점이 놓여 있다.
③ ㄷ은 '태풍이 온 나라를 휩쓸었다.'의 피동문이다.
④ ㄹ의 피동은 '그의 오해가 동생에 의해 풀렸다.'와 같이 부사어구 '~에 의해'가 필요하다.
⑤ ㅁ을 피동문으로 바꿀 때는 '메뚜기가 부지런한 영희에게 잡혔다.'와 같이 부사어를 관형어로 바꾸어 주어야 한다.

17 피동문에 대응되는 능동문이 없는 것은?

① 학생들에게 반장으로 뽑혔다.
② 도둑이 경비원에게 붙잡혔다.
③ 적군에게 수도가 점령되었다.
④ 그는 냉혹한 현실에 부딪혔다.
⑤ 다리를 다친 동생이 언니에게 업혔다.

문법 요소

34 주동과 사동 표현

최근 5개년 출제 지수 ●●●●○

❶ 주동 主주인주 動움직일동

☆ **교과서 정의** 주동은 주어가 스스로 동작이나 행동을 하는 것이다.

★ **쉽게 쓴 정의** 주동은 주체가 동작을 직접 하는 것이다.

❷ 사동 使부릴사 動움직일동

☆ **교과서 정의** 사동은 주어가 다른 주체나 대상에게 행동을 하게 하는 것이다.

★ **쉽게 쓴 정의** 사동은 주어가 다른 이에게 동작을 시키는 것이다.

1. 사동문 만들기

주동사가 자동사이면 주동문의 주어는 사동문의 목적어가 되고, 사동문의 주어가 새로 도입된다. 주동사가 타동사이면 주동문의 주어는 사동문의 부사어가 된다. 주동문의 목적어는 사동문에서도 목적어로 쓰인다.

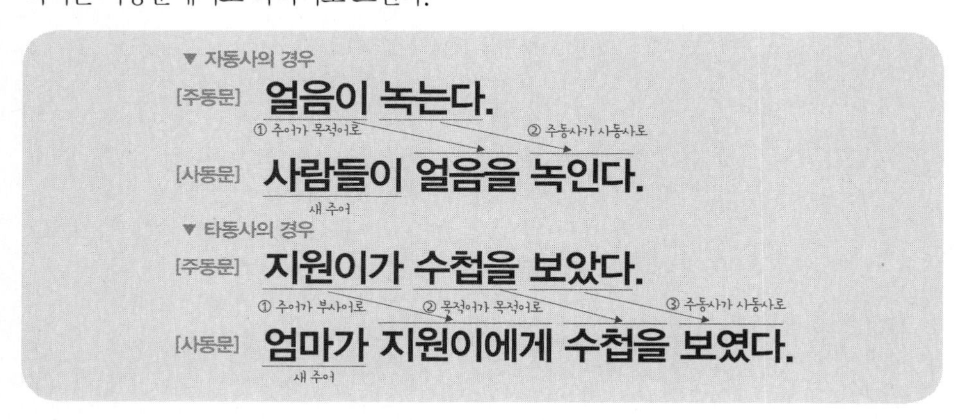

▼ 자동사의 경우
[주동문] 얼음이 녹는다.
① 주어가 목적어로
② 주동사가 사동사로
[사동문] 사람들이 얼음을 녹인다.
새 주어
▼ 타동사의 경우
[주동문] 지원이가 수첩을 보았다.
① 주어가 부사어로
② 목적어가 목적어로
③ 주동사가 사동사로
[사동문] 엄마가 지원이에게 수첩을 보였다.
새 주어

2. 사동문의 종류

(1) 접미사에 의한 사동: 용언의 어간에 '-이-, -히-, -리-, -기-, -우-, -구-, -추-'와 '-시키다' 등의 접사가 붙어 사동문이 만들어진다.

▼ '동사 어간+사동 접미사'에 의한 사동

승훈이가 임무를 **맡았다**.

어간 '맡-'에 사동 접미사 '-기-' 결합

→ 선생님이 승훈이에게 임무를 **맡겼다**.

▼ '명사+사동 접미사'에 의한 사동

은택이가 소설을 **집필했다**.

명사 '집필'에 사동 접미사 '-시키다' 결합

→ 선생님이 은택이에게 소설을 **집필시켰다**.

(2) 통사적 방식에 의한 사동: 용언의 어간에 '-게 하다'가 붙어 사동문이 만들어진다.

예 경찰이 시위대에게 행진을 멈추게 했다.

참고 사동 표현을 사용하는 경우

① 동작을 하도록 시키는 주체를 강조하고 싶을 때 사용한다.

예 철수는 책을 읽는다.(주동)
→ 선생님이 철수에게 책을 읽힌다.(사동)

② 주체의 의지를 강조할 때 사용한다.

예 사람들이 웃는다.(주동)
→ 내가 사람들을 웃긴다.(사동)

알아 둘 것 의미상 피동은 어떤 행위를 수동적으로 겪는(당하는) 의미이고, 사동은 다른 인물(혹은 사물)에게 특정 행위를 하게 하는 것이지. 따라서 피동문에는 목적어가 없지만 사동문에는 목적어가 존재한다는 것을 기억해 두자.

예 • 손에 먼지를 묻혔다. → 사동 표현
• 쓰레기가 땅에 묻혔다. → 피동 표현

참고 사동 표현의 범위

사동문 '구청에서 도로를 넓혔다.'는 '도로가 넓다.'라는 문장이 사동문으로 바뀐 것이다. '넓다'와 같은 형용사는 주동적(스스로 직접 행동하는) 의미를 갖지는 못하지만, 접미사를 이용하거나(넓히다) 통사적 사동 표현 방식에 의해(넓게 하다) 사동문을 형성할 수 있다.

참고 사동문의 의미 차이

'엄마가 동생에게 옷을 입히셨다.'에서처럼 직접적 행위와 간접적 행위의 의미가 모두 나타나는 경우도 있다.(옷을 직접 입혀 준 경우, 동생에게 옷을 입으라고 시킨 경우)

국어 문법 100% 공략을 위한 2단계 트레이닝

정답과 해설 23쪽

1단계 기본 트레이닝

주동과 사동의 개념 **빈칸에 들어갈 알맞은 말을 쓰시오.**

01 어떤 주체가 스스로 동작이나 행동을 하는 것을 주동이라 고 하며, 어떤 주체가 다른 주체나 대상에게 행동을 하게 하는 것을 (　　　　)(이)라고 한다.

02 사동 표현은 동작을 하도록 시키는 (　　　　)을/를 강조하고 싶을 때 사용한다.

03 주동사가 타동사이면 주동문의 주어는 사동문의 (　　　　) 이/가 된다.

사동문과 피동문의 구별 **다음 문장을 사동문과 피동문으로 구별하시오.**

04 고지가 눈앞에 보였다. (　　　　)

05 아들은 아버지의 품에 꼭 안겼다. (　　　　)

06 연아가 농담을 해서 아빠를 웃겼다. (　　　　)

07 선생님께서 철수에게 책을 읽히셨다. (　　　　)

08 역사(力士)가 힘을 쓰며 돌을 굴렸다. (　　　　)

09 나는 동생에게 짜장면을 주문시켰다. (　　　　)

10 나는 경험을 통해 교훈을 얻게 되었다. (　　　　)

11 그 소리는 사람들의 말소리에 그대로 묻혔다. (　　　　)

사동문 만들기 **〈보기〉와 같이 접미사를 이용하여 주동문을 사동문으로 바꿔 쓰시오.**

〈보기〉
아이가 밥을 먹는다. → 엄마가 아이에게 밥을 먹인다.

12 아이가 굶었다.
→ 엄마가 ______________________

13 방 안이 밝았다.
→ 전등이 ______________________

14 영희가 울었다.
→ 철수가 ______________________

15 나는 동화책을 읽는다.
→ 선생님이 ______________________

16 사람들이 모임 장소를 알았다.
→ 총무가 ______________________

2단계 실전 트레이닝

17 밑줄 친 말에 사동의 뜻이 포함되지 않은 것은?

① 형이 동생을 울렸다.
② 어머니가 아이에게 밥을 먹였다.
③ 할머니가 손자에게 옷을 입혔다.
④ 선생님께서 영지에게 책을 읽혔다.
⑤ 동네 아이들이 꼬마를 오줌싸개라고 놀렸다.

18 밑줄 친 단어가 〈보기〉와 같이 각각 사동, 피동의 기능을 갖는 예로 적절한 것은?

〈보기〉
동생이 새 시계를 내게 보였다.(사동)
구름 사이로 희미하게 해가 보였다.(피동)

① 운동화 끈이 풀렸다. / 아빠의 칭찬에 피로가 금세 풀렸다.
② 나는 젖은 옷을 햇볕에 말렸다. / 동생은 집에 가겠다는 친구를 말렸다.
③ 누나가 이모에게 아기를 업혔다. / 우는 아이가 엄마 등에 업혔다.
④ 형이 친구에게 꽃다발을 안겼다. / 그들의 범죄 행각은 전 국민에게 충격을 안겼다.
⑤ 새들이 따뜻한 곳에서 몸을 녹였다. / 햇살이 고드름을 천천히 녹였다.

19 피동, 사동의 판정이 옳지 않은 것은?

① 반장이 가장 먼저 불려 갔다.
[판정] '불려'는 '부름을 받아, 당해'로 해석되므로 피동문이다.
② 메주를 쑤려면 콩을 물에 불려야 한다.
[판정] '불려야'는 '붇게 되어야'의 뜻이므로 피동문이다.
③ 그는 많은 사람들에게 천재라고 불렸다.
[판정] '많은 사람들이 그를 천재라고 불렀다.'라는 능동문의 목적어인 '그를'이 주어가 되었으므로 피동문이다.
④ 그는 요즘 재산을 불리는 재미에 빠져 있다.
[판정] '불리는'은 '붇게 하는'으로 해석되므로 사동문이다.
⑤ 주먹밥 하나로 아이들의 주린 배를 불릴 수는 없었다.
[판정] '불릴'은 '부르게 할'로 해석되므로 사동문이다.

문법 요소

35 부정 표현

최근 5개년 출제 지수 ●●○○○

❶ 부정 표현의 개념

어떤 명제•의 사실성이나 가능성에 대해 부인(否認)하는 표현이다.

> 정의는 항상 승리한다. →(부정) ~ 승리하지 않는다.

• 명제는 어떤 문제에 대한 판단이나 주장을 표시한 것을 뜻한다.

❷ 부정 표현의 종류

1. 짧은 부정

부사 '안', '못'을 사용한다. 의미상으로 '안'은 '의지 부정', '못'은 '능력 부정'을 나타낸다. '의지 부정'과 '능력 부정'은 동사에만 적용된다.

> 상욱이는 학교에 간다.
> →(부정) 상욱이는 학교에 (안) 간다. → 의지 부정 (부정 부사 '안' 사용)
> → 상욱이는 학교에 (못) 간다. → 능력 부정 (부정 부사 '못' 사용)

참고 부정 표현 '안'과 '않다'
'안'은 '아니'의 준말로 부정 부사이며, '않다'는 '아니하다'의 준말로 '아니하고 → 않고', '아니하니 → 않으니' 등과 같이 쓰인다.

알아 둘 것 '알다, 모르다'와 같은 일부 동사와 '아름답다, 날카롭다, 가파르다' 등의 형용사는 반드시 긴 부정문으로만 쓰인다는 점, 그리고 서술어인 용언이 복합어이면 대체로 긴 부정문이 어울린다는 점에 주의하자. 또한 '체언+하다'의 구조를 가진 용언에 짧은 부정을 쓸 때는 '안 공부하다'가 아닌 '공부 안 하다'처럼 '안'이 체언과 '하다'의 사이에 들어간다는 것도 알아 두자.

2. 긴 부정

(1) 어간에 '-지 아니하다(않다)'나 '-지 못하다'를 사용한다.

> 영주는 학교에서 밥을 먹었다.
> →(부정) 영주는 학교에서 밥을 먹[지 않았다]. → 의지 부정 ('-지 아니하다' 사용)
> →(부정) 영주는 학교에서 밥을 먹[지 못했다]. → 능력 부정 ('-지 못하다' 사용)

참고 '못' 부정문의 제약
'고민하다, 노심초사하다, 걱정하다, 후회하다, 실패하다, 망하다' 등은 '능력'을 요하는 서술어가 아니기 때문에 '못' 부정문이 될 수 없다. 이러한 서술어를 부정할 때에는 긴 부정문을 사용한다.
예 ┌ 그는 후회하지 못한다.(×)
└ 그는 후회하지 않는다.(○)

(2) 보조 동사 '말다'를 사용한다. '말다' 부정문은 명령문과 청유문의 형태로만 사용되는데, 명령문에서는 '-지 마/마라', 청유문에서는 '-지 말자'를 사용한다.

> 수업 시간에 떠들[지 마라]. → 명령문의 부정 ('-지 마라' 사용)
> 수업 시간에 떠들[지 말자]. → 청유문의 부정 ('-지 말자' 사용)

3. 특수 부정

서술격 조사 '이다'의 부정은 '아니다'이고, 이는 '상태 부정'의 의미로 쓰인다.

> 진철이는 ○○고 학생이다.
> →(부정) 진철이는 ○○고 학생[이 아니다]. → 상태 부정

참고 형용사의 상태 부정
예 그 옷은 안 예쁘다.
'예쁘다'와 같은 형용사가 부정 부사 '안'과 결합한 경우, 의지 부정이 아니라 '예쁘다'는 상태를 부정하는 표현이다. 이를 '상태 부정'이라고 한다.

1단계 기본 트레이닝

부정 표현의 개념 **다음 설명이 맞으면 ○, 틀리면 × 표시를 하시오.**

01 부정 표현은 어떤 명제의 사실성이나 가능성에 대해 부인하는 표현이다. (   )

02 부사 '안'은 '의지 부정'을, '못'은 '능력 부정'을 나타낸다. (   )

03 '의지 부정'과 '능력 부정'은 동사와 형용사에 모두 사용할 수 있다. (   )

04 긴 부정은 어간에 '-지 아니하다(않다)'나 '-지 못하다'를 사용한다. (   )

05 '말다' 부정문은 명령문에서는 '-지 말자'를 사용하고, 청유문에서는 '-지 마/마라'를 사용한다. (   )

부정문의 유형 **〈보기〉와 같이 부정문의 유형을 쓰시오.**

〈보기〉

그는 돈이 없어 대학을 못 갔다. → 짧은 부정문, 능력 부정

06 그는 하루 종일 밥도 못 먹었다. (   )

07 그는 하루 종일 밥도 안 먹었다. (   )

08 은수는 책상에 엎드려서 일어나지 않았다. (   )

09 소라는 길을 걷다가 넘어져서 일어나지 못했다. (   )

짧은 부정의 쓰임 **다음 문장에서 부정 부사 '안'과 '못'의 사용 여부를 ○, ×로 표시하시오.**

10 이 사업은 〔 안(   ) / 못(   ) 〕 망한다.

11 오늘은 날씨가 별로 〔 안(   ) / 못(   ) 〕 좋다.

12 한동안 가슴이 〔 안(   ) / 못(   ) 〕 견디게 아팠다.

13 아직도 뭘 잘못했는지 〔 안(   ) / 못(   ) 〕 깨달았구나.

긴 부정의 쓰임 **다음 문장을 긴 부정문으로 고쳐 쓰시오.**

14 우리 방과 후에 피시방에 가자.

→ ______________________

15 철수는 약속한 시간에 영희를 만났다.

→ ______________________

2단계 실전 트레이닝

16 〈보기〉에 대한 설명으로 적절하지 않은 것은?

〈보기〉

ㄱ. 그는 추어탕을 못 먹는다.
ㄴ. 아무도 그를 얕보지 않는다.
ㄷ. 너무 내놓고 기뻐하지는 말자.

① ㄱ의 '못 먹는다'를 '먹지 못한다'로 바꾸면 긴 부정문이 된다.
② ㄱ의 '못'을 '안'으로 바꾸면 주체의 의지에 의한 행위로 해석된다.
③ ㄴ을 짧은 부정문으로 바꾸면 어색한 문장이 된다.
④ ㄴ을 '못' 부정문으로 바꾸면 부정의 정도가 약해진다.
⑤ ㄷ으로 미루어 볼 때, '말자'는 청유문의 긴 부정문에서 '아니하다, 못하다' 대신 사용되는 말이다.

17 〈보기〉에 대한 해석으로 적절하지 않은 것은?

〈보기〉

㉮ 그가 어제 피아노를 못 쳤다.
㉯ 그가 어제 피아노를 안 쳤다.
㉰ 그가 어제 피아노를 치지 못했다.
㉱ 그가 어제 피아노를 치지 않았다.
㉲ 피아노를 못/안 쳐라.(×)

① ㉮, ㉯를 볼 때, 짧은 부정문은 '안', '못'과 같은 부정 부사를 통해 실현된다.
② ㉯, ㉱를 볼 때, 짧은 부정문보다 긴 부정문이 중의성이 분명히 나타난다.
③ ㉰, ㉱를 볼 때, 긴 부정문에서는 '-지 못하다'와 '-지 아니하다(않다)'와 같은 보조 용언을 사용한다.
④ ㉲를 볼 때, '못' 부정문과 '안' 부정문은 모두 명령형 문장에는 쓸 수 없다.
⑤ 대체로 '못' 부정문은 행위의 능력이 없음을, '안' 부정문은 행위의 의지가 없음을 나타낸다.

18 '안'과 '못'의 짧은 부정문과 '-지 아니하다(않다)'와 '-지 못하다'의 긴 부정문으로 모두 바꿀 수 있는 것은?

① 제주도는 유채꽃 물결로 출렁거린다.
② 그의 일처리하는 모습이 신사다웠다.
③ 한복을 입은 그녀의 모습이 우아하다.
④ 이번에 새로 이사 간 집은 마당이 좁다.
⑤ 막내의 피아노 실력이 기대만큼 늘었다.

01 종결 어미에 대한 설명으로 적절하지 않은 것은?

① 문장의 시제를 표시해 준다.
② 뒤에 조사가 연결될 수도 있다.
③ 문장이 끝났음을 표시하는 역할을 한다.
④ 진술, 의문, 감탄 등의 의미를 나타낸다.
⑤ 듣는 이에 대한 높임의 태도를 나타낸다.

02 〈보기〉의 ㉠과 ㉡에 해당하는 예문으로 적절하지 않은 것은?

〈 보기 〉

시간 표현과 관계가 깊은 것으로 동작상이 있다. 동작상은 발화시를 기준으로 동작이 일어나는 모습을 표현한 것을 말하는데, 대표적인 것으로 ㉠ 진행상, ㉡ 완료상 등이 있다. 국어에서는 주로 보조 용언을 사용하여 동작상을 표현한다.

① ㉠: 깃발이 바람에 펄럭이고 있다.
② ㉠: 지금쯤 감자가 잘 익어 있겠다.
③ ㉠: 열차가 그때 막 들어오고 있었다.
④ ㉡: 화분에 물이 다 말라 버렸다.
⑤ ㉡: 그는 공부할 내용을 정리해 두었다.

2013학년도 9월 고2 학력평가 A · B형

03 〈보기〉를 바탕으로 할 때 영화가 시작된 시각으로 예상되는 시점은?

〈 보기 〉

엄마: 아까 낮에 형과 전화하던데, 무슨 이야기 했니?
아들: 형이 영화를 보러 갔는데, 영화관에 도착해 보니까 영화가 곧 시작되겠다고 제게 말했어요.
엄마: 그래? 늦지 않게 영화를 봤겠지?
아들: 네, 그럴 거예요.

(a) 형이 영화관에 도착한 시점
(b) 형이 영화 시작 시간표를 확인한 시점
(c) 형이 동생에게 말한 시점
(d) 아들이 엄마에게 말한 시점

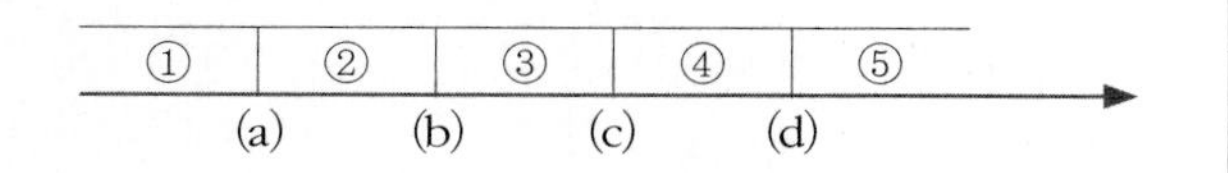

04 〈보기〉의 높임 표현에 대한 설명으로 적절하지 않은 것은?

〈 보기 〉

점원: 손님, 어떤 옷을 ㉠ 찾으십니까?
손님: 셔츠를 좀 보려고요. ㉡ 저희 아버지께서 입으실 거거든요.
점원: 이 셔츠는 어떠세요? 선물로 ㉢ 드리면 무척 좋아하실 겁니다.
손님: 저희 아버지는 어깨가 ㉣ 넓으신데 잘 맞을지 모르겠네요.
점원: 그러면 ㉤ 어르신을 모시고 한번 들러 주세요.

① ㉠: 용언의 어간에 선어말 어미 '-으시-'를 사용하여 말을 듣는 상대를 높이고 있다.
② ㉡: '저희'라는 자신을 낮추는 어휘를 사용하여 '아버지'를 높이고 있다.
③ ㉢: '드리다'라는 특수한 어휘를 사용하여 선물을 받는 사람을 높이고 있다.
④ ㉣: '아버지'가 높임의 대상이므로 그 신체의 일부가 주어로 올 때도 높임 표현을 쓰고 있다.
⑤ ㉤: 남의 아버지를 높여 이르는 특수한 어휘를 사용하여 높임의 의도를 표현하고 있다.

05 부정문에 관한 〈보기〉의 자료를 읽고 탐구한 내용으로 적절하지 않은 것은?

〈 보기 〉

㉠ 그는 책꽂이에 있는 책을 다 읽지 않았다.
㉡ 소연이가 수해를 입었다니 참으로 안됐다.
㉢ 그는 등록금이 없어 대학에 등록하지 못했다.
㉣-1 그는 운동을 계속하기 위해 대학에 안 갔다.
㉣-2 그는 운동을 계속하기 위해 대학에 가지 않았다.

① ㉠: 부정 표현이 '다'와 같은 수량 표현과 같이 쓰이면 부분 부정의 의미로 해석된다.
② ㉡: 부정문처럼 보이지만 의미상으로는 부정문이 아닌 것도 있다.
③ ㉢: '-지 못하다' 부정문은 주어의 능력 부족이나 그 밖의 이유로 인해 동작이 일어나지 않은 것을 의미한다.
④ ㉣: 짧은 부정문과 긴 부정문은 의미상 차이가 없음을 알 수 있다.
⑤ ㉣: '안'과 '-지 않다' 부정문은 대체로 주어의 의지에 의해 동작이 일어나지 않은 것을 의미한다.

06 〈보기〉와 같은 높임법이 사용된 것은?

〈보기〉

선생님, 댁이 무척 넓으시네요.

① 선생님께선 손수 밥도 지어 보셨다고 한다.
② 누나는 여쭐 것이 있다며 할머니를 뵈러 갔다.
③ 연세가 많으신 할머니께서는 홍시를 잘 잡수신다.
④ 우리는 부모님을 모시고 바닷가로 여행을 떠났다.
⑤ 어머니께서는 몹시 피곤하셨는지 거실에서 주무신다.

2014학년도 9월 고3 모의평가 A · B형

07 〈보기 1〉의 ㉠, ㉡에 해당하는 가장 적절한 예를 〈보기 2〉에서 고른 것은?

〈보기 1〉

대답을 요구하는 의문문에는 긍정이나 부정의 대답을 요구하는 것과 ㉠ 구체적인 설명을 요구하는 것이 있다. 대답을 요구하지 않는 의문문은 구체적인 담화 상황에 따라 화자의 의도를 나타내는데, 서술을 나타내는 경우, 감탄을 나타내는 경우, ㉡ 명령을 나타내는 경우 등이 있다.

〈보기 2〉

• 학교에서 수업을 하는 상황
 선생님: ㉮ 독서 모둠 활동은 언제, 어디에서 하면 좋겠니?
 학생: 3시부터 도서실에서 하면 좋겠어요.

• 늦잠 자는 아들을 깨우는 상황
 어머니: 학교 늦겠어! ㉯ 그만 자고 얼른 일어나지 못하겠니?
 아들: 엄마, 제발요. 조금만 더 잘래요.

• 두 학생이 함께 하교하는 상황
 학생 A: ㉰ 나랑 같이 문구점에 갈 수 있니?
 학생 B: 나도 연필 살 게 있었는데, 참 잘됐다.

• 동생이 억울한 일을 겪은 상황
 언니: ㉱ 어쩜 이럴 수 있니?
 동생: 아, 정말 억울해서 못 견디겠어.

	㉠	㉡
①	㉮	㉯
②	㉮	㉰
③	㉯	㉱
④	㉰	㉯
⑤	㉰	㉱

08 〈보기〉의 문장이 지닐 수 있는 의미로 보기 어려운 것은?

〈보기〉

영수가 어제 걸어서 학교에 가지 않았다.

① 영수는 어제 학교에 걸어서는 가지 않았다.
② 영수는 어제 학교에서 집에 올 때만 걸어서 왔다.
③ 영수가 어제 걸어서 간 곳은 학교가 아니라 다른 곳이다.
④ 어제 걸어서 학교에 간 사람은 영수가 아니라 다른 사람이다.
⑤ 영수가 걸어서 학교에 간 것은 어제가 아닌 다른 날 있었던 일이다.

09 〈보기〉는 선어말 어미 '-겠-'에 대해 탐구 활동을 하기 위한 자료이다. ㄱ~ㅁ을 탐구한 내용으로 적절하지 않은 것은?

〈보기〉

ㄱ. 서울에는 지금쯤 눈이 내리겠다.
ㄴ. 설악산에는 벌써 단풍이 들었겠다.
ㄷ. 구름이 낀 걸 보니 내일은 비가 오겠다.
ㄹ. 그 목표를 (제가/ *형이) 꼭 이루겠습니다.
ㅁ. 그 정도는 어린애도 (알겠다./할 수 있겠다.)
*는 비문 표시임.

① ㄱ을 통해 '-겠-'이 현재의 사실에 대한 화자의 추측을 나타낸다는 것을 알 수 있다.
② ㄴ을 통해 '-겠-'이 과거의 사실에 대한 화자의 추측을 나타낼 수도 있음을 알 수 있다.
③ ㄷ을 통해 '-겠-'이 미래의 사실에 대한 화자의 추측을 나타낸다는 것을 알 수 있다.
④ ㄹ을 통해 '-겠-'이 1인칭 주어와 어울릴 때는 앞으로 일어날 일을 강조하기도 한다는 것을 알 수 있다.
⑤ ㅁ을 통해 '-겠-'이 가능성이나 능력을 나타낸다는 것을 알 수 있다.

국어 규범과 국어 생활

래퍼가 되기 위해 힙합 오디션에 참가한 당신, 심사 위원이 랩으로 당신의 가능성을 드러내 보라고 말합니다.

이 바닥을 주름잡는 내 이름~ 듣기만 해도 한여름에 소름.
이런 리듬 들어 본 건 처음? 네가 내는 화음들은 졸음!

어떤 단어를 강조하여 운율을 살렸나요? 고유어 '주름, 이름, 한여름, 소름, 처음, 졸음', 외래어 '리듬', 한자어 '화음'을 강조하여 운율을 살린 당신은 오디션에 합격했습니다.
이처럼 우리말은 고유어와 외래어, 그리고 한자어로 이루어져 있습니다. 그리고 이러한 말들을 어떻게 발음하고 적어야 하는지를 규정한 국어 규범들이 있습니다. 이 단원을 통해 국어 규범의 구체적인 조항과 문장을 정확하게 다듬는 방법을 학습할 수 있습니다.

| 국어 규범 |

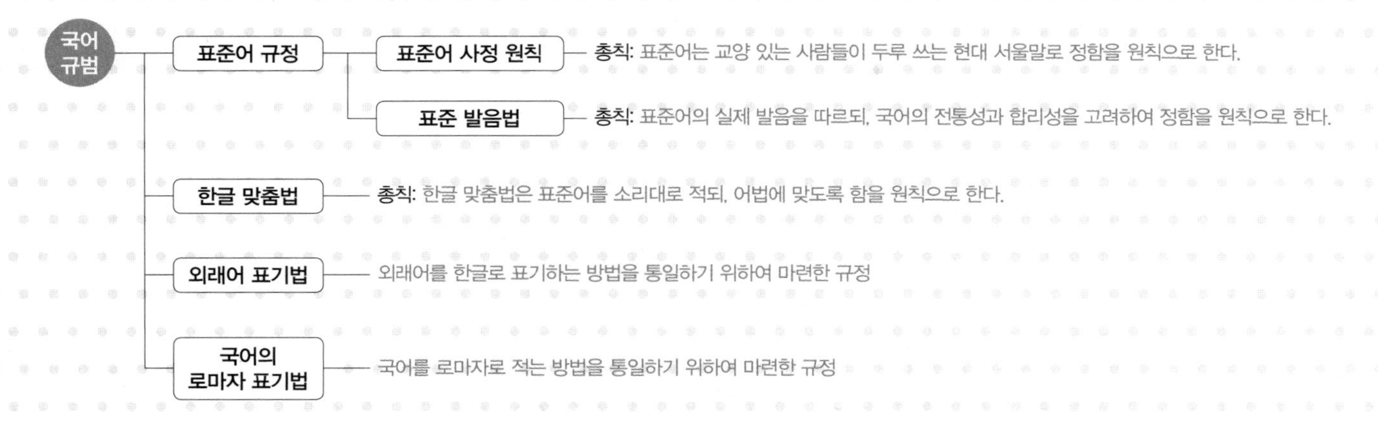
국어 규범
표준어 규정
표준어 사정 원칙
총칙: 표준어는 교양 있는 사람들이 두루 쓰는 현대 서울말로 정함을 원칙으로 한다.
표준 발음법
총칙: 표준어의 실제 발음을 따르되, 국어의 전통성과 합리성을 고려하여 정함을 원칙으로 한다.
한글 맞춤법
총칙: 한글 맞춤법은 표준어를 소리대로 적되, 어법에 맞도록 함을 원칙으로 한다.
외래어 표기법
외래어를 한글로 표기하는 방법을 통일하기 위하여 마련한 규정
국어의 로마자 표기법
국어를 로마자로 적는 방법을 통일하기 위하여 마련한 규정

| 올바른 국어 생활 |

호응 관계
주어-서술어 호응
목적어-서술어 호응
부사어-서술어 호응
조사-서술어 호응
의미 관계의 호응

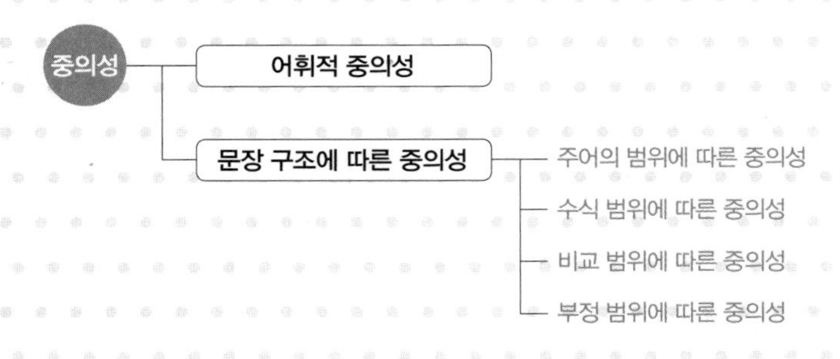
중의성
어휘적 중의성
문장 구조에 따른 중의성
주어의 범위에 따른 중의성
수식 범위에 따른 중의성
비교 범위에 따른 중의성
부정 범위에 따른 중의성

36 표준어 규정 1

최근 5개년 출제 지수 ●●●●○

❶ 표준어 사정 원칙•

총칙

우리나라의 공용어로 쓰는 규범으로서의 언어인 표준어는 교양 있는 사람들이 두루 사용하는 현대 서울말이다.

제1항 표준어는 교양 있는 사람들이 두루 쓰는 현대 서울말로 정함을 원칙으로 한다.

• 표준어는 국민 누구나 공통적으로 쓸 수 있게 마련한 공용어이다. 현행 표준어 규정은 1988년에 고시되었다.

알아 둘 것 표준어를 '서울말'로 한다는 것은 지리적인 표준을 의미할 뿐 방언을 완전히 배제하는 것은 아니야.

❷ 자음의 표준어 규정

1. 어원에서 멀어진 형태로 굳어져서 쓰이는 것

단어의 어원(語源)이 뚜렷하더라도 사람들이 그 어원을 잊어버리고 발음이 변화한 형태를 널리 사용해 왔다면, 그것을 표준어로 삼는다.

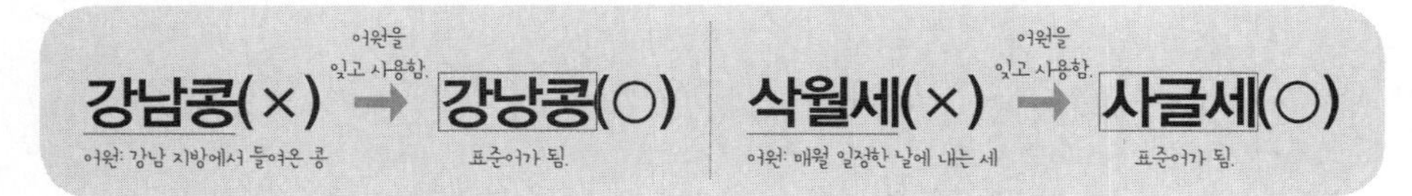

다만, 사람들이 단어의 어원을 명확히 알고 사용한 단어가 쓰이고 있다면, 그것을 표준어로 삼는다.

예 갈비(○)/가리(×) 굴젓(○)/구젓(×) 물수란(○)/물수랄(×) 적이(○)/저으기(×)

제5항 어원에서 멀어진 형태로 굳어져서 널리 쓰이는 것은, 그것을 표준어로 삼는다.

표준어	비표준어	표준어	비표준어
강낭-콩	강남-콩	사글-세	삭월-세
고삿	고샅	울력-성당•	위력-성당

다만, 어원적으로 원형에 더 가까운 형태가 아직 쓰이고 있는 경우에는, 그것을 표준어로 삼는다.

표준어	비표준어	표준어	비표준어
갈비	가리	물-수란	물-수랄
굴-젓	구-젓	밀-뜨리다	미-뜨리다

• '울력성당'은 '떼를 지어서 으르고 협박하는 일'을 뜻한다.

2. 수컷을 이르는 접두사 '수-'

(1) 수컷을 이르는 접두사는 '수-'로 통일한다.

예 수꿩, 수나사, 수놈, 수사돈, 수소, 수은행나무

(2) 접두사 '수-'는 역사적으로 '숳-'이었으므로, 접두사 '수-' 다음에 거센소리가 나는 경우가 있다. 이때는 거센소리를 인정한다.

숳- + 강아지 → 수캉아지 (합해짐.)　　숳- + 개 → 수캐 (합해짐.)

(3) 다음 세 단어는 접두사 '숫-'을 표준어로 삼는다.•

숫양[순냥]　　숫염소[순념소]　　숫쥐[숟쮜]

참고 **접두사 '수-' 중 '숳-'에서 온 말**
수컷을 이르는 접두사 '수-'는 역사적으로 '숳-'에서 온 말이다. 지금도 'ㅎ'의 흔적이 남아 있는 단어는 다음과 같이 쓰되, 다음 9개 단어 외에는 거센소리로 쓰지 않는다. '암-'이 결합하는 경우도 이에 준한다.

수캉아지, 수캐, 수컷, 수키와, 수탉, 수탕나귀, 수톨쩌귀, 수퇘지, 수평아리

• '숫양', '숫염소', '숫쥐'는 발음상 사이시옷과 비슷한 소리가 있다고 판단하여 '숫-'의 형태를 취한 것이다.

제7항 수컷을 이르는 접두사는 '수-'로 통일한다.

표준어	비표준어	표준어	비표준어
수-꿩	수-퀑/숫-꿩	수-소	숫-소
수-놈	숫-놈	수-은행나무	숫-은행나무

다만 1. 다음 단어에서는 접두사 다음에서 나는 거센소리를 인정한다. 접두사 '암-'이 결합되는 경우에도 이에 준한다.

표준어	비표준어	표준어	비표준어
수-캉아지	숫-강아지	수-탕나귀	숫-당나귀
수-캐	숫-개	수-톨쩌귀	숫-돌쩌귀
수-컷	숫-것	수-퇘지	숫-돼지
수-키와	숫-기와	수-평아리	숫-병아리
수-탉	숫-닭		

다만 2. 다음 단어의 접두사는 '숫-'으로 한다.

표준어	비표준어	표준어	비표준어
숫-양	수-양	숫-쥐	수-쥐
숫-염소	수-염소		

알아 둘 것! '다만 1', '다만 2'에 제시된 단어들 이외는 '수-'로 통일한다고 하였어. 따라서 '거미, 개미, 할미새, 나비, 술' 등은 모두 '수거미, 수개미, 수할미새, 수나비, 수술'로 써야 해.

③ 모음의 표준어 규정

1. 모음 조화의 파괴

국어의 모음 조화는 점차 파괴되고 있다. 이 규칙의 붕괴는 대체로 한쪽 양성 모음이 음성 모음으로 바뀌면서 나타난다. 음성 모음으로 바뀐 형태가 굳어진 경우, 그 단어를 표준어로 삼고 있다.

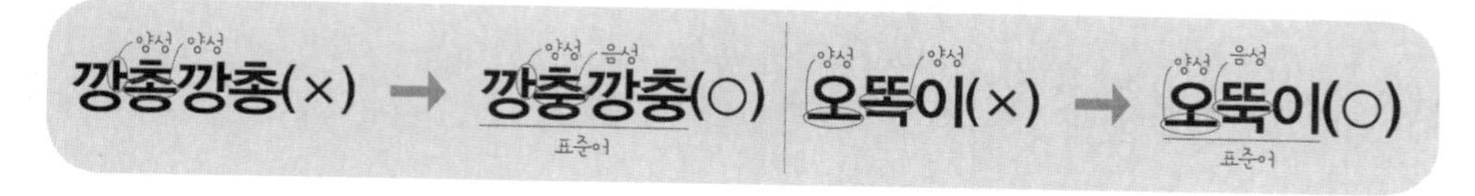

참고 모음 조화
모음 조화란 두 음절 이상의 단어에서, 뒤의 모음이 앞 모음의 영향으로 그와 가깝거나 같은 소리로 되는 언어 현상이다. 즉, 'ㅏ', 'ㅗ' 따위의 양성 모음은 양성 모음끼리, 'ㅓ', 'ㅜ' 따위의 음성 모음은 음성 모음끼리 어울리는 현상이다.
예 깎아, 숨어, 알록달록, 얼룩덜룩, 졸졸, 줄줄

제8항 양성 모음이 음성 모음으로 바뀌어 굳어진 다음 단어는 음성 모음 형태를 표준어로 삼는다.

표준어	비표준어	표준어	비표준어
깡충-깡충	깡총-깡총	뻗정-다리	뻗장-다리
-둥이	-동이	아서, 아서라	앗아, 앗아라
발가-숭이	발가-송이	오뚝-이	오똑-이
보퉁이	보통이	주추	주초

다만, 어원 의식이 강하게 작용하는 다음 단어에서는 양성 모음 형태를 그대로 표준어로 삼는다.•

표준어	비표준어	표준어	비표준어
부조(扶助)	부주	삼촌(三寸)	삼춘
사돈(査頓)	사둔		

• '부조', '사돈', '삼촌'은 어원 의식이 강하게 작용하여 원래의 음대로 발음하는 것이 더 우세하다고 판단하였다. 그래서 원래 한자의 형태 '扶助', '査頓', '三寸'을 그대로 표준어로 채택한 것이다.

2. 'ㅣ' 역행 동화가 작용하여 표준어가 되는 예

(1) 'ㅣ' 역행 동화는 매우 일반화된 현상이지만, 대부분 주의해서 발음하면 피할 수 있는 발음이어서 이를 표준어로 삼지는 않는다.• 다만 다음 단어들처럼 'ㅣ' 역행 동화 현상에 의한 발음이 굳어진 경우에 한해 표준어로 인정한다.

'ㅣ' 역행 동화
-나기(×) → -내기

'ㅣ' 역행 동화
남비(×) → 냄비

'ㅣ' 역행 동화
동당이치다(×) → 동댕이치다

• '손잡이/손잽이', '먹이다/멕이다'처럼 국어에서 'ㅣ' 역행 동화는 일반적으로 일어나는 음운 현상이다. 그러나 표준어로 삼을 정도로 널리 쓰이는 것이 아니므로 'ㅣ' 역행 동화에 의한 발음은 표준 발음으로 인정하지 않으며, 그러한 어형도 표준어로 인정하지 않는다.

(2) 기술자에게는 '-장이', 그 외에는 '-쟁이'가 붙는 형태를 표준어로 삼는다.

유기장이
유기(놋그릇)를 만드는 사람

멋쟁이
멋을 잘 부리는 사람

알아 둘 것! '-장이'는 표준어를 규정할 때 논란이 많았던 항목이었어. 논란 끝에 타협안으로서 '장인'(손으로 물건을 만드는 일을 직업으로 하는 사람)이란 뜻이 살아 있는 말은 '-장이'로, 그 외는 '-쟁이'로 하기로 했어. 그래서 '미장(泥匠), 유기장(鍮器匠)'은 '미장이, 유기장이'가 된 거야. 이러한 원칙을 적용하여 갓을 만드는 것을 직업으로 하는 사람은 '갓장이', 갓을 쓴 사람을 낮잡아 부를 때는 '갓쟁이'라고 해야 해.

제9항 'ㅣ' 역행 동화 현상에 의한 발음은 원칙적으로 표준 발음으로 인정하지 아니하되, 다만 다음 단어들은 그러한 동화가 적용된 형태를 표준어로 삼는다.

표준어	비표준어	표준어	비표준어
-내기	-나기	동댕이-치다	동당이-치다
냄비	남비		

[붙임 1] 다음 단어는 'ㅣ' 역행 동화가 일어나지 아니한 형태를 표준어로 삼는다.

표준어	비표준어
아지랑이	아지랭이

[붙임 2] 기술자에게는 '-장이', 그 외에는 '-쟁이'가 붙는 형태를 표준어로 삼는다.

표준어	비표준어	표준어	비표준어
미장이	미쟁이	멋쟁이	멋장이
유기장이	유기쟁이	소금쟁이	소금장이

3. '윗-'과 '웃-'의 구별

(1) '위쪽'을 의미하는 접두사는 모두 '윗-'으로 통일한다. 다만 '아래, 위'의 대립이 없는 단어에서는 '웃-'을 사용한다.

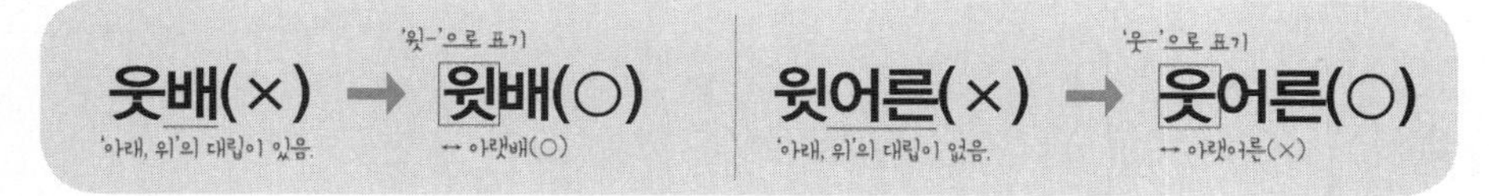

(2) 된소리나 거센소리 앞에서는 사이시옷을 쓰지 않으므로 '위'를 사용한다.•

• 된소리나 거센소리 앞에서는 사이시옷을 쓰지 않기로 한 한글 맞춤법의 규정에 맞춘 것이다.

제12항 '웃' 및 '윗'은 명사 '위'에 맞추어 '윗-'으로 통일한다.

표준어	비표준어	표준어	비표준어
윗-넓이	웃-넓이	윗-막이	웃-막이
윗-눈썹	웃-눈썹	윗-머리	웃-머리
윗-니	웃-니	윗-몸	웃-몸
윗-덧줄	웃-덧줄	윗-배	웃-배
윗-도리	웃-도리	윗-입술	웃-입술

다만 1. 된소리나 거센소리 앞에서는 '위'로 한다.

표준어	비표준어	표준어	비표준어
위-짝	웃-짝	위-채	웃-채
위-쪽	웃-쪽	위-층	웃-층

다만 2. '아래, 위'의 대립이 없는 단어는 '웃-'으로 발음되는 형태를 표준어로 삼는다.

표준어	비표준어	표준어	비표준어
웃-국	윗-국	웃-비	윗-비
웃-돈	윗-돈	웃-옷	윗-옷

알아 둘 것! '겉에 입는 옷'을 뜻할 때는 '윗옷'이 아니라 '웃옷'이라고 써야 해. 반면 '아래옷'과 대립되는 '상의'의 뜻으로 쓸 때는 '윗옷'이라고 써야 해.

국어 문법 100% 공략을 위한 2단계 트레이닝

정답과 해설 25쪽

1단계 기본 트레이닝

표준어의 개념 ① **빈칸에 들어갈 알맞은 말을 쓰시오.**

01 표준어는 국가 차원에서 국민 누구나 공통적으로 쓰도록 인위적으로 제정한 (　　　　)이다.

02 표준어 사정 원칙에서는 표준어를 '(　　　　) 있는 사람들이 두루 쓰는 현대 (　　　　)'(으)로 정하고 있다.

03 접두사 '숫-'을 표준어로 삼는 단어로는 '숫양, (　　　　), 숫쥐'가 있다.

04 기술자에게는 '(　　　　)', 그 외에는 '-쟁이'가 붙는 형태를 표준어로 삼는다.

05 '위쪽'을 의미하는 말을 된소리나 거센소리 앞에서 쓸 때는 '(　　　　)'(으)로 한다.

표준어의 개념 ② **다음 설명이 맞으면 ○, 틀리면 × 표시를 하시오.**

06 표준어 사정 원칙에는 '교양 있는 사람들이 쓰는 말'이라는 계층적 기준이 적용된다. (　　)

07 표준어를 '서울말'로 한다는 것은 방언을 완전히 배제한다는 것을 의미한다. (　　)

08 국어는 모음 조화(母音調和)가 있는 것을 특징으로 하는 언어인데, 이 모음 조화 규칙은 후대로 오면서 많이 약화되고 있다. (　　)

09 국어에서 'ㅣ' 역행 동화가 일어나는 경우는 극히 일부에 불과하다. (　　)

표준어 규정 **(　) 안의 단어 중 표준어를 고르시오.**

10 (웃짝, 위짝) (웃돈, 윗돈)

11 (웃어른, 윗어른) (위층, 윗층)

12 (수꿩, 숫꿩) (수염소, 숫염소)

13 (풋나기, 풋내기) (삼촌, 삼춘)

14 (남비, 냄비) (아지랑이, 아지랭이)

15 (미장이, 미쟁이) (멋장이, 멋쟁이)

16 (강남콩, 강낭콩) (사글세, 삭월세)

17 (숫기와, 수키와) (숫병아리, 수평아리)

18 (깡총깡총, 깡충깡충) (오똑이, 오뚝이)

19 (발가송이, 발가숭이) (뻗장다리, 뻗정다리)

20 (소금장이, 소금쟁이) (유기장이, 유기쟁이)

2단계 실전 트레이닝

21 **〈보기〉는 표준어 규정 총칙 중 일부이다. 이에 대한 설명으로 알맞지 않은 것은?**

〈보기〉

표준어는 교양 있는 사람들이 두루 쓰는 현대 서울말로 정함을 원칙으로 한다.

① '표준어'는 비표준어와 대립적인 성격을 지닌다.
② '표준어'는 그 나라를 대표하는 언어의 성격을 갖는다.
③ '교양 있는 사람'이란 표준어를 사용하는 계층의 기준을 말한다.
④ '현대'는 표준어를 규정함에 있어서 그 말이 사용되는 시기적 범위를 말한다.
⑤ '서울말'은 다른 지역 방언보다 표현이 섬세하여 언어적으로 뛰어난 언어를 말한다.

22 **밑줄 친 단어 중 표준어가 아닌 것은?**

① 그는 예술 분야에서는 신출내기였다.
② 아버지는 맥이 빠져서 골목쟁이에 멀거니 서 있었다.
③ 즐거움을 온몸으로 표현할 줄 아는 그들은 진짜 멋쟁이였다.
④ 전설이나 동화 속에는 난장이에 대한 이야기가 종종 등장한다.
⑤ 주택가 담장에서 흔히 볼 수 있는 담쟁이덩굴은 덩굴나무이다.

23 **〈보기〉의 표준어 규정에 맞는 단어가 아닌 것은?**

〈보기〉

'웃' 및 '윗'은 명사 '위'에 맞추어 '윗-'으로 통일한다.
다만 1. 된소리나 거센소리 앞에서는 '위'로 한다.
다만 2. '아래, 위'의 대립이 없는 단어는 '웃-'으로 발음되는 형태를 표준어로 삼는다.

① 윗니　② 웃국　③ 위쪽
④ 웃입술　⑤ 윗도리

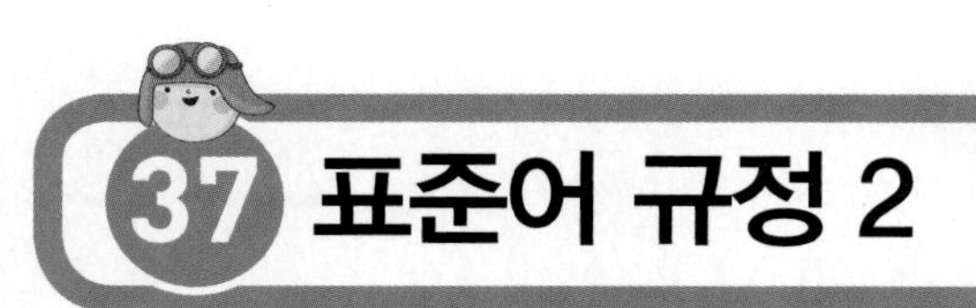

37 표준어 규정 2

최근 5개년 출제 지수 ●●●○○

❶ 준말의 표준어 규정

준말 또는 본말을 표준어로 인정하는 경우*

현실에서는 거의 쓰이지 않는 본말을 표준어에서 제거하고 준말만을 표준어로 삼는 경우가 있다. 이와는 반대로 준말이 쓰이고 있더라도 본말이 준말보다 더 널리 쓰이면, 본말만을 표준어로 인정하기도 한다. 한편 준말과 본말이 모두 널리 쓰이면 둘을 다 표준어로 인정하는 경우도 있다.

제14항 준말이 널리 쓰이고 본말이 잘 쓰이지 않는 경우에는, 준말만을 표준어로 삼는다.

표준어	비표준어	표준어	비표준어
귀찮다	귀치 않다	빔	비음
김	기음	샘	새암
똬리	또아리	생-쥐	새앙-쥐
무	무우	솔개	소리개

제15항 준말이 쓰이고 있더라도, 본말이 널리 쓰이고 있으면 본말을 표준어로 삼는다.

표준어	비표준어	표준어	비표준어
경황-없다	경-없다	돗-자리	돗
궁상-떨다	궁-떨다	부스럼	부럼
귀이-개	귀-개	수두룩-하다	수둑-하다
낌새	낌	일구다	일다

제16항 준말과 본말이 다 같이 널리 쓰이면서 준말의 효용이 뚜렷이 인정되는 것은, 두 가지를 다 표준어로 삼는다.

본말	준말	본말	준말
거짓-부리	거짓-불	시-누이	시-뉘/시-누
노을	놀	오-누이	오-뉘/오-누
막대기	막대	외우다	외다
머무르다	머물다	이기죽-거리다	이죽-거리다
서투르다	서툴다	찌꺼기	찌끼

● 표준어 규정은 한자어 대 고유어, 표준어 대 비표준어의 대립 관계에서 널리 쓰이는 하나를 표준어로 삼았으며, 몇 가지 형태의 동의어가 널리 쓰일 때는 모두 복수 표준어로 인정하였다는 것이 큰 특징이다.

❷ 어휘 선택의 변화에 따른 표준어 규정

1. 고어

옛날에 쓰였으나 오늘날 더 이상 쓰이지 않는 단어는 현재 널리 사용되는 단어를 표준어로 삼는다.

설겆이(×) → 설거지(○)* **애닯다(×) → 애달프다(○)**

오늘날 '설겆다'는 쓰지 않음. 오늘날 '애닯다'는 쓰지 않음.

제20항 사어(死語)가 되어 쓰이지 않게 된 단어는 고어로 처리하고, 현재 널리 사용되는 단어를 표준어로 삼는다.

표준어	비표준어	표준어	비표준어
난봉	봉	오동-나무	머귀-나무
낭떠러지	낭	자두	오얏

● 현대 국어에서는 '설겆어라, 설겆으니, 설겆더니'와 같은 활용형이 쓰이지 않으므로 '설겆-'의 형태를 찾기 어렵다. 어간 '설겆-'을 추출해 낼 길이 없기 때문에 명사 '설거지'를 '설겆-'에서 파생된 것으로 보지 않고 원래부터 명사로 처리하였다.

알아 둘 것 '애닯다'나 '오얏'은 고어의 흔적으로 남아 있을 뿐 현재 널리 사용되지는 않으므로, '애달프다'와 '자두'를 표준어로 삼는다는 것을 기억하자.

2. 한자어

고유어 계열과 그에 대응하는 한자어 계열 중 널리 쓰이는 것을 표준어로 삼는다.

화곽(×) → 성냥(○)
고유어 계열이 더 널리 쓰임.

둥근파(×) → 양파(○)
한자어 계열이 더 널리 쓰임.

제21항 고유어 계열의 단어가 널리 쓰이고 그에 대응되는 한자어 계열의 단어가 용도를 잃게 된 것은, 고유어 계열의 단어만을 표준어로 삼는다.

표준어	비표준어	표준어	비표준어
가루-약	말-약	두껍-닫이	두껍-창
구들-장	방-돌	마른-빨래	건-빨래
까막-눈	맹-눈	박달-나무	배달-나무
늙-다리	노닥다리	사래-논	사래-답

제22항 고유어 계열의 단어가 생명력을 잃고 그에 대응되는 한자어 계열의 단어가 널리 쓰이면, 한자어 계열의 단어를 표준어로 삼는다.

표준어	비표준어	표준어	비표준어
개다리-소반	개다리-밥상	심-돋우개	불-돋우개
겸-상	맞-상	어질-병	어질-머리
방-고래	구들-고래	총각-무	알-무/알타리-무
산-줄기	멧-줄기/멧-발	칫-솔	잇-솔

알아 둘 것 한자어라고 해서 모두 표준어가 되지 말라는 법은 없어. 표준어 사정에서는 언중이 어떤 단어를 더 널리 사용하는지가 중요한 기준이 되거든.

3. 방언

방언이던 단어가 표준어보다 널리 쓰이면, 방언을 표준어로 삼는다.•

멍게(○) / 우렁쉥이(○)
방언을 표준어로 삼음. 원래의 표준어도 그대로 표준어로 남겨 둠.

빈대떡(○) / 빈자떡(×)
방언을 표준어로 삼음. 원래의 표준어는 버림.

제23항 방언이던 단어가 표준어보다 더 널리 쓰이게 된 것은, 그것을 표준어로 삼는다. 이 경우, 원래의 표준어는 그대로 표준어로 남겨 두는 것을 원칙으로 한다.

표준어(원칙)	표준어(허용)	표준어(원칙)	표준어(허용)
멍게	우렁쉥이	애-순	어린-순
물-방개	선두리		

제24항 방언이던 단어가 널리 쓰이게 됨에 따라 표준어이던 단어가 안 쓰이게 된 것은, 방언이던 단어를 표준어로 삼는다.

표준어	비표준어	표준어	비표준어
귀밑-머리	귓-머리	생인-손	생안-손
까-뭉개다	까-무느다	역-겹다	역-스럽다
막상	마기	코-주부	코-보

• 방언이 표준어의 자격을 얻었다는 것은 표준어 규정에서 방언을 제외시킨 것이 아님을 의미한다.

참고 **방언이 표준어가 된 예**
'빈자떡'은 '빈대떡'에 밀려 쓰이지 않게 되었다고 판단되어 '빈대떡'만을 표준어로 인정하게 되었다. '역스럽다'를 버리고 '역겹다'만을 표준어로 삼은 것도 같은 이유에서이다.

❸ 단수 표준어와 복수 표준어

1. 단수 표준어•

비슷한 형태의 단어가 여러 개 사용될 때 그중 가장 널리 쓰이는 하나의 단어를 표준어로 삼는다.

제25항 의미가 똑같은 형태가 몇 가지 있을 경우, 그중 어느 하나가 압도적으로 널리 쓰이면, 그 단어만을 표준어로 삼는다.

표준어	비표준어	표준어	비표준어
까다롭다	까닭-스럽다/까탈-스럽다	선머슴	풋머슴
밀짚-모자	보릿짚-모자	손목-시계	팔목-시계/팔뚝-시계
부스러기	부스럭지	안절부절-못하다	안절부절-하다

• 표준어 규정 제17항에서는 비슷한 발음의 형태들 중 의미에 아무런 차이가 없으면 더 널리 쓰이는 한 형태만 표준어로 삼는다고 하였다. 예를 들어 '봉숭아(○)/봉숭화(×), 뺨따귀(○)/뺌따귀(×)'와 같은 경우이다. 즉, 발음상으로 기원을 같이하는 단어들 중 하나만 표준어로 정한 것이다. 반면 제25항에서 설명하는 단수 표준어는 '고구마(○)/참감자(×)'의 관계처럼 어원을 달리하는 단어들 중 하나만 표준어로 정한 것이다.

2. 복수 표준어

형태는 다르지만 의미가 동일한 단어가 널리 사용될 때 그 단어들이 표준어 규정에 맞으면 그 모두를 표준어를 삼는다.

제26항 한 가지 의미를 나타내는 형태 몇 가지가 널리 쓰이며 표준어 규정에 맞으면, 그 모두를 표준어로 삼는다.•

복수 표준어		
가뭄/가물	모쪼록/아무쪼록	여쭈다/여쭙다
-거리다/-대다	민둥-산/벌거숭이-산	옥수수/강냉이
곰곰/곰곰-이	밑-층/아래-층	우레/천둥
관계-없다/상관-없다	-(으)세요/-(으)셔요	일일-이/하나-하나
꼬까/때때/고까	신/신발	자물-쇠/자물-통
나귀/당-나귀	아래-위/위-아래	차차/차츰
넝쿨/덩굴	아무튼/어떻든/어쨌든/하여튼/여하튼	척/체
녘/쪽	어저께/어제	천연덕-스럽다/천연-스럽다

• 현재 표준어로 규정된 말과 같은 뜻으로 많이 쓰이는 말은 복수 표준어로 인정한다.

❹ 새로운 표준어

참고 국립국어원은 2014년에 '삐지다, 놀잇감, 속앓이, 딴지' 등 13개 항목을 표준어로 추가했으며, 2015년에는 11개 항목을 표준어로 추가하였다. 그동안 추가된 표준어들은 실제 언어생활에서 사용 빈도가 높고 표준어로 인정해야 한다는 요구가 높은 것들을 국립국어원이 선별한 것이다.

1. 현재 표준어와 같은 뜻으로 널리 쓰이는 말을 복수 표준어로 인정한 경우

현재 표준어	추가된 표준어	현재 표준어	추가된 표준어
-고 싶다	-고프다	삐치다	삐지다
구안괘사	구안와사	작장초	초장초
굽실	굽신	예쁘다	이쁘다
눈두덩	눈두덩이	차지다	찰지다
마을	마실•		

• '마실'은 '이웃에 놀러 다니는 일'의 의미에 한하여 표준어이고, '여러 집이 모여 사는 곳'의 의미로 쓰이면 비표준어이다.

2. 현재 표준어와는 뜻이나 어감이 달라 별도의 표준어로 인정한 경우•

현재 표준어	추가된 표준어	현재 표준어	추가된 표준어
가오리연	꼬리연	의논	의론
개개다	개기다	이키	이크
꾀다	꼬시다	잎사귀	잎새
딴죽	딴지	장난감	놀잇감
사그라지다	사그라들다	푸르다	푸르르다
섬뜩	섬찟•	허접스럽다	허접하다
속병	속앓이		

• 현재 표준어로 규정된 말과는 뜻이나 어감에서 차이가 있어 별도의 표준어로 인정한 것이다.

• '섬찟'이 표준어로 인정됨에 따라, '섬찟하다, 섬찟섬찟, 섬찟섬찟하다' 등도 표준어로 함께 인정된다.

3. 비표준적인 것으로 다루어 왔던 활용형을 표준형으로 인정한 경우

현재 표준형	추가된 표준형
마-마라-마요	말아-말아라-말아요
노라네-동그라네-조그마네	노랗네-동그랗네-조그맣네

(1) '말다'가 명령형으로 쓰일 때는 'ㄹ'을 탈락시켜 '(잊지) 마/마라'와 같이 써야 했으나, 현실의 쓰임을 반영하여 '(잊지) 말아/말아라'와 같이 'ㄹ'을 탈락시키지 않고 쓰는 것도 인정하기로 하였다.

(2) '노랗다, 동그랗다, 조그맣다' 등과 같은 'ㅎ' 불규칙 용언이 종결 어미 '-네'와 결합할 때는 'ㅎ'을 탈락시켜 '노라네 / 동그라네 / 조그마네'와 같이 써야 했으나, 불규칙 활용의 체계성과 현실의 쓰임을 반영하여 '노랗네 / 동그랗네 / 조그맣네'와 같이 'ㅎ'을 탈락시키지 않고 쓰는 것도 인정하기로 하였다.

정답과 해설 25쪽

1단계 기본 트레이닝

표준어 규정 ① 빈칸에 들어갈 알맞은 말을 쓰시오.

01 준말이 널리 쓰이고 본말이 잘 쓰이지 않는 경우에는, (　　　　)만을 표준어로 삼는다.

02 고유어 계열의 단어가 생명력을 잃고 그에 대응되는 한자어 계열의 단어가 널리 쓰이면, (　　　　) 계열의 단어를 표준어로 삼는다.

표준어 규정 ② 밑줄 친 단어를 표준어 규정에 맞게 고쳐 쓰시오.

03 정현이는 입맛이 까탈스럽다. ________

04 김장철을 맞아 알타리무의 값이 올랐다. ________

05 그는 밥을 먹고 난 뒤 그릇을 설겆이했다. ________

06 은경이는 안절부절하면서 서성대고 있었다. ________

07 최근에는 팔목시계를 차는 사람들이 많이 줄었다. ________

복수 표준어 다음 단어 풀이를 참고하여 [　] 안의 단어와 함께 복수 표준어로 쓰이는 단어를 빈칸에 쓰시오.

08

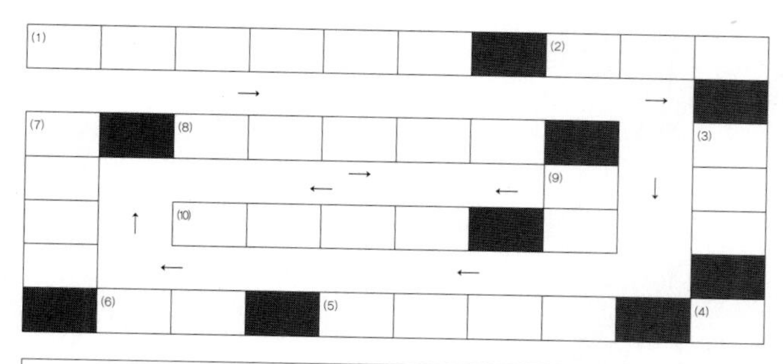

(1) [천연스럽다] 생긴 그대로 조금도 거짓이나 꾸밈이 없고 자연스러운 느낌이 있다.
(2) [벌거숭이산] 나무가 없는 산.
(3) [어제] 오늘의 바로 하루 전날.
(4) [쪽] 방향을 가리키는 말.
(5) [꼬리연] 가오리 모양으로 만들어 꼬리를 길게 단 연.
(6) [가뭄] 오랫동안 계속하여 비가 내리지 않아 메마른 날씨.
(7) [허접스럽다] 허름하고 잡스럽다.
(8) [사그라들다] 삭아서 없어지다.
(9) [신] 땅을 딛고 서거나 걸을 때 발에 신는 물건을 통틀어 이르는 말.
(10) [눈두덩] 눈언저리의 두두룩한 곳.

2단계 실전 트레이닝

09 밑줄 친 단어 중 표준어가 아닌 것은?

① 생선 비린내가 역겹다.
② 동생은 찰진 밥을 좋아한다.
③ 비가 온다고 어머니께서 빈대떡을 부쳐 주셨다.
④ 그 일을 할 수 있는 사람은 이 분야에 수둑하다.
⑤ 그는 몸이 천 길 낭떠러지 아래로 떨어져 내리는 것처럼 아득해졌다.

10 〈보기〉의 표준어 규정에 해당하는 예로 적절하지 않은 것은?

〈보기〉
제22항 고유어 계열의 단어가 생명력을 잃고 그에 대응되는 한자어 계열의 단어가 널리 쓰이면, 한자어 계열의 단어를 표준어로 삼는다.

	표준어	비표준어
①	겸상	맞상
②	양파	둥근파
③	어질병	어질머리
④	방고래	구들고래
⑤	노닥다리	늙다리

11 두 단어 모두 표준어인 것은?

① 넝쿨 – 덩쿨
② 무 – 무우
③ 또아리 – 똬리
④ 예쁘다 – 이쁘다
⑤ 부스러기 – 부스럭지

2008학년도 11월 고1 학력평가

12 〈보기〉의 설명에 해당하지 않는 것은?

〈보기〉
우리말에서는 뜻이 같으면서 형태가 다른 단어들이 있을 때, 그 쓰임의 범위 차이가 크게 나지 않는다면 모두 표준어로 삼고 있다. 가령, '신'과 '신발'은 쓰임의 범위가 비슷하므로 모두 표준어이다. 이를 가리켜 '복수 표준어'라 한다.

① 천둥 / 우레
② 나귀 / 당나귀
③ 옥수수 / 강냉이
④ 자물쇠 / 자물통
⑤ 선머슴 / 풋머슴

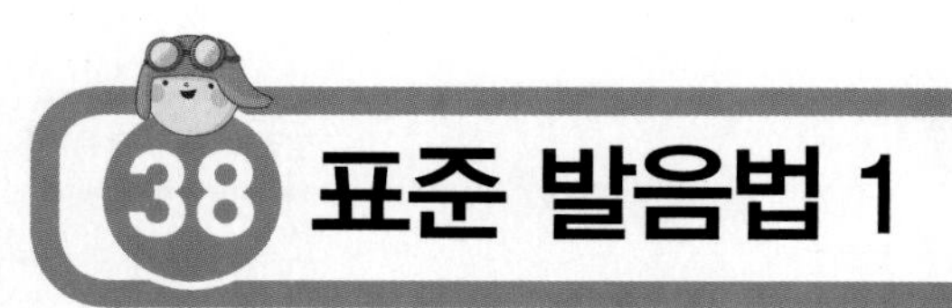

38 표준 발음법 1

최근 5개년 출제 지수 ●●●●●

1 표준 발음법의 원칙

총칙

표준 발음법은 표준어(교양 있는 사람들이 두루 쓰는 현대 서울말)의 발음을 실제 발음으로 여기고 이를 따르도록 원칙을 정한 것이다.

제1항 표준 발음법은 표준어의 실제 발음을 따르되, 국어의 전통성과 합리성을 고려하여 정함을 원칙으로 한다.

참고 표준 발음법의 제정 목적

① 대화 과정에서 서로 간의 오해를 줄이고 의사소통이 제대로 이루어지게 하기 위함이다.
② '한글 맞춤법'에 따라 단어를 바르게 적는 일 못지않게 '표준 발음법'에 맞추어 말을 바르게 하는 일도 교양인으로서의 소양을 갖추고 있음을 알려 주는 징표가 된다.

2 모음의 발음

이중 모음의 발음

(1) 일반적으로 자음 뒤에서는 이중 모음인 'ㅕ'가 본음인 [ㅕ]로 발음되지만, 용언의 활용형에서의 '져, 쪄, 쳐'는 [저, 쩌, 처]로 발음된다.

당기어 → 당겨[당겨] (① 자음 뒤에서는 ② 이중 모음인 'ㅕ'가 ③ 제 음가대로 발음됨.)
가지어 → 가져[가저] (① 용언의 활용형에서의 '져'는 ② [저]로 발음됨.)

(2) 'ㅖ'는 본음인 [ㅖ]로 발음하여야 한다. 단, '계, 메, 폐, 혜'와 같은 '예', '례' 이외의 'ㅖ'는 [ㅔ]로도 발음함을 허용한다.

예절[예절] ('예, 례'의 'ㅖ'는 [ㅖ]로 발음함.)
혜택[혜:택/헤:택] ('예', '례' 이외의 'ㅖ'는 [ㅖ]로도 발음하고 [ㅔ]로도 발음함.)

(3) '의'가 첫음절에 오면 [ㅢ]로 발음하지만, '늬, 띄, 씌'처럼 자음을 첫소리로 가지고 있는 음절의 'ㅢ'는 [ㅣ]로 발음한다.

의자[의자] (① '의'가 첫음절에 오면 ② [ㅢ]로 발음함.)
하늬바람[하니바람] (① 첫소리가 자음이면 ② [ㅣ]로 발음함.)

(4) 단어의 첫음절 이외의 '의'는 [ㅢ]나 [ㅣ]로, 조사 '의'는 [ㅢ]나 [ㅔ]로 발음할 수 있다.

성의[성의/성이] (첫음절이 아닌 '의'는 [ㅢ]로 발음하거나 [ㅣ]로 발음함.)
우리의 [우리의/우리에] (조사 '의'는 [ㅢ]로 발음하거나 [ㅔ]로 발음함.)

제4항 'ㅏ, ㅐ, ㅓ, ㅔ, ㅗ, ㅚ, ㅜ, ㅟ, ㅡ, ㅣ'는 단모음(單母音)으로 발음한다.
[붙임 1] 'ㅚ, ㅟ'는 이중 모음으로 발음할 수 있다.

제5항 'ㅑ, ㅒ, ㅕ, ㅖ, ㅘ, ㅙ, ㅛ, ㅝ, ㅞ, ㅠ, ㅢ'는 이중 모음으로 발음한다.
다만 2. 용언의 활용형에 나타나는 '져, 쪄, 쳐'는 [저, 쩌, 처]로 발음한다.
가지어 → 가져[가저]　찌어 → 쪄[쩌]　다치어 → 다쳐[다처]

참고 단모음과 이중 모음의 분류

표준 발음법 제4항에 따르면 단모음은 'ㅏ, ㅐ, ㅓ, ㅔ, ㅗ, ㅚ, ㅜ, ㅟ, ㅡ, ㅣ'의 10개이다. 이때, 단모음 'ㅚ, ㅟ'는 이중 모음으로 발음할 수도 있다고 규정하고 있다. 그리고 표준 발음법 제5항에 따르면 이중 모음은 'ㅑ, ㅒ, ㅕ, ㅖ, ㅘ, ㅙ, ㅛ, ㅝ, ㅞ, ㅠ, ㅢ'의 11개이다.

참고 잘못된 이중 모음의 발음

① 'ㅙ'와 'ㅞ'를 혼동
예 • 웬일[왠:닐](×)
• 됐다[뒏따](×)
② 'ㅙ, ㅞ'를 [ㅐ, ㅔ]로 발음
예 • 괜찮아[갠차나](×)
• 위궤양[위게양](×)

알아 둘 것 단어의 첫음절에 오는 '의'는 [ㅢ]로만 발음해야 해. 그러므로 '의사'를 [으사]나 [이사]라고 발음하는 것은 '표준 발음법'에 어긋나므로 주의해야 돼.

다만 2. '예, 례' 이외의 'ㅖ'는 [ㅔ]로도 발음한다.
계집[계:집/게:집]　　계시다[계:시다/게:시다]
시계[시계/시게](時計)　　개폐[개폐/개페](開閉)

다만 3. 자음을 첫소리로 가지고 있는 음절의 'ㅢ'는 [ㅣ]로 발음한다.
늴리리　　띄어쓰기　　틔어　　희망

다만 4. 단어의 첫음절 이외의 '의'는 [ㅣ]로, 조사 '의'는 [ㅔ]로 발음함도 허용한다.
주의[주의/주이]　　협의[혀븨/혀비]
우리의[우리의/우리에]　　강의의[강:의의/강:이에]

❸ 받침의 발음

1. 일곱 개의 끝소리

(1) 받침소리는 'ㄱ, ㄴ, ㄷ, ㄹ, ㅁ, ㅂ, ㅇ'의 7개 자음으로만 발음한다.•

(2) 7개 이외의 홑자음이 끝소리 자리에 올 적에는 7개 자음 중 하나로 바뀌어서 발음된다.

ㄲ, ㅋ → [ㄱ] 여린입천장소리
ㅅ, ㅆ, ㅈ, ㅊ, ㅌ → [ㄷ] 잇몸소리
ㅍ → [ㅂ] 입술소리

제8항 받침소리로는 'ㄱ, ㄴ, ㄷ, ㄹ, ㅁ, ㅂ, ㅇ'의 7개 자음만 발음한다.

제9항 받침 'ㄲ, ㅋ', 'ㅅ, ㅆ, ㅈ, ㅊ, ㅌ', 'ㅍ'은 어말 또는 자음 앞에서 각각 대표음 [ㄱ, ㄷ, ㅂ]으로 발음한다.
닦다[닥따]　　키읔[키윽]　　옷다[옫:따]　　있다[읻따]
젖[젇]　　꽃[꼳]　　솥[솓]　　앞[압]

2. 겹받침의 발음

(1) 겹받침 'ㄳ', 'ㄵ', 'ㄼ, ㄽ, ㄾ', 'ㅄ'은 어말 또는 자음 앞에서 뒤 자음이 탈락한다.

ㄳ → [ㄱ]: 몫[목]
ㄵ → [ㄴ]: 얹다[언따]
ㄼ → [ㄹ]: 얇다[얄:따]•
ㄽ → [ㄹ]: 외곬[외골/웨골]
ㄾ → [ㄹ]: 훑다[훌따]
ㅄ → [ㅂ]: 없다[업:따]
(뒤 자음이 탈락)

(2) 겹받침 'ㄺ, ㄻ, ㄿ'은 어말 또는 자음 앞에서 앞 자음이 탈락한다.

ㄺ → [ㄱ]: 닭[닥]
ㄻ → [ㅁ]: 닮다[담:따]
ㄿ → [ㅂ]: 읊다[읍따]
(앞 자음이 탈락)

• 받침소리를 'ㄱ, ㄴ, ㄷ, ㄹ, ㅁ, ㅂ, ㅇ'의 7개 자음으로만 발음한다는 것은 '음절의 끝소리 규칙'에 따른 것이다.

참고 홑받침을 갖는 체언과 용언의 어간이 모음으로 시작하는 조사와 결합될 때 잘못 발음하는 경우
- 꽃이, 꽃을 → [꼬시, 꼬슬](×) / [꼬치, 꼬츨](○)
- 무릎이, 무릎을 → [무르비, 무르블](×) / [무르피, 무르플](○)
- 젖이, 젖을 → [저시, 저슬](×) / [저지, 저즐](○)
- 부엌이, 부엌을 → [부어기, 부어글](×) / [부어키, 부어클](○)
- 밭이, 밭을 → [바시, 바슬](×) / [바치, 바틀](○)
- 놓이다[노히다](×) / [노이다](○)
- 좋으니[조:흐니](×) / [조:으니](○)

알아 둘 것 겹받침은 어말이나 자음 앞에서 둘 중 하나만 발음되고 하나는 탈락하는데, 그 발음의 양상이 일률적이지 않은 측면이 있기 때문에 '표준 발음법'에 유의해서 발음해야 해.

• 겹받침 'ㄼ'이 들어가는 단어들 중 '밟다[밥:따]', '넓적하다[넙쩌카다]', '넓죽하다[넙쭈카다]', '넓둥글다[넙뚱글다]'는 예외로 겹받침 중 'ㅂ'을 발음한다.

알아 둘 것 용언의 어간 말음인 'ㄺ'은 'ㄱ'으로 시작하는 어미 앞에서는 [ㄹ]로 발음해야 돼.
예 맑게[말께], 묽고[물꼬]

제10항 겹받침 'ㄳ', 'ㄵ', 'ㄼ, ㄽ, ㄾ', 'ㅄ'은 어말 또는 자음 앞에서 각각 [ㄱ, ㄴ, ㄹ, ㅂ]으로 발음한다.

넋[넉] 넋과[넉꽈] 앉다[안따] 여덟[여덜] 넓다[널따]
외곬[외골] 핥다[할따] 값[갑] 없다[업:따]

다만, '밟-'은 자음 앞에서 [밥]으로 발음하고, '넓-'은 다음과 같은 경우에 [넙]으로 발음한다.

(1) 밟다[밥:따] 밟소[밥:쏘] 밟지[밥:찌]
(2) 넓-죽하다[넙쭈카다] 넓-둥글다[넙뚱글다]

제11항 겹받침 'ㄺ, ㄻ, ㄿ'은 어말 또는 자음 앞에서 각각 [ㄱ, ㅁ, ㅂ]으로 발음한다.

닭[닥] 흙과[흑꽈] 맑다[막따] 늙지[늑찌]
삶[삼:] 젊다[점:따] 읊고[읍꼬] 읊다[읍따]

다만, 용언의 어간 말음 'ㄺ'은 'ㄱ' 앞에서 [ㄹ]로 발음한다.

맑게[말께] 묽고[물꼬] 얽거나[얼꺼나]

3. 받침 'ㅎ'의 발음

(1) 받침 'ㅎ'은 그 앞뒤에 결합되는 소리에 따라 여러 가지로 발음된다.●

'ㅎ'+'ㄱ, ㄷ, ㅈ' → [ㅋ, ㅌ, ㅊ]
'ㅎ'+'ㅅ' → [ㅆ]
'ㅎ'+'ㄴ' → [ㄴ]

예 'ㅎ'+'ㄱ, ㄷ, ㅈ': 좋고[조:코], 좋던[조:턴], 좋지[조:치]
'ㅎ'+'ㅅ': 많소[만:쏘], 싫소[실쏘]
'ㅎ'+'ㄴ': 하얗네[하:얀네], 쌓네[싼네]

(2) 'ㅎ' 뒤에 모음으로 시작된 어미나 접미사가 결합되면 'ㅎ'을 발음하지 않는다.

예 넣은[너은], 쌓을[싸을], 찧으니까[찌으니까], 많을[마:늘], 끊일[끄닐]

● 받침 'ㅎ'은 현대어에서 용언 어간에만 쓰이기 때문에 이 규정은 용언의 활용에만 적용된다. 다만 '싫증'은 [실쯩]으로 발음한다.

제12항 받침 'ㅎ'의 발음은 다음과 같다.

1. 'ㅎ(ㄶ, ㅀ)' 뒤에 'ㄱ, ㄷ, ㅈ'이 결합되는 경우에는, 뒤 음절 첫소리와 합쳐서 [ㅋ, ㅌ, ㅊ]으로 발음한다.●

놓고[노코] 좋던[조:턴] 쌓지[싸치] 많고[만:코] 않던[안턴] 닳지[달치]

[붙임 1] 받침 'ㄱ(ㄺ), ㄷ, ㅂ(ㄼ), ㅈ(ㄵ)'이 뒤 음절 첫소리 'ㅎ'과 결합되는 경우에도, 역시 두 음을 합쳐서 [ㅋ, ㅌ, ㅍ, ㅊ]으로 발음한다.

각하[가카] 먹히다[머키다] 밝히다[발키다] 맏형[마텽]
좁히다[조피다] 넓히다[널피다] 꽂히다[꼬치다] 앉히다[안치다]

[붙임 2] 규정에 따라 [ㄷ]으로 발음되는 'ㅅ, ㅈ, ㅊ, ㅌ'의 경우에도 이에 준한다.

옷 한 벌[오탄벌] 낮 한때[나탄때] 꽃 한 송이[꼬탄송이] 숱하다[수타다]

2. 'ㅎ(ㄶ, ㅀ)' 뒤에 'ㅅ'이 결합되는 경우에는, 'ㅅ'을 [ㅆ]으로 발음한다.

닿소[다쏘] 많소[만:쏘] 싫소[실쏘]

3. 'ㅎ' 뒤에 'ㄴ'이 결합되는 경우에는, [ㄴ]으로 발음한다.●

놓는[논는] 쌓네[싼네]

[붙임] 'ㄶ, ㅀ' 뒤에 'ㄴ'이 결합되는 경우에는, 'ㅎ'을 발음하지 않는다.

않네[안네] 않는[안는] 뚫네[뚤네 → 뚤레] 뚫는[뚤는 → 뚤른]

4. 'ㅎ(ㄶ, ㅀ)' 뒤에 모음으로 시작된 어미나 접미사가 결합되는 경우에는, 'ㅎ'을 발음하지 않는다.

낳은[나은] 놓아[노아] 쌓이다[싸이다] 많아[마:나]
않은[아는] 닳아[다라] 싫어도[시러도]

● 'ㅎ(ㄶ, ㅀ)'이 뒤에 오는 'ㄱ, ㄷ, ㅈ'과 결합하여 [ㅋ, ㅌ, ㅊ]으로 발음되는 것은 음운 축약에 해당한다.

● 자음 동화 현상에 따른 발음이다. '놓는'은 음절의 끝소리 규칙에 의해 [녿는]이 되었다가, 비음화에 의해 [논는]으로 발음된다.

국어 문법 100% 공략을 위한 **2단계 트레이닝**

정답과 해설 26쪽

1단계 기본 트레이닝

표준 발음법 **다음 설명이 맞으면 ○, 틀리면 × 표시를 하시오.**

01 표준 발음법은 표준어의 실제 발음을 따르는 것을 기본 원칙으로 한다. (　　)

02 단모음 중 이중 모음으로 발음할 수 있는 것도 있다. (　　)

03 '계, 몌, 폐, 혜'에서와 같이 '예, 례' 이외의 'ㅖ'는 [ㅔ]로만 발음해야 한다. (　　)

04 받침소리의 발음은 8개만 허용된다. (　　)

05 겹받침 'ㄺ, ㄻ, ㄿ'은 어말 또는 자음 앞에서 각각 [ㄱ, ㅁ, ㅂ]으로 발음한다. (　　)

06 받침 'ㅎ' 뒤에 모음으로 시작된 어미나 접미사가 결합되면 'ㅎ'을 발음하지 않는다. (　　)

모음의 발음 **밑줄 친 단어의 표준 발음을 쓰시오.**

07 그동안 살이 너무 <u>쪄서</u> 고민이다. [　　　]

08 이 벽지는 화사한 <u>무늬</u>가 인상적이다. [　　　]

09 <u>기계</u>의 발명과 더불어 노동이 분화되었다. [　　　]

10 공공 <u>예절</u>은 문화 시민이 지켜야 할 덕목이다. [　　　]

11 <u>하늬바람</u>은 서쪽에서 부는 바람이다. [　　　]

12 아침저녁으로 쌀쌀하니 큰 일교차에 <u>주의</u>하시기 바랍니다. [　　　]

받침의 발음 **다음 단어의 발음으로 알맞은 것을 고르시오.**

13 앞[압/앞]　　넋[넉/넛]

14 키읔[키윽/키은]　　있다[읻따/잇따]

15 여덟[여덜/여덥]　　핥다[할따/할따]

16 맑다[막따/말따]　　맑게[막께/말께]

17 읊다[을따/읍따]　　묽고[묵꼬/물꼬]

18 만형[마텽/맏텽]　　많소[만:소/만:쏘]

19 앉다[안따/앋따]　　밟다[발:따/밥:따]

20 각하[가카/각아]　　밝히다[발키다/발히다]

21 싫소[실소/실쏘]　　쌓이다[싸이다/싸히다]

22 넓다[널따/넙따]　　넓둥글다[널뚱글다/넙뚱글다]

2단계 실전 트레이닝

23 〈보기〉의 밑줄 친 ㉠, ㉡의 표준 발음으로 적절한 것은?

〈보기〉
- 자음을 첫소리로 가지고 있는 음절의 'ㅢ'는 [ㅣ]로 발음한다. 예 ㉠<u>희망</u>
- 단어의 첫음절 이외의 '의'는 [ㅣ]로, 조사 '의'는 [ㅔ]로 발음함도 허용한다. 예 ㉡<u>우리의</u>

① ㉠: [희망], ㉡: [우리에]　② ㉠: [히망], ㉡: [우리이]
③ ㉠: [희망], ㉡: [우리의]　④ ㉠: [히망], ㉡: [우리에]
⑤ ㉠: [희망], ㉡: [우리이]

24 밑줄 친 부분의 발음으로 적절하지 <u>않은</u> 것은?

① 내 방이 동생 방보다 <u>넓다</u>. – [널따]
② 아버지는 신문을 <u>읽고</u> 계신다. – [일꼬]
③ 자전거 페달을 힘차게 <u>밟고</u> 있다. – [발:꼬]
④ 사람들이 주변을 샅샅이 <u>훑고</u> 있다. – [훌꼬]
⑤ 정아는 쑥스러운지 머리를 <u>긁적긁적</u>한다. – [극쩍끅쩍]

25 〈보기〉의 내용을 <u>잘못</u> 이해한 것은?

〈보기〉
국어에서 받침으로 발음될 수 있는 소리는 'ㄱ, ㄴ, ㄷ, ㄹ, ㅁ, ㅂ, ㅇ'의 7개 자음이다. 따라서 7개 이외의 받침은 7개 자음 중 하나로 바뀌어 발음된다.

① 그래서 '낫, 낮, 낯'의 발음이 같은 것이로군.
② 받침 'ㅅ'과 'ㅆ'은 'ㄷ'으로 바뀌어 소리가 나겠군.
③ 겹받침을 발음할 때에도 7개의 소리로만 발음되겠군.
④ '넋'을 [넉]으로 발음하므로 'ㄳ'은 앞의 자음만 남는군.
⑤ 자음이 초성으로 쓰일 때에도 7개의 자음만 발음되겠군.

26 〈보기〉의 표준 발음법 규정과 관계있는 단어끼리 묶인 것은?

〈보기〉
제12항 'ㅎ(ㄶ, ㅀ)' 뒤에 'ㄱ, ㄷ, ㅈ'이 결합되는 경우에는, 뒤 음절 첫소리와 합쳐서 [ㅋ, ㅌ, ㅊ]으로 발음한다.
[붙임 1] 받침 'ㄱ(ㄺ), ㄷ, ㅂ(ㄼ), ㅈ(ㄵ)'이 뒤 음절 첫소리 'ㅎ'과 결합되는 경우에도, 역시 두 음을 합쳐서 [ㅋ, ㅌ, ㅍ, ㅊ]으로 발음한다.

① 새빨간, 국수　② 뚫고, 밝히다
③ 넣고, 낳아서　④ 간호, 쌓이다
⑤ 밝은, 닫히다

39 표준 발음법 2

최근 5개년 출제 지수 ●●●●●

❶ 음의 동화와 된소리되기

1. 구개음화

(1) 받침 'ㄷ, ㅌ'은 조사나 접미사의 모음 'ㅣ' 앞에서 [ㅈ, ㅊ]으로 바뀌어 소리 난다.

② 접미사의 모음 'ㅣ'와 만나면
굳 + 이 → 굳이[구지]
① 받침 'ㄷ'이 ③ [ㅈ]으로 소리 남.

② 조사의 모음 'ㅣ'와 만나면
밭 + 이 → 밭이[바치]
① 받침 'ㅌ'이 ③ [ㅊ]으로 소리 남.

(2) 받침 'ㄷ' 뒤에 접미사 '히'가 결합되어 '티'가 되는 것은 [치]로 발음한다.

② 접미사 '히'가 결합되면
걷히다[거티다 → 거치다]
① 받침 'ㄷ' 뒤에 ③ [치]로 소리 남.

② 접미사 '히'가 결합되면
굳히다[구티다 → 구치다]
① 받침 'ㄷ' 뒤에 ③ [치]로 소리 남.

제17항 받침 'ㄷ, ㅌ(ㄾ)'이 조사나 접미사의 모음 'ㅣ'와 결합되는 경우에는, [ㅈ, ㅊ]으로 바꾸어서 뒤 음절 첫소리로 옮겨 발음한다.

곧이듣다[고지듣따] 굳이[구지] 미닫이[미:다지]
땀받이[땀바지] 밭이[바치] 벼훑이[벼훌치]

[붙임] 'ㄷ' 뒤에 접미사 '히'가 결합되어 '티'를 이루는 것은 [치]로 발음한다.
굳히다[구치다] 닫히다[다치다] 묻히다[무치다]

참고 **구개음화가 일어나지 않는 경우**
구개음화는 받침 'ㄷ, ㅌ'이 모음 'ㅣ'나 반모음 'ㅣ[j]'로 시작하는 형식 형태소와 만날 때 일어난다. 따라서 받침 'ㄷ, ㅌ' 다음에 '이'로 시작되는 실질 형태소가 결합된 합성어의 경우에는 구개음화가 일어나지 않고, '밭이랑[반니랑]', 홑이불[혼니불]' 등의 예처럼 'ㄴ' 첨가와 비음화에 의해서 'ㅌ'이 [ㄴ]으로 발음된다.

알아 둘 것 '밭이'는 구개음화에 의해 [바치]로 발음되지만, '밭은'은 [바튼]으로 발음 돼. 이것은 받침 뒤에 모음 'ㅣ'나 반모음 'ㅣ[j]'가 오느냐 오지 않느냐에 따른 것이지.

2. 비음화

(1) 받침으로 쓰이는 파열음 'ㄱ, ㄷ, ㅂ'이 비음 'ㄴ, ㅁ'으로 시작하는 형태소와 만나면, 각각 동일한 조음 위치에서 발음되는 비음 [ㅇ, ㄴ, ㅁ]으로 바뀌어 소리 난다.

② 'ㅁ'이 오면
국물[궁물]
① 받침 'ㄱ' 뒤에 ③ [ㅇ]으로 소리 남.

② 'ㄴ'이 오면
잡느냐[잠느냐]
① 받침 'ㅂ' 뒤에 ③ [ㅁ]으로 소리 남.

(2) 받침 'ㅁ, ㅇ' 뒤에 이어지는 'ㄹ'은 비음 [ㄴ]으로 바뀌어 소리 난다.

② 'ㄹ'은 ③ [ㄴ]으로 소리 남.
담력[담:녁]
① 받침 'ㅁ' 뒤의

② 'ㄹ'은 ③ [ㄴ]으로 소리 남.
강릉[강능]
① 받침 'ㅇ' 뒤의

제18항 받침 'ㄱ(ㄲ, ㅋ, ㄳ, ㄺ), ㄷ(ㅅ, ㅆ, ㅈ, ㅊ, ㅌ, ㅎ), ㅂ(ㅍ, ㄼ, ㄿ, ㅄ)'은 'ㄴ, ㅁ' 앞에서 [ㅇ, ㄴ, ㅁ]으로 발음한다.

먹는[멍는] 흙만[흥만] 닫는[단는]
옷맵시[온맵씨] 밥물[밤물] 없는[엄:는]

[붙임] 두 단어를 이어서 한 마디로 발음하는 경우에도 이와 같다.●
책 넣는다[챙넌는다] 옷 맞추다[온만추다] 밥 먹는다[밤멍는다]

알아 둘 것 비음화는 조음 위치는 그대로이고, 조음 방법만 바뀌는 변동 현상을 말해. '곡물 → [공물]', '걷는다 → [건는다]', '밥물 → [밤물]'을 보면, 'ㄱ'은 'ㅇ'으로, 'ㄷ'은 'ㄴ'으로, 'ㅂ'은 'ㅁ'으로 변한 것을 볼 수 있어. 'ㄱ'과 'ㅇ'은 여린입천장소리, 'ㄷ'과 'ㄴ'은 잇몸소리, 'ㅂ'과 'ㅁ'은 입술소리로 각각 조음 위치는 같지만, 조음 방법만 파열음에서 비음으로 바뀐 것이지.
이때 주의할 것은 비음화 전에 음절의 끝소리 규칙이 먼저 적용된다는 점! 그래서 파열음 'ㄱ, ㄷ, ㅂ'은 대표음으로서의 [ㄱ, ㄷ, ㅂ]을 의미해. 예를 들어 '앞마당'의 경우, 먼저 음절의 끝소리 규칙이 적용되어 [압마당]이 되고, '압'의 받침 'ㅂ'이 비음 'ㅁ'과 만나 [암마당]으로 소리 나는 거야.

● 비음화의 환경만 조성된다면, 단어와 단어 사이에서도 비음화가 일어난다.

제19항 받침 'ㅁ, ㅇ' 뒤에 연결되는 'ㄹ'은 [ㄴ]으로 발음한다.
담력[담:녁] 침략[침냑] 강릉[강능] 항로[항:노] 대통령[대:통녕]

[붙임] 받침 'ㄱ, ㅂ' 뒤에 연결되는 'ㄹ'도 [ㄴ]으로 발음한다.
막론[막논 → 망논] 백리[백니 → 뱅니] 협력[협녁 → 혐녁] 십리[십니 → 심니]

알아 둘 것! '백리'와 '십리'에서 '리'는 거리를 나타내는 단위에 해당해. 따라서 '단위를 나타내는 의존 명사는 그 앞의 수 관형사와 띄어 쓴다.'라는 띄어쓰기 규정에 따라 '백 리', '십 리'와 같이 띄어 써야 한다는 점을 알아 두자.

3. 유음화

(1) 한자어에서 앞 형태소의 받침 'ㄴ'은 뒤 형태소의 첫소리인 유음 'ㄹ'에 동화되어 [ㄹ]로 소리 난다.

광한루[광:할루] (① 받침 'ㄴ'이 ② 'ㄹ'에 동화되어 ③ [ㄹ]로 소리 남.)
신림[실림] (① 받침 'ㄴ'이 ② 'ㄹ'에 동화되어 ③ [ㄹ]로 소리 남.)

(2) 복합어에서 뒤 형태소의 첫소리인 'ㄴ'은 앞 형태소의 받침인 유음 'ㄹ'에 동화되어 [ㄹ]로 바뀌어 소리 난다.

길눈[길룬] (① 'ㄴ'이 ② 받침 'ㄹ'에 동화되어 ③ [ㄹ]로 소리 남.)
할는지[할른지] (① 'ㄴ'이 ② 받침 'ㄹ'에 동화되어 ③ [ㄹ]로 소리 남.)

(3) 자립하여 쓰이는 한자어 어근의 받침인 'ㄴ' 뒤에 'ㄹ'로 시작하는 파생 접사가 결합하면 뒤의 'ㄹ'이 앞의 'ㄴ'에 동화되어 [ㄴ]으로 소리 난다.*

결단-력[결딴녁] (① 'ㄹ'이 ② 받침 'ㄴ'에 동화되어 ③ [ㄴ]으로 소리 남.)
입원-료[이붠뇨] (① 'ㄹ'이 ② 받침 'ㄴ'에 동화되어 ③ [ㄴ]으로 소리 남.)

참고 유음화의 종류
① 순행적 유음화: 유음 'ㄹ'이 뒤에 오는 'ㄴ'에 영향을 주는 현상
예 길눈[길룬], 칼날[칼랄], 물난리[물랄리]
② 역행적 유음화: 유음 'ㄹ'이 앞에 오는 'ㄴ'에 영향을 주는 현상
예 난로[날:로], 권력[궐력], 신라[실라]

* 한자어를 두 부분으로 분석했을 때 앞쪽의 것이 독립성이 있으면 [ㄴㄴ]으로 발음하고, 독립성이 없으면 [ㄹㄹ]로 발음한다. '광한루'와 '대관령'은 '광한+루', '대관+령'으로 분석되는데 '광한'이나 '대관'은 독립성이 없다. 반면 '의견란'의 '의견'이나 '결단력'의 '결단'은 독립성이 있다. 이러한 기준으로 '음운론'은 [음울론 → 으물론]이 아니라 [음운논 → 으문논]으로 발음한다.

제20항 'ㄴ'은 'ㄹ'의 앞이나 뒤에서 [ㄹ]로 발음한다.
(1) 난로[날:로] 신라[실라] 천리[철리]
광한루[광:할루] 대관령[대:괄령]
(2) 칼날[칼랄] 물난리[물랄리] 줄넘기[줄럼끼] 할는지[할른지]

[붙임] 첫소리 'ㄴ'이 'ㅀ', 'ㄾ' 뒤에 연결되는 경우에도 이에 준한다.
닳는[달른] 뚫는[뚤른] 핥네[할레]

다만, 다음과 같은 단어들은 'ㄹ'을 [ㄴ]으로 발음한다.
의견란[의:견난] 임진란[임:진난] 생산량[생산냥]
결단력[결딴녁] 공권력[공꿘녁] 동원령[동:원녕]
상견례[상견녜] 횡단로[횡단노] 이원론[이:원논]
입원료[이붠뇨] 구근류[구근뉴]

알아 둘 것! 비음화와 유음화는 모두 자음이 앞이나 뒤에 오는 음운의 성질을 닮아 변동하는 것이므로 자음 동화 현상에 속한다고 볼 수 있어.

4. 한자어에서 받침 'ㄹ' 뒤의 된소리되기

한자어에서 받침 'ㄹ' 뒤에 결합하는 자음 'ㄷ, ㅅ, ㅈ'은 된소리로 발음한다.

갈등[갈뜽] (① 받침 'ㄹ' 뒤에 ② 'ㄷ'이 오면 ③ 된소리로 발음함.)
말살[말쌀] (① 받침 'ㄹ' 뒤에 ② 'ㅅ'이 오면 ③ 된소리로 발음함.)
갈증[갈쯩] (① 받침 'ㄹ' 뒤에 ② 'ㅈ'이 오면 ③ 된소리로 발음함.)

알아 둘 것! '사건(事件)[사:껀]', '물건(物件)[물건]'의 '건(件)'처럼 같은 한자라도 된소리로 발음하는 것과 그렇지 않은 것이 함께 있을 수 있으며, '과(科)', '법(法)'처럼 뒤에 올 때 항상 된소리로 발음되는 한자도 있어. 따라서 한자가 된소리로 발음되는 경우에는 사전에 그 발음을 표시하고 있어.

제26항 한자어에서, 'ㄹ' 받침 뒤에 연결되는 'ㄷ, ㅅ, ㅈ'은 된소리로 발음한다.

갈등[갈뜽]	발동[발똥]	절도[절또]	말살[말쌀]
불소[불쏘](弗素)	일시[일씨]	갈증[갈쯩]	물질[물찔]
발전[발쩐]	몰상식[몰쌍식]	불세출[불쎄출]	

다만, 같은 한자가 겹쳐진 단어의 경우에는 된소리로 발음하지 않는다.●

허허실실[허허실실](虛虛實實)　　절절-하다[절절하다](切切-)

● 같은 한자가 겹쳐진 경우에는 앞 형태소의 'ㄹ' 받침 다음에 뒤 형태소의 첫소리 'ㄷ, ㅅ, ㅈ'이 이어지더라도 된소리로 발음하지 않는다.

❷ 음의 첨가

'ㄴ' 첨가

(1) 앞말이 자음으로 끝나고 뒷말의 첫음절이 '이, 야, 여, 요, 유'로 시작하는 경우에는 뒷말의 초성 자리에 'ㄴ'이 첨가되어 소리 난다.

② 뒷말의 첫음절이 '이'로 시작하면
솜 + 이불 → [솜:니불]
① 앞말이 자음으로 끝나고　③ 'ㄴ'이 첨가됨.

② 뒷말의 첫음절이 '여'로 시작하면
한 + 여름 → [한녀름]
① 앞말이 자음으로 끝나고　③ 'ㄴ'이 첨가됨.

(2) 유음화에 따라 받침 'ㄹ' 뒤에 'ㄴ'이 첨가되면 'ㄴ'이 [ㄹ]로 바뀌어 소리 난다.

② 첨가된 'ㄴ'은　③ [ㄹ]로 바뀜.
들일[들:닐 → 들:릴]
① 받침 'ㄹ' 뒤에

② 첨가된 'ㄴ'은　③ [ㄹ]로 바뀜.
휘발유[휘발뉴 → 휘발류]
① 받침 'ㄹ' 뒤에

알아 둘 것 '수원역'은 [수원녁]으로 발음하지만, '서울역'과 같이 'ㄹ' 받침 뒤에 첨가되는 'ㄴ'은 [ㄹ]로 바뀌어 [서울력]으로 발음하는 거야.

(3) 두 단어를 이어서 한 마디로 발음하는 경우에도 'ㄴ' 첨가가 일어나는 발음을 인정한다.

예 한 일[한닐]　　서른여섯[서른녀섣]　　먹은 엿[머근녇]

제29항 합성어 및 파생어에서, 앞 단어나 접두사의 끝이 자음이고 뒤 단어나 접미사의 첫음절이 '이, 야, 여, 요, 유'인 경우에는, 'ㄴ' 음을 첨가하여 [니, 냐, 녀, 뇨, 뉴]로 발음한다.

솜-이불[솜:니불]	홑-이불[혼니불]	막-일[망닐]	삯-일[상닐]
맨-입[맨닙]	꽃-잎[꼰닙]	내복-약[내:봉냑]	한-여름[한녀름]
남존-여비[남존녀비]	신-여성[신녀성]	색-연필[생년필]	직행-열차[지캥녈차]
늑막-염[능망념]	콩-엿[콩녇]	담-요[담:뇨]	눈-요기[눈뇨기]
영업-용[영엄뇽]	식용-유[시굥뉴]	국민-윤리[궁민뉼리]	밤-윷[밤:뉻]

다만, 다음과 같은 말들은 'ㄴ' 음을 첨가하여 발음하되, 표기대로 발음할 수 있다.

이죽-이죽[이중니죽/이주기죽]　　야금-야금[야금냐금/야그마금]
검열[검:녈/거:멸]　　욜랑-욜랑[욜랑뇰랑/욜랑욜랑]　　금융[금늉/그뮹]

[붙임 1] 'ㄹ' 받침 뒤에 첨가되는 'ㄴ' 음은 [ㄹ]로 발음한다.●

들-일[들:릴]	솔-잎[솔립]	설-익다[설릭따]
물-약[물략]	불-여우[불려우]	서울-역[서울력]
물-엿[물렫]	휘발-유[휘발류]	유들-유들[유들류들]

● [붙임 1]은 유음화 현상이 적용된 규정이다. 'ㄴ'이 'ㄹ'의 앞이나 뒤에서 'ㄹ'로 변하는 유음화 현상에 따라 '들일'은 '[들:닐] → [들:릴]'로 소리 난다.

[붙임 2] 두 단어를 이어서 한 마디로 발음하는 경우에도 이에 준한다.

한 일[한닐]	할 일[할릴]	옷 입다[온닙따]
잘 입다[잘립따]	서른여섯[서른녀섣]	스물여섯[스물려섣]
3연대[삼년대]	먹은 엿[머근녇]	먹을 엿[머글렫]

다만, 다음과 같은 단어에서는 'ㄴ(ㄹ)' 음을 첨가하여 발음하지 않는다.

6 · 25[유기오]　　3 · 1절[사밀쩔]　　송별-연[송:벼련]　　등-용문[등용문]

국어 문법 100% 공략을 위한 2단계 트레이닝

정답과 해설 26쪽

1단계 기본 트레이닝

표준 발음법 **빈칸에 들어갈 알맞은 말을 쓰시오.**

01 받침 '(　　,　　)'은 조사나 접미사의 모음 'ㅣ' 앞에서 [ㅈ, ㅊ](으)로 바뀌어 소리 난다.

02 받침으로 쓰이는 파열음 'ㄱ, ㄷ, ㅂ'이 비음 'ㅁ, ㄴ'으로 시작하는 형태소와 만나면, 각각 동일한 조음 위치에서 발음되는 비음 [　　,　　,　　](으)로 바뀌어 소리 난다.

03 한자어에서 받침 '(　　　　)' 뒤에 결합하는 자음 'ㄷ, ㅅ, ㅈ'은 된소리로 발음한다.

04 앞말이 자음으로 끝나고 뒷말의 첫음절이 모음 '이, 야, 여, 요, 유'로 시작하는 경우에는 뒷말의 초성 자리에 '(　　　　)'이 첨가되어 소리 난다.

음의 동화 **다음 단어의 발음으로 적절한 것을 고르시오.**

05 협력[혐녁/협녁]　　백리[백니/뱅니]

06 흙만[흑만/홍만]　　옷맵시[온맵시/온맵씨]

07 밥물[밤물/밥물]　　앞마당[암마당/압마당]

08 굳이[구디/구지]　　미닫이[미:다디/미:다지]

09 대관령[대:괄녕/대:괄령]　　줄넘기[줄넘끼/줄럼끼]

10 옷 맞추다[온맏추다/옫맏추다]
값 매기다[감매기다/갑매기다]

된소리되기 **다음 단어의 발음을 쓰시오.**

11 갈등[　　　　]　　물질[　　　　]

12 발전[　　　　]　　몰상식[　　　　]

13 불세출[　　　　]　　허허실실[　　　　]

음의 첨가 **다음 단어의 발음이 맞으면 ○, 틀리면 × 표시를 하시오.**

14 물엿[물녇] (　　)　　휘발유[휘발유] (　　)

15 할 일[할릴] (　　)　　먹을 엿[머글렫] (　　)

16 맨입[맨닙] (　　)　　담요[담:뇨] (　　)

17 홑이불[혼니불] (　　)　　막일[망닐] (　　)

18 신여성[신녀성] (　　)　　색연필[생년필] (　　)

19 한여름[한려름] (　　)　　내복약[내:복냑] (　　)

20 국민 윤리[궁민뉼리] (　　)　　식용유[시공유] (　　)

2단계 실전 트레이닝

[21~22] 다음은 표준 발음법의 규정 중 일부이다. 물음에 답하시오.

> 제8항 받침소리로는 'ㄱ, ㄴ, ㄷ, ㄹ, ㅁ, ㅂ, ㅇ'의 7개 자음만 발음한다.
> 제17항 받침 'ㄷ, ㅌ(ㄾ)'이 조사나 접미사의 모음 'ㅣ'와 결합되는 경우에는, [ㅈ, ㅊ]으로 바꾸어서 뒤 음절 첫소리로 옮겨 발음한다.
> 제18항 받침 'ㄱ(ㄲ, ㅋ, ㄳ, ㄺ), ㄷ(ㅅ, ㅆ, ㅈ, ㅊ, ㅌ, ㅎ), ㅂ(ㅍ, ㄼ, ㄿ, ㅄ)'은 'ㄴ, ㅁ' 앞에서 [ㅇ, ㄴ, ㅁ]으로 발음한다.
> 제19항 받침 'ㅁ, ㅇ' 뒤에 연결되는 'ㄹ'은 [ㄴ]으로 발음한다.
> 제20항 'ㄴ'은 'ㄹ'의 앞이나 뒤에서 [ㄹ]로 발음한다.

21 위 표준 발음법의 각 조항에서 설명하는 음운 변동 현상이 잘못 연결된 것은?

① 제8항: 음절의 끝소리 규칙
② 제17항: 구개음화
③ 제18항: 비음화
④ 제19항: 된소리되기
⑤ 제20항: 유음화

22 위 표준 발음법에서 각 조항의 구체적인 사례로 제시할 수 있는 단어로 적절하지 않은 것은?

① 외곬　　② 심리　　③ 맏형
④ 설날　　⑤ 붙이다

23 〈보기〉의 지하철역 이름에서 공통적으로 일어나는 음운 변동 현상에 대한 사례를 추가할 때 적절한 것은?

〈보기〉
중앙로　　송정리　　명륜동

① 작전　　② 팔당　　③ 대전역
④ 왕십리　　⑤ 성당못

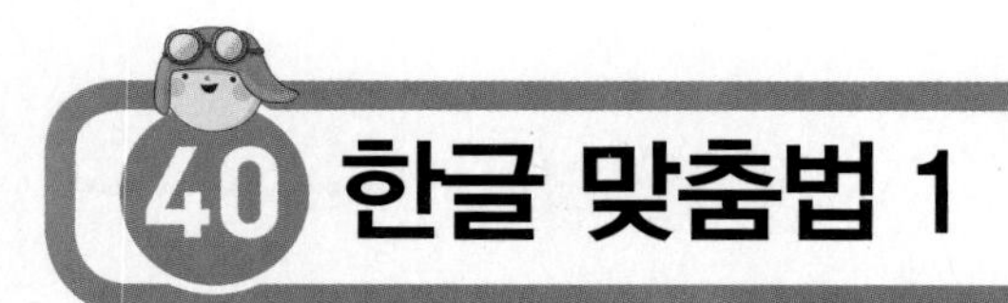

40 한글 맞춤법 1

최근 5개년 출제 지수 ●●●○○

❶ 한글 맞춤법의 원칙

총칙

한글 맞춤법은 쓰기의 편의를 고려하여 표준어를 소리대로 적고, 단어의 뜻을 쉽게 파악하기 위하여 어법에 맞게 원형을 밝혀 적는다.

제1항 한글 맞춤법은 표준어를 소리대로 적되, 어법에 맞도록 함을 원칙으로 한다.●

참고 **한글 맞춤법의 특징**
① 표음주의: 자음과 모음의 결합 형식에 의하여 표준어를 소리대로 표기함.
② 표의주의: 각 형태소가 지닌 뜻이 분명히 드러나도록 그 본모양을 밝혀 표기함.

● 한글 맞춤법 제1항에서는 무슨 소리든 자유롭게 표기하는 소리글자의 장점과 한눈에 뜻이 파악되는 뜻글자의 장점이 드러난다.

❷ 자모 字글자자 母어미모

사전에 올릴 때의 자모 순서

자음	ㄱ ㄲ ㄴ ㄷ ㄸ ㄹ ㅁ ㅂ ㅃ ㅅ ㅆ ㅇ ㅈ ㅉ ㅊ ㅋ ㅌ ㅍ ㅎ
모음	ㅏ ㅐ ㅑ ㅒ ㅓ ㅔ ㅕ ㅖ ㅗ ㅘ ㅙ ㅚ ㅛ ㅜ ㅝ ㅞ ㅟ ㅠ ㅡ ㅢ ㅣ
받침 글자	ㄱ ㄲ ㄳ ㄴ ㄵ ㄶ ㄷ ㄹ ㄺ ㄻ ㄼ ㄽ ㄾ ㄿ ㅀ ㅁ ㅂ ㅄ ㅅ ㅆ ㅇ ㅈ ㅊ ㅋ ㅌ ㅍ ㅎ

❸ 된소리

된소리의 표기 원칙

(1) 두 모음 사이에서 뚜렷한 까닭 없이 나는 된소리●는 그대로 된소리로 적는다.

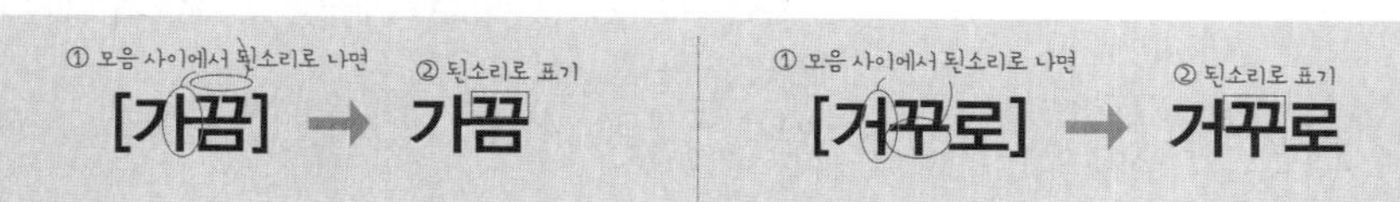

● '뚜렷한 까닭 없이 나는 된소리'는 된소리되기가 일어날 환경이 아님에도 불구하고 된소리가 나는 경우를 말하는 것이다. 된소리되기는 'ㄱ, ㄷ, ㅂ' 받침 뒤, 어간의 끝소리 'ㄴ, ㅁ' 뒤에서 일어나므로, 그 밖의 경우에 일어나는 된소리는 까닭 없이 나는 것이라 할 수 있다.

(2) 받침 'ㄴ, ㄹ, ㅁ, ㅇ' 뒤에서 뚜렷한 까닭 없이 나는 된소리는 그대로 된소리로 적는다.

알아 둘 것 받침 'ㄴ, ㄹ, ㅁ, ㅇ' 뒤에서 된소리가 나더라도 그 단어가 한자어라면 한자어 그대로 적어야 해. 예를 들어, '결단, 성과'는 [결딴], [성꽈]로 소리 나지만 '결단, 성과'로 적어야 해.

(3) 'ㄱ, ㅂ' 받침 뒤에서 나는 된소리는 같은 음절이나 비슷한 음절이 겹쳐 날 때에만 된소리로 적는다.

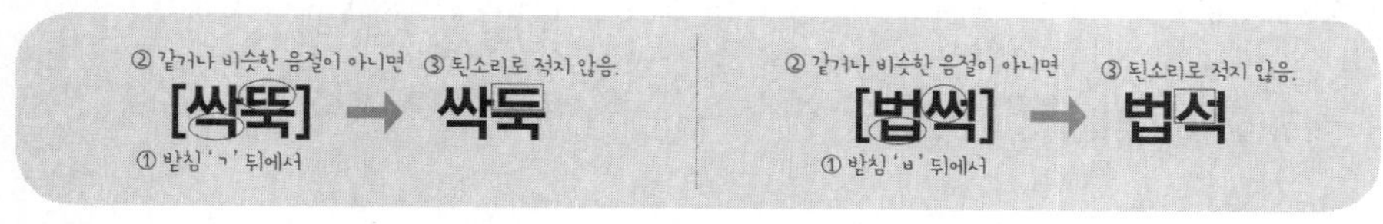

알아 둘 것 받침 'ㄱ, ㅂ' 뒤에서는 된소리로 나더라도 된소리로 적지 않기로 하였어. 하지만 '똑똑(-하다), 쓱싹(-쓱싹), 씁쓸(-하다)'처럼 하나의 형태소 내부에서 같은 음절이나 비슷한 음절이 되풀이되는 경우에는 된소리로 적는다는 것을 기억하자.

제5항 한 단어 안에서 뚜렷한 까닭 없이 나는 된소리는 다음 음절의 첫소리를 된소리로 적는다.

1. 두 모음 사이에서 나는 된소리
   소쩍새 어깨 오빠 으뜸 아끼다 기쁘다 깨끗하다
2. 'ㄴ, ㄹ, ㅁ, ㅇ' 받침 뒤에서 나는 된소리
   산뜻하다 잔뜩 살짝 훨씬 담뿍 움찔 몽땅 엉뚱하다

다만, 'ㄱ, ㅂ' 받침 뒤에서 나는 된소리는, 같은 음절이나 비슷한 음절이 겹쳐 나는 경우가 아니면 된소리로 적지 아니한다.
   국수 깍두기 딱지 색시 갑자기 몹시

4 모음 표기

1. [ㅔ]로 발음되는 모음의 표기 원칙

'계, 례, 몌, 폐, 혜'의 'ㅖ'는 [ㅔ]로 소리 나는 경우가 있더라도 'ㅖ'로 적는다. 단, '偈(쉴 게), 揭(들 게), 憩(쉴 게)'는 본음대로 '게'로 적는다.

① [ㅔ]로 소리 나더라도
핑계[핑계/핑게] → 핑계
② 'ㅖ'로 적음.

① [ㅔ]로 소리 나더라도
폐품[폐ː품/페ː품] → 폐품
② 'ㅖ'로 적음.

제8항 '계, 례, 몌, 폐, 혜'의 'ㅖ'는 'ㅔ'로 소리 나는 경우가 있더라도 'ㅖ'로 적는다. (ㄱ을 취하고, ㄴ을 버림.)

ㄱ	ㄴ	ㄱ	ㄴ
계수(桂樹)	게수	혜택(惠澤)	헤택
사례(謝禮)	사레	계집	게집

다만, 다음 말은 본음대로 적는다.
계송(偈頌) 게시판(揭示板) 휴게실(休憩室)

> **참고** '으레'와 '케케묵다'
> '계, 례, 몌, 폐, 혜'의 'ㅖ'가 단모음화하여 굳어진 경우에는 'ㅔ'로 적는다. 그 대표적인 예로는 '으레, 케케묵다' 등이 있다.

2. 'ㅢ'의 표기 원칙

'ㅢ'는 [ㅣ]나 [ㅔ]로 발음되더라도 'ㅢ'로 적는다.•

의의[의ː의/의ː이]
단어의 첫음절 이외의 '의'는 [이]로 소리 나더라도 '의'로 적음.

희망[히망]
자음을 첫소리로 가지고 있는 음절의 '의'는 [ㅣ]로 소리 나더라도 'ㅢ'로 적음.

제9항 '의'나, 자음을 첫소리로 가지고 있는 음절의 'ㅢ'는 'ㅣ'로 소리 나는 경우가 있더라도 'ㅢ'로 적는다. (ㄱ을 취하고, ㄴ을 버림.)

ㄱ	ㄴ	ㄱ	ㄴ
의의(意義)	의이	늴큼	닝큼
본의(本義)	본이	띄어쓰기	띠어쓰기
무늬[紋]	무니	씌어	씨어
하늬바람	하니바람	희다	히다
늴리리	닐리리	유희(遊戲)	유히

• 현실적으로 'ㅢ'와 'ㅣ', 'ㅢ'와 'ㅔ'가 각기 구별되는 점이 있고, 발음 변화의 추세를 표기에 그대로 반영할 수 없기에 'ㅢ'가 [ㅣ]나 [ㅔ]로 발음되는 경향이 있더라도 'ㅢ'로 적기로 한 것이다.

5 두음 법칙 頭머리두 音소리음 法법법 則법칙칙

두음 법칙의 표기 원칙

(1) 한자어 첫머리에 오는 'ㄴ, ㄹ'이 'ㅑ, ㅕ, ㅛ, ㅠ, ㅣ'와 결합하면 'ㄴ, ㄹ'이 탈락하고, 'ㄹ'이 'ㅏ, ㅐ, ㅗ, ㅚ, ㅜ, ㅡ'와 결합하면 'ㄹ'을 'ㄴ'으로 적는다.

① 단어의 첫머리에 오는 'ㄴ'이
녀자 → 여자(女子)
② 'ㅕ'와 결합하면 ③ 탈락함.

① 단어의 첫머리에 오는 'ㄹ'이
래일 → 내일(來日)
② 'ㅐ'와 결합하면 ③ 'ㄴ'이 됨.

(2) 접두사처럼 쓰이는 한자가 붙어서 된 말이나 합성어에서, 뒷말의 첫소리가 [ㄴ] 또는 [ㄹ] 소리로 나더라도 두음 법칙에 따라 적는다.

> **알아 둘 것!** 단어의 첫머리 이외에 오는 한자음의 'ㄹ'은 본음대로 적는 것이 원칙이야.
> 예 혼례(婚禮), 하류(下流)

② 뒷말의 첫소리가 'ㄴ'이면 ③ 두음 법칙이 적용됨.
신녀성 → 신여성(新女性)
① 접두사처럼 쓰이는 한자가 붙어도

② 뒷말의 첫소리가 'ㄹ'이면 ③ 두음 법칙이 적용됨.
열력학 → 열역학(熱力學)
① 합성어에서도

(3) 모음이나 받침 'ㄴ' 뒤에 이어지는 '렬, 률'은 '열, 율'로 적는다.

② '열'로 적음.
비열(卑劣)
① 모음 뒤에서

② '율'로 적음.
백분율(百分率)
① 받침 'ㄴ' 뒤에서

제10항 한자음 '녀, 뇨, 뉴, 니'가 단어 첫머리에 올 적에는, 두음 법칙에 따라 '여, 요, 유, 이'로 적는다. (ㄱ을 취하고, ㄴ을 버림.)

ㄱ	ㄴ	ㄱ	ㄴ
여자(女子)	녀자	요소(尿素)	뇨소
유대(紐帶)	뉴대	익명(匿名)	닉명

다만, 다음과 같은 의존 명사에서는 '냐, 녀' 음을 인정한다.
냥(兩) 냥쭝(兩–) 년(年) (몇 년)

[붙임 1] 단어의 첫머리 이외의 경우에는 본음대로 적는다.
남녀(男女) 당뇨(糖尿) 결뉴(結紐) 은닉(隱匿)

[붙임 2] 접두사처럼 쓰이는 한자가 붙어서 된 말이나 합성어에서, 뒷말의 첫소리가 'ㄴ' 소리로 나더라도 두음 법칙에 따라 적는다.
신여성(新女性) 공염불(空念佛) 남존여비(男尊女卑)

제11항 한자음 '랴, 려, 례, 료, 류, 리'가 단어의 첫머리에 올 적에는, 두음 법칙에 따라 '야, 여, 예, 요, 유, 이'로 적는다. (ㄱ을 취하고, ㄴ을 버림.)

ㄱ	ㄴ	ㄱ	ㄴ
양심(良心)	량심	예의(禮儀)	례의
역사(歷史)	력사	용궁(龍宮)	룡궁

다만, 다음과 같은 의존 명사는 본음대로 적는다.
리(里): 몇 리냐? 리(理): 그럴 리가 없다.

[붙임 1] 단어의 첫머리 이외의 경우에는 본음대로 적는다.
개량(改良) 선량(善良) 수력(水力) 협력(協力) 사례(謝禮) 쌍룡(雙龍)•

다만, 모음이나 'ㄴ' 받침 뒤에 이어지는 '렬, 률'은 '열, 율'로 적는다. (ㄱ을 취하고, ㄴ을 버림.)

ㄱ	ㄴ	ㄱ	ㄴ
나열(羅列)	나렬	비열(卑劣)	비렬
치열(齒列)	치렬	규율(規律)	규률

[붙임 4] 접두사처럼 쓰이는 한자가 붙어서 된 말이나 합성어에서, 뒷말의 첫소리가 'ㄴ' 또는 'ㄹ' 소리로 나더라도 두음 법칙에 따라 적는다.
역이용(逆利用) 연이율(年利率) 열역학(熱力學) 해외여행(海外旅行)

제12항 한자음 '라, 래, 로, 뢰, 루, 르'가 단어의 첫머리에 올 적에는, 두음 법칙에 따라 '나, 내, 노, 뇌, 누, 느'로 적는다. (ㄱ을 취하고, ㄴ을 버림.)

ㄱ	ㄴ	ㄱ	ㄴ
낙원(樂園)	락원	노인(老人)	로인
내일(來日)	래일	뇌성(雷聲)	뢰성

[붙임 2] 접두사처럼 쓰이는 한자가 붙어서 된 단어는 뒷말을 두음 법칙에 따라 적는다.
내내월(來來月) 상노인(上老人) 중노동(重勞動) 비논리적(非論理的)

참고 두음 법칙의 적용을 받지 않는 경우

① 의존 명사는 그 의존성을 고려하여 두음 법칙을 적용하지 않고 본음대로 적는다.
예 냥(兩), 냥쭝(兩–), 몇 년(年), 몇 리(里), 그럴 리(理)가 없다.

② 외자로 된 이름을 성에 붙여 쓸 경우에는 본음대로 표기가 가능하다.
예 신립(申砬), 최린(崔麟), 채륜(蔡倫), 하륜(河崙)

③ 준말에서 본음으로 소리 나는 것은 본음대로 적는다.
예 국련(국제연합), 교련(교육연합회)

④ 사람들의 발음 습관이 본음의 형태로 굳어져 있는 것은 본음대로 적는다.
예 미립자(微粒子), 수류탄(手榴彈), 파렴치(破廉恥)

⑤ '릉(陵)', '란(欄)'이 한자 뒤에 붙을 때는 본음대로 적는다.
예 강릉(江陵), 태릉(泰陵), 서오릉(西五陵), 공란(空欄), 답란(答欄), 투고란(投稿欄)

• '쌍룡(雙龍)'에 대해서는, 각기 하나의 명사로 다루어지는 '쌍'(한 쌍, 두 쌍, ……)과 '용'이 결합한 구조이므로 '쌍용'으로 적어야 한다는 견해도 있었다. 그러나 '쌍룡'의 '쌍'은 수량 단위를 표시하는 것이 아니며 '쌍룡'이 하나의 단어로 굳어져 쓰이고 있으므로, '쌍용'이 아닌 '쌍룡'으로 적기로 한 것이다.

국어 문법 100% 공략을 위한 **2단계 트레이닝**

정답과 해설 27쪽

1단계 기본 트레이닝

한글 맞춤법 **빈칸에 들어갈 알맞은 말을 쓰시오.**

01 한글 맞춤법은 (　　　　)을/를 소리대로 적되 (　　　　)에 맞도록 한다고 규정하고 있다.

02 이중 모음 'ㅖ'는 [　　　　](으)로 소리 나더라도 'ㅖ'로 적는다.

03 접두사처럼 쓰이는 한자가 결합하여 된 단어나 두 개 이상의 단어가 결합하여 된 합성어에서, 뒷말의 첫소리가 'ㄴ' 또는 'ㄹ' 소리로 나더라도 (　　　　)에 따라 적는다.

04 (　　　　)(이)나 받침 '(　　　　)' 뒤에 이어지는 '렬', '률'은 '열', '율'로 적는다.

된소리 표기 **다음 단어 중 맞춤법에 맞는 것을 고르시오.**

05 (싹삭, 싹싹)　　**06** (똑닥, 똑딱)

07 (쌉살하다, 쌉쌀하다)　　**08** (짭잘하다, 짭짤하다)

09 (싹둑, 싹뚝)　　**10** (법석, 법썩)

11 (소쩍새, 솥적새)　　**12** (잔득, 잔뜩)

13 (깍두기, 깍뚜기)　　**14** (색시, 색씨)

15 (거꾸로, 꺼꾸로)　　**16** (이따금, 잇다금)

모음 표기 **다음 단어 중 맞춤법에 맞는 것을 고르시오.**

17 (헤택, 혜택)　　**18** (핑게, 핑계)

19 (페품, 폐품)　　**20** (게시다, 계시다)

21 (으레, 으례)　　**22** (휴게실, 휴계실)

23 (게시판, 계시판)　　**24** (케케묵다, 켸켸묵다)

두음 법칙 **다음 단어 중 맞춤법에 맞는 것을 고르시오.**

25 (비률, 비율)　　**26** (선률, 선율)

27 (서렬, 서열)　　**28** (균렬, 균열)

29 (비렬, 비열)　　**30** (백분률, 백분율)

31 (신녀성, 신여성)　　**32** (실낙원, 실락원)

33 (공념불, 공염불)　　**34** (사륙신, 사육신)

2단계 실전 트레이닝

35 **〈보기〉의 한글 맞춤법 규정에 어긋나는 것은?**

〈보기〉

'ㄱ, ㅂ' 받침 뒤에서 나는 된소리는, 같은 음절이나 비슷한 음절이 겹쳐 나는 경우가 아니면 된소리로 적지 아니한다.

① 늑대　② 접시　③ 몹시　④ 국밥　⑤ 납짝

36 **〈보기 1〉의 한글 맞춤법 규정과 〈보기 2〉의 표준 발음법을 바탕으로 ㉠~㉢을 바르게 발음한 것은?**

〈보기 1〉

제9항 '의'나, 자음을 첫소리로 가지고 있는 음절의 'ㅢ'는 'ㅣ'로 소리 나는 경우가 있더라도 'ㅢ'로 적는다.

〈보기 2〉

- 자음을 첫소리로 가지고 있는 음절의 'ㅢ'는 [ㅣ]로 발음한다.
- 단어의 첫음절 이외의 '의'는 [ㅣ]로, 조사 '의'는 [ㅔ]로 발음함도 허용한다.

저 ㉠ 문의 ㉡ 무늬가 무엇인지 전문가에게 ㉢ 문의했다.

	㉠	㉡	㉢
①	[무늬]	[무늬]	[무:니]
②	[무늬]	[무늬]	[무:늬]
③	[무네]	[무니]	[무:늬]
④	[무니]	[무니]	[무:늬]
⑤	[무니]	[무늬]	[무:니]

37 **밑줄 친 말이 〈보기〉의 한글 맞춤법 규정에 어긋나는 것은?**

〈보기〉

제11항 한자음 '랴, 려, 례, 료, 류, 리'가 단어의 첫머리에 올 적에는, 두음 법칙에 따라 '야, 여, 예, 요, 유, 이'로 적는다.

다만, 모음이나 'ㄴ' 받침 뒤에 이어지는 '렬, 률'은 '열, 율'로 적는다.

① 그는 누구보다 예의가 바른 사람이다.
② 토끼는 꾀를 내어 용궁에서 빠져나왔다.
③ 박물관에는 시대별 문화재가 일렬로 전시되어 있다.
④ 계속되는 야근으로 피곤이 쌓여 일의 능률이 떨어진다.
⑤ 클래식은 환상적이면서 아름다운 선률들로 이루어진다.

41 한글 맞춤법 2

최근 5개년 출제 지수 ●●●●○

❶ 체언과 조사, 어간과 어미

1. 체언과 조사, 어간과 어미의 구별

체언과 조사, 용언의 어간과 어미는 구별하여 적는다.•

예
이 꽃이
꽃 + 을 = 꽃을
에 꽃에

–고 높고
높– + –아 = 높아
–으니 높으니

• 실질 형태소인 체언이나 어간의 원래 형태를 유지하고 그 뒤에 다양한 조사나 어미를 붙인다는 규정이다. 체언과 조사, 어간과 어미를 분명히 구별하여 각각의 형태를 밝혀 적어야 의미 파악이 쉽기 때문이다.

2. '-오'와 '-요'의 구별

종결형에 사용될 때는 어미 '–오'로 적고, 문장을 연결할 때는 '–(이)요'로 적는다.

예 이것은 우리의 소망이오.
이것은 우리의 소망이요, 우리의 희망이다.

참고 종결 어미 '–오'와 조사 '요'
종결 어미 '–오'는 단어의 일부이므로 생략할 수 없지만 조사 '요'는 독립성이 있는 단어이므로 생략이 가능하다. 예를 들어 '어서 오십시오'에서는 어미 '–오'를 생략하여 '어서 오십시'로 사용할 수 없지만, '예쁘군요'에서는 조사 '요'를 생략하여 '예쁘군'이라고 할 수 있다.

제15항 [붙임 2] 종결형에서 사용되는 어미 '–오'는 '요'로 소리 나는 경우가 있더라도 그 원형을 밝혀 '오'로 적는다. (ㄱ을 취하고, ㄴ을 버림.)

ㄱ	ㄴ
이것은 책이오.	이것은 책이요.
이리로 오시오.	이리로 오시요.
이것은 책이 아니오.	이것은 책이 아니요.

[붙임 3] 연결형에서 사용되는 '이요'는 '이요'로 적는다. (ㄱ을 취하고, ㄴ을 버림.)

ㄱ	ㄴ
이것은 책이요, 저것은 붓이요, 또 저것은 먹이다.	이것은 책이오, 저것은 붓이오, 또 저것은 먹이다.

❷ 접미사가 붙어서 된 말

접미사가 결합하는 단어의 표기법

(1) 접미사 '–이', '–음/–ㅁ'이 붙어 명사가 되거나 '–이', '–히'가 붙어 부사가 되는 경우에는 원형을 밝혀 적는다.•

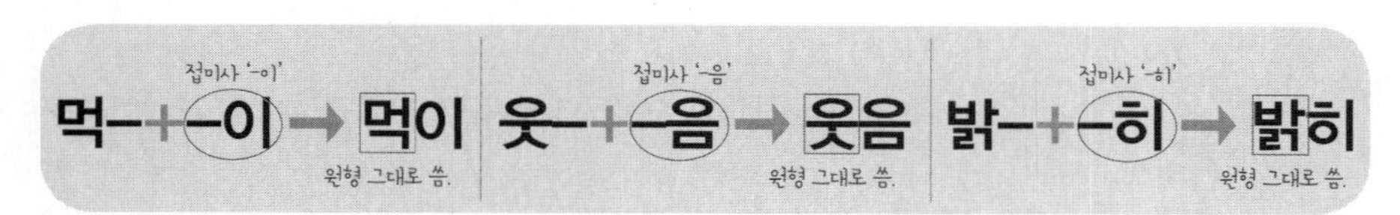

• 명사화 접미사 '–이, –음/–ㅁ'이나 부사화 접미사 '–이, –히'는 비교적 널리 여러 어간에 결합하며, 이때 어간의 뜻이 그대로 유지된다.

(2) 자음으로 시작되는 접미사가 붙은 경우에는 명사나 어간의 원형을 밝혀 적는다.

(3) 본뜻에서 멀어진 경우에는 소리 나는 대로 적는다.

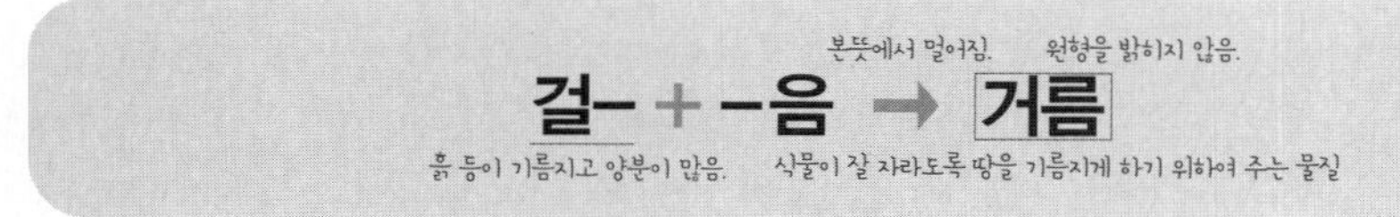

(4) '–이'나 '–음' 이외의 모음으로 시작된 접미사가 붙어 품사가 바뀐 경우는 원형을 밝혀 적지 않는다.

제19항 어간에 '–이'나 '–음/–ㅁ'이 붙어서 명사로 된 것과 '–이'나 '–히'가 붙어서 부사로 된 것은 그 어간의 원형을 밝히어 적는다.

1. '–이'가 붙어서 명사로 된 것
   길이 깊이 높이 다듬이 땀받이 달맞이
2. '–음/–ㅁ'이 붙어서 명사로 된 것
   걸음 묶음 믿음 얼음 엮음 울음
3. '–이'가 붙어서 부사로 된 것
   같이 굳이 길이 높이 많이 실없이
4. '–히'가 붙어서 부사로 된 것
   밝히 익히 작히

다만, 어간에 '–이'나 '–음'이 붙어서 명사로 바뀐 것이라도 그 어간의 뜻과 멀어진 것은 원형을 밝히어 적지 아니한다.
굽도리 다리(髢) 목거리(목병) 코끼리 거름(비료) 노름(도박)

[붙임] 어간에 '–이'나 '–음' 이외의 모음으로 시작된 접미사가 붙어서 다른 품사로 바뀐 것은 그 어간의 원형을 밝히어 적지 아니한다.
귀머거리(명사로 바뀐 것) 너무(부사로 바뀐 것) 나마(조사로 바뀌어 뜻이 달라진 것)•

● 동사 '남다'의 어간 '남–'에 '–아'가 붙은 '남아'가 형식 형태소인 조사로 쓰이므로 소리 나는 대로 적는 것이다.

제21항 명사나 혹은 용언의 어간 뒤에 자음으로 시작된 접미사가 붙어서 된 말은 그 명사나 어간의 원형을 밝히어 적는다.

1. 명사 뒤에 자음으로 시작된 접미사가 붙어서 된 것
   값지다 홑지다 넋두리 빛깔 옆댕이 잎사귀
2. 어간 뒤에 자음으로 시작된 접미사가 붙어서 된 것
   낚시 늙정이 덮개 뜯게질 갉작갉작하다 굵다랗다

다만, 다음과 같은 말은 소리대로 적는다.
(1) 겹받침의 끝소리가 드러나지 아니하는 것•
할짝거리다 널따랗다 널찍하다 말끔하다
(2) 어원이 분명하지 아니하거나 본뜻에서 멀어진 것
넙치 올무 골막하다 납작하다

● 겹받침에서 뒤의 것이 발음되는 경우에는 그 어간의 형태를 밝히어 적고, 앞의 것만 발음되는 경우에는 어간의 형태를 밝히지 않고 소리 나는 대로 적는다. 예를 들어, '굵다랗다[국:–], 긁적거리다[극–], 늙수그레하다[늑–]' 등은 어간의 형태를 밝히어 적지만, 제21항 '다만'의 '할짝거리다, 말끔하다'는 어간의 형태(핥–, 맑–)를 밝히지 않고 소리 나는 대로 적는다.

제23항 '–하다'나 '–거리다'가 붙는 어근에 '–이'가 붙어서 명사가 된 것은 그 원형을 밝히어 적는다. (ㄱ을 취하고, ㄴ을 버림.)

ㄱ	ㄴ	ㄱ	ㄴ
꿀꿀이	꿀꾸리	살살이	살사리
눈깜짝이	눈깜짜기	오뚝이	오뚜기

[붙임] '–하다'나 '–거리다'가 붙을 수 없는 어근에 '–이'나 또는 다른 모음으로 시작되는 접미사가 붙어서 명사가 된 것은 그 원형을 밝히어 적지 아니한다.
개구리 귀뚜라미 기러기 깍두기 꽹과리

제24항 '–거리다'가 붙을 수 있는 시늉말 어근에 '–이다'가 붙어서 된 용언은 그 어근을 밝히어 적는다. (ㄱ을 취하고, ㄴ을 버림.)

ㄱ	ㄴ	ㄱ	ㄴ
깜짝이다	깜짜기다	속삭이다	속사기다
꾸벅이다	꾸버기다	숙덕이다	숙더기다

❸ 합성어나 접두사가 붙어서 된 말

합성어나 접두사가 결합하는 단어의 표기법

둘 이상의 단어가 어울리거나 접두사가 붙어서 이루어진 말은 각각 그 원형을 밝혀 적는다. 다만 다음과 같은 경우에 주의해야 한다.

(1) 어원은 분명하나 소리만 특이하게 변한 것은 변한 대로 적는다.

소리가 특이하게 변함.
한아버지 → 할아버지
옛말에서는 '크다'의 의미 / 변한 대로 적음.

(2) 어원이 분명하지 아니한 것은 원형을 밝혀 적지 않는다.

발음이 달라 어원이 같다고 볼 수 없음.
몇 + 일[면닐] ≠ 며칠
어원이 불분명하여 원형을 밝힐 수 없음.

(3) '이[齒, 虱]'가 합성어나 이에 준하는 말에서 [니] 또는 [리]로 소리 날 때 '니'로 표기한다.

덧- + 이[던니] → 덧니 ([니]로 소리 남. / '니'로 표기)
틀 + 이[틀리] → 틀니 ([리]로 소리 남. / '니'로 표기)

(4) 끝소리가 'ㄹ'인 말과 딴 말이 어울릴 적에 [ㄹ] 소리가 나지 않는 것은 'ㄹ'을 적지 않는다.

솔 + 나무 → 소나무 ([ㄹ] 소리가 나지 않음.)
울- + 짖다 → 우짖다 ([ㄹ]소리가 나지 않음.)

(5) 끝소리가 'ㄹ'인 말과 딴 말이 어울릴 적에 [ㄹ] 소리가 [ㄷ] 소리로 나는 것은 'ㄷ'으로 표기한다.

설 + 달 → 섣달 ([ㄷ] 소리로 남.)
술 + 가락 → 숟가락 ([ㄷ] 소리로 남.)

제27항 둘 이상의 단어가 어울리거나 접두사가 붙어서 이루어진 말은 각각 그 원형을 밝히어 적는다.
국말이 꺾꽂이 꽃잎 끝장 물난리 시꺼멓다 싯누렇다 엇나가다

[붙임 1] 어원은 분명하나 소리만 특이하게 변한 것은 변한 대로 적는다.
할아버지 할아범

[붙임 2] 어원이 분명하지 아니한 것은 원형을 밝히어 적지 아니한다.
골병 골탕 끌탕 며칠 아재비 오라비 업신여기다 부리나케

[붙임 3] '이[齒, 虱]'가 합성어나 이에 준하는 말에서 '니' 또는 '리'로 소리 날 때에는 '니'로 적는다.
간니 덧니 사랑니 송곳니 앞니 어금니 젖니 가랑니 머릿니

제28항 끝소리가 'ㄹ'인 말과 딴 말이 어울릴 적에 'ㄹ' 소리가 나지 아니하는 것은 아니 나는 대로 적는다.●
다달이(달-달-이) 따님(딸-님) 마소(말-소) 바느질(바늘-질) 부나비(불-나비)

제29항 끝소리가 'ㄹ'인 말과 딴 말이 어울릴 적에 'ㄹ' 소리가 'ㄷ' 소리로 나는 것은 'ㄷ'으로 적는다.
반짇고리(바느질~) 사흗날(사흘~) 삼짇날(삼질~) 섣달(설~)

참고 어원이 분명하지 않은 말
- 골병: 골(어원 불분명)+병(病)
- 골탕: 곯-+탕(어원 불분명)
- 업신여기다: '없이 여기다.'에서 온 것으로 생각되지만, 'ㄴ' 소리가 첨가될 환경(조건)이 아님.
- 부리나케: '화급(火急)하게'와 대응되므로 '불이 나게'가 바뀐 것으로 볼 수도 있으나, 발음 형태로 볼 때 '불이 낳게'와 결부됨.

알아 둘 것! [니] 또는 [리]로 소리 나는 '이'를 '이'가 아닌 '니'로 표기하는 이유는 다음과 같아. '사랑이, 송곳이, 앞이, 톱이'라고 쓸 경우에는 주격 조사 '이'가 붙은 형태와 구분이 어렵고, '새끼 이'를 이르는 '가랑니'를 '가랑이'로 적으면 '끝이 갈라져 벌어진 부분'을 이르는 '가랑이'와 혼동할 염려가 있기 때문이야.

참고 '숟가락'과 '젓가락'
숟가락은 '술'과 '가락'이 결합되어 만들어진 말이다. 시간이 지나면서 '술'의 'ㄹ'이 'ㄷ'으로 바뀌어 오늘날의 '숟가락'이 되었다. 이에 반해, 젓가락은 '저'와 '가락'이 결합되어 만들어진 말이다. '저'와 '가락' 사이에 사이시옷이 더해지면서 오늘날의 '젓가락'이 되었다.

● 합성어나 자음으로 시작된 접미사가 결합하여 된 파생어의 경우는 실질 형태소의 본 모양을 밝히어 적는다는 원칙에 벗어나는 규정이지만, 역사적인 현상으로서 'ㄹ'이 떨어졌기 때문에 어원적 형태를 밝혀 적지 않는 것이다. 'ㄹ'은 대체로 'ㄴ, ㄷ, ㅅ, ㅈ' 앞에서 탈락하였다.

국어 문법 100% 공략을 위한 **2단계 트레이닝**

정답과 해설 27쪽

1단계 기본 트레이닝

한글 맞춤법 **다음 설명이 맞으면 ○, 틀리면 × 표시를 하시오.**

01 체언과 조사, 어간과 어미가 연결될 때에는 형태를 밝혀 적는다. (　　)

02 용언의 어간에 접미사 '-이, -음/-ㅁ'이 붙어서 된 명사는 원형을 밝혀 적지 않는다. (　　)

03 어원이 분명하지 않거나 본래의 의미에서 멀어진 말들은 원형을 밝혀 적는다. (　　)

04 겹받침에서 뒤의 것이 발음되는 용언은 원형을 밝혀 적는다. (　　)

05 끝소리가 'ㄹ'인 말과 딴 말이 어울릴 적에 [ㄹ] 소리가 나지 아니하는 것은 'ㄹ'을 적지 않는다. (　　)

어미의 구별 **(　) 안에 들어갈 알맞은 말을 다음에서 골라 쓰시오.**

-오	-요	요

06 그대를 사랑하(　　　).

07 새싹이 돋는군(　　　).

08 이것은 말이(　　　), 저것은 소이다.

형태소의 결합 **다음 형태소들이 결합된 형태를 쓰시오.**

09 꽃+에 → (　　　)　　**10** 떡+만 → (　　　)

11 덧-+이 → (　　　)　　**12** 설+달 → (　　　)

13 훑-+-어 → (　　　)　　**14** 깊-+-어서 → (　　　)

15 울-+짖다 → (　　　)　　**16** 많-+-으니 → (　　　)

합성어나 파생어의 원형 표기 **합성어나 파생어의 원형을 밝혀 적었으면 ○, 그렇지 않으면 × 표시를 하시오.**

17 거름 (　)　　**18** 골병 (　)

19 낚시 (　)　　**20** 덮개 (　)

21 많이 (　)　　**22** 너무 (　)

23 무덤 (　)　　**24** 개구리 (　)

25 소나무 (　)　　**26** 아재비 (　)

27 코끼리 (　)　　**28** 부리나케 (　)

2단계 실전 트레이닝

2013학년도 3월 고2 학력평가 B형

29 다음은 '한글 맞춤법'의 일부를 정리한 내용이다. 이를 토대로 한 탐구 학습의 결과로 적절하지 않은 것은?

> Ⅰ. 어간의 원형을 밝혀 적음.
> ㄱ. 어간에 '-이'나 '-음/-ㅁ'이 붙어서 명사로 된 것
> ㄴ. 어간에 '-이'나 '-히'가 붙어서 부사로 된 것
>
> Ⅱ. 어간의 원형을 밝혀 적지 않음.
> ㄱ. 어간에 '-이'나 '-음'이 붙어서 명사로 바뀐 것이라도 그 어간의 뜻과 멀어진 것
> ㄴ. 어간에 '-이'나 '-음/-ㅁ' 이외의 모음으로 시작된 접미사가 붙어서 다른 품사(명사, 부사, 조사)로 바뀐 것

① '길-'에 '-이'가 붙은 '길이'는 Ⅰ의 ㄱ에 해당하겠군.
② '익-'에 '-히'가 붙은 '익히'는 Ⅰ의 ㄴ에 해당하겠군.
③ '알-'에 '-ㅁ'이 붙은 '앎'은 Ⅱ의 ㄱ에 해당하겠군.
④ '잦-'에 '-우'가 붙은 '자주'는 Ⅱ의 ㄴ에 해당하겠군.
⑤ '붙-'에 '-어'가 붙은 '부터'는 Ⅱ의 ㄴ에 해당하겠군.

30 밑줄 친 말이 〈보기〉의 한글 맞춤법 규정에 어긋나는 것은?

> 〈보기〉
> **제27항** 둘 이상의 단어가 어울리거나 접두사가 붙어서 이루어진 말은 각각 그 원형을 밝히어 적는다.
> [붙임 1] 어원은 분명하나 소리만 특이하게 변한 것은 변한 대로 적는다.
> [붙임 2] 어원이 분명하지 아니한 것은 원형을 밝히어 적지 아니한다.
> [붙임 3] '이[齒, 虱]'가 합성어나 이에 준하는 말에서 '니' 또는 '리'로 소리 날 때에는 '니'로 적는다.

① 몇일만 푹 쉬면 괜찮아질 거예요.
② 이젠 나도 많이 늙었으니 할아범 아닌가.
③ 육식 동물은 송곳니로 산 동물을 잡아먹는다.
④ 굶주린 자는 달게 먹고 목마른 자는 달게 마신다.
⑤ 바로 그때 그들의 대화를 몰래 엿듣고 있던 사람이 있었다.

42 한글 맞춤법 3

최근 5개년 출제 지수 ●●●●○

❶ 사이시옷•

1. 사이시옷의 표기 원칙

순우리말로 된 합성어 또는 순우리말과 한자어로 된 합성어로서 앞말이 모음으로 끝난 경우에 다음과 같은 조건에 따라 사이시옷을 받치어 적는다.

(1) 뒷말의 첫소리가 된소리로 날 때•

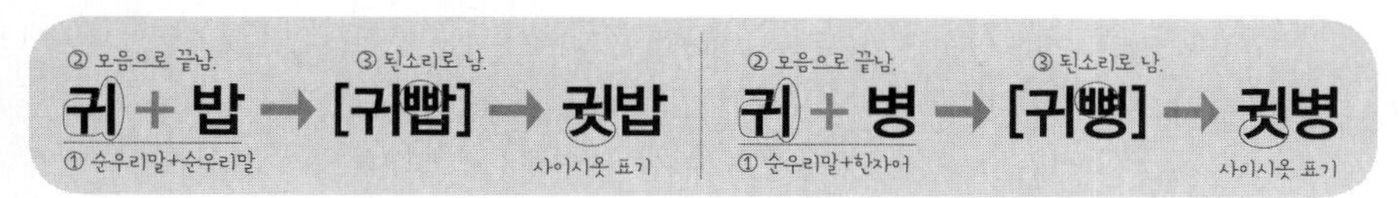

(2) 뒷말의 첫소리 'ㄴ, ㅁ' 앞에서 [ㄴ] 소리가 덧날 때

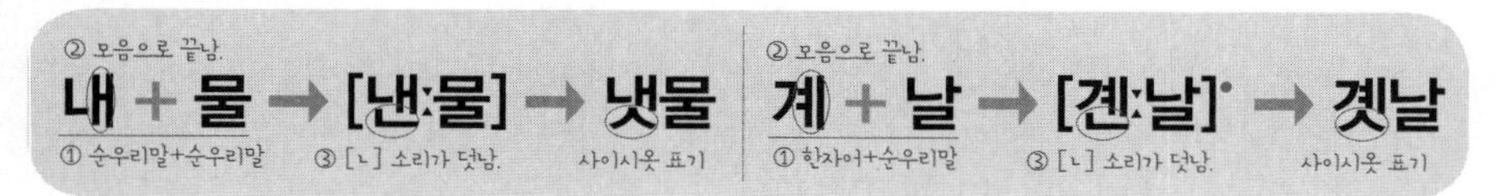

(3) 뒷말의 첫소리 모음 앞에서 [ㄴㄴ] 소리가 덧날 때

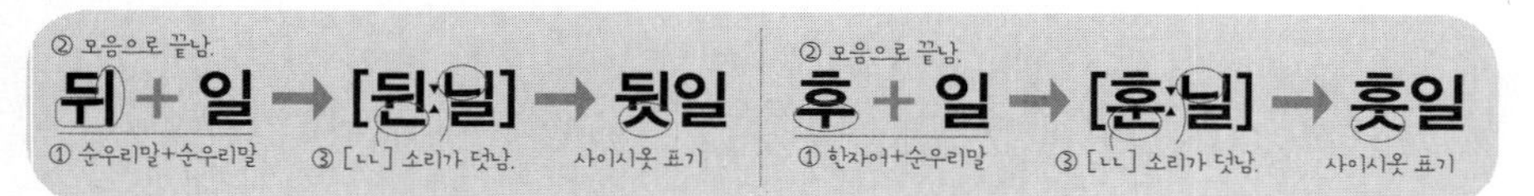

2. 사이시옷의 예외

한자어로만 이루어진 말은 본래 사이시옷을 쓰지 않지만,• '곳간(庫間), 셋방(貰房), 숫자(數字), 찻간(車間), 툇간(退間), 횟수(回數)' 6개의 단어는 예외로 인정하여 사이시옷을 쓴다.

제30항 사이시옷은 다음과 같은 경우에 받치어 적는다.

1. 순우리말로 된 합성어로서 앞말이 모음으로 끝난 경우

(1) 뒷말의 첫소리가 된소리로 나는 것

고랫재 귓밥 나룻배 나뭇가지 냇가 댓가지
뒷갈망 맷돌 머릿기름 모깃불 못자리 바닷가

(2) 뒷말의 첫소리 'ㄴ, ㅁ' 앞에서 'ㄴ' 소리가 덧나는 것

멧나물 아랫니 텃마당 아랫마을 뒷머리
잇몸 깻묵 냇물 빗물

(3) 뒷말의 첫소리 모음 앞에서 'ㄴㄴ' 소리가 덧나는 것

도리깻열 뒷윷 두렛일 뒷일 뒷입맛
베갯잇 욧잇 깻잎 나뭇잎 댓잎

2. 순우리말과 한자어로 된 합성어로서 앞말이 모음으로 끝난 경우

(1) 뒷말의 첫소리가 된소리로 나는 것

귓병 머릿방 뱃병 봇둑 사잣밥
샛강 아랫방 자릿세 전셋집 찻잔
찻종 촛국 콧병 탯줄 텃세
핏기 햇수 횟가루 횟배

• 사이시옷은 합성어를 이루는 두 단어 사이에 새로운 소리가 더해지는 경우, 이를 표시하기 위해 두 단어 사이에 쓰는 일종의 기호 역할을 한다.

• 뒷말의 첫소리가 된소리로 나서 사이시옷이 붙는 경우의 발음은 앞말에 'ㅅ'의 대표음 'ㄷ'이 붙는 것과 안 붙는 것 모두 가능하다.
예 • 귓밥 → [귀빱/귇빱]
• 귓병 → [귀뼝/귇뼝]

• '계, 례, 몌, 폐, 혜'의 'ㅖ'는 [ㅔ]로 소리 나는 경우가 있다 하더라도 'ㅖ'로 적는다는 규정에 따라, [곈:날/겐:날]로 소리 나더라도 '곗날'로 표기해야 한다.

알아 둘 것! 사이시옷이 들어가는 전제 조건은 두 가지야. 첫째, 앞말과 뒷말에 반드시 순우리말이 포함되어 있어야 하고, 둘째, 앞말이 모음으로 끝나야 해.

• 사이시옷이 들어가려면, 앞말과 뒷말에 반드시 순우리말이 포함되어 있어야 한다. 그런데 한자어로만 이루어진 말은 순우리말을 포함하지 않으므로, 대부분 사이시옷을 쓰지 않는 것이다.

참고 사이시옷 표기와 사잇소리 현상
사잇소리 현상은 사이시옷 표기를 포괄하는 개념이다. 사잇소리 현상이 존재하고, 이를 표기에 반영하기 위해 사용하는 것이 사이시옷이다. 그러나 사잇소리 현상이 일어난다고 해서, 이를 모두 표기에 반영하는 것은 아니다. 사잇소리를 표기에 반영할 것인지를 규정해 주는 것이 바로 사이시옷 규정이다.

(2) 뒷말의 첫소리 'ㄴ ㅁ' 앞에서 'ㄴ' 소리가 덧나는 것

곗날　　제삿날　　훗날　　툇마루　　양칫물

(3) 뒷말의 첫소리 모음 앞에서 'ㄴㄴ' 소리가 덧나는 것

가욋일　　사삿일　　예삿일　　훗일

3. 두 음절로 된 다음 한자어

곳간(庫間)　　셋방(貰房)　　숫자(數字)

찻간(車間)　　툇간(退間)　　횟수(回數)

❷ 준말

1. 단어의 끝모음이 줄어드는 경우의 준말

단어의 끝모음이 줄어들어 자음만 남을 때는 그 앞의 음절에 받침으로 적는다.

① 끝모음이 줄고
어제저녁 → 엊저녁
② 자음은 받침에 씀.

① 끝모음이 줄고
가지고 → 갖고
② 자음은 받침에 씀.

2. '되어', '돼'의 표기

모음 'ㅚ' 뒤에 '-어'가 와서 'ㅙ'로 줄어들 때에는 'ㅙ'로 적는다. 따라서 기본형 '되다'의 어간 '되-'의 뒤에 '-어'가 결합한 형태가 '돼'이므로 '돼어'는 잘못된 표기이다.

되- + -어 → 돼(○) / 돼어(×)
① 'ㅚ' 뒤에　② '-어'가 와서　③ 'ㅙ'로 줆.　이미 '-어'가 결합되어 있음.

알아 둘 것! '되'를 써야 할지, '돼'를 써야 할지 고민될 때는 '하'나 '해'를 대신 넣어 보면 구별할 수 있어. 예를 들어 '안 되'인지 '안 돼'인지 헷갈릴 때는, 이를 '안 하'와 '안 해'로 바꾸어 보는 거야. 이때는 '안 해'가 자연스러우니까 '안 돼'가 정확한 표기라는 거지. 또 '안 되나요'와 '안 돼나요'의 경우, '안 하나요'가 자연스러우니까 이때는 '안 되나요'로 적으면 되는 거야.

3. 두 가지 형태의 준말이 존재하는 말

어간의 끝모음이 'ㅏ, ㅗ, ㅜ, ㅡ'이고, '-이어'가 연결되면 준말의 형태가 두 가지이다.

꼬- + -이어 → 꼬이어 → 꾀어/꼬여
① 끝모음 'ㅗ'에　② '-이어'가 연결되면　③ 준말이 두 가지로 나타남.

4. '-잖-'과 '-찮-'의 표기

어미 '-지' 뒤에 '않-'이 와서 '-잖-'으로 줄어들거나, '-하지' 뒤에 '않-'이 와서 '-찮-'으로 줄어들면 준 대로 적는다.

그렇지 + 않다 → 그렇잖다
① '-지' 뒤에　② '않-'이 오면　③ '-잖-'으로 줄어듦.

시원하지 + 않다 → 시원찮다
① '-하지' 뒤에　② '않-'이 오면　③ '-찮-'으로 줄어듦.

알아 둘 것! '-잖-'과 '-찮-'을 혼란스러워하는데, 특히 '그렇잖다'를 '그렇찮다'로 잘못 표기하는 경우가 많아. 이런 혼선을 피하려면 앞선 용언에 '하'가 결합되어 있는지를 살펴볼 필요가 있어.

5. '하'의 축약과 탈락

'-하다'가 붙은 말에서 어근의 끝소리가 모음이나 'ㄴ, ㄹ, ㅁ, ㅇ', 즉 울림소리인 경우에는 '하'의 'ㅏ'가 줄고 다음 음절의 첫소리가 'ㅎ'과 어울려 거센소리가 되면 거센소리로 적는다. 어근의 끝소리가 'ㄱ, ㄷ, ㅂ, ㅅ, ㅈ' 등의 안울림소리인 경우에는 어간의 끝음절 '하'가 빠진 형태가 되면 준 대로 적는다.

② 'ㅏ'가 줄고
실망하게 → 실망케
① 울림소리이면 ③ 'ㅎ'과 어울려 거센소리가 됨.

② '하'가 줄어
못하지 않다 → 못지않다
① 안울림소리이면 ③ '하'가 빠진 그대로 준말이 됨.

제32항 단어의 끝모음이 줄어지고 자음만 남은 것은 그 앞의 음절에 받침으로 적는다.

본말	준말	본말	준말
기러기야	기럭아	가지고, 가지지	갖고, 갖지
어제그저께	엊그저께	디디고, 디디지	딛고, 딛지
어제저녁	엊저녁		

참고 **줄어지는 음절의 받침소리가 올라붙는 경우**
줄어지는 음절의 첫소리가 아닌 받침소리가 올라붙는 형식도 있다.
예 • 바둑 – 장기 → 박장기
• 어긋 – 매기다 → 엇매기다
• 바깥 – 벽 → 밭벽
• 바깥 – 사돈 → 밭사돈

제35항 모음 'ㅗ, ㅜ'로 끝난 어간에 '–아/–어, –았–/–었–'이 어울려 'ㅘ/ㅝ, ㅘㅆ/ㅝㅆ'으로 될 적에는 준 대로 적는다.

본말	준말	본말	준말
꼬아	꽈	꼬았다	꽜다
보아	봐	보았다	봤다
쏘아	쏴	쏘았다	쐈다

[붙임 1] '놓아'가 '놔'로 줄 적에는 준 대로 적는다.

[붙임 2] 'ㅚ' 뒤에 '–어, –었–'이 어울려 'ㅙ, ㅙㅆ'으로 될 적에도 준 대로 적는다.

본말	준말	본말	준말
괴어	괘	괴었다	괬다
되어	돼	되었다	됐다
뵈어	봬	뵈었다	뵀다

제38항 'ㅏ, ㅗ, ㅜ, ㅡ' 뒤에 '–이어'가 어울려 줄어질 적에는 준 대로 적는다.

본말	준말	본말	준말
싸이어	쌔어/싸여	뜨이어	띄어
보이어	뵈어/보여	쓰이어	씌어/쓰여
쏘이어	쐬어/쏘여	트이어	틔어/트여

참고 **두 가지 형태가 존재하는 준말의 유의점**
'띄어쓰기, 띄어 쓰다, 띄어 놓다'는 관용상 '뜨여쓰기, 뜨여 쓰다, 뜨여 놓다'와 같은 형태가 사용되지 않는다. 또한 '뜨이우다 – 띄우다, 쓰이우다 – 씌우다, 트이우다 – 틔우다'처럼 '–이–' 뒤에 다시 '–우–'가 붙는 형식에서는 '이'를 앞 음절에 올려붙여 적는다.

제39항 어미 '–지' 뒤에 '않–'이 어울려 '–잖–'이 될 적과 '–하지' 뒤에 '않–'이 어울려 '–찮–'이 될 적에는 준 대로 적는다.

본말	준말	본말	준말
그렇지 않은	그렇잖은	만만하지 않다	만만찮다
적지 않은	적잖은	변변하지 않다	변변찮다

제40항 어간의 끝음절 '하'의 'ㅏ'가 줄고 'ㅎ'이 다음 음절의 첫소리와 어울려 거센소리로 될 적에는 거센소리로 적는다.

본말	준말	본말	준말
간편하게	간편케	다정하다	다정타
연구하도록	연구토록	정결하다	정결타

[붙임 1] 'ㅎ'이 어간의 끝소리로 굳어진 것은 받침으로 적는다.
않다 그렇고 아무렇지 어떻다 저렇지

[붙임 2] 어간의 끝음절 '하'가 아주 줄 적에는 준 대로 적는다.●

본말	준말	본말	준말
거북하지	거북지	섭섭하지 않다	섭섭지 않다
생각하건대	생각건대	못하지 않다	못지않다

● 제40항 본문 규정의 예는 '–하–' 앞의 어근이 모음이나 유성 자음으로 끝난다. 이에 반해 '붙임 2' 규정의 예는 '–하–' 앞의 어근이 [ㄱ, ㅂ, ㄷ]과 같은 무성 파열음으로 끝난다. 이러한 환경에 있는 말들은 활용할 때 어간의 끝음절 '하'의 'ㅏ'만 줄어드는 것이 아니라 '하' 전체가 줄어든다.

[붙임 3] 다음과 같은 부사는 소리대로 적는다.
결단코 결코 기필코 무심코 아무튼 요컨대
정녕코 필연코 하마터면 하여튼 한사코

국어 문법 100% 공략을 위한 **2단계 트레이닝**

정답과 해설 27쪽

1단계 기본 트레이닝

한글 맞춤법 **다음 설명이 맞으면 ○, 틀리면 × 표시를 하시오.**

01 사이시옷은 합성어를 이루는 두 단어 사이에 새로운 소리가 더해지는 경우 이를 표시하기 위해 두 단어 사이에 쓰는 일종의 기호 역할을 한다. ( )

02 어미 '-지' 뒤에 '않-'이 어울려 '-잖-'이 될 적과 '-하지' 뒤에 '않-'이 어울려 '-잖-'이 될 적에는 준대로 적는다. ( )

03 어간의 끝음절 '하'의 'ㅏ'가 줄고 'ㅎ'이 다음 음절의 첫소리와 어울려 거센소리로 될 적에는 거센소리로 적는다. ( )

04 '생각하건대'가 준 말은 '생각컨대'이다. ( )

사이시옷의 표기 ① **다음 단어를 소리 나는 대로 쓰시오.**

05 댓잎[ ] **06** 깻묵[ ]

07 횟수[ ] **08** 툇간[ ]

09 옛날[ ] **10** 텃마당[ ]

11 양칫물[ ] **12** 예삿일[ ]

13 부싯돌[ ] **14** 선짓국[ ]

사이시옷의 표기 ② **( ) 안의 단어 중 맞춤법에 맞는 것을 고르시오.**

15 그 집은 (차편/찻편)으로 불과 5분 거리이다.

16 유원지 어디에도 (자리세/자릿세)를 받지 않는 곳은 없다.

17 그는 헝클어진 머리에 (머리기름/머릿기름)을 발라 곱게 넘겼다.

18 그 마을에는 고래 등 같은 (기와집/기왓집) 삼십여 채가 즐비했다.

준말 **다음 단어의 준말을 쓰시오.**

19 보이어 → ( ) **20** 쓰이어 → ( )

21 쏘이어 → ( ) **22** 트이어 → ( )

23 간편하게 → ( ) **24** 다정하다 → ( )

25 거북하지 → ( ) **26** 그렇지 않다 → ( )

27 변변하지 않다 → ( )

28 깨끗하지 않다 → ( )

29 섭섭하지 않다 → ( )

2단계 실전 트레이닝

30 사이시옷이 사용된 합성어와 그 근거를 바르게 설명한 것은?

① 팻말: 한자어와 고유어가 결합해 [ㄴ] 소리가 덧남.
② 나뭇잎: 고유어와 한자어가 결합해 [ㄴㄴ] 소리가 덧남.
③ 윗쪽: 고유어와 고유어가 결합해 뒷말의 첫소리가 된소리로 남.
④ 콧등: 고유어와 한자어가 결합해 뒷말의 첫소리가 된소리로 남.
⑤ 셋조각: 한자어와 한자어가 결합해 뒷말의 첫소리가 된소리로 남.

31 〈보기 1〉의 ㉠~㉤ 중 〈보기 2〉의 밑줄 친 단어의 표기와 관련이 깊은 것은?

〈보기 1〉

사이시옷은 다음과 같은 경우에 받치어 적는다.
1. 순우리말로 된 합성어로서 앞말이 모음으로 끝난 경우
(1) 뒷말의 첫소리가 된소리로 나는 것 ………… ㉠
(2) 뒷말의 첫소리 'ㄴ, ㅁ' 앞에서 'ㄴ' 소리가 덧나는 것 ………… ㉡
(3) 뒷말의 첫소리 모음 앞에서 'ㄴㄴ' 소리가 덧나는 것 ………… ㉢
2. 순우리말과 한자어로 된 합성어로서 앞말이 모음으로 끝난 경우
(1) 뒷말의 첫소리가 된소리로 나는 것
(2) 뒷말의 첫소리 'ㄴ, ㅁ' 앞에서 'ㄴ' 소리가 덧나는 것 ………… ㉣
(3) 뒷말의 첫소리 모음 앞에서 'ㄴㄴ' 소리가 덧나는 것 ………… ㉤

〈보기 2〉

(1) <u>제삿날</u> 큰집에 모이는 불빛도 불빛이지만
해 질 녘 울음이 타는 가을 강(江)을 보겄네.

(2) 외할머니네 집 뒤안에는 / 장판지 두 장만큼 한
먹오딧빛 <u>툇마루</u>가 깔려 있습니다.

(3) 먼 <u>훗날</u> 당신이 찾으시면
그때에 내 말이 "잊었노라"

① ㉠ ② ㉡ ③ ㉢ ④ ㉣ ⑤ ㉤

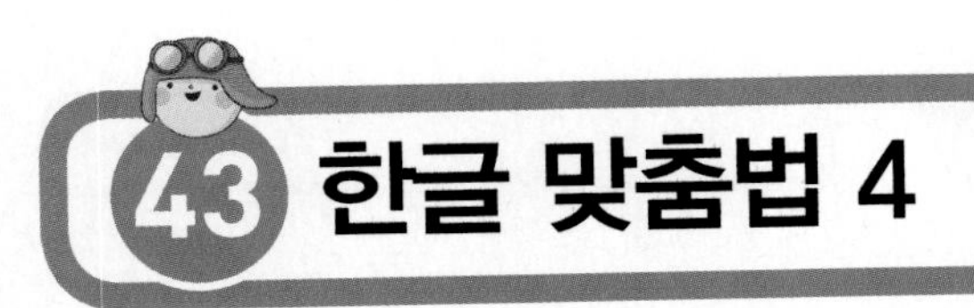

43 한글 맞춤법 4

최근 5개년 출제 지수 ●●●○○

1 띄어쓰기

1. 조사의 띄어쓰기

조사는 그 앞말에 붙여 쓴다.*

예 꽃이, 꽃마저, 꽃밖에, 꽃에서부터, 꽃으로만, 꽃이나마, 꽃이다, 꽃입니다, 꽃처럼
어디까지나, 거기도, 멀리는, 웃고만

● 조사는 독립성이 없기 때문에 다른 단어 뒤에 종속적(從屬的)인 관계로 존재하고 조사가 결합되는 체언이 지니는 문법적 기능을 표시하므로, 그 앞의 단어에 붙여 쓴다.

2. 의존 명사, 단위를 나타내는 명사, 열거하는 말 등의 띄어쓰기

(1) 의존 명사는 앞말과 띄어 쓴다.

예 아는 것이 힘이다. 나도 할 수 있다. 먹을 만큼 먹어라.
아는 이를 만났다. 네가 뜻한 바를 알겠다. 그가 떠난 지가 오래다.

(2) 단위를 나타내는 의존 명사는 그 앞의 수 관형사와 띄어 쓴다.

예 한 개 차 한 대 금 서 돈 소 한 마리 옷 한 벌 열 살
조기 한 손 연필 한 자루 버선 한 죽 집 한 채 신 두 켤레 북어 한 쾌

(3) 두 말을 이어 주거나 열거할 적에 쓰이는 말들은 띄어 쓴다.

예 국장 겸 과장 열 내지 스물 청군 대 백군 책상, 걸상 등이 있다.
이사장 및 이사들 사과, 배, 귤 등등 사과, 배 등속 부산, 광주 등지

참고 형태가 같은 조사와 의존 명사의 구별
'대로, 만큼, 뿐' 등이 관형어의 수식을 받으면 의존 명사이므로 앞말과 띄어 쓴다. 한편 이 단어들이 체언 다음에 쓰이면 조사이므로 앞말과 붙여 쓴다.

3. 수, 한 음절 단어, 보조 용언의 띄어쓰기

(1) 수를 적을 적에는 '만(萬)' 단위로 띄어 쓴다.

예 십이억 삼천사백오십육만 칠천팔백구십팔 12억 3456만 7898

알아 둘 것 실제로 금액을 적을 때에는 변조(變造) 등의 사고를 방지하려는 뜻에서 '일금 이십일만오천육백칠십원정'과 같이 붙여 쓰는 것이 관례야.

(2) 단음절로 된 단어가 연이어 나타날 적에는 붙여 쓸 수 있다.*

예 그때 그곳 좀더 큰것 이말 저말 한잎 두잎

● 한 음절로 이루어진 단어가 여럿 이어지는 경우, 각 단어를 띄어 쓰면 기록하기에도 불편할 뿐 아니라 시각적 부담을 가중시킴으로써 독서 능률이 떨어질 염려가 있으므로 붙여 쓸 수 있도록 허용한 것이다. 그러나 원칙적으로는 띄어 쓰는 것이 맞다.

(3) 보조 용언은 띄어 씀을 원칙으로 하되, 경우에 따라 붙여 씀도 허용한다.

원칙	허용
불이∨꺼져∨간다.	불이∨꺼져간다.
내∨힘으로∨막아∨낸다.	내∨힘으로∨막아낸다.
어머니를∨도와∨드린다.	어머니를∨도와드린다.
그릇을∨깨뜨려∨버렸다.	그릇을∨깨뜨려버렸다.
비가∨올∨듯하다.	비가∨올듯하다.
그∨일은∨할∨만하다.	그∨일은∨할만하다.
일이∨될∨법하다.	일이∨될법하다.
비가∨올∨성싶다.	비가∨올성싶다.
잘∨아는∨척한다.	잘∨아는척한다.

다만, 앞말에 조사가 붙거나 앞말이 합성 동사인 경우, 그리고 중간에 조사가 들어갈 적에는 그 뒤에 오는 보조 용언은 띄어 쓴다.

예 잘도 놀아만 나는구나! 책을 읽어도 보고……. → 앞말에 조사가 붙는 경우
네가 덤벼들어 보아라. 강물에 떠내려가 버렸다. → 앞말이 합성 동사인 경우
그가 올 듯도 하다. 잘난 체를 한다. → 중간에 조사가 들어가는 경우

4. 고유 명사 및 전문 용어의 띄어쓰기

(1) 성과 이름, 성과 호 등은 붙여 쓰고,* 이에 덧붙는 호칭어, 관직명 등은 띄어 쓴다.

예 김양수(金良洙) → 성(김)과 이름(양수)
서화담(徐花潭) → 성(서)과 호(화담)
채영신 씨, 박동식 박사 → 호칭어, 관직명은 띄어 씀.

(2) 성명 이외의 고유 명사는 단어별로 띄어 씀이 원칙이며, 단위별로 띄어 쓸 수 있다.

원칙	허용
대한 중학교	대한중학교
한국 대학교 사범 대학	한국대학교 사범대학

(3) 전문 용어는 단어별로 띄어 씀이 원칙이지만, 붙여 쓸 수 있다.

원칙	허용
만성 골수성 백혈병	만성골수성백혈병
중거리 탄도 유도탄	중거리탄도유도탄

① 명사가 용언의 관형사형으로 된 관형어의 수식을 받거나, 두 개(이상)의 체언이 접속 조사로 연결되는 구조일 때는 붙여 쓰지 않는다.

예 간단한 도면 그리기, 쓸모 있는 주머니 만들기, 아름다운 노래 부르기, 바닷말과 물고기 기르기

② 두 개(이상)의 전문 용어가 접속 조사로 이어지는 경우에는 전문 용어 단위로 붙여 쓸 수 있다.

예 감자찌기와 달걀삶기, 기구만들기와 기구다루기, 도면그리기와 도면읽기

* 우리나라 사람의 성은 대부분 한 글자(음절)로 되어 있어서 보통 하나의 단어로 인식되지 않으므로 성과 이름을 붙여 쓰기로 한 것이다. 다만, 두 음절로 된 성씨의 경우 성과 이름을 분명히 구분할 필요가 있을 경우에는 '남궁억/남궁 억', '독고준/독고 준', '황보지봉/황보 지봉'과 같이 띄어 쓸 수 있다.
한편, 우리 한자음으로 적는 중국 인명의 경우에도 이러한 규정을 적용하여 '소정방', '이세민', '장개석'과 같이 성과 이름을 붙여 쓴다.

알아 둘 것 '부설(附設), 부속(附屬), 직속(直屬), 산하(傘下)' 따위는 고유 명사가 아니라, 그 대상물의 존재 관계(형식)를 나타내는 말이므로, 앞뒤의 말과는 띄어 쓰는 것이 원칙이야.

예 ┌ 학술원∨부설∨국어∨연구소
└ 학술원∨부설∨국어연구소
┌ 대통령∨직속∨국가∨안전∨보장∨회의
└ 대통령∨직속∨국가안전보장회의

❷ 그 밖의 것

1. 부사화 접미사 '-이', '-히' 구별하기

부사의 끝음절이 분명히 [이]로만 소리 나는 것은 '–이'로 적고, [히]로만 나거나 [이]나 [히]로 나는 것은 '–히'로 적는다. 단, 혼란스러울 수 있으므로 다음 단서에 유의하도록 한다.

(1) 어근에 '–하다'가 붙는 경우는 모두 '–히'로 적는다.

예 극히, 급히, 딱히, 족히, 엄격히, 정확히, 솔직히, 간편히, 무단히, 각별히, 소홀히, 쓸쓸히, 꼼꼼히, 공평히, 능히, 상당히, 조용히 등

(2) '–하다'가 붙더라도 어근의 받침이 'ㅅ'인 경우에는 '–이'로 적는다.*

예 깨끗이, 나붓이, 느긋이, 따뜻이, 반듯이, 버젓이, 산뜻이 등

* 비록 '–하다'가 붙는 어근이라고 하더라도 현재 'ㅅ' 발음이 선명하게 나타나기 때문에 붙은 예외이다.

제51항 부사의 끝음절이 분명히 '이'로만 나는 것은 '–이'로 적고, '히'로만 나거나 '이'나 '히'로 나는 것은 '–히'로 적는다.

1. '이'로만 나는 것

가붓이 깨끗이 나붓이 느긋이 둥긋이 따뜻이 반듯이 버젓이
산뜻이 의젓이 가까이 고이 날카로이 대수로이 번거로이 많이
적이 헛되이 겹겹이 번번이 일일이 집집이 틈틈이

2. '히'로만 나는 것

극히 급히 딱히 속히 작히 족히 특히 엄격히 정확히

3. '이, 히'로 나는 것

솔직히 가만히 간편히 나른히 무단히 각별히 소홀히 쓸쓸히
정결히 과감히 꼼꼼히 심히 열심히 급급히 답답히 섭섭히
공평히 능히 당당히 분명히 상당히 조용히 간소히 고요히
도저히

2. 본음과 속음으로 발음되는 한자어의 구분

한자어에서 본음으로도 나고 속음으로도 나는 것은 각각 그 소리에 따라 적는다.*

한자	본음과 속음		한자	본음과 속음	
낙(諾)	본음	승낙(承諾)	륙(六)	본음	오륙십(五六十)
	속음	수락(受諾), 쾌락(快諾), 허락(許諾)		속음	오뉴월, 유월(六月)
난(難)	본음	만난(萬難)	목(木)	본음	목재(木材)
	속음	곤란(困難), 논란(論難)		속음	모과(木瓜)
녕(寧)	본음	안녕(安寧)	십(十)	본음	십일(十日)
	속음	의령(宜寧), 회령(會寧)		속음	시왕(十王), 시월(十月)
노(怒)	본음	분노(忿怒)	팔(八)	본음	팔일(八日)
	속음	대로(大怒), 희로애락(喜怒哀樂)		속음	초파일(初八日)
론(論)	본음	토론(討論)			
	속음	의논(議論)			

* 속음은 세속에서 널리 사용되는 익은 소리(습관음)이므로 속음으로 된 발음 형태를 표준어로 삼으며, 맞춤법에서도 속음에 따라 적게 된다.

참고 본음과 속음으로 발음되는 그 밖의 한자

① 布: 공포(公布) / 보시(布施)
② 場: 도장(道場) / 도량(道場)
③ 宅: 자택(自宅) / 본댁(本宅), 시댁(媤宅)
④ 丹: 단심(丹心) / 모란(牧丹)
⑤ 洞: 동굴(洞窟) / 통찰(洞察)
⑥ 糖: 당분(糖分) / 사탕(砂糖), 설탕(雪糖)

3. '-(으)ㄹ'이 붙는 어미의 표기

(1) 형식 형태소인 어미는 'ㄹ' 뒤에서 된소리로 발음되더라도 예사소리로 적는다.

예 -(으)ㄹ거나, -(으)ㄹ걸, -(으)ㄹ수록, -(으)ㄹ게, -(으)ㄹ지, -(으)ㄹ지언정, -올시다

(2) 의문을 나타내는 어미인 '-(으)ㄹ까, -(으)ㄹ꼬, -(스)ㅂ니까, -(으)리까, -(으)ㄹ쏘냐'는 된소리로 적는다.

4. 예사소리와 된소리 형태가 혼동되는 접미사의 표기*

(1) '어떤 일에 종사하는, 혹은 습관이 있는 사람'을 뜻하는 접미사는 '-꾼'으로 통일한다.

예 심부름꾼, 익살꾼, 일꾼, 장꾼, 장난꾼, 지게꾼 등

(2) '-깔, -때기, -빼기, -꿈치' 등과 같이 된소리로 발음되는 접미사는 모두 된소리로 적는다.*

예 때깔, 맛깔, 빛깔, 성깔, 태깔(態-) 거적때기, 귀때기, 나무때기, 등때기, 배때기, 판자때기
이마빼기, 곱빼기 뒤꿈치, 발꿈치, 발뒤꿈치, 팔꿈치

(3) '적다(少)'의 의미가 남아 있는 합성어에서는 '적다', '적다(少)'의 뜻이 없고 [쩍다]로 소리 나면 '쩍다'로 적는다.*

예 맛적다 → '적다'의 의미가 있음. 객쩍다, 겸연쩍다, 맥쩍다, 멋쩍다 → '적다'의 의미가 없음.

* 발음 형태는 같거나 비슷하지만 뜻이 다른 단어를 구별하여 적는 규정이다.

* '뚝배기, 학배기'의 '배기'는 접미사가 아니다. 이 말들은 원래부터 단일어에 속한다. 이처럼 한 형태소 안에서는 된소리로 발음되더라도 'ㄱ, ㅂ' 받침 뒤에서는 예사소리로 적는다. 그러나 다른 형태소와 결합해 된소리로 나는 '-빼기'는 모두 된소리로 적는다.

* '괘다리적다, 괘달머리적다, 딴기적다, 열퉁적다'처럼 [적다]로 소리 나면 '적다'로 적는다.

5. '-든'과 '-던'의 구별

(1) 지난 일을 나타내는 어미는 '-더라, -던'으로 적는다.

예 지난 겨울은 몹시 춥더라. 깊던 물이 얕아졌다.

(2) '물건이나 일의 내용을 가리지 않음.'을 나타내는 조사와 어미는 '(-)든지'로 적는다.

예 배든지 사과든지 마음대로 먹어라. 가든지 오든지 마음대로 해라.

국어 문법 100% 공략을 위한 **2단계 트레이닝**

정답과 해설 28쪽

1단계 기본 트레이닝

한글 맞춤법 **다음 설명이 맞으면 ○, 틀리면 × 표시를 하시오.**

01 조사는 앞말과 붙여 쓰고 의존 명사는 앞말과 띄어 쓴다. (　　)

02 수를 적을 때에는 천(千) 단위로 띄어 쓴다. (　　)

03 전문 용어는 단어별로 띄어 쓰는 것이 원칙이므로 붙여 쓸 수 없다. (　　)

04 부사화 접미사 '-이', '-히'가 붙는 말 중 분명하게 [이]로 소리 나는 것은 '-이'로 쓴다. (　　)

05 'ㄹ' 뒤에서 된소리로 발음되는 의문형 어미는 예사소리로 적는다. (　　)

띄어쓰기 ① **띄어쓰기가 잘못된 부분을 찾아 밑줄을 그으시오.**

06 코치겸 선수이다.

07 이것은 우산 입니다.

08 믿을 수 있는 것은 실력 뿐이다.

09 그가 집을 떠난지 일 년이 지났다.

10 우장춘박사가 '씨 없는 수박'을 개발했다.

띄어쓰기 ② **밑줄 친 부분의 띄어쓰기를 바르게 고쳐 쓰시오.**

11 더 이상 도망칠데가 없다. ________

12 피자 한 판 가격은 만팔천원입니다. ________

13 그 책을 다읽는데 한 달이나 걸렸다. ________

14 날씨가 흐리고 한두차례 비가 올 전망이다. ________

15 부모님을 한 달에 두번꼴로 찾아뵙고 있다. ________

그 밖의 것 **(　　) 안의 단어 중 한글 맞춤법 규정에 맞는 것을 고르시오.**

16 하늘이 (깨끗이/깨끗히) 개었다.

17 그 일은 내가 도와(줄게/줄께).

18 나는 그들을 다시 보기가 (멋적었다/멋쩍었다).

19 그녀는 수업 계획안을 (꼼꼼이/꼼꼼히) 작성하였다.

20 집에 (가던지/가든지) 학교에 (가던지/가든지) 해라.

21 이번 여행은 부모님의 (승낙/승락)이 있어야 가능하다.

2단계 실전 트레이닝

2013학년도 9월 고1 학력평가

22 〈보기〉를 참고하여 각 항목에 해당하는 예문을 작성하였다. 적절하지 않은 것은?

〈 보기 〉

1. '같이'가 조사로 쓰일 경우 – 앞말에 붙여 쓴다.
   ㄱ. 체언 뒤에 붙어 '~처럼'의 뜻일 때
   ㄴ. '때'를 나타내는 명사 뒤에 붙어 '때'를 강조할 때
2. '같이'가 부사로 쓰일 경우 – 앞말과 띄어 쓴다.
   ㄷ. '바로 그대로'의 의미일 때
   ㄹ. '서로 함께'의 의미일 때
   ㅁ. '어떤 상황이나 행동 따위와 다름이 없이'의 의미일 때

① ㄱ: 그는 눈같이 맑은 영혼의 소유자였다.
② ㄴ: 내일은 새벽같이 일어나야 한다.
③ ㄷ: 예상한 바와 같이 우리 반이 이겼어.
④ ㄹ: 지난 10년 동안 같이 알고 지낸 사이야.
⑤ ㅁ: 은숙이와 친구는 같이 사업을 했다.

23 〈보기〉의 숫자를 적절하게 띄어 쓴 것은?

〈 보기 〉

9,863,427,815

① 구십팔억 육천삼백사십이만 칠천팔백십오
② 구십팔억 육천삼백 사십이만칠천팔백구십오
③ 구십팔억육천삼백 사십이만칠천 팔백구십오
④ 구십팔억 육천삼백 사십이만칠천 팔백구십오
⑤ 구십팔억 육천 삼백 사십 이만 칠천 팔백 구십오

24 〈보기〉를 참고할 때 밑줄 친 부분이 한글 맞춤법 규정에 맞는 것은?

〈 보기 〉

어미의 경우, 'ㄹ' 뒤에서 된소리로 발음되더라도 된소리로 적지 않되, 의문을 나타내는 어미들은 된소리로 적는다.

① 내가 그때 전화할걸!
② 날씨가 왜 이리 추울고?
③ 모든 사람을 사랑할찌어다.
④ 그것은 제 것이 아니올씨다.
⑤ 우리 내일 저녁에 치킨 먹을까?

2012학년도 11월 고2 학력평가 B형

01 〈보기〉의 표준어 규정에 대해 이해한 내용으로 적절하지 않은 것은?

〈 보기 〉

제12항 '웃-' 및 '윗-'은 명사 '위'에 맞추어 '윗-'으로 통일한다.
다만 1. 된소리나 거센소리 앞에서는 '위-'로 한다.
다만 2. '아래, 위'의 대립이 없는 단어는 '웃-'으로 발음되는 형태를 표준어로 삼는다.

선생님 설명: 표준어 규정 12항은 '웃-'과 '윗-'이 그동안 심각한 혼란을 보여 왔다는 점에서 '윗-'으로 통일하기로 한 규정이에요. 예를 들어 '온돌방에서 아궁이로부터 먼 쪽의 방바닥'을 뜻하는 단어는 '웃목'이 아니라 '윗목'을 표준어로 삼지요. 그런데 '이 층 또는 여러 층 가운데 위에 있는 층'을 가리키는 단어는 '윗-'이 거센소리 앞에 있기 때문에 '윗층'이 아니라 '위층'을 표준어로 삼고, '아래', '위'의 대립이 없는 '어른'과 같은 경우는 '윗어른'이 아니라 '웃어른'을 표준어로 삼는 거예요.

① '맨 겉에 입는 옷'을 의미하는 단어는 '아래', '위' 대립이 없기 때문에 '웃옷'이 표준어가 되겠군.
② '방향을 가리키는 말'인 '쪽'은 된소리로 시작하기 때문에 '윗-'과 결합할 때에는 '위쪽'이 표준어가 되겠군.
③ '어깨에서 팔꿈치까지의 부분'을 뜻하는 말은 명사 '위'에 맞추어 표기해야 하기 때문에 '윗팔'을 표준어로 삼겠군.
④ '자기보다 지위나 신분이 높은 사람'을 뜻하는 단어는 '아래', '위'의 대립이 있기 때문에 '윗사람'이 표준어가 되겠군.
⑤ '여러 채로 된 집에서 위에 있는 집채'를 나타내는 낱말은 '윗-' 뒤에 거센소리가 오기 때문에 '위채'를 표준어로 삼겠군.

2014학년도 3월 고1 학력평가

02 〈보기〉의 ㉠에 추가할 수 있는 단어로 적절한 것은?

〈 보기 〉

표준 발음법 제18항
받침 'ㄱ(ㄲ, ㅋ, ㄳ, ㄺ), ㄷ(ㅅ, ㅆ, ㅈ, ㅊ, ㅌ, ㅎ), ㅂ(ㅍ, ㄼ, ㄿ, ㅄ)'은 'ㄴ, ㅁ' 앞에서 [ㅇ, ㄴ, ㅁ]으로 발음한다.
• 예: 국민[궁민], 앞마당[암마당] ································ ㉠

① 국물　② 먹이　③ 밤낮
④ 손재주　⑤ 가을걷이

2014학년도 6월 고3 모의평가 B형

03 〈보기〉를 고려하여 모음의 발음을 이해한 내용으로 옳은 것은?

〈 보기 〉

모음의 표준 발음
• 국어의 단모음은 'ㅏ, ㅐ, ㅓ, ㅔ, ㅗ, ㅚ, ㅜ, ㅟ, ㅡ, ㅣ'의 10개를 원칙으로 한다. 다만 'ㅚ, ㅟ'는 이중 모음으로 발음하는 것도 허용하는데, 특히 'ㅚ'를 이중 모음으로 발음하면 [ㅞ]와 같아진다.
• '예, 례' 이외의 'ㅖ'는 [ㅔ]로 발음할 수 있다.
• 자음을 첫소리로 가지고 있는 음절의 'ㅢ'는 항상 [ㅣ]로 발음하되, 단어의 첫 음절 이외의 '의'는 [ㅣ]로, 조사 '의'는 [ㅔ]로 발음할 수 있다.

① '개'와 '게'를 동일하게 발음하는 것은 표준 발음에 해당한다.
② '금괴'를 [금궤]로 발음하는 것은 표준 발음에 해당하지 않는다.
③ '지혜'를 [지헤]로 발음하는 것은 표준 발음에 해당하지 않는다.
④ '비춰다'와 '비치다'를 모두 [비치다]로 발음하는 것은 표준 발음에 해당한다.
⑤ '충의의 뜻'에서 '충의의'를 [충이에]로 발음하는 것은 표준 발음에 해당한다.

2013학년도 3월 고3 학력평가 B형

04 〈보기〉 (가)의 한글 맞춤법 규정을 바탕으로 (나)의 밑줄 친 부분을 평가한 내용으로 적절하지 않은 것은?

〈 보기 〉

(가) 한글 맞춤법 규정
제2항 문장의 각 단어는 띄어 씀을 원칙으로 한다.
제41항 조사는 그 앞말에 붙여 쓴다.
제42항 의존 명사는 띄어 쓴다.
제43항 단위를 나타내는 명사는 띄어 쓴다.
제47항 보조 용언은 띄어 씀을 원칙으로 하되, 경우에 따라 붙여 씀도 허용한다.

(나) ㉠ 내게는 키가 큰형이 있다.
㉡ 나는 연필 한자루를 샀을뿐이다.
㉢ 나를 이해해줄 사람은 너뿐이다.

① ㉠의 '큰'과 '형'은 제2항에 따라 띄어 써야겠군.
② ㉡의 '자루'는 제43항에 따라 '한'과 띄어 써야겠군.
③ ㉡의 '뿐'은 제42항에 따라 ㉢의 '뿐'과 달리 띄어 써야겠군.
④ ㉢의 '이해해'와 '줄'은 띄어 쓰는 것이 원칙이지만 제47항에 따라 붙여 쓰는 것도 허용되겠군.
⑤ ㉡과 ㉢의 '이다'는 제2항에 따라 '뿐'과 띄어 써야겠군.

2014학년도 예비 수능 B형

05 〈보기〉는 한글 맞춤법 제1항에 대한 선생님의 설명이다. ㉠, ㉡에 대해 학생들이 이해한 내용으로 적절한 것은?

〈보기〉

제1항 한글 맞춤법은 표준어를 ㉠ 소리대로 적되, ㉡ 어법에 맞도록 함을 원칙으로 한다.

선생님의 설명: 한글 맞춤법은 소리대로 표기하는 것이 근본 원칙이에요. '구름, 나라, 하늘' 등은 표준어를 소리 나는 대로 적은 예이지요. 그런데 이 원칙만 따른다면 '밥'과 같은 단어는 뒤에 오는 말에 따라 '바비(밥+이), 밥또(밥+도), 밤만(밥+만)'처럼 여러 가지로 표기될 수 있어요. 그래서 원래 형태를 알기 어려워지고 이로 인해 독서의 능률도 크게 떨어지지요. 이 때문에 발음과 상관없이 형태를 고정시키는 방법, 즉 어법에 맞도록 한다는 원칙을 추가한 거예요.

① '먹어, 먹은'은 어간과 어미를 분리해서 적은 것을 볼 때 ㉠에 해당하겠군.
② '굳이, 같이'는 음운 현상을 반영하지 않고 적은 것을 볼 때 ㉠에 해당하겠군.
③ '퍼서(푸+어서), 펐다(푸+었다)'는 어간을 원래 형태에서 벗어난 대로 적은 것을 볼 때 ㉠에 해당하겠군.
④ '미덥다, 우습다'는 어간을 밝혀 적지 않은 것을 볼 때 ㉡에 해당하겠군.
⑤ '노인(老人)'과 '원로(元老)'는 같은 한자를 '노'와 '로'로 적은 것을 볼 때 ㉡에 해당하겠군.

2015학년도 6월 고3 모의평가 B형

06 ㉠~㉢에 대한 설명으로 적절하지 않은 것은?

〈보기〉

'한글 맞춤법'에 따르면 표준어를 소리 나는 대로 적는 경우도 있지만, 어법에 맞게 적는 경우도 있다. 그런데 간혹 이 사실을 모르고 소리 나는 대로 적어서 틀릴 때가 있다.

올바른 표기	잘못된 표기	발음	
들어서다	드러서다	[드러서다]	…… ㉠
그렇지	그러치	[그러치]	…… ㉡
해돋이	해도지	[해도지]	…… ㉢

① ㉠은 연음 현상 때문에 잘못 적는 경우이다.
② ㉠과 같은 예로 '높이다'를 '높히다'로 잘못 적는 경우를 들 수 있다.
③ ㉡은 거센소리되기 때문에 잘못 적는 경우이다.
④ ㉡과 같은 예로 '얽혀'를 '얼켜'로 잘못 적는 경우를 들 수 있다.
⑤ ㉢과 같은 예로 '금붙이'를 '금부치'로 잘못 적는 경우를 들 수 있다.

2014학년도 9월 고1 학력평가

07 〈보기 1〉을 참고하여 〈보기 2〉의 '밖에'를 탐구한 내용으로 적절하지 않은 것은?

〈보기 1〉

[한글 맞춤법]
제2항 문장의 각 단어는 띄어 씀을 원칙으로 한다.
제41항 조사는 그 앞말에 붙여 쓴다.

〈보기 2〉

(ㄱ) 우리는 웃을 수밖에 없었다.
(ㄴ) 아이들은 잠시 밖에 나가 있어야 했다.

① (ㄱ)의 '밖에'는 조사로 보아야겠군.
② (ㄱ)의 '밖에'를 붙여 쓴 것은 부정을 나타내는 말과 함께 쓰일 때이군.
③ (ㄴ)의 '밖에'는 명사와 조사의 결합으로 보아야겠군.
④ (ㄴ)의 '밖'은 (ㄱ)과 달리 '바깥'과 바꾸어 쓸 수 있겠군.
⑤ (ㄱ)과 (ㄴ) 모두 '밖에'는 '밖'과 '에'의 두 단어로 보아야겠군.

2016학년도 9월 고3 모의평가 B형

08 〈자료〉의 밑줄 친 발음 표시 부분을 맞춤법에 맞게 표기할 때에 적용되는 원칙을 〈보기〉에서 찾아 바르게 짝 지은 것은?

〈자료〉

㉠ 이것은 유명한 책이 [아니요].
㉡ 영화 구경 [가지요].
㉢ 이것은 [설탕이요], 저것은 소금이다.

〈보기〉

○ 용언의 어간과 어미는 구별하여 적는다.
- 종결형에서 사용되는 어미 '-오'는 '-요'로 소리 나는 경우가 있더라도 그 원형을 밝혀 '오'로 적는다. ………… ⓐ
  이리로 오시오.(○) 이리로 오시요.(×)
- 연결형에서 사용되는 '이요'는 '이요'로 적는다. ………… ⓑ
  이것은 책이요, 저것은 붓이다.(○)
  이것은 책이오, 저것은 붓이다.(×)

○ 어미 뒤에 덧붙는 조사 '요'는 '요'로 적는다. ……………… ⓒ
  읽어 읽어요 먹을게 먹을게요

① ㉠ – ⓐ ② ㉠ – ⓑ ③ ㉡ – ⓑ
④ ㉢ – ⓐ ⑤ ㉢ – ⓒ

2013학년도 9월 고2 학력평가 B형

09 〈보기〉의 '한글 맞춤법'을 탐구한 내용으로 적절하지 않은 것은?

〈보기〉

제23항 '-하다'나 '-거리다'가 붙는 어근에 '-이'가 붙어서 명사가 된 것은 그 원형을 밝히어 적는다.
예 깔쭉이, 홀쭉이
[붙임] '-하다'나 '-거리다'가 붙을 수 없는 어근에 '-이'나 또는 다른 모음으로 시작되는 접미사가 붙어서 명사가 된 것은 그 원형을 밝히어 적지 아니한다.
예 깍두기, 뻐꾸기, 동그라미
[23항 해설] 접미사 '-하다'나 '-거리다'가 붙는 어근이란, 곧 동사나 형용사가 파생될 수 있는 어근을 말한다.

① '얼룩이'가 아니라 '얼루기'로 표기하는 이유는 '깍두기'와 같은 규정 때문이겠군.
② '오뚝이'로 표기하는 이유는 '깔쭉이'를 표기할 때 적용한 것과 같은 규정 때문이겠군.
③ '부스러기'가 '부스럭이'로 표기되지 않는 것은 '부스럭거리다'와 관련이 없기 때문이겠군.
④ '딱딱우리'가 아니라 '딱따구리'로 표기하는 것은 접미사 '-우리'가 사용되었기 때문이겠군.
⑤ '뻐꾹이'가 아니라 '뻐꾸기'로 표기하는 이유는 동사나 형용사가 파생될 수 있는 어근이 접미사와 결합했기 때문이겠군.

2013학년도 9월 고3 모의평가

10 〈보기〉는 준말과 관련한 한글 맞춤법의 일부와 그 예시이다. ㉠~㉢에 들어갈 알맞은 말은?

〈보기〉

• 'ㅏ, ㅕ, ㅗ, ㅜ, ㅡ'로 끝난 어간에 '-이-'가 와서 각각 'ㅐ, ㅖ, ㅚ, ㅟ, ㅢ'로 줄 적에는 준 대로 적는다.

	본말	준말
기본형	파이다	㉠
용례	깊게 파인 구덩이	깊게 ㉡ 구덩이

• 'ㅐ, ㅔ' 뒤에 '-어, -었-'이 어울려 줄 적에는 준 대로 적는다.

	본말	준말
용례	구덩이가 깊게 ㉢	구덩이가 깊게 팼다.

	㉠	㉡	㉢
①	패다	팬	패었다
②	패다	팬	패였다
③	패다	패인	패였다
④	패이다	팬	패었다
⑤	패이다	패인	패였다

2014년 4월 고3 학력평가 B형

11 〈보기〉는 '문법 학습 게시판'에 올라온 자료이다. 이를 참고할 때, (가)~(마) 중 적절하지 않은 것은?

〈보기〉

[질문] 선생님! 띄어쓰기와 관련해서 헷갈리는 것이 있어요. '만큼, 대로, 뿐'은 어떤 경우에 띄어 쓰고 어떤 경우에 붙여 쓰나요? 그리고 '못하다'와 '못 하다'의 차이는 무엇인가요?
[답변] '만큼, 대로, 뿐'이 조사로 쓰일 때는 앞말에 붙여 쓰고, 의존 명사로 쓰일 때는 띄어 쓴단다. 그러니까 앞말이 체언일 경우에는 붙여 쓰고, 용언의 관형사형일 경우에는 띄어 쓴다고 생각하면 되는 거지. 그리고 '못 하다'는 부사인 '못'이 동사인 '하다'를 꾸미는 것이고, '못하다'는 형용사나 동사로 그 자체가 하나의 단어란다. 형용사일 때는 '정도가 극에 달한 나머지', '비교 대상에 미치지 아니함.' 등의 뜻을 나타내지.

(가) 공부를 할 만큼 했으니 성적이 오르겠지?
(나) 나는 나대로 열심히 공부했어.
(다) 지금까지 공부한 것이 고작 그것 뿐이야?
(라) 배가 고프다 못해 아프다.
(마) 실력이 예전보다 많이 못하구나.

① (가) ② (나) ③ (다) ④ (라) ⑤ (마)

2014학년도 3월 고3 학력평가 B형

12 〈보기〉는 국어 수업 게시판의 문답 내용이다. ㉠과 ㉡에 들어갈 단어를 바르게 짝지은 것은?

〈보기〉

문 선생님, 안녕하세요? 제가 어제 동생이랑 밥을 먹는데 동생이 갑자기 왜 '젓가락'은 'ㅅ' 받침을 쓰는데, '숟가락'은 'ㄷ' 받침을 쓰느냐고 묻더라고요. 아무리 생각을 해 보아도 답을 찾기가 어려워서 이렇게 질문을 드립니다.
답 '젓가락'과 '숟가락'은 비슷한 합성어처럼 보이지만, 그 구성을 살펴보면 다른 점이 있어. 먼저, '젓가락'은 '저'와 '가락'이 결합된 말로, 합성어를 이룰 때 앞말이 모음으로 끝나고 뒷말의 첫소리가 된소리로 나기 때문에 사이시옷을 붙인 것이지. '__㉠__' 같은 단어도 같은 원리가 적용된 말이야. 그런데 '숟가락'은 '수'와 '가락'이 결합된 것이 아니라, '술'과 '가락'이 결합된 합성어야. 한글 맞춤법에서는 이처럼 끝소리가 'ㄹ'인 말이 딴 말과 어울릴 적에 [ㄹ] 소리가 [ㄷ] 소리로 나는 것은 'ㄷ'으로 적는 것을 원칙으로 하고 있어. '__㉡__' 같은 단어가 여기에 해당하지.

	㉠	㉡		㉠	㉡
①	첫째	삼짇날	②	맷돌	미닫이
③	혼삿길	섣달	④	나뭇잎	섣부르다
⑤	샛노랗다	맏며느리			

2014학년도 수능 B형

13 **(가)의 ㉠, ㉡에 들어갈 표준 발음을 (나)를 참고하여 바르게 짝 지은 것은?**

(가) 학생의 탐구 내용
지난 시간의 새말 만들기 활동에서 '꽃잎 표면에 이랑처럼 주름이 진 부분'을 가리키는 말로 '꽃이랑', '꽃의 가운데에 오목하게 들어간 부분'을 나타내는 말로 '꽃오목'을 만들었어. 이번 시간에 배운 표준 발음법에 따라 이 단어들의 올바른 발음을 생각해 보니, **'꽃이랑'**은 (㉠), **'꽃오목'**은 (㉡)으로 발음해야 해.

(나) 표준 발음법 조항
제15항 받침 뒤에 모음 'ㅏ, ㅓ, ㅗ, ㅜ, ㅟ'들로 시작되는 실질 형태소가 연결되는 경우에는, 대표음으로 바꾸어서 뒤 음절 첫소리로 옮겨 발음한다.
예 겉-옷[거돋], 헛-웃음[허두슴]
제29항 합성어 및 파생어에서, 앞 단어나 접두사의 끝이 자음이고 뒤 단어나 접미사의 첫 음절이 '이, 야, 여, 요, 유'인 경우에는, 'ㄴ' 소리를 첨가하여 [니, 냐, 녀, 뇨, 뉴]로 발음한다.
예 담-요[담:뇨], 홑-이불[혼니불]

	㉠	㉡
①	[꼰니랑]	[꼬도목]
②	[꼰니랑]	[꼬초목]
③	[꼰니랑]	[꼰노목]
④	[꼬디랑]	[꼬초목]
⑤	[꼬디랑]	[꼬도목]

14 **밑줄 친 말 중 띄어쓰기의 기준이 다른 하나는?**

① 그 일을 하는∨데 이틀이나 걸렸다.
② 우리가 얼마∨만에 다시 보는 거니?
③ 댓돌 위에 세∨켤레의 고무신이 놓여 있다.
④ 한참 동안 떠들어∨대던 그가 갑자기 조용해졌다.
⑤ 현아는 가게에서 과일, 음료, 생활용품∨들을 샀다.

2014학년도 수능 B형

15 **〈보기〉의 ㉠, ㉡의 예로 적절한 것은?**

〈보기〉
'한글 맞춤법 제4장(형태에 관한 것)'의 파생어와 합성어에 대한 표기 규정은 다음과 같이 네 가지로 정리해 볼 수 있다.

- 파생어이면서 어근의 원형을 밝히어 적는 경우
- 파생어이면서 어근의 원형을 밝히어 적지 않는 경우 ····· ㉠
- 합성어이면서 어근의 원형을 밝히어 적는 경우 ············ ㉡
- 합성어이면서 어근의 원형을 밝히어 적지 않는 경우

	㉠	㉡
①	길이, 마중	무덤, 지붕
②	무덤, 지붕	뒤뜰, 쌀알
③	뒤뜰, 쌀알	무덤, 지붕
④	길이, 무덤	뒤뜰, 쌀알
⑤	마중, 지붕	길이, 쌀알

2015학년도 9월 고3 모의평가 B형

16 **〈보기〉는 '한글 맞춤법'의 일부를 정리한 것이다. 이를 통해 알 수 있는 사실로 적절한 것은?**

〈보기〉
제19항
- 어간에 '-이'가 붙어서 명사로 된 것과 '-이'가 붙어서 부사로 된 것은 그 어간의 원형을 밝히어 적는다.
  예 먹이, 굳이, 같이 ············ ㉠

제25항
- '-하다'가 붙는 어근에 '-히'나 '-이'가 붙어서 부사가 되는 경우에는 그 어근의 원형을 밝히어 적는다.
  예 꾸준히, 깨끗이 ············ ㉡
- 부사에 '-이'가 붙어서 역시 부사가 되는 경우에는 그 부사의 원형을 밝히어 적는다.
  예 더욱이, 생긋이 ············ ㉢

① '급히 떠나다'의 '급히'는 ㉠의 '굳이'를 표기할 때 적용된 규정을 따른 것이군.
② '방긋이 웃다'의 '방긋이'는 ㉠의 '같이'를 표기할 때 적용된 규정을 따른 것이군.
③ '많이 먹다'의 '많이'는 ㉡의 '꾸준히'를 표기할 때 적용된 규정을 따른 것이군.
④ '깊이 파다'의 '깊이'는 ㉡의 '깨끗이'를 표기할 때 적용된 규정을 따른 것이군.
⑤ '일찍이 없던 일'의 '일찍이'는 ㉢의 '더욱이'를 표기할 때 적용된 규정을 따른 것이군.

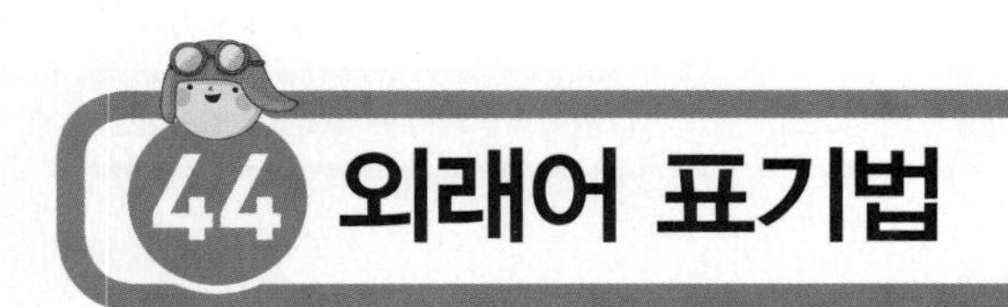

44 외래어 표기법

최근 5개년 출제 지수 ●●●○○

❶ 외래어 표기법* 제정의 필요성과 원칙

1. 외래어 표기법 제정의 필요성

(1) 언어마다 음운 체계나 문자 체계가 다르기 때문에, 다른 나라의 어휘를 그 나라의 언어로 흡수하여 표기하기 위한 일정한 규칙이 필요하다.

(2) 외래어는 국어와 음운 체계가 전혀 다른 언어를 차용하여 쓰는 것이므로, 임의로 외국어를 발음하거나 표기했을 때 초래될 혼란을 방지할 필요가 있다.

● 외래어도 국어에 포함되므로 외래어 표기법은 국어의 4대 어문 규정 중 하나이다.

참고 외래어와 외국어

① 외래어: 외국에서 들어왔지만 국어의 체계에 동화되어 사회적으로 사용이 허용된 단어이다. 고유어로 대체가 불가능한 경우가 많다.

② 외국어: 사회적으로 아직 사용하는 것이 허용되지 않은, 외국에서 들어온 말이다. 고유어로 대체 가능하다.

2. 외래어 표기의 기본 원칙

(1) 외래어는 국어의 현용 24 자모만으로 적는다.

자음	ㄱ, ㄴ, ㄷ, ㄹ, ㅁ, ㅂ, ㅅ, ㅇ, ㅈ, ㅊ, ㅋ, ㅌ, ㅍ, ㅎ
모음	ㅏ, ㅑ, ㅓ, ㅕ, ㅗ, ㅛ, ㅜ, ㅠ, ㅡ, ㅣ

(2) 음소 글자인 한글은 우리말의 1 음운을 1 기호로 적도록 규정하고 있다. 이러한 한글 표기 원칙을 외래어 표기에도 그대로 적용한다.

예 fashion 패션 file 화일(×) → 파일(○)

(3) 외래어는 받침 표기에 일곱 개의 자음 'ㄱ, ㄴ, ㄹ, ㅁ, ㅂ, ㅅ, ㅇ'만을 사용한다.*

예 cup 컾(×) → 컵(○) coffee shop 커피숖(×) → 커피숍(○)

● 국어에는 음절의 끝소리로 날 수 있는 자음으로 'ㄷ'을 사용하지만, 외래어 표기에서는 'ㄷ' 대신 'ㅅ'을 사용한다.

(4) 파열음 표기에는 된소리를 쓰지 않는 것을 원칙으로 한다.

예 Paris 빠리(×) → 파리(○) cafe 까페(×) → 카페(○) conte 꽁트(×) → 콩트(○)

참고 파열음, 파찰음, 마찰음

- 파열음: ㅂ, ㅃ, ㅍ / ㄷ, ㄸ, ㅌ / ㄱ, ㄲ, ㅋ
- 파찰음: ㅈ, ㅉ, ㅊ
- 마찰음: ㅅ, ㅆ / ㅎ

(5) 외래어가 우리말에 들어와 그 형태가 이미 굳어져서 널리 쓰이는 경우에는, 그 형태가 외래어 표기법에 어긋나더라도 관용을 존중하여 널리 쓰이는 형태를 인정한다.

예 radio 레이디오(×) → 라디오(○) piano 피애노(×) → 피아노(○)

(6) 짧은 모음 다음의 어말 무성 파열음([p], [t], [k])은 받침으로 적는다.

예 gap[gæp] 갭 cat[kæt] 캣 book[buk] 북

알아 둘 것 (6)과 (7) 이외의 어말 파열음은 '으'를 붙여 적으면 돼.

예 • stamp: 스탬프
- nest: 네슷(×) → 네스트(○)
- desk: 데슼(×) → 데스크(○)
- make: 메잌(×) → 메이크(○)
- part: 팥(×) → 파트(○)

(7) 짧은 모음과 유음 · 비음([l], [r], [m], [n]) 이외의 자음 사이에 오는 무성 파열음([p], [t], [k])은 받침으로 적는다.

'유음, 비음'(=공명음)이 아닌 자음

예 apt[æpt] 앱트 setback[setbæk] 셋백 act[ækt] 액트

(8) 어말 또는 자음 앞의 [s], [z], [f], [v], [θ], [ð]는 '으'를 붙여 적는다.

예 mask[ma:sk] 마스크 jazz[dʒæz] 재즈 graph[græf] 그래프 olive[ɔliv] 올리브

(9) 어말의 [ʃ]는 '시'로 적고, 자음 앞의 [ʃ]는 '슈'로, 모음 앞의 [ʃ]는 뒤따르는 모음에 따라 '샤', '섀', '셔', '셰', '쇼', '슈', '시'로 적는다.

예 flash[flæʃ] 플래시 shrub[ʃrʌb] 슈러브 fashion[fæʃən] 패션 shopping[ʃɔpiŋ] 쇼핑

(10) [ou]는 '오'로, [auə]는 '아워'로 표기한다.

예 boat[bout] 보트 tower[tauə] 타워 shadow[ʃædou] 섀도

(11) '쟈, 져, 죠, 쥬, 챠, 쳐, 쵸, 츄' 등으로는 표기하지 않는다.

예 television 텔레비젼(×) → 텔레비전(○) juice 쥬스(×) → 주스(○) chocolate 쵸콜릿(×) → 초콜릿(○)

국어 문법 100% 공략을 위한 2단계 트레이닝

정답과 해설 30쪽

1단계 기본 트레이닝

외래어 표기법 **빈칸에 들어갈 알맞은 말을 쓰시오.**

01 (　　　　)은/는 외국에서 들어왔지만 국어의 체계에 동화되어 사회적으로 사용이 허용된 단어이다.

02 외래어는 국어의 현용 자모 (　　　　)자로 적으며, 외래어의 1 음운은 원칙적으로 (　　　　) 기호로 적는다.

03 외래어는 받침에 자음 '(　,　,　,　,　,　,　)' 7개만을 쓴다.

04 파열음 표기에는 (　　　　)을/를 쓰지 않는 것을 원칙으로 한다.

05 이미 형태가 굳어진 외래어는 (　　　　)을/를 존중한다.

06 짧은 모음 뒤의 무성 파열음(　,　,　)은/는 받침으로 적는다.

07 어말의 [ʃ]는 '(　　　　)'(으)로 적고, 자음 앞의 [ʃ]는 '(　　　　)'(으)로, 모음 앞의 [ʃ]는 뒤따르는 모음에 따라 '샤', '섀', '셔', '셰', '쇼', '슈', '시'로 적는다.

08 [ou]는 '(　　　　)', [auə]는 '(　　　　)'(으)로 표기한다.

올바른 외래어 표기 **다음 외래어 표기를 바르게 고쳐 쓰시오.**

09 cat: 캩 → ______

10 file: 화일 → ______

11 gas: 까스 → ______

12 juice: 쥬스 → ______

13 olive: 올립 → ______

14 desk: 데슥 → ______

15 conte: 꽁트 → ______

16 Paris: 빠리 → ______

17 flash: 플래쉬 → ______

18 junior: 쥬니어 → ______

19 piano: 피애노 → ______

20 radio: 레이디오 → ______

21 shopping: 샤핑 → ______

22 window: 윈도우 → ______

23 television: 텔레비젼 → ______

2단계 실전 트레이닝

24 외래어 표기법에 대한 설명으로 적절하지 <u>않은</u> 것은?

① 원어 발음을 존중하여 소리 나는 그대로 표기한다.
② 한 음운이 여러 개의 소리로 발음되더라도 하나의 음운으로 표시한다.
③ 외래어도 국어의 체계에 동화되어 있으므로 국어의 한 부분으로 인정한다.
④ 오랫동안 사용되어 우리말처럼 굳어진 외래어는 규정에 구애받지 않고 관용을 존중하여 표기한다.
⑤ 나라마다 다르게 발음되는 단어를 표기법에 따라 적을 때에는 국어 발음과 일대일로 대응시켜야 한다.

25 외래어 표기가 바르게 된 단어들로 묶인 것은?

① 컨셉, 애드립, 알콜　② 앵콜, 케잌, 챔피온
③ 노트, 커피숍, 악세사리　④ 리더쉽, 코메디, 브레이크
⑤ 피라미드, 메시지, 바비큐

26 외래어 표기법의 기본 원칙에 대한 설명으로 적절하지 <u>않은</u> 것은?

	기본 원칙	설명
①	외래어는 국어의 현용 24 자모만으로 적는다.	한글이 다른 문자에 비해 소리를 비교적 정확하게 적을 수 있기는 하지만 외래어의 모든 소리를 적을 수 있는 것은 아니다. 국어에 없는 [v], [ʌ] 등의 소리는 한글로 정확히 표현할 수 없으므로 소리의 유사성을 고려해서 'ㅂ', 'ㅓ'로 적는다.
②	외래어의 1 음운은 원칙적으로 1 기호로 적는다.	외래어 표기의 대원칙을 표명한 것으로서, 외래어의 한 소리는 같은 문자로 일정하게 적는 것이 이상적이다. [p]와 [f]는 발음 기호가 다르기 때문에 각각 'ㅍ'과 'ㅎ'으로 적어서 서로 구별해 준다.
③	받침에는 'ㄱ, ㄴ, ㄹ, ㅁ, ㅂ, ㅅ, ㅇ'만을 쓴다.	'racket'의 [t]는 [라켇]처럼 [ㄷ]으로 소리 난다. 그렇지만 받침을 'ㄷ'으로 적으면 모음으로 시작하는 조사 앞에서 [라케시], [라케슬]처럼 [ㅅ]으로 소리 나는 현상이 자연스럽게 설명되지 않으므로 '라켓'과 같이 받침을 'ㅅ'으로 적는다.
④	파열음 표기에는 된소리를 쓰지 않는 것을 원칙으로 한다.	일반적으로 외래어의 무성 파열음은 거센소리로 적고, 유성 파열음은 예사소리로 적는다. 'cafe, Paris, double'의 [k], [p], [d]는 된소리로 인식되는 경향이 있으나 '까페, 빠리, 떠블'로 적지 않고 '카페, 파리, 더블'로 적는다.
⑤	이미 굳어진 외래어는 관용을 존중하되, 그 범위와 용례는 따로 정한다.	아주 익숙해져 굳어진 외래어는 관용대로 적는다. 예를 들어 'radio', 'piano'는 '레이디오', '피애노'로 적지 않고 관용에 따라 '라디오', '피아노'로 적는다.

45 국어의 로마자 표기법

최근 5개년 출제 지수 ●●●○○

❶ 로마자 표기법의 기본 원칙과 방법

1. 표기의 기본 원칙

(1) 국어의 로마자 표기는 국어의 표준 발음법에 따라 적는 것을 원칙으로 한다.*

(2) 로마자 이외의 부호는 되도록 사용하지 않는다.

* 로마자 표기는 외국인이 읽는다는 것을 전제로 한 것이므로, 외국인이 우리말을 한국어 발음에 가장 흡사하게 발음하도록 하기 위해서는 소리 나는 대로 적어야 한다.

알아 둘 것 표기의 수단으로 굳이 로마자를 선택한 이유는, 로마자가 세계적으로 널리 쓰이는 공용 문자의 성격을 갖기 때문이야.

2. 모음과 자음의 표기

(1) 단모음

국어	ㅏ	ㅓ	ㅗ	ㅜ	ㅡ	ㅣ	ㅐ	ㅔ	ㅚ	ㅟ
로마자	a	eo	o	u	eu	i	ae	e	oe	wi

(2) 이중 모음

국어	ㅑ	ㅕ	ㅛ	ㅠ	ㅒ	ㅖ	ㅘ	ㅙ	ㅝ	ㅞ	ㅢ
로마자	ya	yeo	yo	yu	yae	ye	wa	wae	wo	we	ui

① 'ㅢ'는 'ㅣ'로 소리 나더라도 'ui'로 적는다. 예 광희문 Gwanghuimun

② 장모음의 표기는 따로 하지 않는다. 예 대관령 Dae:gwallyeong(×) → Daegwallyeong(○)

(3) 자음

	파열음								
국어	ㄱ	ㄲ	ㅋ	ㄷ	ㄸ	ㅌ	ㅂ	ㅃ	ㅍ
로마자	g, k	kk	k	d, t	tt	t	b, p	pp	p

	파찰음			마찰음			비음			유음
국어	ㅈ	ㅉ	ㅊ	ㅅ	ㅆ	ㅎ	ㄴ	ㅁ	ㅇ	ㄹ
로마자	j	jj	ch	s	ss	h	n	m	ng	r, l

① 'ㄱ, ㄷ, ㅂ'은 모음 앞에서는 'g, d, b'로, 자음 앞이나 어말에서는 'k, t, p'로 적는다.

예 구미 Gumi / 옥천 Okcheon 영동 Yeongdong / 월곶 Wolgot 호법 Hobeop

② 'ㄹ'은 모음 앞에서는 'r'로, 자음 앞이나 어말에서는 'l'로 적는다. 단 'ㄹㄹ'은 'll'로 적는다.

예 구리 Guri 설악 Seorak 임실 Imsil 울릉 Ulleung

③ 체언에서 'ㄱ, ㄷ, ㅂ' 뒤에 'ㅎ'이 올 때는 'ㅎ'을 밝혀 적는다.

예 묵호 Mukho 집현전 Jiphyeonjeon

④ 된소리는 표기에 반영하지 않는다.*

예 압구정 Apgujeong 낙동강 Nakdonggang 죽변 Jukbyeon 낙성대 Nakseongdae

⑤ 발음상 혼동의 우려가 있을 때는 음절 사이에 붙임표(-)를 쓸 수 있는데, 자연 지물명, 문화재명, 인공 축조물명은 붙임표 없이 붙여 쓴다.

예 중앙 Jung-ang 해운대 Hae-undae 남산 Namsan 독도 Dokdo 경복궁 Gyeongbokgung

⑥ 고유 명사는 첫 글자를 대문자로 적는다.

예 부산 Busan 세종 Sejong

* 'ㄱ, ㄷ, ㅂ' 뒤에서 시작되는 예사소리는 예외 없이 된소리로 나므로 이러한 변동을 굳이 로마자 표기에 반영하지 않는다. 즉, 표기의 안정을 위해서 발음이 희생되는 한이 있더라도 된소리되기를 표기에 반영하지 않기로 한 것이다.

참고 **행정 구역 단위의 표기**
'도, 시, 군, 구, 읍, 면, 리, 동'의 행정 구역 단위와 '가'는 각각 'do, si, gun, gu, eup, myeon, ri, dong, ga'로 적고, 그 앞에는 붙임표(-)를 넣는다. 붙임표(-) 앞뒤에서 일어나는 음운 변화는 표기에 반영하지 않는다.
예 • 충청북도 Chungcheongbuk-do
• 의정부시 Uijeongbu-si
• 도봉구 Dobong-gu

국어 문법 100% 공략을 위한 **2단계 트레이닝**

정답과 해설 31쪽

1단계 기본 트레이닝

(국어의 로마자 표기법) **다음 설명이 맞으면 ○, 틀리면 × 표시를 하시오.**

01 국어의 로마자 표기법은 외국인보다는 우리나라 사람의 발음을 돕기 위한 규정이라 할 수 있다. (   )

02 'ㄲ, ㄸ, ㅃ, ㅉ, ㅆ'은 'kk, tt, pp, jj, ss'와 같이 적는다. (   )

03 'ㄱ, ㄷ, ㅂ'은 자음 앞에서는 'g, d, b'로, 모음 앞이나 어말에서는 'k, t, p'로 적는다. (   )

04 'ㄹ'은 모음 앞에서는 'r'로, 자음 앞이나 어말에서는 'l'로 적는다. (   )

05 체언에서 'ㄱ, ㄷ, ㅂ' 뒤에 'ㅎ'이 올 때는 음운을 축약하여 거센소리로 적는다. (   )

06 고유 명사는 첫 글자를 대문자로 적는다. (   )

(자음과 모음의 로마자 표기) **빈칸에 들어갈 알맞은 로마자 표기를 쓰시오.**

07

ㅏ	ㅓ	ㅗ	ㅜ	ㅡ	ㅣ	ㅐ	ㅔ	ㅚ	ㅟ
a	(1)	o	u	eu	i	(2)	e	(3)	wi

08

ㅑ	ㅕ	ㅛ	ㅠ	ㅒ	ㅖ	ㅘ	ㅙ	ㅝ	ㅞ	ㅢ
ya	yeo	yo	yu	yae	ye	wa	wae	(1)	we	(2)

09

ㄱ	ㄲ	ㅋ	ㄷ	ㄸ	ㅌ	ㅂ	ㅃ	ㅍ
g, k	kk	(1)	(2)	tt	t	b, p	(3)	p

10

ㅈ	ㅉ	ㅊ	ㅅ	ㅆ	ㅎ	ㄴ	ㅁ	ㅇ	ㄹ
j	jj	(1)	s	(2)	h	n	m	(3)	(4)

(올바른 로마자 표기) **다음 로마자가 바르게 표기됐으면 ○, 그렇지 않으면 × 표시를 하시오.**

11 구미 Gumi (   )
12 임실 Imsil (   )
13 묵호 Mukho (   )
14 설악 Seolak (   )
15 알약 arryak (   )
16 월곶 Wolgot (   )
17 호법 Hobeob (   )
18 울릉 Ulleung (   )
19 한양 Hanyang (   )
20 옥천 Okcheon (   )
21 별내 Byeollae (   )
22 죽변 Jukbbyeon (   )
23 대관령 Daekwallyeong (   )

2단계 실전 트레이닝

24 **〈보기〉는 잘못된 로마자 표기의 용례이다. ㉠~㉤에 대한 수정 의견으로 적절하지 않은 것은?**

〈보기〉

국어 표기	로마자 표기	
왕십리	Wangsipri	……… ㉠
물약	muryak	……… ㉡
묵호	Muko	……… ㉢
그믐달	geumeumttal	……… ㉣
백두산	Baekdu mountain	……… ㉤

① ㉠은 음운 변화를 반영하여 'Wangsimni'로 표기해야 해.
② ㉡은 'ㄹ' 소리가 덧나는 현상을 반영하여 'mullyak'으로 표기해야 해.
③ ㉢은 'ㄱ, ㄷ, ㅂ' 뒤에 'ㅎ'이 따를 때에는 'ㅎ'을 밝혀 적어야 한다는 규정에 따라 'Mukho'로 표기해야 해.
④ ㉣은 음운 변화가 일어났다는 것을 보여 주기 위해 '그믐'과 '달' 사이에 붙임표(-)를 넣어서 'geumeum-ttal'로 표기해야 해.
⑤ ㉤은 '산(山)'을 'mountain'이라고 썼는데 우리말 그대로 'san'이라고 써서 'Baekdusan'으로 표기해야 해.

2012학년도 9월 고2 학력평가 A·B형

25 **〈보기〉는 국어의 로마자 표기법의 중요 내용을 정리한 것이다. 이를 적용하여 잘못 표기된 나라 이름을 수정하였을 때 수정 근거가 적절하지 않은 것은?**

〈보기〉

- 'ㄱ, ㄷ, ㅂ'은 모음 앞에서는 'g, d, b'로, 자음 앞이나 어말에서는 'k, t, p'로 적는다. ……………………… ㉠
- 'ㄹ'은 모음 앞에서는 'r'로, 자음 앞이나 어말에서는 'l'로 적는다. 단, 'ㄹㄹ'은 'll'로 적는다. ……………… ㉡
- 된소리되기는 표기에 반영하지 않는다. …………… ㉢
- 고유 명사는 첫 글자를 대문자로 적는다. ………… ㉣

단, 국어의 로마자 표기는 국어의 표준 발음법에 따라 적는 것을 원칙으로 한다.

나라 이름	수정 전 → 수정 후	수정 근거
고려[고려]	golyeo → Goryeo	㉠, ㉣ ………… ①
발해[발해]	Parhae → Balhae	㉠, ㉡ ………… ②
백제[백쩨]	Paegje → Baekje	㉠ ………… ③
신라[실라]	Silra → Silla	㉡ ………… ④
옥저[옥쩌]	okjjeo → Okjeo	㉢, ㉣ ………… ⑤

01 〈보기〉를 활용하여 외래어 표기 규정을 설명하려고 할 때 가장 적절한 것은?

〈보기〉

- 로봇(robot)이 지배하는 세상
- 응접실에 카펫(carpet)을 깔았다.
- 달콤한 초콜릿(chocolate)의 유혹
- 바스켓(basket)에 내리꽂힌 농구공

① 파열음 표기에는 된소리를 쓰지 않는다.
② 장모음의 장음은 따로 표기하지 않는다.
③ 뒤따르는 모음에 따라 받침 표기가 달라진다.
④ 외래어의 받침 표기에는 'ㄷ'이 아닌 'ㅅ'을 쓴다.
⑤ 이미 굳어진 외래어는 관용을 존중하여 표기한다.

2014학년도 3월 고2 학력평가 B형

02 다음은 학생들이 궁금해하는 질문과 이와 관련된 외래어 표기법이다. 질문에 답하기 위해 참조해야 할 규정을 바르게 짝 지은 것은?

[질문]

- 프랑스의 수도를 적을 때 '파리'로 적어야 할까, '빠리'로 적어야 할까? ··························· ㉠
- 'racket'의 발음 [t]를 받침으로 표기할 때, 'ㄷ', 'ㅅ', 'ㅌ' 중 무엇으로 적어야 할까? ··························· ㉡
- [f]를 표기하기 위한 새로운 기호를 만들어야 하지 않을까? ··························· ㉢

〈외래어 표기법〉

제1장 표기의 기본 원칙

제1항 외래어는 국어의 현용 24 자모만으로 적는다.
제2항 외래어의 1 음운은 원칙적으로 1 기호로 적는다.
제3항 받침에는 'ㄱ, ㄴ, ㄹ, ㅁ, ㅂ, ㅅ, ㅇ'만을 쓴다.
제4항 파열음 표기에는 된소리를 쓰지 않는 것을 원칙으로 한다.
제5항 이미 굳어진 외래어는 관용을 존중하되, 그 범위와 용례는 따로 정한다.

	㉠	㉡	㉢
①	제1항	제3항	제2항
②	제1항	제4항	제5항
③	제4항	제3항	제1항
④	제4항	제5항	제2항
⑤	제5항	제4항	제3항

03 〈보기〉를 바탕으로 외래어 표기법에 대해 탐구한 결과로 알맞지 않은 것은?

〈보기〉

- 짧은 모음 다음의 어말 무성 파열음([p], [t], [k])은 받침으로 적는다. ··························· ㉠
- 짧은 모음과 유음 · 비음([l], [r], [m], [n]) 이외의 자음 사이에 오는 무성 파열음([p], [t], [k])은 받침으로 적는다. ··· ㉡
- 위 경우 이외의 어말과 자음 앞의 무성 파열음([p], [t], [k])은 '으'를 붙여 적는다. ··························· ㉢

① ㉠에 따라 'rocket, robot'은 각각 '로케트, 로보트'가 아닌 '로켓, 로봇'으로 적어야겠군.
② ㉡을 고려하면 'napkin'은 짧은 모음과 자음 사이에 무성 파열음이 오는 경우에 해당하므로 '내프킨'이 아니라 '냅킨'이라고 적어야겠군.
③ ㉡으로 볼 때 'mattress'의 'tt'는 짧은 모음과 유음 사이에 오는 무성 파열음에 해당하므로 '맷리스'가 아닌 '매트리스'로 적어야겠군.
④ 'tape, cake, flute'를 '테입, 케익, 플룻'이 아닌 '테이프, 케이크, 플루트'로 적는 것은 ㉢에 따른 것이로군.
⑤ 'doughnut'은 ㉢에 해당하므로, '도넛'이 아닌 '도너츠'로 적어야겠군.

04 〈보기〉의 외래어 표기에 대한 설명으로 적절하지 않은 것은?

〈보기〉

㉠ fighting 화이팅, frypan 후라이팬
㉡ supermarket 슈퍼마켙, rocket 로켙
㉢ strike 스트라익, teamwork 팀웍
㉣ golf 꼴프, cafe 까페
㉤ chocolate 쵸콜릿, television 텔레비젼

① ㉠: 1 음운은 1 기호로만 적어야 하므로, '파이팅, 프라이팬'으로 적는다.
② ㉡: 외래어는 받침 표기에 일곱 개의 자음만 쓸 수 있으므로, '슈퍼마켙, 로켙'으로 적는다.
③ ㉢: 어말의 [k]는 '으'를 붙여 적어야 하므로 '스트라이크, 팀워크'로 적는다.
④ ㉣: 파열음 표기에는 된소리를 쓰지 않으므로 '골프, 카페'로 적는다.
⑤ ㉤: '쵸, 져'로는 표기하지 않으므로, '초콜릿, 텔레비전'으로 적는다.

05 국어의 로마자 표기법 규정과 그에 해당하는 예로 적절하지 않은 것은?

① 국어의 표준 발음법에 따라 적는다고 했으므로 '낙동강'은 'Nakttonggang'으로 써야겠군.
② 음운 변화가 일어날 때에는 변화의 결과에 따라 적어야 한다고 했으므로 '종로'는 'Jongno'로 써야겠군.
③ 체언에서 'ㄱ, ㄷ, ㅂ' 뒤에 'ㅎ'이 올 때는 'ㅎ'을 밝혀 적는다고 했으므로 '집현전'은 'Jiphyeonjeon'으로 써야겠군.
④ 자연 지물명, 문화재명, 인공 축조물명은 붙임표(-) 없이 붙여 쓴다고 했으므로 '다보탑'은 'Dabotap'으로 써야겠군.
⑤ 발음상 혼동의 우려가 있을 때에는 음절 사이에 붙임표(-)를 쓸 수 있다고 했으므로 'Jung-ang'으로 표기하면 '중앙'으로만 읽히겠군.

2015학년도 6월 고3 모의평가 B형

06 (가)에 들어갈 내용으로 적절하지 않은 것은?

선생님: 로마자 표기법은 국제화 시대에 그 중요성이 더 커지고 있습니다. 로마자 표기법을 구체적으로 배우기 전에, 다음 자료로 탐구한 내용을 발표해 봅시다.

표기	표준 발음	올바른 로마자 표기	
가락	[가락]	garak	········· ㉠
앞집	[압찝]	apjip	········· ㉡
장롱	[장:농]	jangnong	········· ㉢

학생: (가)

① ㉠에서 '가'의 'ㄱ'은 'g'로, '락'의 'ㄱ'은 'k'로 표기한 것을 보니, '가락'의 두 'ㄱ'은 같은 자음이지만 다른 로마자로 적었어요.
② ㉡에서 '앞'의 'ㅍ'과 '집'의 'ㅂ'을 모두 'p'로 표기한 것을 보니, '앞집'의 'ㅍ'과 'ㅂ'은 다른 자음이지만 동일한 로마자로 적었어요.
③ ㉢에서 장음을 표시하는 기호인 ':'가 로마자 표기에 없는 것을 보니, 장단의 구별은 로마자 표기에 반영하지 않았어요.
④ ㉠에서 '락'의 'ㄹ'은 'r'로, ㉢에서 '롱'의 'ㄹ'은 'n'으로 표기한 것을 보니, ㉢ '장롱'의 로마자 표기는 자음 동화를 반영하여 적었어요.
⑤ ㉡에서 '집'의 'ㅈ'과 ㉢에서 '장'의 'ㅈ'을 같은 로마자로 표기한 것을 보니, ㉡ '앞집'의 로마자 표기는 된소리되기를 반영하여 적었어요.

07 고유 명사를 로마자로 바르게 표기하지 못한 것은?

① 한밭: Hanbat
② 울릉: Ulleung
③ 학여울: Hakyeoul
④ 광희문: Gwanghuimun
⑤ 남한산성: Namhansanseong

2013학년도 4월 고3 학력평가 B형

08 다음은 표준 발음법과 국어의 로마자 표기법의 일부이다. 로마자로 표기하는 방법에 대해 설명한 내용으로 적절한 것은?

[표준 발음법]
제2장 제5항 'ㅑ, ㅒ, ㅕ, ㅖ, ㅘ, ㅙ, ㅛ, ㅝ, ㅞ, ㅠ, ㅢ'는 이중 모음으로 발음한다.
다만 2. '예, 례' 이외의 'ㅖ'는 [ㅔ]로도 발음한다.
다만 3. 자음을 첫소리로 가지고 있는 음절의 'ㅢ'는 [ㅣ]로 발음한다.
다만 4. 단어의 첫 음절 이외의 '의'는 [ㅣ]로, 조사 '의'는 [ㅔ]로 발음함도 허용한다.

[국어의 로마자 표기법]
제1장 제1항 국어의 로마자 표기는 국어의 표준 발음법에 따라 적는 것을 원칙으로 한다.
제2장 제1항 모음은 다음 각호와 같이 적는다.

1. 단모음

ㅣ	ㅔ
i	e

2. 이중 모음

ㅖ	ㅢ
ye	ui

[붙임 1] 'ㅢ'는 'ㅣ'로 소리 나더라도 'ui'로 적는다.

① '숭례문'에서 '례'의 'ㅖ'는 [ㅖ]로 발음해야 하므로 'e'로 표기해야 한다.
② '도예촌'에서 '예'의 'ㅖ'는 [ㅔ]로도 발음할 수 있으므로 'e'로 표기할 수 있다.
③ '퇴계원'에서 '계'는 '예, 례' 이외의 'ㅖ'이어서, [ㅖ]로 발음해야 하므로 'e'로 표기해야 한다.
④ '충의사'에서 '의'는 단어의 첫 음절 이외의 '의'이어서, [ㅣ]로 발음되나 'ui'로 표기해야 한다.
⑤ '광희문'에서 '희'는 자음을 첫소리로 가지고 있는 음절이어서, [ㅣ]로 발음되므로 'i'로 표기해야 한다.

국어 생활

46 문장 다듬기 1

최근 5개년 출제 지수 ●●○○○

❶ 올바른 표현 쓰기

1. 뜻에 맞는 단어 쓰기

• 이 서류 좀 결제해 주세요.(×) → 결재

→ '결제'는 '대금을 주고받아 매매 당사자 사이의 거래 관계를 끝맺는 일'이라는 뜻이므로, '상관이 부하가 제출한 안건을 검토하여 허가하거나 승인함.'이라는 뜻의 '결재'로 써야 함.

• 누가 이 일을 이렇게 벌려 놓았니?(×) → 벌여

→ '벌리다'는 '둘 사이의 공간을 넓히다.'라는 뜻이므로, '어떤 일을 베풀어 놓다.'라는 뜻의 '벌이다'로 써야 함.

• 꿈만을 쫓는 젊은이들이 많다.(×) → 좇는

→ '쫓다'는 '어떤 대상을 잡거나 만나기 위하여 뒤를 급히 따르다.'라는 뜻이므로, '목표, 이상, 행복 따위를 추구하다.'라는 뜻의 '좇다'로 써야 함.

• 집에 오는 길에 도서관에 들렸다.(×) → 들렀다

→ '들리다'는 '듣다'의 피동사이므로, '지나는 길에 잠깐 들어가 머무르다.'라는 뜻의 '들르다'로 써야 함.

• 너와 네 동생은 성격이 완전히 틀려.(×) → 달라●

→ '틀리다'는 '그르게 되거나 어긋나다.'라는 뜻이므로, '서로 같지 아니하다.'라는 뜻의 '다르다'로 써야 함.

알아 둘 것! 문장에서 정확한 단어를 선택하지 않아 오용 표현이 생기는 경우가 있어. 예를 들어 '다르다'와 '틀리다'를 혼동하여 쓰는 경우가 많은데, '다르다'는 '같지 않다.'라는 뜻이고 '틀리다'는 '어긋나거나 맞지 않다.'라는 뜻이므로, 상황에 따라 적절하게 단어를 선택해서 사용해야 해.

● '틀리다'는 '맞다'의 반의어이고, '다르다'는 '같다'의 반의어이다.

2. 문법에 맞는 표현 쓰기

• 할머니, 건강하세요.(×) → 건강하시기 바랍니다.

→ 형용사는 명령문을 만들 수 없으므로 '건강하시기 바랍니다.'로 바꾸어야 함. 또한 어른에게 하는 인사말로 명령문은 되도록 피해야 함.

• 엄마가 꽃에게 물을 주었다.(×) → 꽃에●

→ 유정 명사 뒤에는 조사 '에게'를, 무정 명사 뒤에는 조사 '에'를 씀.

• 어제는 피곤해서 일찍 잔 것 같아요.(×) → 잤습니다.

→ 명확한 사실을 말할 때에 '~ 것 같다'와 같은 추측을 나타내는 말을 사용하는 것은 적절하지 않음.

• 저희 나라에는 문화재가 많습니다.(×) → 우리나라

→ 자기 나라나 민족은 다른 나라나 민족 앞에서 낮춤의 대상이 아니므로 '우리'로 써야 함.

• 철수야, 너 선생님께서 오시라고 하셔.(×) → 오라고

→ '오라'의 주체는 '너(철수)'이므로 존대할 필요가 없음.

알아 둘 것! 명령문과 청유문은 서술어로 동작을 나타내는 동사만 올 수 있다는 공통점이 있어. '건강하세요'는 형용사이므로 명령형 어미인 '-하세요'는 올 수 없지. 같은 이유로 '건강하자'와 같은 청유문도 어법에 맞지 않는 표현이므로 '건강하게 지내자'처럼 써야 해.

● 감정을 나타내는 사람이나 동물 등을 가리키는 명사를 유정 명사라고 하고, 감정이 없는 사물을 가리키는 명사를 무정 명사라고 한다. 지향의 의미를 나타낼 때에는 유정 명사 뒤에 조사 '에게'가 붙고, 무정 명사 뒤에는 '에'가 붙는다. 단체는 무정 명사로 보아 조사 '에'를 붙인다.

❷ 문장 성분 바로 쓰기

1. 문장 성분 갖추기

(1) 주어를 생략하여 어색해진 문장

앞 문장과 뒤 문장의 주어가 같지 않으면 뒤 문장의 주어를 생략할 수 없다.

호응 ○

공사가 언제 시작되고, 언제 개통될지 모른다.

호응 × 다른 주어가 필요함.

→ 공사가 언제 시작되고, 도로가 언제 개통될지 모른다.

참고 문장 성분의 종류

주성분	주어, 목적어, 보어, 서술어
부속 성분	관형어, 부사어
독립 성분	독립어

알아 둘 것! 서술어가 필수적으로 요구하는 문장 성분이 생략되면 문장의 완결성이 떨어져서 의미 전달이 불명확해져. 따라서 서술어를 중심으로 누락된 문장 성분이 없는지 살피는 것이 중요해.

(2) 목적어를 생략하여 어색해진 문장

문장 안에서 서술어로 쓰인 타동사의 목적어를 생략할 수 없다.

호응 ○

길에서 놀거나 다닐 때 차 조심을 해야 한다.

호응 × 타동사로서, 목적어가 필요함.

→ 길에서 놀거나 길을 다닐 때 차 조심을 해야 한다.

(3) 부사어를 생략하여 어색해진 문장

필수 부사어를 요구하는 서술어가 있으면 그 부사어를 반드시 밝혀 주어야 한다.

호응 ○

부모는 자식을 사랑하지만 때로는 시련을 준다.

호응 × 부사어가 필요함.

→ 부모는 자식을 사랑하지만 때로는 자식에게 시련을 준다. / 그는 성실한 성품을 지닌 사람이다.

2. 불필요한 문장 성분 없애기

(1) 어휘 반복

문장 안에서 반복되는 어휘는 생략하는 것이 좋다.

어휘 반복

그 사람은 성실한 성품을 지닌 사람이다.

→ 그 사람은 성실한 성품을 지녔다. / 그는 성실한 성품을 지닌 사람이다.

(2) 의미 중복

한 문장에서 같은 의미의 말이나 표현이 반복될 때, 중복된 표현을 삭제해야 한다.

의미 중복

겨울에는 실내 공기를 자주 환기해 주어야 한다.

공기의 의미가 들어 있음.

→ 겨울에는 실내를 자주 환기해 주어야 한다.

❸ 문장 성분의 호응

1. 주어와 서술어의 호응

문장에서 가장 기본이 되는 문장 성분이 주어와 서술어이다. 따라서 어법에 맞게 문장을 다듬을 때, 가장 먼저 살펴보아야 하는 것이 주어와 서술어의 호응 관계이다.

더욱 큰 문제는 지구 온난화가 가속화되고 있다.

호응 ×

→ 더욱 큰 문제는 지구 온난화가 가속화되고 있다는 것이다.

참고 목적어와 동사

① 타동사: 동작의 대상인 목적어를 필요로 하는 동사

② 자동사: 동작이 주어에만 미치므로 목적어를 필요로 하지 않는 동사

참고 의미 중복의 유형 – 겹말

① 앞말 또는 뒷말의 일부를 중복하는 경우: 처갓집, 겉표지, 새로 나온 신곡, 과반수 이상, 서해 바다

② 앞말 또는 뒷말 전체를 중복하는 경우: 분가루, 뼛골, 족발

참고 문장 성분의 호응

문장 성분 간의 호응이 이루어지지 않으면 어법에 어긋난 문장이 된다. 문법적으로 올바른 문장이란 문장의 기본 구조 안에서 호응하는 문장 성분끼리 잘 어울리는 문장을 말한다.

알아 둘 것 주어와 서술어는 한 문장이 성립하기 위해 없어서는 안 될 최소한의 필수 성분이야. 정상적인 문장은 적어도 1개의 주어와 1개의 서술어를 갖추어야 해.

2. 목적어와 서술어의 호응

서술어가 타동사라면 앞에 반드시 목적어가 있어야 하고, 앞에 목적어가 사용되었다면 뒤의 서술어는 타동사이어야 한다.

호응 ○

이 배는 사람이나 짐을 싣고 하루에 한 번 운행한다.

호응 ×

→ 이 배는 사람을 태우거나 짐을 싣고 하루에 한 번 운행한다.

3. 부사어와 서술어의 호응

특정한 부사어는 특정한 서술어와 짝을 이루어야 문맥이 자연스럽다.

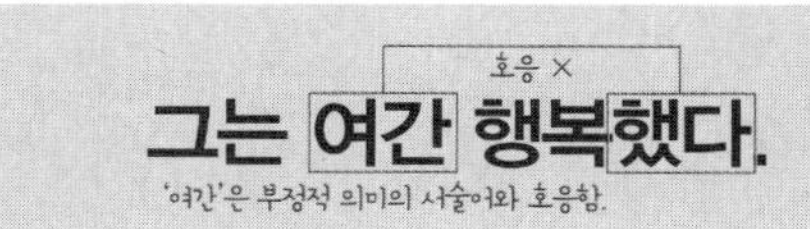

호응 ×
그는 여간 행복했다.
'여간'은 부정적 의미의 서술어와 호응함.

→ 그는 여간 행복하지 않았다.

참고 부정 서술어와 호응하는 부사의 종류
우리말 중에는 긍정 서술어와 어울리지 않고, 부정 서술어와만 어울리는 부사가 있다. 이러한 부사는 문장을 쓸 때 서술어와의 호응에 유의할 필요가 있다.
예 '도저히 ~ 않다', '여간 ~지 않다', '전혀 ~ 아니다', '결코 ~이 아니다', '별로 ~지 않다', '차마 ~ 수 없다' 등

4. 조사와 서술어의 호응

서술어에 적합한 조사가 사용되었는지 살펴보아야 한다.

호응 ×

그 일은 담당자에게 상의하십시오.

'와/과'와 호응함.

→ 그 일은 담당자와 상의하십시오.

5. 의미 관계의 호응

(1) 의미 관계가 대등한 두 홑문장이 이어진 문장•은 두 홑문장의 의미 관계가 서로 밀접한 관련이 있어야 한다.

철수의 취미는 탁구이고, 영희는 공부를 잘한다.

의미상 관련이 없음.

→ 철수의 취미는 탁구이고, 영희의 취미는 음악 감상이다.

(2) 접속 조사로 둘 이상을 나열할 때에는 그들의 의미 관계를 명확하게 해야 한다.

노인 문제, 청소년 문제는 사회 문제의 하위 개념이므로 병렬 관계가 될 수 없음.

경주는 노인 문제, 청소년 문제와 사회 문제를 조사했다.

→ 경주는 노인 문제와 청소년 문제 등 사회 문제를 조사했다.

• '이어진문장'은 홑문장 두 개가 이어지는 방법에 따라 대등하게 이어진 문장과 종속적으로 이어진 문장으로 나뉜다.

참고 대등하게 이어진 문장의 의미 관계
대등하게 이어진 문장에서 앞 절과 뒤 절은 나열, 대조 등의 의미 관계를 갖는다. 예를 들어, '낮말은 새가 듣고, 밤말은 쥐가 듣는다.'에서는 나열의 의미 관계를, '낮말은 새가 듣지만, 밤말은 쥐가 듣는다.'에서는 대조의 의미 관계를 나타낸다.

정답과 해설 32쪽

1단계 기본 트레이닝

올바른 표현 **( ) 안의 단어 중 올바른 표현을 고르시오.**

01 그분과는 (막역한/막연한) 사이이다.

02 덕분에 배부르게 (먹었어요/먹은 것 같아요).

03 (우리/저희)나라 선수들의 선전을 기원합니다.

04 너와 네 동생은 성격이 왜 이리 (다르니/틀리니)?

05 이 물건은 현금으로 (결재/결제)해 주셔야 합니다.

06 국회는 역사 왜곡에 대해 일본(에/에게) 항의하였다.

필수 문장 성분 **다음 문장에서 생략된 문장 성분이 무엇인지 쓰시오.**

07 아버지는 고향을 찾아, 할머님께 드렸다. (　　　　)

08 학문은 따지고 의심하고 검토하는 데서 출발한다. (　　　　)

09 그는 수상 경력이 있을 만큼 남다른 관심이 있다. (　　　　)

10 문학은 삶의 체험을 보여 주는 예술로서, 문학을 즐길 예술적 본능을 지닌다. (　　　　)

중복되는 문장 성분 **다음 문장을 바르게 고쳐 쓰시오.**

11 실내에서는 조용히 정숙을 유지해 주십시오.
→ ______________________________

12 그곳에 따뜻한 온정의 손길이 이어지고 있다.
→ ______________________________

13 내일은 별도의 준비물을 따로 챙길 필요가 없어.
→ ______________________________

문장 성분의 호응 **다음 문장을 바르게 고쳐 쓰시오.**

14 내가 하고 싶은 말은 네가 옳다.
→ ______________________________

15 비록 최선을 다한다면 성공할 것이다.
→ ______________________________

16 너는 앞으로 우리나라를 책임지는 일꾼이다.
→ ______________________________

17 그들은 날마다 적당한 운동과 휴식을 취하였다.
→ ______________________________

2단계 실전 트레이닝

18 정확한 단어들로 이루어진 문장으로 적절한 것은?

① 밤새 내리던 비는 개고 햇빛이 쨍쨍 내리쬔다.
② 열대야 때문에 저녁에도 기온이 후덥지근하다.
③ 온 산의 나뭇잎들이 점점 짙은 빛을 띠고 있다.
④ 이 작업은 나에게는 너무나 힘에 붙이는 일이다.
⑤ 학생들은 모자를 젖혀 쓰고 힘차게 응원가를 불렀다.

19 〈보기〉를 통해 이끌어 낸 내용으로 적절하지 <u>않은</u> 것은?

〈 보기 〉

서술어는 문장의 주체를 서술하는 기능을 하는 문장 성분으로서, 용언의 종류에 따라 반드시 필요로 하는 문장 성분의 개수가 다르다. 이를 서술어의 자릿수라고 한다.
(가) 소년은 일어섰다.
(나) 소년이 새끼줄을 흔들었다.
(다) 소년은 조약돌을 주머니에 넣었다.
(라) 문득, 조약돌을 내려다보았다.

① (가)는 두 개의 문장 성분으로 되어 있다.
② (나)는 하나의 문장 성분만 빠져도 올바른 문장이 될 수 없다.
③ (다)의 '넣었다'는 세 개의 필수 성분을 요구한다.
④ (다)의 '넣었다'와 (라)의 '내려다보았다'는 필수 성분의 개수가 서로 같다.
⑤ (라)에는 필수 성분이 빠져 있다.

20 문장을 바르게 고쳐 쓰지 <u>못한</u> 것은?

① 현대는 컴퓨터가 지배하는 사회이다.
→ 현대는 컴퓨터가 지배하는 시대이다.
② 노란 모자와 옷을 입고 있는 사람을 찾아보십시오.
→ 노란 모자와 옷을 입었던 사람을 찾아보십시오.
③ 비록 그는 몸은 고단하면서 마음만은 행복해 보였다.
→ 비록 그는 몸은 고단하지만 마음만은 행복해 보였다.
④ 학생들은 훌륭한 인성 함양과 건강한 체력을 길러야 한다.
→ 학생들은 훌륭한 인성을 함양하고 건강한 체력을 길러야 한다.
⑤ 운동을 하기 전에는 부상 방지를 위해 절대로 준비 운동을 해야 한다.
→ 운동을 하기 전에는 부상 방지를 위해 반드시 준비 운동을 해야 한다.

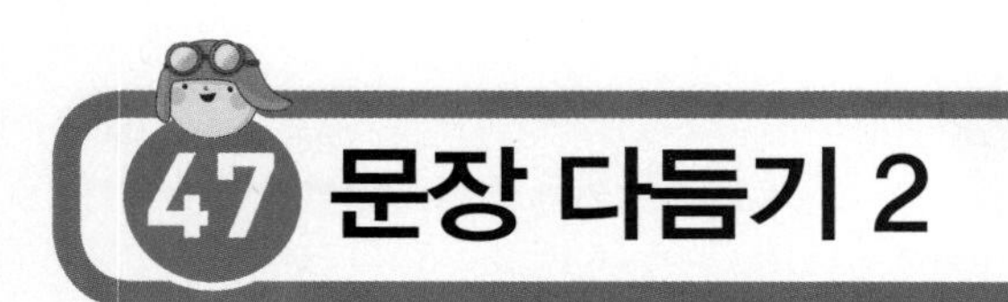

국어 생활

47 문장 다듬기 2

최근 5개년 출제 지수 ●●●○○

❶ 관형화 · 명사화 구성

1. 관형화 구성의 남용

꾸미는 말을 만드는 데 주로 사용되는 것이 관형화 구성이다. 하지만 관형어를 남발하게 되면 비문이 되기 쉬우므로 꾸밈을 받는 말과의 관계를 잘 살펴서 사용해야 한다.

(1) 관형격 조사 '의'의 남용

관형화 ① 관형화 ②

문제는 우리 대학의 국제 경쟁력의 낙후이다.

→ 문제는 우리 대학의 국제 경쟁력이 떨어진다는 것이다.

(2) 관형사형 어미•의 남용

관형화 ① 관형화 ② 관형화 ③ 관형화 ④

이것은 후유증 없는 안전한 고도의 정밀한 수술이다.

→ 이것은 후유증이 없고 안전하며, 고도로 정밀한 수술이다.

2. 명사화 구성의 남용

명사화 구성은 용언이나 용언의 활용형을 문장 속에서 명사로 만드는 것으로, 남용될 경우 전체 문장의 의미가 제대로 전달되기 어렵다.

(1) 의존 명사의 남용

의존 명사 ① 의존 명사 ②

이 제품은 튼튼하다는 것과 저렴하다는 것이 특징이다.

→ 이 제품은 튼튼하고 저렴하다는 것이 특징이다.

(2) 불필요한 명사형 어미의 사용

불필요한 명사형 어미

우리들의 잘못됨이 판명되었다.

→ 우리들의 잘못으로 판명되었다.

(3) 지나친 명사의 나열

명사 ① 명사 ② 명사 ③ 명사 ④

수해 방지 대책 마련에 철저를 기해야 한다.

→ 수해를 방지할 대책을 철저하게 마련해야 한다.

참고 **관형화 구성의 일반적인 형태**
세 관형사를 함께 배열할 때는 '지시 관형사 > 수 관형사 > 성상 관형사'의 순서에 따른다.
예 저 두 젊은 사람

• 관형화 구성을 만들 때 사용되는 관형사형 어미에는 '-(으)ㄴ', '-는', '-(으)ㄹ', '-던'이 있다.

참고 **의존 명사 '것'**
'것'은 의존 명사이므로 홀로 쓸 수 없고 관형어의 수식을 받아야 하기 때문에 문장의 길이를 길게 만드는 단점이 있다. 또한 사물이나 일, 현상 따위를 두루 가리키는 말이므로 그 의미가 추상적이고 모호하다. 따라서 '것'의 남용을 피하는 것이 바람직하다.

❷ 중의적 표현

1. 어휘적 중의성

동음이의어나 다의어*에 의해 문장의 중의성이 발생할 수 있다.

말이 많다.

→ (그 사람은) 말(言)을 많이 한다. / (그 농장에는) 말(馬)의 수가 많다.

2. 문장 구조에 따른 중의성

(1) 주어의 범위에 따른 중의성

주어의 범위가 불명확하여 중의적 의미를 지니게 되는 경우가 있다. 따라서 주어의 범위가 어디까지인지 명확하게 드러내야 한다.

나는 은지와 미선이를 만났다.

→ 나는 은지와 미선이 두 사람을 각각 만났다. / 나는 은지와 미선이 두 사람을 함께 만났다. / 나와 은지 두 사람이 미선이를 만났다.

(2) 수식 범위에 따른 중의성

수식의 범위가 명확하지 않아 그 의미가 애매모호해지는 경우가 있다. 수식어는 피수식어 바로 앞에 두는 것이 좋다.

친절한 그의 누나가 전화를 받았다.

→ '친절한 그'의 누나가 전화를 받았다. / 그의 친절한 누나가 전화를 받았다.

(3) 비교 범위에 따른 중의성

문장 속에서 비교 대상이 무엇인지 분명하게 드러내지 않으면 그 의미가 모호해진다.

영희는 나보다 영화 감상을 좋아한다.

→ 영희는 내가 영화 감상을 좋아하는 것보다 더 영화 감상을 좋아한다. / 영희는 나를 좋아하기보다는 영화 감상을 더 좋아한다.

(4) 부정 범위에 따른 중의성

부정문에서는 부정의 의미가 미치는 범위에 따라 둘 이상의 의미로 해석될 수 있다. 이때에는 범위를 정확하게 언급하거나, 특정한 부분에 강세를 주거나, 보조사 '은/는, 도, 만' 등을 넣어 중의적 의미를 해소할 수 있다.

사람들이 다 오지 않았다.

→ 일부의 사람들이 오지 않았다. / 사람들이 아무도 오지 않았다.

알아 둘 것 중의적 표현이 생기는 이유는 하나의 어휘가 여러 가지 의미를 갖고 있는 다의어이거나, 문장의 구조에 따라 여러 가지로 해석될 수 있기 때문이야.

● 동음이의어는 소리는 같으나 뜻이 다른 단어를 말하고, 다의어는 두 가지 이상의 뜻을 가진 단어를 말한다. '다리'는 원래 '사람이나 짐승의 몸통 아래에 붙어서 몸을 받치며 서거나 걷거나 뛰게 하는 부분'을 가리키지만, '의자 다리', '지겟다리'처럼 '물건의 하체 부분'을 가리키기도 하는데, 이러한 단어가 다의어이다.

참고 문장 구조의 중의성 해소

① 쉼표(,) 추가
 예 내가 좋아하는 은지의 동생을 만났다.
 → 내가 좋아하는, 은지의 동생을 만났다.

② 문장 구조 변경
 예 나는 은지보다 너를 더 좋아해.
 → 은지보다 내가 너를 더 좋아해.

③ 보조사 추가
 예 밥을 다 먹지 않았다.
 → 밥을 다는 먹지 않았다.

참고 띄어쓰기에 의한 의미의 중의성

① 나물좀다오.
- 나에게 물을 다오.
- 나물을 좀 다오.

② 오늘밤나무사온다.
- 오늘 밤나무를 사 온다.
- 오늘 밤에 나무를 사 온다.
- 오늘 밤과 나무를 같이 사 온다.
- 오늘 밤에 내가 무를 사 온다.

❸ 잘못된 높임말

높임법에 맞게 쓰기

(1) 높임의 대상이 될 수 없는 것은 높임말을 쓰지 않는다.

주어가 사람이 아님.
구입한 금액이 총 5만 원이십니다.
높임 표현을 쓸 수 없음.

→ 구입한 금액이 총 5만 원입니다.

(2) 문장 속 객체가 높여야 할 대상일 경우 이에 대한 객체 높임법이 존재할 수 있으므로 이를 생략하면 안 된다.

객체(높임의 대상)
저도 선생님께 줄 선물이 있습니다.
주체 / 객체 높임이 생략됨. / 상대 높임

→ 저도 선생님께 드릴 선물이 있습니다.

(3) 높임을 받는 인물의 일부나 그와 관련된 사람, 사물을 높이는 간접 높임법은 '계시다, 잡수시다, 주무시다, 편찮다, 돌아가시다'와 같은 특수 어휘를 사용할 수 없다.

주어(높이려는 대상의 일부)
교장 선생님의 말씀이 계시겠습니다.
높임의 대상 / 직접 높임에 쓰는 어휘 '계시다'를 쓸 수 없음.

→ 교장 선생님의 말씀이 있으시겠습니다.

참고 높임법에서 주의해야 할 단어들

① '야단'과 '꾸중'
'야단'은 '소리를 높여서 꾸짖는 일'을 가리키는 단어로, 주로 꾸지람을 하는 윗사람의 입장에서 사용된다. 반면에 '꾸중(꾸지람)'은 '아랫사람의 잘못을 꾸짖는 일'을 뜻하는 단어로, 주로 꾸중을 듣는 아랫사람의 입장에서 사용되므로 윗사람인 선생님께 나무람을 들을 때에는 '꾸중을 듣다', '꾸지람을 듣다'로 표현해야 한다.
예 ┌ 선생님께 야단을 맞았어요.(×)
└ 선생님께 꾸중을 들었어요.(○)

② '수고'와 '감사'
'수고'는 아랫사람이 윗사람에게 쓸 수 있는 단어가 아니다. 따라서 윗사람에게 그 노고에 대한 고마움을 드러낼 때는 '감사합니다'로 표현해야 한다.
예 ┌ 선생님, 수고하셨습니다.(×)
└ 선생님, 감사합니다.(○)

③ '말'과 '말씀'
'말씀'은 '남의 말'을 높여 이르거나 '자신의 말'을 낮추어 이르는 단어이다. 따라서 윗사람에게 '자신의 말'을 낮추어 언급할 때에도 '말씀'으로 표현해야 한다.
예 ┌ 선생님, 제 말 좀 들어 주세요.(×)
└ 선생님, 제 말씀 좀 들어 주세요.(○)

❹ 잘못된 피동 · 사동 표현

1. 불필요한 피동 표현

능동문을 쓸 수 있는 상황에서는 가급적 피동 표현을 삼가고 능동 표현을 쓰는 것이 좋다. 또한 이중 피동 표현은 사용하지 않는다.

피동 ① 피동 ②
일이 잘 진행되어지고 있다.
이중 피동

→ 일이 잘 진행되고 있다.

알아 둘 것! 피동이란 주어가 다른 주체에 의해서 동작을 당하게 되는 것을 말하는데, 능동문을 쓸 수 있는 상황에서는 굳이 피동문을 쓰지 말아야 해. 또한 '되어지다'처럼 '–되다'와 –어지다'가 결합하거나, '쓰여지다, 읽혀지다'처럼 피동 접사 '–이–'나 '–히–' 등과 '–어지다'가 결합한 형태를 '이중 피동'이라고 하는데, 이런 표현은 쓰지 않는 것이 좋아.

참고 과도한 피동 표현이 사용되는 경우

① '–되어지다', '–지게 되다' 같은 이중 피동을 사용하는 경우
② 피동형에 '–어지다'가 결합되는 경우
③ 피동의 어휘를 잘못 구사한 경우
④ 필요 없는 접사가 잘못 들어간 경우

2. 불필요한 사동 표현

이미 사동의 의미가 들어 있는 단어에 사동형 어미 '–시키다'를 결합하면 안 된다.

사동의 의미를 지닌 단어
좋은 사람 있으면 소개시켜 주세요.
사동형 어미

→ 좋은 사람 있으면 소개해 주세요.

알아 둘 것! 사동이란 주어가 남에게 동작을 하도록 시키는 것을 말하는데, 주동문을 쓸 수 있는 상황에서는 굳이 사동문을 쓰지 않는 것이 좋아. 또한 '소개하다', '유발하다'와 같은 단어는 이미 사동의 의미가 들어 있으므로 사동의 뜻을 더하는 '–시키다'를 결합하여 '소개시키다', '유발시키다'처럼 쓰지 말아야 해.

국어 문법 100% 공략을 위한 **2단계 트레이닝**

정답과 해설 33쪽

1단계 기본 트레이닝

관형화·명사화 구성 **다음 문장이 어색한 이유를 〈보기〉에서 찾아 기호를 쓰시오.**

〈보기〉
㉠ 의존 명사의 남용　㉡ 지나친 명사의 나열
㉢ 관형격 조사의 남용　㉣ 관형사형 어미의 남용
㉤ 불필요한 명사형 어미의 사용

01 일산 방면으로는 진행이 더딤을 보입니다. (　　　)

02 재민이가 나서서 도와줄 것으로 생각하는 것이다. (　　　)

03 가장 심각한 문제는 우리 마을의 이미지의 훼손이다. (　　　)

04 치수는 훈련 성과 결과 발표 시기가 너무 이르다고 여겼다. (　　　)

05 유류에 의한 심각한 오염이 없는 확실한 구체적인 대책을 마련하는 것이 요구된다. (　　　)

중의적 표현 **다음 문장의 제시된 의미 외에 다른 의미를 쓰시오.**

06 나는 형과 동생을 찾아다녔다.
→ 나와 형이 함께 동생을 찾아다녔다.
→ ____________________

07 학생들이 소풍을 다 가지 않았다.
→ 소풍을 간 학생들이 아무도 없었다.
→ ____________________

08 아빠는 엄마보다 야구를 더 좋아하신다.
→ 아빠는 엄마를 좋아하기보다는 야구를 더 좋아하신다.
→ ____________________

기타 잘못된 표현 **잘못된 표현에 밑줄을 긋고, 바르게 고쳐 쓰시오.**

09 너, 선생님이 빨리 오래. (　　　)

10 왜색 문화는 극복되어야 한다. (　　　)

11 주문하신 물품이 품절되셨습니다. (　　　)

12 오후에는 비가 올 것으로 보여진다. (　　　)

13 교장 선생님의 말씀이 계시겠습니다. (　　　)

14 평소에 안전에 대해 교육시켜야 한다. (　　　)

2단계 실전 트레이닝

15 〈보기〉의 내용과 관련이 없는 문장은?

〈보기〉
요즈음 용언에 명사형 어미 '-(으)ㅁ, -기'를 붙여 명사형으로 만든 다음, 그 뒤에 조사를 덧붙여 쓴 번역체 문장을 여러 글에서 흔히 볼 수 있다. 그런데 이는 문장의 서술성을 약화시키므로 자연스러운 우리말 표현으로 바꾸어 사용해야 한다.

① 그대가 있기에 나는 행복하다.
② 평소에 성실하고 근면한 자세로 생활해야 한다.
③ 증인은 윗사람의 압력으로 특혜를 주었음을 시인했다.
④ 국민들은 누가 권력을 남용함으로써 부정부패를 저질렀는가 하는 것을 궁금해한다.
⑤ 부실시공은 건물이 무너짐을 통해 사람들이 죽을 수도 있다는 비극적 가능성을 내포하고 있었다는 데에 문제의 심각성이 있다.

16 중의적으로 해석될 수 있는 문장이 아닌 것은?

① 민수가 연희와 진주를 밀었다.
② 은주는 나보다 동생을 더 아낀다.
③ 국어 시험에서 몇 문제 풀지 못했다.
④ 그의 예쁜 딸이 마침내 무대에 올랐다.
⑤ 형은 어떤 사람이든지 만나고 싶어 한다.

17 높임 표현을 잘못 사용한 것은?

① 정원아, 선생님께서 오라셔.
② 어머니께 야단을 맞았습니다.
③ 제 말씀 좀 끝까지 들어 보세요.
④ 어제 만났던 그분의 성함이 뭐였더라?
⑤ 어머님은 조용히 방 안에 앉아 계셨다.

18 정확한 표현이 사용된 문장으로 적절한것은?

① 다음 장소는 제2 전시실이 되겠습니다.
② 서서히 교내 질서가 잡혀져 가고 있습니다.
③ 다음 주에 최 선생님과 저녁을 먹기로 했습니다.
④ 여러분께 정은형 씨를 소개시켜 드리기로 하겠습니다.
⑤ 지금 올림픽 대로에는 차의 통행량이 많은 것으로 판단됩니다.

실력 테스트

01 〈보기〉의 ㉠~㉤을 다듬어야 하는 이유에 해당하지 않는 것은?

〈보기〉

㉠ 너, 선생님이 교무실로 오래.
㉡ 어제 산 시계를 그만 잊어버렸어.
㉢ 같이 일할 사람 좀 소개시켜 주세요.
㉣ 교장 선생님의 훈화가 계시겠습니다.
㉤ 영화의 끝부분이 매우 슬픈 것 같습니다.

① 잘못된 높임법 ② 잘못된 피동 표현
③ 추측 표현의 오용 ④ 단어 사용의 혼동
⑤ 사동 표현의 남용

02 밑줄 친 말의 쓰임이 자연스럽지 못한 것은?

① 두 사람이 서로 사귀고 있는 것 같다.
② 친구에게 그런 얘기를 들은 것 같기도 하다.
③ 우승을 차지하여 기분이 너무 좋은 것 같아요.
④ 그동안 최선을 다했으니 좋은 결과가 있을 것 같다.
⑤ 내 말에 대꾸도 안 하는 걸로 보아 내게 관심이 없는 것 같다.

2015학년도 9월 고3 모의평가 A·B형

03 ㉠~㉤의 잘못된 문장을 수정할 때 고려한 문법적 기준으로 적절하지 않은 것은?

	잘못된 문장 → 수정한 문장
㉠	그는 양말을 벗고 바위에 앉아서 발을 넣었다. → 그는 양말을 벗고 바위에 앉아서 물에 발을 넣었다.
㉡	내가 주장하는 바는 문화 회관 건설로 주민 생활이 개선된다. → 내가 주장하는 바는 문화 회관 건설로 주민 생활이 개선된다는 것이다.
㉢	이번 일로 우리는 불편과 피해를 입었다. → 이번 일로 우리는 불편을 겪고 피해를 입었다.
㉣	우리 모두 쓰레기 줄이기 운동을 동참합시다. → 우리 모두 쓰레기 줄이기 운동에 동참합시다.
㉤	이 사람에게 그 일은 여간 기쁜 일이다. → 이 사람에게 그 일은 여간 기쁜 일이 아니다.

① ㉠: 목적어인 '발을'을 수식하는 관형어가 있어야 한다.
② ㉡: '내가 주장하는 바는'과 호응하는 서술어가 있어야 한다.
③ ㉢: 목적어의 하나인 '불편'과 호응하는 서술어가 있어야 한다.
④ ㉣: 서술어인 '동참합시다'가 요구하는 부사어에 정확한 조사를 사용해야 한다.
⑤ ㉤: 부사 '여간'은 부정의 의미를 나타내는 말과 호응해야 한다.

04 〈보기〉의 ㉠~㉤ 중 의미가 중복되어 생략할 필요가 있는 것은?

〈보기〉

경욱이는 교내에서 ㉠ 매우 부지런한 학생이라고 소문이 나 있다. ㉡ 대체로 머리가 영리한 사람은 자기 재주만 믿고 게으름을 피우는 경향이 있다. 그러나 경욱이는 머리가 명석한 편인데도 열의를 가지고 ㉢ 열심히 공부한다.
경욱이는 아침에도 ㉣ 일찍 등교해서 저녁 늦은 시간까지 자리를 거의 떠나지 않고 공부를 한다. 그러면서 청소나 그 밖의 ㉤ 온갖 궂은일에 앞장서는 것을 마다하지 않는다.
이러한 것들만 보더라도 경욱이가 다른 학생들보다 부지런하다는 것을 알 수 있다.

① ㉠ ② ㉡ ③ ㉢ ④ ㉣ ⑤ ㉤

2009학년도 3월 고2 학력평가

05 ㉠~㉤을 고쳐 쓰기 위한 방안으로 적절하지 않은 것은?

〈보기〉

인터넷에 어떤 글이 올라왔을 때, 그 내용과 관련 있는 대상을 비방하는 댓글이 달리기 시작하면, 분별력 없는 네티즌은 그 내용의 진실 여부에는 아랑곳하지 않고 그런 분위기에 ㉠ 주목하여 또 다른 악성 댓글을 마구 만들어 낸다. 이렇게 해서 생성된 무책임한 여론은 대개 ㉡ 순식간으로 확산되기 쉽고, 심한 경우에는 그로 인해 희생자가 발생하는 안타까운 결과를 가져오기도 한다.
그렇다면 ㉢ 악성 댓글 문제점 해결 방법에는 어떤 것이 있을까? 우선 인터넷 공간에서 양산되는 악성 댓글들이 맹목적인 여론으로 ㉣ 증폭되어지는 길목을 차단해야 한다. 이를 위해서 포털 사이트들은 모니터 요원을 두어 게시판을 관리하고 있지만 시시각각으로 올라오는 수많은 댓글에 신속하게 대응하기는 어렵다. 결국 게시판을 정화하기 위해서는 포털 사이트에만 문제 해결을 맡겨서는 안 되고, 네티즌의 자발적이고 적극적인 노력이 ㉤ 더해져야 한다는 것이다.

① ㉠은 문맥에 어울리지 않으므로 '편승하여'로 바꾼다.
② ㉡은 조사가 잘못 쓰였으므로 '순식간에'로 고친다.
③ ㉢은 지나친 명사화 구성으로 되어 있으므로 '악성 댓글의 문제점을 해결하는 방법'으로 고친다.
④ ㉣은 어법에 맞지 않는 이중 피동 표현이므로 '증폭되는'으로 고친다.
⑤ ㉤은 주어와 호응하지 않으므로 '더해지는 것이다.'로 고친다.

06 〈보기〉와 같이 문장을 고쳐 쓰게 된 이유로 알맞은 것은?

〈보기〉

카드뮴은 뼈가 약해지고 쉽게 부서지는 '이타이이타이병'에 걸릴 수도 있다.
→ 카드뮴은 뼈가 약해지고 쉽게 부서지는 '이타이이타이병'에 걸리게 할 수도 있다.

① 문장 성분이 겹쳐서
② 이중 피동이 사용되어서
③ 불필요한 어휘가 있어서
④ 주술 호응이 맞지 않아서
⑤ 의미가 중복된 구절이 있어서

07 지나친 관형화 구성이나 명사화 구성으로 문장이 자연스럽지 못한 것은?

① 선우는 혼자서 노는 것을 좋아한다.
② 나도 그들이 먹고 있는 것을 주문할 생각이다.
③ 학생들은 수업이 빨리 끝나기만을 기다리고 있다.
④ 그가 살고 있는 마을의 풍경은 한 폭의 그림 같다.
⑤ 그들이 살아갈 미래는 삭막한 비정한 시대가 될 것이다.

08 〈보기〉를 바탕으로 할 때 고칠 필요성이 없는 것은?

〈보기〉

문장들을 연결할 때 논리적으로 합당하지 못한 문장을 만드는 경우가 있다. 문장의 의미를 정확하게 전달하기 위해서는 이어지는 말들의 논리 관계가 뚜렷해지도록 문장을 구사해야 한다. 그래야만 앞뒤가 딱 들어맞는 논리적인 문장이 될 수 있다. 두 개 이상의 문장을 이을 경우에는 문장 간의 논리적 관계를 따져 본 뒤, 거기에 알맞은 접속 어미나 접속 부사를 사용해야 한다.

① 그는 공부를 하므로 도서관에 갔다.
② 내일은 날씨가 흐려서 비가 조금 내리겠습니다.
③ 나는 그 사람에 대해 아는 바가 없기 때문에, 그 사람이 좋은 사람이라는 것을 안다.
④ 사랑이 없는 이성은 비정한 것이 될지언정, 이성이 없는 사랑은 몽매와 탐닉이 된다.
⑤ 재해 대책 본부에서는 현재까지 재산 피해를 600억 원으로 집계하고 있으나, 피해액은 앞으로 더욱 증가할 것으로 보인다.

2014학년도 9월 고3 모의평가 A·B형

09 다음의 ㉠~㉤에 대해 검토한 것으로 적절하지 않은 것은?

◆ 문장의 중의성 해소 방법 학습 활동지 ◆

중의성 있는 문장	중의성 해소 방법
예쁜 모자의 장식물이 돋보였다.	'장식물'이 예쁜 경우에는 ㉠ "예쁜, 모자의 장식물이 돋보였다."로 고친다.
손님들이 다 오지 않았어.	손님들 중 일부만 온 경우에는 ㉡ "손님들 중 일부가 오지 않았어."로 고친다.
언니가 교복을 입고 있다.	교복을 입는 동작이 진행 중인 경우에는 ㉢ "언니가 교복을 입는 중이다."로 고친다.
형은 나보다 동생을 더 좋아한다.	'나'와 '동생'이 비교 대상인 경우에는 ㉣ "형은 나를 좋아하는 것보다 동생을 더 좋아한다."로 고친다.
나는 웃으면서 매장에 들어오는 손님에게 인사했다.	'나'가 웃으면서 인사하는 경우에는 ㉤ "나는 매장에 들어오는 손님에게 웃으면서 인사했다."로 고친다.

① ㉠은 "모자의 예쁜 장식물이 돋보였다."로도 고칠 수 있다.
② ㉡은 "손님들이 다는 오지 않았어."로도 고칠 수 있다.
③ ㉢은 "언니가 지금 교복을 입고 있다."로도 고칠 수 있다.
④ ㉣은 "형은 나와 동생 중에서 동생을 더 좋아한다."로도 고칠 수 있다.
⑤ ㉤은 "매장에 들어오는 손님에게 나는 웃으면서 인사했다."로도 고칠 수 있다.

2011학년도 6월 고1 학력평가

10 〈보기〉에 제시된 선생님의 설명에 따라 ㄱ~ㅁ을 고치는 방안으로 적절하지 않은 것은?

〈보기〉

선생님: 아래 제시된 문장들은 모두 둘 이상의 의미로 해석됩니다. [ ] 안의 뜻이 명확히 드러나도록 문장을 고쳐 볼까요?

ㄱ. 그녀는 웃으며 걸어오는 친구를 맞았다. [그녀가 웃음.]
ㄴ. 민수는 영이와 철수를 만났다. [민수가 두 사람을 만남.]
ㄷ. 나는 그에게서 김 교수의 책을 건네받았다. [저자가 김 교수인 책]
ㄹ. 신철수와 김지영이 결혼하였다. [둘이 부부가 되었음.]
ㅁ. 남편은 나보다 드라마를 더 좋아한다. [나를 좋아하는 것보다 드라마 보는 것을 더 좋아함.]

① ㄱ의 '웃으며'를 '친구를'의 뒤로 옮긴다.
② ㄴ의 '민수는' 뒤에 반점(,)을 첨가한다.
③ ㄷ의 '김 교수의'를 '김 교수가 지은'으로 바꾼다.
④ ㄹ의 '신철수와 김지영이'를 '신철수가 김지영과'로 바꾼다.
⑤ ㅁ의 '드라마를' 뒤에 '보는 것을'을 첨가한다.

48 담화의 개념과 특성 / 49 담화의 표현 방식
50 담화의 통일성과 응집성 / **실력 테스트**

연인이 길을 걷고 있습니다. 여자가 남자에게 "내가 예뻐? 김태희가 예뻐?"라고 묻습니다. 이때 남자가 여자에게 할 말로 적절한 것을 골라 보세요.

A. 내 눈에는 네가 김태희야.
B. 거울 안 보냐?

거짓을 말하느니 사랑을 버리겠다는 굳은 신념을 가진 것이 아니라면 'B'는 마음속 깊은 곳에 묻어 두시길 바랍니다. 이처럼 '말'을 할 때에는 어떤 내용을 어떻게 표현하느냐가 중요합니다. 이 단원을 통해 담화의 표현 방식과 특성을 학습할 수 있습니다.

담화의 구성 요소

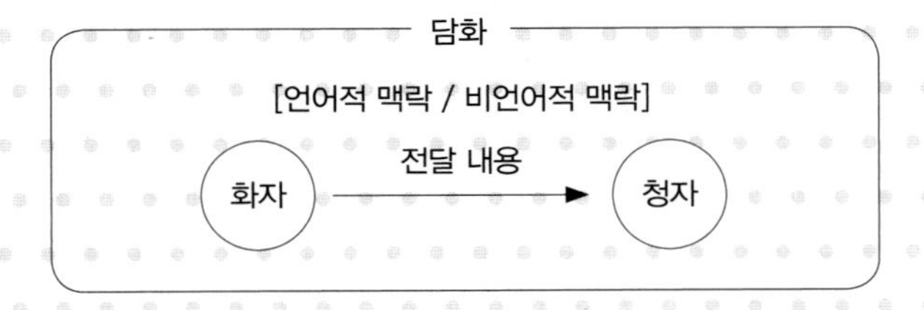

담화의 기능

담화의 특성

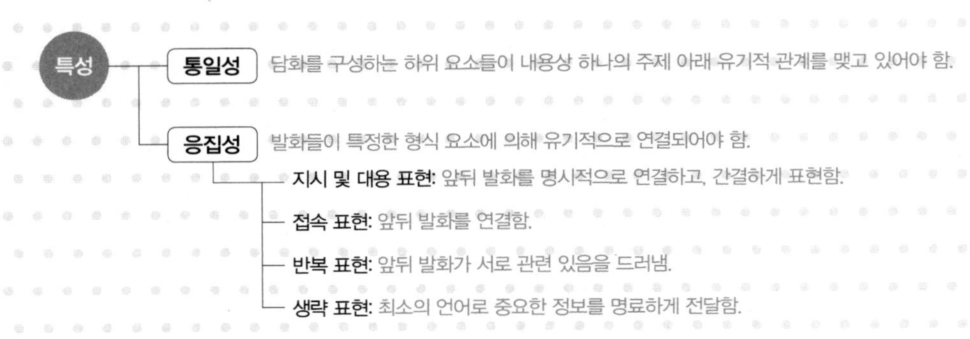

48 담화의 개념과 특성

최근 5개년 출제 지수 ●○○○○

① 담화° 談이야기담 話말할화

☆ **교과서 정의** 일정한 상황 속에서 문장 단위로 실현된 것을 발화(發話)라고 하고, 이러한 발화들이 모여서 이루어진 구조체를 담화(談話)라고 한다.

★ **쉽게 쓴 정의** 대화할 때 주고받는 말을 '발화'라고 하고, 발화가 이어져 이야기가 되면 '담화'라고 한다.

● 담화는 음성 언어와 관련된 것으로서, 담화가 문자 언어로 쓰인 것을 텍스트라고 한다.

1. 담화의 구성 요소

담화의 구성 요소로는 화자, 청자, 전달 내용, 맥락 등을 들 수 있다.

수희: 영철아, 학교에 일찍 왔구나. 안녕? → 맥락: 아침 인사를 나누는 상황

(수희: 화자 / 영철아: 청자 / 학교에 일찍 왔구나. 안녕?: 전달 내용)

(1) 화자: 말하는 이로, 발신자라고 부르기도 한다.

(2) 청자: 듣는 이로, 수신자라고 부르기도 한다.

(3) 전달 내용(발화): 화자와 청자가 주고받는 정보들이다.

(4) 맥락

① 언어적 맥락: 담화 내에서 어떤 발화를 둘러싼 앞뒤의 발화이다. 언어적 맥락에 의해 발화의 의미가 분명해지기도 하고, 달라지기도 한다.

② 비언어적 맥락: 화자와 청자가 처한 시간적 · 공간적 장면인 상황 맥락과 담화를 둘러싼 사회 · 문화적 상황인 사회 · 문화적 맥락으로 나눌 수 있다.

알아 둘 것! 맥락은 화자와 청자의 관계, 앞뒤 문장과의 관련성, 화자의 태도, 담화가 이루어지는 상황에 따라 달라진다는 점을 염두에 두도록 해.

2. 담화의 기능

(1) 화자가 어떤 사실이나 사물, 현상에 대한 정보나 지식을 청자에게 전달한다. → 정보 제공

예 이 꽃의 이름은 데이지야.

(2) 화자가 청자의 마음을 움직여 무엇인가를 하도록 유도한다. → 호소

예 호태야, 지하철은 공공장소니까 조용히 해야 돼.

(3) 화자가 청자에게 어떤 행위를 하겠다고 표현한다. → 약속

예 내 부탁 들어주면 맛있는 사탕 사 줄게.

(4) 화자가 청자에게 친함, 감사함, 애도 등의 심리적 상태를 표현한다. → 친교

예 오늘 저희 학교 축제에 와 주셔서 정말 감사드립니다.

(5) 화자가 청자에게 자신의 의견이나 주장 따위를 밝힘으로써 새로운 사태를 불러일으킨다. → 선언

예 지금부터 학급 회의를 시작하겠습니다.

알아 둘 것! 담화의 기능은 크게 정보 제공, 호소, 약속, 친교, 선언의 기능으로 나뉘는데, 이러한 담화의 기능은 담화의 유형을 결정하는 기준이 돼.

참고 대표적 담화의 유형의 예

① 정보 제공 담화: 강의, 신문이나 방송의 뉴스 등
② 호소 담화: 광고, 설교, 연설 등
③ 약속 담화: 맹세, 선서 등
④ 친교 담화: 잡담, 인사, 소개 등
⑤ 선언 담화: 계엄령 선포, 선전 포고 등

정답과 해설 35쪽

1단계 기본 트레이닝

담화의 개념과 구성 요소 **빈칸에 들어갈 알맞은 말을 쓰시오.**

01 일정한 상황 속에서 (   ) 단위로 실현된 것을 발화(發話)라고 하고, 이러한 발화들이 모여서 이루어진 구조체를 (   )(이)라고 한다.

02 담화가 이루어지기 위해서는 화자, (   ), 전달 내용(발화), (   ) 등이 있어야 한다.

03 담화 내에서 어떤 발화를 둘러싼 앞뒤의 발화를 (   )(이)라고 하고, 화자와 청자를 둘러싼 시 · 공간적 장면을 (   ), 사회 · 문화적인 상황을 사회 · 문화적 맥락이라고 한다.

04 상대방의 마음을 움직여 무엇인가를 유도하기 위한 담화를 (   )(이)라고 한다.

담화의 유형 **다음 담화에 해당하는 유형을 〈보기〉에서 찾아 쓰시오.**

〈보기〉

정보 제공 담화, 호소 담화, 약속 담화, 친교 담화, 선언 담화

05 민호: 범진아, 안녕! 오늘 날씨 참 좋다.

____

06 연수: 민식아, 이따 5시에 교실에서 만나자.

____

07 선생님: 김순영 학생을 이번 연도의 학생 회장으로 임명합니다.

____

08 자원봉사자: 굶주리고 있는 아동들을 외면한다면 우리의 양심을 저버리는 일이 될 겁니다. 여러분의 따뜻한 도움의 손길이 필요합니다.

____

09 아나운서: 9시 뉴스를 말씀드리겠습니다. 한국은행이 올해 국내 총생산(GDP) 성장률 전망치를 지난 4월 4.0%에서 3.8%로 0.2%포인트 내렸습니다.

____

2단계 실전 트레이닝

2012학년도 11월 고2 학력평가 A · B형

10 다음 대화에 나타난 구어 담화의 특징으로 볼 수 없는 것은?

> 민지: 선생님 짐이 많으시네요. 제가 들어 드릴까요?
> 선생님: 민지네? 도와주면 고맙지. 요즘 어떻게 지내?
> 민지: 잘 지내요! 그런데 선생님 살이 좀 빠지셨네요?
> 선생님: 요즘 운동 시작했거든. 넌 무슨 운동하는 거 있니?
> 민지: (고개를 가로젓는다.) 예전에는 줄넘기라도 했는데……. / 선생님: 왜, 요즘 많이 바쁘니?
> 민지: 공부하랴 축제 준비하랴 조금 바빠요, 요새.
> 선생님: 힘내라! 참, 그런데 너 이번에 토론 대회에서 상 받았다며?
> 민지: (밝은 얼굴로 고개를 끄덕이며) 좀 긴장했었는데 운이 좋았던 것 같아요.
> 선생님: 늦었지만 축하해. 얘기하다 보니 다 왔네, 교무실에. 민지야 고마워, 짐 들어 줘서.
> 민지: 천만에요. 선생님 안녕히 계세요.
> 선생님: 그래, 민지야 다음에 또 보자.

① 화제 전환이 자주 이루어진다.
② 어순이 비교적 자유롭게 교체된다.
③ 필수적인 문장 성분이 빈번하게 생략된다.
④ 특별한 의미가 없는 군말이 자주 사용된다.
⑤ 표정과 몸짓 등으로 자신의 의사를 표현하기도 한다.

11 (가)와 (나)의 담화에 대한 설명으로 적절하지 않은 것은?

> (가) 동생: (아침에 등교 준비를 하는 누나를 보며) 물 좀 아껴.
> 누나: (뾰로통한 표정으로) 알았어! 넌 매일 수도꼭지를 틀어 놓고 세수하잖아. 너도 좀 아껴!
> (나) 여러분, 한국은 강우량은 풍부하지만 계절이나 연도, 지역별로 편차가 심하고, 지리적 특성 때문에 많은 양의 비가 곧장 바다로 흘러 나갑니다. 모두 이미 알고 계시죠? (청중들을 보며) 그러니까 여러분, 물 부족 현상에 대처하기 위한 정책을 서둘러 마련해야 합니다.

① (가)와 (나) 모두 '물'과 관련된 화제를 다루고 있다.
② (가)와 (나) 모두 표정이나 억양, 몸짓 등이 의사소통에 영향을 미친다.
③ (가)는 호소 담화의 성격이 강한 반면, (나)는 정보 제공 담화의 성격이 강하다.
④ (가)와 달리 (나)의 청자는 다수이다.
⑤ (나)와 달리 (가)는 상황 맥락이 비교적 명확하게 드러난다.

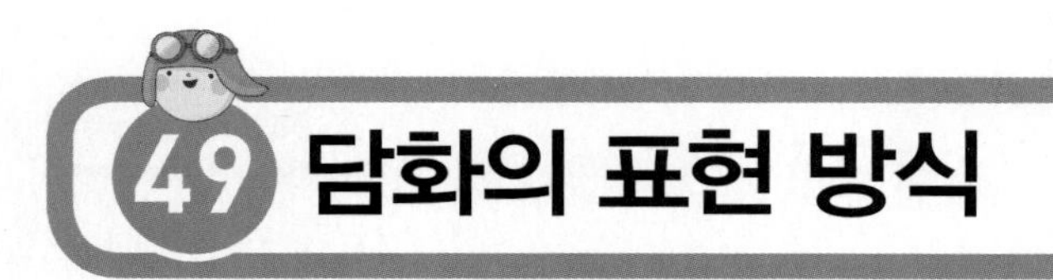

49 담화의 표현 방식

최근 5개년 출제 지수 ●●●●○

❶ 지시 표현* 指가리킬지 示보일시 表나타낼표 現나타날현

☆ **교과서 정의** 지시 표현은 구체적인 상황 맥락 속에 존재하는 대상을 직접적으로 가리키는 언어 표현이다.

★ **쉽게 쓴 정의** 지시 표현은 사람이나 사물, 사건을 가리키는 말이며, 대표적 예로 '이것, 그것, 저것' 등이 있다.

1. 지시 표현의 종류

이것, 그것, 저것, 여기, 거기, 저기 → 지시 대명사
이, 그, 저 → 지시 관형사
이렇다, 그렇다, 저렇다 → 지시 형용사
이리, 그리, 저리 → 지시 부사

2. 지시 표현의 사용

(1) 청자가 발화 현장에서 그 대상을 찾을 수 있는 경우

> 대호: 운동을 했더니 배가 고프다. / 수미: 이거 좀 먹을래? 자, 여기.

(2) 앞서 언급된 대화 내용에서 그 대상을 알 수 있는 경우

> 대호: 어제 내가 산 책 어디 있지? / 수미: 그거 영희가 가져갔는데.

(3) 명시적으로 드러나 있지는 않지만 화자와 청자가 공유하는 경험이나 지식을 바탕으로 추론을 통해 대상을 알 수 있는 경우

> 대호: 그럼 어디서 만날까? 지난번 거기 어때? / 수미: 그래, 좋아. 음식이 참 맛있더라.

❷ 높임 표현

높임 표현의 특징

(1) 주로 연령이나 사회적 지위에 의한 상하 관계에 따라 결정된다.

> (한 학생이 교수님의 부름을 받아 연구실에 들른다.)
> 교수님: 자네, 이리 와 앉게. 요즘 잘 지내나? / 학생: 네. 별 탈 없이 지내고 있습니다.

→ 교수님은 학생에게 '하게체'를 사용하는 반면, 학생은 '하십시오체'를 사용하고 있다. 이는 연령이나 사회적 지위의 차이에 따른 것으로 해석할 수 있다.

(2) 친소 관계의 영향을 받기도 한다.*

> (명호는 대학교에 입학하여 동아리에서 동기인 지수를 처음 만난다.)
> 명호: 안녕하십니까, 저는 이명호입니다. / 지수: 안녕하십니까, 저는 김지수입니다.
> (몇 개월 후, 명호는 지수가 탁구를 하는 것을 보게 된다.)
> 명호: 탁구 참 잘한다. / 지수: 이 정도야, 뭐.

→ 지수와 명호는 처음에는 '하십시오체'를 사용하다가 친해지고 난 후에는 '해체'를 사용하고 있다.

● 이야기 장면을 전제로 하여 무언가를 가리키는 표현이다. 지시 표현은 담화가 이루어지는 시간적 · 공간적 장면이 없으면 그 의미를 정확히 이해할 수 없다.

알아 둘 것! 지시 표현 중에서 '이것'은 화자에게 좀 더 가까운 곳에 있는 대상을, '그것'은 화자에게는 멀지만 청자에게는 가까운 대상을, '저것'은 화자와 청자 모두에게 멀리 있는 대상을 가리킬 때 각각 사용돼.

참고 지시와 대용
가리키는 대상에 대해 언어 외적 상황을 고려해야 이해할 수 있는 경우를 '지시'라고 하고, 담화 내의 전후 문맥을 고려해야 이해할 수 있는 경우를 '대용'이라고 하여 구분하기도 한다.

● 화자와 청자가 대등한 관계라 하더라도 처음 만났을 때는 격식체를 사용하여 상대방을 높이는 경우가 많지만, 차츰 가까워지면 높임의 정도가 더 낮은 표현이나 비격식체를 쓰는 경우가 많다.

손녀: 할아버지, 어디 가?
할아버지: 응, 노인정 가지.

→ 손녀가 할아버지에게 '해체'를 사용하고 있다는 것에서 할아버지와 손녀가 친밀한 관계임을 알 수 있다.

(3) 구체적인 상황 맥락의 영향을 받는다.

(집에서)
기철(동생): 일찍 왔네?
태현(형): 그래. 업무를 빨리 끝내서 일찍 왔어.

(회사에서)
기철(동생): 사장님, 결재 부탁드립니다.
태현(형): 김 부장, 수고했어요.

→ 형제 사이인 기철과 태현은 사적인 자리에서는 서로 '해체'를 사용하지만, 공적인 자리에서는 동생인 기철이 자신의 상사인 형 태현에게 '하십시오체'를 쓰고 있다.

(4) 의사소통을 위한 전략적 도구가 되기도 한다.

현진: (전화기에 대고) 태석아, 너 지금 어디쯤이야? 한 시간 전에 출발했다고 말했잖아. 근데 왜 아직도 안 와?

(30분 뒤)
태석: (헐레벌떡 뛰어오며) 미안해! 길이 막혀서 늦었어.
현진: (싸늘한 표정으로) 저기요, 김태석 씨. 약속 시간을 잊으셨나 봅니다.
태석: 현진아, 기분 풀어. 내가 정말 잘못했어. 다시는 안 늦을게.

→ 현진과 태석은 '해체'를 사용하는 사이지만, 태석이 약속 시간보다 늦게 도착하자 현진은 태석에게 '하십시오체'를 사용하여 자신이 화가 났음을 표현하고 있다.

알아 둘 거리 국어의 높임 표현은 담화에 등장하는 인물의 나이나 지위 관계, 친소 관계에 따라 상대적으로 결정된다는 것을 기억하자.

❸ 생략 표현

1. 생략 표현의 개념과 특징

이야기 중 일정한 부분이 언어로 실현되지 않는 것을 일컫는다. 이와 같은 생략 표현은 화자가 전달하고자 하는 정보가 장면이나 맥락을 통해 충분히 복원될 수 있다고 판단될 경우에만 사용이 가능하다.

2. 생략 표현을 사용하는 이유

(1) 의사소통에 지장이 없는 경우 과감히 생략함으로써 노력을 덜 수 있기 때문이다. → 경제성

(2) 담화 장면에서 되풀이되거나 중요하지 않은 성분을 생략함으로써 중요한 정보를 명료하게 전달할 수 있기 때문이다. → 정보성

민희: 어제 누구랑 점심 먹었니?
신형: 재호.

→ 신형의 말에는 '~랑 점심 먹었어.'라는 표현이 생략되어 있다. 이는 되풀이되는 성분에 해당하는데, 이처럼 되풀이되는 성분을 생략함으로써 '재호'라는 가장 중요한 정보를 보다 명확하게 드러내고 있다.

참고 생략된 성분의 복원

재경: 어, 민수야, (너) 어디 가니?
민수: (나) 도서관에 (가).
재경: 일요일인데 (너) 참 열심이구나.
민수: 응, (우리 조는) 수행 평가 자료 조사 때문에 (도서관에서) 모이기로 했거든.
재경: 참, (수행 평가 자료 조사를) 조별로 하기로 했지. (너는) 누구랑 같은 조야?
민수: (나는) 소희, 그리고 태경이랑 (같은 조야).
재경: 그렇구나.

3. 생략의 기준

(1) 장면에 따라 생략될 수도 있고 생략되지 않을 수도 있다.

미나: 민기는 갔니? 세호: 응, 갔어.

→ 미나의 말은 장면에 따라 생략일 수도 있고 아닐 수도 있다. 만일, 민기가 '집'에 가기로 예정되어 있었다면, 미나의 말에서 '집에'가 생략된 표현으로 볼 수 있다. 하지만 "민기는 갔니?"가 조금 전에 보이던 민기가 없어져서 묻는 말이라면 그것은 생략이 사용된 표현이라고 할 수 없다.

(2) 중요하거나 강조하고 싶은 요소는 생략하지 않는다.

수필은 청자(靑瓷) 연적이다. 수필은 난(蘭)이요, 학(鶴)이요, 청초하고 몸맵시 날렵한 여인(女人)이다. 수필은 그 여인이 걸어가는 숲 속으로 난 평탄하고 고요한 길이다. 수필은 가로수 늘어진 페이브먼트가 될 수도 있다. 그러나 그 길은 깨끗하고 사람이 적게 다니는 주택가에 있다. – 피천득, 「수필」

→ 글쓴이는 중심 화제인 '수필'을 강조하기 위해 '수필은'이라는 말을 반복하여 사용하고 있다.

알아 둘 것 중요한 정보를 담고 있거나 강조하고 싶은 내용은 복원이 가능하더라도 생략하지 않아. 이러한 요소는 화자나 장면에 의해서 결정이 돼.

참고 생략하지 않음을 통해 화자의 의도를 강조하는 전략

생략 가능한 말을 의도적으로 생략하지 않음으로써 화자의 의도를 강조할 수도 있다.

예 수지: 엄마, 내 지갑 못 보셨어요? 여기 뒀는데 아무리 찾아봐도 없어요.
엄마: 아, 네가 매일 아무 데나 올려 두는 그 지갑 말하는 거지? 엄마가 네 책상 위에 올려놨어. 앞으로는 잘 좀 챙겨.

❹ 심리적 태도 표현•

1. 심리적 태도 표현의 특징

(1) 명제• 부분과 화자의 심리적 태도 표현 부분이 결합하여 나타난다.

강원도에 눈이 오겠지? → 추측 (강원도에 눈이: 명제)	강원도에 눈이 오는구나! → 놀람, 감탄 (강원도에 눈이: 명제)

(2) 화자의 심리적 태도는 말하는 형식에 영향을 미친다.

ㄱ. 어제 영호가 왔었니?	ㄴ. 어제 영호가 왔었지?

→ ㄱ은 사실 여부를 묻는 단순한 질문이지만, ㄴ은 화자가 어제 영호가 왔을 것이라고 믿고 있으면서 이를 확인하기 위해 건네는 질문이다.

• 화자의 심리적 태도에는 의지, 추측, 확신, 의문, 단정, 의심, 놀라움, 감탄, 의문 등이 있으며, 이러한 화자의 심리적 태도는 '-겠-' 등과 같은 선어말 어미, '-구나, -지' 등과 같은 어말 어미, 보조 용언, 보조사 등과 같은 표현으로 나타낸다.

• 화자의 심리적 태도나 의도와 상관없이 변화되지 않는 부분을 명제라고 하며, 동일한 명제로 화자의 다양한 심리적 태도를 나타낼 수 있다.

2. 심리적 태도의 표현 방법

(1) 주로 용언의 어미에 의해 실현된다.

예 민호가 공원에 가는구나. → 객관적 진술
민호가 공원에 가겠지. → 추측
민호가 공원에 갔는지. → 의심

(2) 용언의 어미와 의존 명사의 결합에 의해 나타나기도 한다.

예 민호가 공원에 갈 것이다. → 짐작, 의도
민호가 공원에 갈 듯하다. → 짐작, 추측

(3) 보조사에 의해 나타나기도 한다.

예 혜진이는 공부만 잘한다. → 단독
혜진이는 공부도 잘한다. → 더함

(4) 몇몇 부사에 의해 나타나기도 한다.

예 아마도 내일쯤이면 일이 모두 끝날 것이다. → 단정할 수 없지만 가능성이 큼.
다행히 우리는 그의 집을 쉽게 찾을 수 있었다. → 뜻밖에 일이 잘 됨.

(5) 어조나 언어 외적 행위에 수반되어 나타나기도 한다.

예 정호: 종민이가 일본에 갔대.
혜린: (큰 소리로 말끝을 올리며) 그래? → 놀람
정호: 너도 놀랐지?

참고 심리적 태도를 표현하는 종결 표현인 서법(敍法)

문장의 내용에 대한 화자의 심리적 태도를 나타내는 동사의 어형 변화를 서법이라 한다. 우리말에서는 '평서법', '의문법', '감탄법', '명령법', '청유법'을 인정한다.

1단계 기본 트레이닝

담화의 표현 방식 **빈칸에 들어갈 알맞은 말을 쓰시오.**

01 (　　　　) 표현은 구체적인 상황 맥락 속에 존재하는 대상을 직접 가리키는 언어 표현이다.

02 높임 표현은 주로 (　　　　) 또는 (　　　　) 지위에 의한 상하 관계에 따라 결정된다.

03 이야기 중 일정한 부분이 언어로 실현되지 않는 것을 (　　　　) 표현이라 한다.

04 화자의 심리적 태도는 주로 용언의 (　　　　)에 의해 실현된다.

지시 표현 **밑줄 친 지시 표현이 가리키는 것을 쓰시오.**

> 나는 아이들에게 동물을 그려 보라고 했다. 토끼를 그리고 싶다면 그것을 완벽하게 그려 보라고 했다.

05 ________________

> 제주도에 도착하면 거기서부터 가이드가 안내를 해 주기로 했다.

06 ________________

높임 표현 **다음 담화에서 정희가 높임 표현을 사용한 이유를 쓰시오.**

> 정희: 우리 오늘 어디서 저녁 먹지?
> 진수: 예전에 같이 갔었던 ○○ 어때? 분위기 괜찮은 레스토랑이었던 것 같은데…….
> 정희: 아! 거기는 또 어떤 여자 분이랑 가셨어요? 그 여자 분하고나 가시죠.

07 ____

생략 표현 **밑줄 친 부분에서 생략된 표현을 복원하여 쓰고, 생략 표현을 사용한 이유 두 가지를 각각 3음절로 쓰시오.**

> 희옥: 어제 누구 만났니?
> 문주: 재석이.

08 생략된 표현 복원: ________________

09 생략 표현을 사용한 이유: ________________

2단계 실전 트레이닝

10 〈보기〉의 담화에 대한 설명으로 적절하지 않은 것은?

〈보기〉

> 유진: 어제 본 영화는 재미있었어?
> 혜정: ㉠ 그거 말이야, 정말 지루했어.
> 유진: 그래도 어제 영화 시작 전에 출연 배우들 사인회가 있었다던데? 사인 안 받았어?
> 혜정: ㉡ 이거 말이지? 그런데 그 영화관은 최근에 지어서 그런지 깔끔하고 괜찮더라.
> 유진: 나도 ㉢ 거기에서 언니하고 영화 보고 싶은데.
> 혜정: 어, ㉣ 저기 버스 온다. ㉤ 네 말대로 나중에 같이 보자. 안녕!

① ㉠은 혜정이 어제 본 영화를 가리키는 지시 표현이다.
② ㉡은 유진보다는 혜정에게 가까운 쪽에 위치해 있다.
③ ㉢은 혜정보다는 유진에게 가까운 쪽에 위치해 있다.
④ ㉣은 버스가 오고 있는 쪽을 가리키며 유진과 혜정 모두에게서 멀리 떨어져 위치해 있다.
⑤ ㉤은 '우리'라는 주어와 '영화를'이라는 목적어가 생략되어 있다.

11 높임법을 통한 거리 두기 전략에 해당하는 예로 적절한 것은?

① 할머니: 재희야, 이제 그만 집에 가자.
　재희: 응, 할머니. 시간이 벌써 이렇게 됐네.
② 수호: 할머니 어제는 어디 구경하셨어요?
　할머니: 오랜만에 경복궁에 갔다 왔지.
③ 부장: 김 과장, 이번 프로젝트는 자네가 맡는 게 좋을 거 같은데.
　김 과장: 예, 알겠습니다. 열심히 해 보겠습니다.
④ 서빈: 미안해. 내가 너무 늦었지?
　율민: 이봐요, 김서빈 씨, 지금 도대체 몇 시죠?
　서빈: 왜 안 쓰던 말투를 쓰고 그래? 내가 잘못했어.
⑤ (토론회 자리에서)
　의준: 저는 수민 군의 대책이 현실을 무시한 이상적인 생각이라고 말하고 싶습니다.
　수민: 적절한 대책의 기준은 얼마나 현실적이냐가 아니라 얼마나 올바른 것이냐가 되어야 한다고 봅니다.
　(토론회 뒤풀이 자리에서)
　의준: 수민아, 오늘 너 토론 정말 잘하더라.
　수민: 너야말로 오늘 최고던데.

50 담화의 통일성과 응집성

최근 5개년 출제 지수 ●●○○○

❶ 담화의 통일성

☆ **교과서 정의** 담화에서 통일성이란 담화를 구성하는 하위 요소들이 내용상 하나의 주제 아래 유기적인 관계를 맺고 있는 것을 말한다.

★ **쉽게 쓴 정의** 담화에서 통일성은 이야기가 내용상 하나의 주제에서 벗어나지 않는 것을 말한다.

통일성 있는 담화

어제 배가 아파서 병원에 갔어. 의사 선생님께서는 장염에 걸린 거라고 말씀하셨어. 여름에 음식을 먹을 때는 항상 조심해야 한다는 걸 알게 되었어.

→ 하나의 담화를 이루는 각각의 발화는 하나의 주제(장염에 걸림.)를 향하여 유기적으로 모여 있다.

❷ 담화의 응집성

☆ **교과서 정의** 담화에서 응집성이란 발화들이 서로 긴밀하게 묶여 하나의 담화를 구성하도록 해 주는 형식적 요건이다.

★ **쉽게 쓴 정의** 담화에서 응집성은 각각의 말들이 매끄럽게 잘 연결되는 것을 말한다.

1. 응집성 있는 담화

먼저, 물 550CC를 끓인다. 그러고 나서 거기에 면과 분말 스프를 넣는다. 마지막으로 면이 익을 때까지 잘 저어 준다.

→ 담화의 응집성은 주로 지시 표현, 대용 표현●, 접속 표현 등에 의해 실현된다.

2. 응집성을 실현하는 요소

(1) 지시 및 대용 표현

지시 표현은 어떤 사람이나 사물, 사건을 지시하는 표현이고, 대용 표현은 앞에 나온 어휘나 발화 전체를 다시 가리키는 표현이다.

예 경희: 철수야, 너 어제 상민이 생일잔치 갔니?
철수: 아니, 거기 못 갔어.

(2) 접속 표현

'그리고, 그러나, 또, 가령, 왜냐하면' 등의 접속어는 앞뒤 발화를 연결해 준다.

(3) 반복 표현

어휘나 어구를 되풀이하여 앞뒤 발화의 관련성을 드러낸다.

예 길을 가다가 지갑을 주웠어. 주운 지갑을 어찌 할까 고민하다가, 경찰서에 가져다주었어.

(4) 생략 표현

화자와 청자가 알고 있어서 굳이 언어로 표현하지 않아도 되는 문법 현상으로, 최소의 언어로 최대 효과를 얻기 위해 사용된다.

예 지난여름, 시내에 나갔다가 초등학교 동창을 만났다. (초등학교 동창은) 무슨 근심이 있는지 시무룩한 얼굴을 하고 있었다.

참고 통일성과 응집성
통일성은 담화의 내용적 측면과 연관되며, 응집성은 담화의 형식적 · 문법적 측면과 연관된다. 실제 담화에서는 통일성과 응집성이 개별적으로 작용하지 않는다. 전체의 구조를 형식상 긴밀하게 하는 응집성과 하나의 주제로 내용을 연결하는 통일성이 동전의 양면과도 같기 때문이다.

● 같은 말이 반복해서 쓰여 담화가 어색해지는 경우를 피하고, 표현을 간결하게 하는 문법 장치를 '대용 표현'이라고 한다.

알아 둘 것 '는, 도 만' 등의 일부 보조사와 '먼저, 반면(에), 더욱이, 특히' 등과 같은 부사, '첫째, 둘째'와 같은 수사도 발화와 발화를 연결하는 수단이 된다는 것을 기억해 두자.

알아 둘 것 통일성은 일관성, 유기성의 측면과 연관되고 응집성은 결속의 측면과 연관된다는 것을 명심해야 해.

1단계 기본 트레이닝

담화의 통일성 **담화의 통일성을 위해 삭제되어야 할 발화에 밑줄을 그으시오.**

01 제품의 재활용 방식 가운데는 쓰던 제품을 재활용하면서 소재의 질을 떨어뜨리지 않고 새로운 제품을 만드는 방법이 있습니다. 그 제품의 가격이 터무니없이 비싸서 놀랐던 기억이 납니다. 헌 가방이나 스웨터를 활용하여 허리띠나 이불 등으로 새롭게 만들어 쓰는 것이 이에 해당합니다.

02 과학에 대한 맹목적인 신뢰는 부작용을 낳습니다. 대부분의 과학자들은 기후 온난화가 온실가스 농도의 증가와 화석 연료의 사용이나 산림 벌채 같은 인간의 활동에 의해 발생한 것으로 추측하고 있습니다. 이러한 연구 결과는 모든 주요 국가의 과학 연구 센터에서 인정받고 있습니다.

담화의 응집성 **담화의 응집성을 높이기 위해 다음 빈칸에 들어갈 적절한 표현을 쓰시오.**

03 나는 헬렌 켈러를 존경해. (   ) 자신과의 싸움에서 승리한 사람이기 때문이야.

04 재생 가능 에너지는 오래 쓸 수 있어요. (   ) 석유와 같이 한 번 쓰면 사라지는 것이 아니라 지구와 태양이 존재하는 한 언제까지라도 쓸 수 있답니다.

05 앞으로의 세계가 지구화의 과정을 거치게 될 것임은 자명합니다. (   ) 그동안 우리가 익숙하게 접해 왔던 세계의 경계가 근본적으로 바뀐다는 사실을 의미합니다.

06 위장을 보호하는 특효약인 '속이 편한 보약'을 소개합니다. 전문가들이 십 년을 연구하여 개발한 약입니다. (   ) 평소 음식을 먹으면 속이 더부룩하거나 소화가 잘 안 되는 분들은 이 약을 꼭 구매하셔야 합니다.

통일성·응집성 있는 담화 **통일성과 응집성 있는 담화가 되도록 ㉠~㉣을 알맞은 순서로 배열하시오.**

> ㉠ 아마 석유를 연료로 쓰는 모든 기계가 멈추게 될 거야.
> ㉡ 만약 오늘 당장 석유가 고갈된다면 우리는 어떻게 될까?
> ㉢ 그렇게 되면 전기를 이용한 제품들을 쓸 수 없게 됨은 물론 먹을거리도 제대로 확보하지 못하게 돼.
> ㉣ 우리 가까이에 있는 자동차를 비롯하여 수많은 공장들과 전기를 공급해 주는 발전소의 가동도 중단되겠지.

07 ________________________

2단계 실전 트레이닝

08 통일성 있는 담화로 보기 어려운 것은?

① 대화는 가장 기본적인 의사소통 방법이야. 그런데 모든 대화가 생각대로 잘 이루어지는 것은 아니야. 원활한 대화를 위해서는 대화의 목적이나 상대, 상황 등에 대해 이해하고 있어야 해.
② 환경 문제의 심각성은 인류 문화의 존속과 관련된 문제입니다. 따라서 왜 이것이 건축에서도 문제가 되느냐고 논할 필요가 없어요. 문제가 되어야 할 것은 환경을 파괴하지 않으면서 책임감 있게 건축을 하는 거예요.
③ 부정적 언어 표현에는 비속어뿐만 아니라 상대방을 차별하는 말도 포함돼요. 이러한 부정적 언어 표현은 상대방에게 수치심을 줘요. 뿐만 아니라 이는 공동체의 결속을 방해하고 구성원들 간의 갈등을 불러일으키죠.
④ 선생님, 학생들은 매점을 '건강 매점'으로 바꾸기를 원하지 않습니다. 건강 매점으로 바꾸면 매점에서 파는 제품들의 가격이 2배 이상 오르기 때문입니다. 또한 건강 매점에서 파는 제품들이 대부분 학생들의 입맛에 맞지 않는 것도 이를 원하지 않는 이유 중 하나입니다.
⑤ 독서는 단순히 문자 기호의 뜻을 해독하는 과정이 아니라, 필자가 독자에게 전달하고자 하는 정보의 의미를 이해하는 과정입니다. 정보 사회에 잘 적응하기 위해서는 올바른 정보를 선택할 수 있는 눈을 길러야 합니다. 눈의 보호를 위해서는 생선을 많이 섭취할 필요가 있습니다.

09 〈보기〉의 ㉠~㉤에 대한 설명으로 적절하지 않은 것은?

> 〈보기〉
> 고향에 내려가지 않았어. ㉠ 왜냐하면 이제 ㉡ 그곳에는 내가 추억할 만한 어떤 것도 남아 있지 않거든. 대신 나에게는 고향이 주는 푸근함을 채워 줄 무언가가 필요했지. ㉢ 그래서 낯선 시골로 차를 몰고 갔어. ㉣ 그렇게 ㉤ 이곳에 도착했는데 아주 마음에 들어.

① ㉠: '나'가 고향에 내려가지 않은 이유를 밝혀 주는 접속 부사이다.
② ㉡: 앞에서 언급한 '나'의 고향을 가리키는 대명사이다.
③ ㉢: 앞 문장과 뒤 문장이 원인과 결과의 관계임을 드러내는 접속 부사이다.
④ ㉣: 고향에 대한 '나'의 심정을 나타내는 지시 부사이다.
⑤ ㉤: '나'가 차를 몰고 도착하게 된 낯선 시골을 가리키는 대명사이다.

2013학년도 3월 고3 학력평가 A·B형

01 〈보기〉의 담화에 대한 이해로 가장 적절한 것은?

〈 보기 〉

"다음 뉴스입니다. 사랑의 온도계에 대해서 들어 보셨습니까? 사랑의 온도계는 도움이 필요한 이웃을 위한 모금의 목표액을 온도계의 온도로 나타낸 것입니다. 그런데 온도계의 온도가 아직 50℃를 넘지 못하고 있다고 합니다."

① 공적인 말하기와 사적인 말하기의 특징을 모두 갖추고 있다.
② 정보 제공의 기능을 가진 담화가 호소의 기능을 수행할 수도 있다.
③ 상세한 내용 제시 후 일반적 내용을 제시하는 담화 구조를 갖추고 있다.
④ 비문법적인 표현, 단어의 반복이 나타나는 구어 담화의 특성을 가지고 있다.
⑤ 1 : 1 소통을 통해 실시간 의견 교환이 가능한 매체 담화의 특성을 보여 준다.

02 〈보기〉에 대한 설명으로 적절하지 않은 것은?

〈 보기 〉

(가) (겨울에 선생님이 교실에 들어오면서 창문이 열려 있는 것을 보고 학생들에게) "창문이 열려 있네."
(나) (범죄 현장을 수사하는 경찰이 열린 창문을 주시하며 혼잣말로) "창문이 열려 있네."

① (가)는 추우니 문을 닫으라는 의미이다.
② (가)의 화자는 완곡한 태도로 학생들에게 명령하고 있다.
③ (가)와 (나)의 의미 차이는 맥락에 의해 발생하게 되었다.
④ (나)는 어떤 단서가 발견되었다는 의미로 해석될 수 있다.
⑤ (나)는 용언의 어미를 통해 화자의 불안한 심리를 드러내고 있다.

2013학년도 4월 고3 학력평가 A형

03 〈보기 1〉을 참고하여 〈보기 2〉를 이해한 내용으로 적절하지 않은 것은?

〈 보기 1 〉

실제 발화의 의미는 말하는 이, 듣는 이, 장면 등 담화를 구성하고 있는 다양한 요소들을 고려해야만 제대로 이해할 수 있다. 발화에서의 지시 표현은 시간적, 공간적 장면이 있어야 그 의미를 정확히 이해할 수 있고, 높임 표현도 구체적인 발화 상황을 고려했을 때 인물들 사이의 상하 관계나 친소 관계를 정확하게 파악할 수 있다. 또한 확신이나 추정 등 말하는 이의 심리적 태도나 의도, 생략된 내용 등을 정확하게 파악하려면 담화 맥락과 상황을 고려해야 한다.

〈 보기 2 〉

영희: 여기 있던 빵 누가 치웠어? (철수를 쳐다보며) ㉠ 네가 먹었지?
철수: 아니, 내가 먹은 건 아니고 아까 희수가 배고프다고 해서 줬어.
영희: 아이고, ㉡ 참 잘하셨네요.
철수: 그 빵이 네 빵이었어? 미안해. ㉢ 대신 이 과자라도 먹을래?
영희: 그거? 그래, ㉣ 먹을래. (과자를 먹다가 건네며) 근데 넌 배 안 고파?
철수: ㉤ 난 점심 먹었어.

① ㉠: 영희의 행위를 고려할 때 '먹었지?'라는 표현은 어떤 사실에 대해 의심하면서 이를 확인하려는 심리를 전달한다.
② ㉡: 발화 상황을 고려할 때 '참 잘하셨네요.'는 표현된 진술과 발화의 의도가 일치하지 않음을 알 수 있다.
③ ㉢: 이어지는 영희의 반응을 고려할 때 '이'라는 지시 표현은 '과자'가 철수보다는 영희에게 가까운 위치에 있음을 나타낸다.
④ ㉣: 철수의 직전 발화 내용을 고려할 때 행위의 주체와 대상이 생략되었음을 알 수 있다.
⑤ ㉤: 과자를 건네는 영희의 행위와 마지막 물음에 담긴 의도를 고려할 때 제안을 거절하려는 철수의 심리가 담겨 있다.

04 화자의 심리적 태도가 이질적인 하나는?

① 춘천은 눈이 오겠지?
② 춘천은 눈이 올 거야.
③ 춘천은 눈이 오는구나!
④ 춘천은 눈이 올 모양이야.
⑤ 춘천은 눈이 오는 것 같아.

05 〈보기〉의 ㉠~㉥에 대한 설명으로 적절하지 않은 것은?

〈보기〉

엄마: ㉠ 어머님, 어제 ㉡ 아가씨 집에는 잘 다녀오셨어요?
할머니: 그래. 오랜만에 가서 얘기하니까 ㉢ 동희 어멈도 ㉣ 좋아하더라.
재정: ㉤ 할머니, ㉥ 고모는 잘 지내시죠? 통화한 지도 꽤 됐는데.
할머니: 그럼. 그렇지 않아도 동희 어멈이 너를 무척 보고 싶어 하더라.
재정: 아, ㉦ 동희도 많이 ㉧ 컸겠다.

① ㉠과 ㉤은 동일한 인물이지만 화자가 달라 다르게 불리고 있다.
② ㉡, ㉢, ㉥은 동일한 인물을 가리키고 있다.
③ ㉡, ㉢, ㉥, ㉦은 담화가 이루어지는 장면 안에 있지 않은 인물이다.
④ ㉣은 용언의 어미 '–더–'를 통해 현재 겪는 일이 아니라 과거에 경험했던 일임을 드러내고 있다.
⑤ ㉧은 용언의 어미 '–겠–'을 통해 화자의 완곡한 태도를 드러내고 있다.

2014학년도 3월 고3 학력평가 A·B형

06 다음 글에서 〈보기〉의 ㉮와 ㉯가 모두 나타난 것은?

〈보기〉

응집성이란 담화를 이루는 발화나 문장들이 형식상 특정한 장치에 의해 연결되는 것을 말하며, 주로 지시 표현, 접속 부사 등과 같은 ㉮ 연결어에 의해 표현된다. 또한 유사한 어휘 또는 표현을 반복함으로써도 표현된다. 이외에도 ㉯ 직접적으로 순서나 과정을 드러내는 어휘를 사용하기도 한다.

청소년 목공 동아리 '목동'의 이번 활동은 연필꽂이 만들기입니다. ① 먼저 디자인을 구상합니다. 다음으로 치수를 정합니다. 그리고 치수에 따라 나무를 자르는 재단이 끝나면 작업이 시작됩니다. 재단된 나무를 잘 배치해서 접착제로 붙입니다. ② 우리 목동 친구들은 잘 아시죠? 접착제를 너무 많이 쓰면 접착제가 나무의 겉면으로 삐져나와 곤잖아요. ③ 그러니 욕심 부리지 말고 적당량만 발라 줍니다. 접착제로 다 붙인 후에는 못을 자동으로 박는 목공 기구인 '타카건'으로 나무판들을 고정합니다. ④ 이렇게 한 다음 연필꽂이의 바닥까지 모두 조립하고 사포질을 해 줍니다. 사포질을 안 한 모서리에 찔리게 되면 다칠 수 있으니 조심하세요. ⑤ 사포질을 할 때에는 나무의 결을 따라 하는 것이 보기에 좋습니다. 사포질을 마친 후에는 연필꽂이에 칠을 하거나 장식을 붙여 완성합니다.

2015학년도 6월 고3 모의평가 A·B형

07 (가)에 들어갈 내용으로 적절하지 않은 것은?

탐구 목표	실제 담화를 분석하여, 화자와 청자가 누구인지에 따라 동일한 인물이 다르게 표현될 수 있음을 이해한다.
탐구 자료	[은미의 고모가 은미 집을 찾아온 상황] 할머니: 어서 와라. ㉠ 김 서방도 잘 지내지? 고모: 네, 엄마. ㉡ 그이도 잘 지내요. 언니, 그동안 잘 지내셨어요? 엄마: 네, ㉢ 아가씨. 배고프실 텐데 과일 좀 드세요. 고모: 고마워요, 언니. 은미야, 공부하느라 힘들지? 은미: 아니에요, ㉣ 고모. 고모부는 같이 안 오셨어요? 고모: 응, ㉤ 고모부는 다른 약속이 있어서 못 왔어.
탐구 결과	(가)

① ㉠과 ㉡을 보면, 화자와 청자가 맞바뀌어 동일한 인물이 다르게 표현되고 있다.
② ㉠과 ㉢을 보면, 청자는 같지만 화자가 달라 동일한 인물이 다르게 표현되고 있다.
③ ㉠과 ㉤을 보면, 화자도 다르고 청자도 달라 동일한 인물이 다르게 표현되고 있다.
④ ㉡과 ㉤을 보면, 화자는 같지만 청자가 달라 동일한 인물이 다르게 표현되고 있다.
⑤ ㉢과 ㉣을 보면, 화자가 달라 동일한 청자가 다르게 표현되고 있다.

2016학년도 수능 B형

08 〈보기〉의 ㉠~㉧에 대한 설명으로 적절하지 않은 것은?

〈보기〉

(엄마와 아들이 둘이서 걸어가며)
아들: 엄마, 올해 마지막 날 엄마와 쇼핑 나와서 참 좋아요.
엄마: ㉠ 엄마도 영수랑 같이 나오니까 참 좋다.
아들: 어, 저거 뭐지? 엄마, 저 옷 가게 광고판 좀 보세요.
엄마: 뭐? ㉡ 저거?
아들: 네, ㉢ 저거요. '2015년 12월 30일, ㉣ 오늘 하루만 50% 할인'이라고 쓰여 있는데요.
엄마: 그래? 그러면 ㉤ 어제였네. ㉥ 누나 옷 사야 되는데.
아들: 엄마, 그 옆 가게는 오늘까지 할인하는데요. 그런데 제 옷도 사 주시면 안 돼요?
엄마: 그래, 알았어, ㉦ 우리 아들. ㉧ 영수도 옷 사 줘야지.
아들: 와, 잘됐다. 다음 주 여행 갈 때 입고 가야겠다.

① ㉠과 ㉥은 청자의 관점에서 사용한 지칭어이다.
② ㉠과 ㉦은 현재의 담화 상황에 참여하고 있는 사람을 가리킨다.
③ ㉡과 ㉢은 동일한 대상을 가리킨다.
④ ㉣과 ㉤은 동일한 날을 가리킨다.
⑤ ㉥과 ㉧은 화자와 청자를 제외한 제삼자를 가리킨다.

국어의 역사

우연히 구한 향을 피우다가 잠이 든 당신, 잠에서 깨어 보니 시간을 거슬러 조선 시대에 와 있습니다. 당신은 다음 질문에 대한 대답을 해야만 현대로 돌아갈 수 있습니다.

:네:ᄆᆡ·실므·슴:이·력·ᄒᆞ·ᄂᆞᆫ·다

분명 한글로 적힌 문장인데도 해독하기가 쉽지 않죠? 질문은 '너는 매일 무슨 공부를 하느냐?'입니다. 혹시 문장을 해독하는 것보다 대답하는 것이 더 어렵지는 않겠죠?
이처럼 한글은 창제 이후 'ㅿ'이나 'ㆍ'와 같은 음운이 소실되기도 하고, 문법 요소가 달라지기도 하며 조금씩 변하고 있습니다. 이 단원을 통해 훈민정음의 창제 원리와 국어의 변천 과정을 학습할 수 있습니다.

국어사의 시대 구분

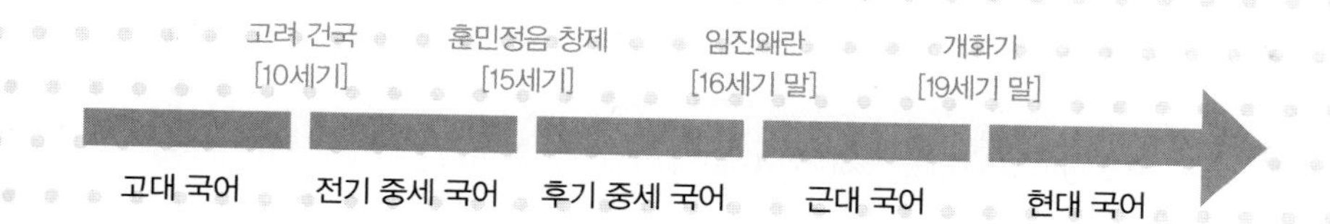

훈민정음의 창제 원리

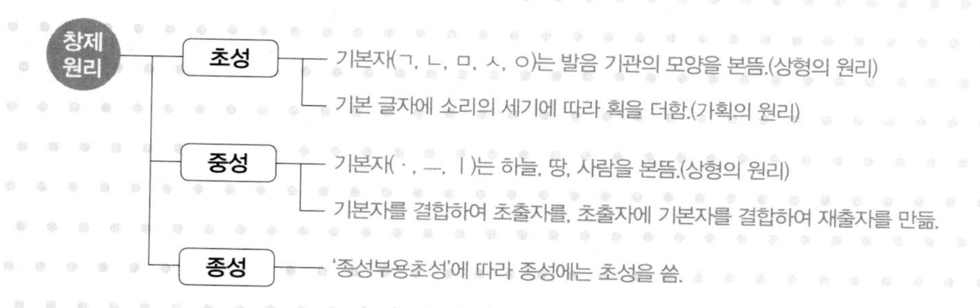

국어의 변천

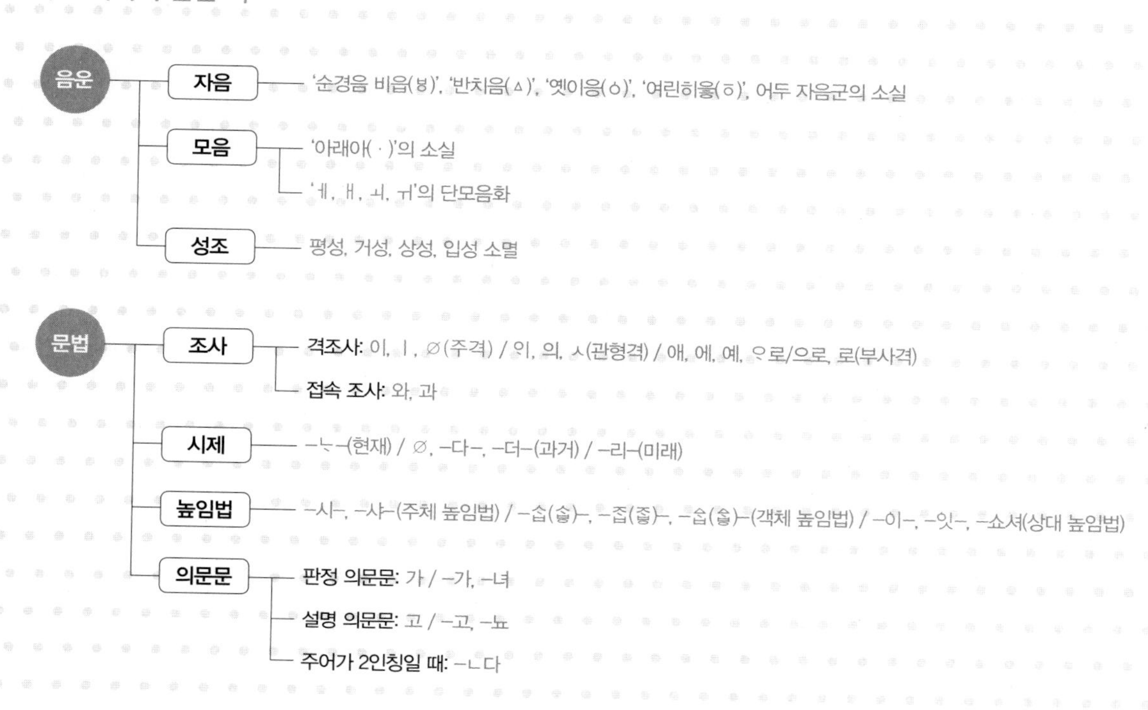

51 훈민정음 이전의 표기 방식

최근 5개년 출제 지수 ●○○○○

❶ 고유 명사 표기

고유 명사를 표기하는 방식

1443년 훈민정음이 창제되기 이전에는 한자의 뜻이나 소리를 이용하여 고유 명사를 표기하였다.●

'소나'의 표기
- 素那 흴(소) 어찌(나) → 음을 빌려 표기
- 金川 (쇠)금 (내)천 → 뜻을 빌려 표기

→ '소나'를 표기하기 위해 '소나'라는 음을 가진 '素那'를 빌려 오면 그것은 음을 빌린 표기이다. 반면 '소나'를 표기하기 위해 '소(쇠)나(내)'라는 뜻을 가진 '金川'을 빌려 오면 그것은 뜻을 빌린 표기이다.

● 우리말 어순이나 형태에 맞게 한자를 빌려 적는 방식을 가리켜 '차자 표기'라고 한다. 차자 표기법의 종류는 크게 고유 명사 표기, 향찰, 이두, 구결로 나누어 볼 수 있다.

참고 「삼국사기」 권 제47

素那(或云金川) 白城郡 蛇山人也

소나(素那)(혹은 금천(金川)이라고 한다.)는 백성군(白城郡) 사산(蛇山) 사람이다.

❷ 향찰(鄕札)

향찰의 표기 방식

신라의 향가를 표기하는 데 사용된 차자(借字) 표기로, 한자의 뜻과 소리를 빌려 표기하였다.

	善	化	公	主₁	主₂	隱	/	他	密	只	嫁	良	置	古
소리	선	화	공	주	주	은		타	밀	지	가	량	치	고
뜻	착하다	되다	귀인	님	님	숨다		남	그윽하다	다만	얼다	좋다	두다	옛
해석	선	화	공	주	님	은		놈	그스지		얼	어	두	고

* 소리를 빌린 글자: 善, 化, 公, 主$_1$, 隱, 只, 良, 古　　* 뜻을 빌린 글자: 主$_2$, 他, 密, 嫁, 置

참고 한자를 빌린 표기의 예

① 지명 표기

길동군(吉同郡)과 영동군(永同郡)

'길동군'을 표기하기 위해 '길'이라는 소리를 갖는 한자 '吉(길)'을 빌려 표기하면 그것은 음차(音借: 소리를 빌린 표기)이고, '길'이라는 뜻을 갖는 한자 '永(영)'을 빌려 표기하면 그것은 훈차(訓借: 뜻을 빌린 표기)이다. 음차는 음독(音讀), 훈차는 석독(釋讀) 내지 훈독(訓讀)이라고도 한다.

② 인명 표기

박혁거세(朴赫居世) 혹은 불구내(弗矩內)

「삼국유사」에 의하면 '박혁거세'라는 이름은 '불구내'라고도 했는데, 세상을 밝게 비춘다는 뜻을 지녔다. '혁(赫)'은 '빛나다'의 의미로 '밝다, 붉다'와 관련이 있어 '불구'나 '불거'로 소리 났을 가능성이 있다. 또 '세상'을 뜻하는 '世'는 고유어 '누리'와 관련이 있어 '불구내'에서 '내'와 관련된 것으로 추정할 수 있다.

❸ 이두(吏讀)와 구결(口訣)

1. 이두의 표기 방식

이두는 신라 때에 발달한 표기법으로, 한문 문장을 우리말의 어순에 따라 배열하고 한자를 빌려 조사나 어미 등을 붙인 표기법을 이른다.

今自三年以後 → 우리말 어순
(지금 으로부터 3년 이후)
–「임신서기명석(壬申誓記銘石)」

本國乙 背叛爲遣
(우리나라 를 배반 하고)
–「대명률직해(大明律直解)」

알아 둘 것 이두는 한자를 사용하여 문장 전체를 우리말의 어순에 맞게 표기하는 것인 데 반해, 구결은 한문 문장을 어순 그대로 두고 조사나 어미 등의 문법 형태소만 토를 달아 표기하는 것이라는 차이점이 있어. 따라서 이두는 조사나 어미를 빼면 어순이 한문 문장과 달라 뜻이 잘 통하지 않지만, 구결은 조사나 어미를 빼도 한문 문장의 뜻이 잘 통하는 거지.

2. 구결의 표기 방식

구결은 한문 문장을 그대로 두되 이를 의미 단위로 나누고, 그 사이에 한자를 빌려 조사나 어미를 넣어 표기하는 차자 표기법을 이른다.

天地之間萬物之中厓 唯人伊 最貴爲尼
(하늘과 땅 사이의 만물 중 에 오직 사람 이 가장 존귀 하니)
–「동몽선습(童蒙先習)」

참고 구결의 쇠퇴 과정

구결은 속성상 한문을 사용하는 한 계속 사용할 수 있었으나, 한글 창제 이후 한글 구결이 등장함에 따라 한자 차용 표기로서의 구결은 용도가 매우 제한되기에 이르렀고, 점차 설 자리를 잃게 되었다.

1단계 기본 트레이닝

(차자 표기의 종류) **다음에 해당하는 표기 방식을 〈보기〉에서 찾아 쓰시오.**

〈보기〉
㉠ 구결　　㉡ 이두　　㉢ 향찰

01 한문 문장을 우리말의 어순에 따라 배열하고 한자를 빌려 조사나 어미 등을 붙인 표기법 (　　　)

02 한문 문장을 의미 단위로 나누고 그 사이사이에 한자를 빌려 조사나 어미를 넣은 표기법 (　　　)

03 신라의 향가 표기에 사용된 것으로 한자의 소리와 뜻을 빌려 국어 문장 전체를 적은 표기법 (　　　)

(향찰의 표기) **다음 글을 읽고 각 조건에 맞는 글자를 찾아 쓰시오.**

향찰 표기	양주동 해독
善化公主$_1$主$_2$隱 …… ㉠	선화 공주니믄
他密只嫁良置古 …… ㉡	놈 그스지 얼어 두고

04 ㉠에서 소리를 빌려 표기한 글자: ______________

05 ㉠에서 뜻을 빌려 표기한 글자: ______________

06 ㉡에서 소리를 빌려 표기한 글자: ______________

07 ㉡에서 뜻을 빌려 표기한 글자: ______________

(이두의 표기) **다음 한문 문장을 우리말 어순에 맞게 배열하시오.**

自今三年以後
(지금으로부터 3년 이후)

08 ______________

(구결의 표기) **다음 글을 읽고 물음에 답하시오.**

天地之間萬物之中厓 唯人伊 最貴爲尼
하늘과 땅 사이의 만물 중에 오직 사람이 가장 중하니

09 위와 같은 차자 표기법을 무엇이라 하는지 쓰시오.

____

10 한자를 빌려 조사나 어미를 나타내는 글자를 모두 찾아 쓰시오.

____

2단계 실전 트레이닝

11 ㉠~㉤ 중 한자의 뜻을 빌린 표기로 적절한 것은?

대상을 한자의 뜻을 빌려 표기했는지, 소리를 빌려 표기했는지에 따라 표기 결과가 달라진다.

㉠ <u>素那</u>(㉡ <u>或云</u> ㉢ <u>金川</u>) ㉣ <u>白城郡</u> ㉤ <u>蛇山</u>人也
—『삼국사기』 권 제47

[해석] 소나(素那)〔혹은 금천(金川)이라고 한다.〕는 백성군(白城郡) 사산(蛇山) 사람이다.

① ㉠　② ㉡　③ ㉢　④ ㉣　⑤ ㉤

12 〈보기〉의 향찰 표기에 대한 설명으로 적절하지 <u>않은</u> 것은?

〈보기〉
[표기] 善化公主主隱 / 他密只嫁良置古
[해석] 선화 공주님은 / 놈 그스지(몰래) 얼어 두고

① 신라 시대에 사용되었다.
② 국어의 문장 전체를 표기하였다.
③ 한자의 뜻과 소리를 빌려 표기하였다.
④ 향가를 표기하는 데 주로 사용하였다.
⑤ 이두와 달리 우리말 어순과 차이가 있다.

13 〈보기〉의 글자들을 활용하여 '대한민국은 몸에 좋은 음식이 많고'라는 문장을 향찰로 표기했을 때 적절한 것은?

〈보기〉
• 한자의 소리를 빌린 글자
伊(이), 厓〔에〕, 隱(은), 遣〔고〕, 大韓民國(대한민국), 飮食(음식)
• 한자의 뜻을 빌린 글자
好(좋을 호), 身(몸 신), 多(많을 다)

① 大韓民國厓 身伊 好遣 飮食伊 多隱
② 大韓民國厓 好隱 多遣 飮食伊 身厓
③ 大韓民國隱 身厓 好隱 飮食伊 多遣
④ 大韓民國隱 好隱 身厓 多遣 飮食伊
⑤ 大韓民國隱 多遣 飮食伊 好隱 身厓

52 훈민정음의 창제 원리

최근 5개년 출제 지수 ●●●●●

❶ 훈민정음의 창제 원리

1. 초성을 만든 원리

기본자 'ㄱ, ㄴ, ㅁ, ㅅ, ㅇ'은 발음 기관의 모습을 본떠서 만들고(상형), 기본자에 획을 더하여(가획*) 그 밖의 글자를 만들었다. 이체자*는 별도로 만들었다. → 총 17자

구분	상형	기본자	가획자		이체자
어금닛소리(아음, 牙音)	혀뿌리가 목구멍을 막는 모양을 본뜸.	ㄱ		ㅋ	ㆁ
혓소리(설음, 舌音)	혀끝이 윗잇몸에 붙는 모양을 본뜸.	ㄴ	ㄷ	ㅌ	ㄹ
입술소리(순음, 脣音)	입 모양을 본뜸.	ㅁ	ㅂ	ㅍ	
잇소리(치음, 齒音)	이(齒) 모양을 본뜸.	ㅅ	ㅈ	ㅊ	ㅿ
목구멍소리(후음, 喉音)	목구멍 모양을 본뜸.	ㅇ	ㆆ	ㅎ	

● '가획(加劃)'은 획을 더하는 것으로, 'ㄱ→ㅋ, ㄴ→ㄷ→ㅌ, ㅁ→ㅂ→ㅍ, ㅅ→ㅈ→ㅊ, ㅇ→ㆆ→ㅎ'은 모두 가획의 원리를 따른 것이다.

● 이체자는 가획의 원리에서 다소 벗어나 있는 글자라는 특성을 지닌다.

참고 훈민정음의 종성
종성 글자는 따로 만들지 않고, 초성의 글자를 다시 사용하기로 하였다. 이를 '종성부용초성(終聲復用初聲)'이라 하는데, 종성과 초성이 음절 속에서 실현되는 위치는 다르지만, 둘 다 자음으로서 동일한 음가를 가진다고 보았기 때문이다.

2. 중성을 만든 원리

'ㆍ, ㅡ, ㅣ'는 각각 '하늘, 땅, 사람'의 모습을 본떠 만들고(상형), 이들끼리 결합하여(합성) 그 밖의 글자를 만들었다. → 11자

기본자	기본자의 결합	초출자	재출자*
ㆍ, ㅡ, ㅣ	ㆍ+ㅣ	ㅏ, ㅓ	ㅑ, ㅕ
	ㆍ+ㅡ	ㅗ, ㅜ	ㅛ, ㅠ

● '재출자'가 만들어질 때에는 '초출자(ㅏ, ㅓ, ㅗ, ㅜ)'에 'ㆍ'가 결합한다. 이는 합성의 원리를 적용한 것이다.

❷ 자모의 운용(運用)

문자의 운용 방식

(1) 이어 쓰기[연서(連書), 니서쓰기]: 자음을 밑으로 이어서 쓰는 방법이다. 입술소리(ㅁ, ㅂ, ㅍ, ㅃ) 아래에 'ㅇ'을 이어 써서 순경음(脣輕音: ㅱ, ㅸ, ㆄ, ㅹ)을 만드는 방법을 일컫는다.

(2) 나란히 쓰기[병서(竝書), 골바쓰기]: 초성이나 종성을 합칠 때 가로로 나란히 쓰는 방법이다.

① 각자 병서(各字竝書): 같은 초성(자음)을 두 개 나란히 쓰는 방법이다.

예 ㄲ, ㄸ, ㅃ, ㅆ, ㅉ, ㆅ

② 합용 병서(合用竝書): 서로 다른 초성(자음)을 두 개나 세 개 나란히 쓰는 방법이다.

예 'ㅅ'계: ㅺ, ㅼ, ㅽ / 'ㅂ'계: ㅳ, ㅄ, ㅶ, ㅷ / 'ㅄ'계: ㅴ, ㅵ

알아 둘 것 'ㄲ, ㄸ, ㅃ, ㅆ, ㅉ'은 훈민정음 28자(자음 17자, 모음 11자)에는 들지 않는다는 것을 명심하자. 'ㄲ, ㄸ, ㅃ, ㅆ, ㅉ'은 새로이 만든 자음이 아니라, 병서의 원리에 따른 것으로서 된소리를 표시하는 자음이다.

(3) 붙여쓰기[부서(附書), 브텨쓰기]: 자음에 모음을 붙여 한 음절을 만드는 방법이다. 모음은 자음의 아래쪽이나 오른쪽에 놓이게 된다.

(4) 음절 이루기[성음법(成音法)]: 모든 글자는 반드시 합해져야만 소리(음절)를 이룬다는 규정이다. 즉, 초성, 중성, 종성을 합해야 음절이 된다는 것이다.

참고 훈민정음에 나타난 '음절 이루기'
① 낱글자는 반드시 합해져야만 음절을 이룬다.
② 초성 · 중성 · 종성의 3성을 합해야만 음절이 된다.

1단계 기본 트레이닝

(훈민정음의 창제 원리) **빈칸에 들어갈 알맞은 말을 쓰시오.**

01 훈민정음은 창제 당시 자음 (　　　)자, 모음 (　　　)자로 총 28자였다. 이 가운데 현재 쓰이지 않는 네 개의 글자는 '(　,　,　,　)'이다.

02 훈민정음의 초성은 발음 기관의 모습을 본뜬 (　　　)의 원리와 기본자에 획을 더하는 (　　　)의 원리로 만들어졌다.

03 훈민정음 모음의 기본자인 '(　　　)'은/는 하늘의 둥근 모양을, '(　　　)'은/는 땅의 평평한 모양을, '(　　　)'은/는 사람이 서 있는 모양을 본떠 만들었다.

04 훈민정음의 종성 글자는 따로 만들지 않고, (　　　)의 글자를 다시 사용하기로 하였다.

05 (　　　)은/는 자음을 밑으로 이어서 쓰는 방법이다. '연서(連書), 니어쓰기'라고도 한다.

06 (　　　)은/는 초성이나 종성을 합칠 때 가로로 나란히 쓰는 방법이다. '병서(竝書), 골ᄫᅡ쓰기'라고도 한다.

07 (　　　)은/는 자음에 모음을 붙여 한 음절을 만드는 방법이다. '부서(附書), 브텨쓰기'라고도 한다.

08 음절 이루기는 초성, 중성, 종성을 합해야 (　　　)이/가 된다는 규정이다.

(자모음의 창제 원리) **빈칸에 들어갈 알맞은 음운을 순서대로 쓰시오.**

구분	기본자	가획자		이체자
어금닛소리	ㄱ		(1)	ㆁ
혓소리	(2)	ㄷ	ㅌ	ㄹ
입술소리	ㅁ	ㅂ	(3)	
잇소리	(4)	ㅈ	ㅊ	ㅿ
목구멍소리	ㅇ	(5)	ㅎ	

09 (1) ________ (2) ________
(3) ________ (4) ________
(5) ________

기본자	초출자	재출자
ㆍ, ㅡ, ㅣ	(1)	ㅑ, ㅕ
	ㅗ, ㅜ	(2)

10 (1) ________ (2) ________

2단계 실전 트레이닝

11 〈보기〉를 참고할 때 훈민정음의 초성에 대한 설명으로 적절하지 않은 것은?

〈보기〉
기본자 'ㄱ, ㄴ, ㅁ, ㅅ, ㅇ'은 발음 기관의 모습을 본떠 만들었고, 나머지 초성은 기본자에 획을 더하여 만들었다.

① 기본자 ㄱ에 획을 더하여 ㅋ을 만들었다.
② 기본자 ㄴ에 획을 더하여 ㄷ, ㅌ을 만들었다.
③ 기본자 ㅁ에 획을 더하여 ㅂ, ㅍ을 만들었다.
④ 기본자 ㅇ에 획을 더하여 ㆆ, ㅎ을 만들었다.
⑤ 기본자 ㅅ에 획을 더하여 ㅈ, ㅊ을 만들었다.

12 〈보기〉를 탐구한 내용으로 적절하지 않은 것은?

〈보기〉

기본자	초출자	재출자
ㆍ, ㅡ, ㅣ	ㅏ, ㅓ	ㅑ, ㅕ
	ㅗ, ㅜ	ㅛ, ㅠ

① 단모음은 모두 7개이군.
② 'ㅏ, ㅓ'가 만들어질 때에는 'ㆍ, ㅣ'가 결합했겠군.
③ 'ㅗ, ㅜ'가 만들어질 때에는 'ㆍ, ㅡ'가 결합했겠군.
④ 재출자가 만들어질 때에는 초출자에 'ㆍ'가 결합했겠군.
⑤ 재출자에서 반모음 'ㅣ(j)'와 'ㅗ/ㅜ(w)'가 모두 나타나는군.

13 〈보기〉의 ㉠~㉤을 통해 알 수 있는 훈민정음 자모의 운용 방식에 대한 설명으로 적절하지 않은 것은?

〈보기〉
㉠ᄯᅩ 국문을 이러케 귀졀을 ㉡ᄠᅦ여 쓴즉 ㉢아모라도 이신문 보기가 쉽고 ㉣신문속에 잇는 ㉤말을 자세이 알어 보게 홈이라

① ㉠: 서로 다른 초성을 두 개나 세 개 나란히 쓰는 합용 병서 표기가 나타나 있다.
② ㉡: 같은 초성을 두 개 나란히 쓰는 각자 병서 표기가 나타나 있다.
③ ㉢: 모음을 자음의 아래쪽이나 오른쪽에 놓아 한 음절을 만드는 붙여쓰기 방식이 나타나 있다.
④ ㉣: 자음을 밑으로 이어서 쓰는 이어 쓰기의 방식이 나타나 있다.
⑤ ㉤: 초성, 중성, 종성의 3성을 합해 한 음절이 이루어지는 성음법이 나타나 있다.

53 국어의 변천_ 음운, 어휘

최근 5개년 출제 지수 ●●●●○

❶ 음운의 변화

1. 자음의 변화

중세 국어에는 있었던 'ㅸ(순경음 비읍)', 'ㅿ(반치음)', 'ㆁ(옛이응)', 'ㆆ(여린히읗)' 등이 사라지거나 다른 소리로 변하게 되었다.

(1) 'ㅸ(순경음 비읍)'의 소실: 'ㅸ'은 'ㅂ'의 울림소리로, 15세기 중반부터 반모음 'ㅗ/ㅜ[w]'로 바뀌었다.

고ᄫᆞ → 고와	셔ᄫᅮᆯ → 서울	더ᄫᅵ → 더위
'ㅸ'이 'ㅗ'로 바뀜.	'ㅸ'이 'ㅜ'로 바뀜.	'ㅸ'이 'ㅜ'로 바뀜.

(2) 'ㅿ'의 소실: 'ㅿ(반치음)'은 'ㅅ'의 울림소리로, 16세기 중반에 'ㅅ'으로 바뀌거나 사라졌다.

한ᅀᅮᆷ → 한숨	처ᅀᅥᆷ → 처음	아ᅀᆞ → 아우
'ㅿ'이 'ㅅ'으로 바뀜.	'ㅿ'이 사라짐.	'ㅿ'이 사라짐.

(3) 'ㆁ(옛이응)'의 소실: 중세 국어에는 'ㅇ'과 'ㆁ'이 있었는데, 'ㆁ'은 [ŋ]의 음가를 지니며 '바올'과 같이 초성에도 나타났다. 근대 국어에 이르러 'ㆁ'은 초성에서는 쓰이지 않고 종성에서만 쓰이게 되었으며, 글꼴도 'ㅇ'으로 변하였다.

(4) 'ㆆ(여린히읗)'의 소실: 'ㆆ'은 'ㅎ'보다 여린 소리로 추정되는 음운으로, 매우 제한적으로 쓰이다가 15세기 중엽에 소실되었다.

(5) 어두 자음군●: 중세 국어에는 'ㅅ'계(ㅺ, ㅼ, ㅽ), 'ㅂ'계(ㅲ, ㅄ, ㅶ, ㅷ), 'ㅄ'계(ㅴ, ㅵ) 등의 어두 자음군이 있었으나, 점차 된소리로 바뀌었다.

ᄠᅳᆮ(意) → 뜻	ᄡᆞᆯ(米) → 쌀	ᄢᅢ(時) → 때
'ㅲ'이 'ㄸ'으로 바뀜.	'ㅄ'이 'ㅆ'으로 바뀜.	'ㅴ'이 'ㄸ'으로 바뀜.

(6) 구개음화로 인한 변화: 16세기 무렵 모음 'ㅣ'나 반모음 'ㅣ[j]' 앞의 'ㄷ, ㅌ'이 'ㅈ, ㅊ'으로 바뀌는 구개음화가 일어났다. 18세기에 이르러서는 '디, 티' 음절이 '지, 치' 음절로 바뀌었다.

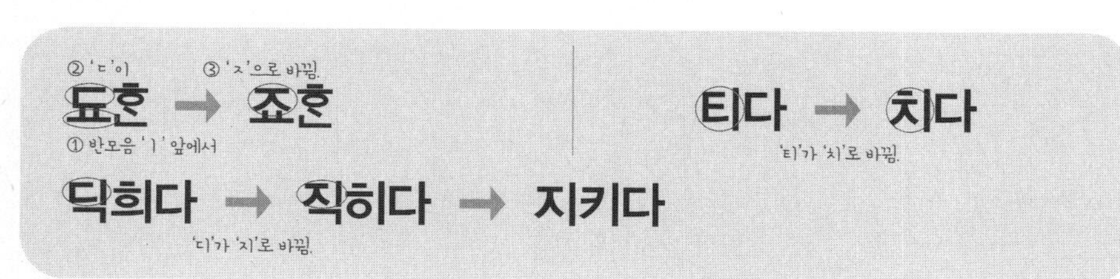

단, 원래 모음 'ㅢ'를 가지고 있던 음절들은 구개음화를 겪지 않고 현대 국어에 이어진다.

예 마듸 → 마디 디듸다 → 디디다 틧글 → 티끌

알아 둘 것 고려 건국~훈민정음 창제 이전까지의 국어는 전기 중세 국어, 훈민정음 창제 이후~임진왜란(16세기 말)까지의 국어는 후기 중세 국어에 속해. 그리고 임진왜란 이후(17세기 초)~개화기(19세기 말)의 국어는 근대 국어, 개화기 이후(20세기 초)~현재의 국어는 현대 국어에 속해.

참고 'ㅸ'과 'ㅂ' 불규칙 용언과의 관계

현대 국어에서 'ㅂ' 불규칙 활용을 하는 용언들은 중세 국어 시기에 'ㅸ'을 받침으로 가지고 있던 용언들이다.

예

중세 국어	현대 국어
고ᄫᆞᆫ, 고ᄫᆞ	고운, 고와

참고 'ㅿ'과 'ㅅ' 불규칙 용언과의 관계

현대 국어에서 'ㅅ' 불규칙 활용을 하는 용언들은 중세 국어 시기에 'ㅿ'을 받침으로 가지고 있던 용언들이다.

● 어두 자음군은 단어의 첫머리에 오는 둘 또는 그 이상의 자음의 연속체를 말한다.

(7) 음절 끝소리에서 'ㄷ'과 'ㅅ'의 구별: 중세 국어에는 음절의 끝소리에서 발음되는 자음으로 'ㄱ, ㄴ, ㄷ, ㄹ, ㅁ, ㅂ, ㅅ, ㆁ'이 사용되었다. 현대 국어에는 음절의 끝소리로 'ㅅ'이 올 경우 대표음 [ㄷ]으로 소리 나는 데 반해, 중세 국어에서는 'ㄷ'과 'ㅅ'이 구별되어 각각 사용되었다.

2. 모음의 변화

전기 중세 국어에서 후기 중세 국어로 넘어오는 시기에 단모음 체계가 변하면서 'ㆍ'는 점차 소실되었고, 이중 모음이던 'ㅐ, ㅔ, ㅚ, ㅟ'는 단모음으로 변했다.

전기 중세 국어(7개)		
ㅣ	ㅜ	ㅗ
ㅓ	ㅡ	ㆍ
	ㅏ	

→

후기 중세 국어(7개)		
ㅣ	ㅡ	ㅜ
	ㅓ	ㅗ
	ㅏ	ㆍ

→

현대 국어(10개)			
ㅣ	ㅟ	ㅡ	ㅜ
ㅔ	ㅚ	ㅓ	ㅗ
ㅐ		ㅏ	

(1) 'ㆍ(아래아)'의 소실: 'ㆍ'는 'ㅗ'와 'ㅏ' 사이에 있는 모음으로, 두 차례에 걸쳐 사라졌다. 16세기에는 둘째 음절 이하에서 'ㅡ'나 'ㅗ', 'ㅏ'로 바뀌었고, 나중에는 첫째 음절의 'ㆍ'도 'ㅏ'로 바뀌었다.

① 둘째 음절의 'ㆍ'가 'ㅡ'로 바뀜.

ᄀᆞᅀᆞᆶ → ᄀᆞ을 → 가을

② 첫째 음절의 'ㆍ'가 'ㅏ'로 바뀜.

예 기ᄅᆞ마 → 기르마　　ᄇᆞᄅᆞᆷ → ᄇᆞ람 → 둘째 음절 이하에서의 변화
ᄀᆞ래 → 가래　　ᄆᆞᅀᆞᆷ → 마음 → 첫째 음절에서의 변화

(2) 'ㅔ, ㅐ'의 단모음화: 'ㆍ'의 소실로 인해 첫음절의 'ㆎ'가 'ㅐ'로 변한 뒤, 이중 모음이던 'ㅐ'와 'ㅔ'가 각각 단모음 'ㅐ'와 'ㅔ'로 바뀌었다.

(3) 'ㅚ, ㅟ'의 단모음화: 현대 국어에 와서 이중 모음이던 'ㅚ'와 'ㅟ'가 각각 단모음 'ㅚ'와 'ㅟ'로 바뀌었다.

3. 성조의 소멸

(1) 중세 국어는 소리의 높낮이를 통하여 단어의 뜻을 분별하는 성조가 있었다. 성조는 글자의 왼쪽에 점을 찍어 표시하였는데, 이때 왼쪽에 찍은 점을 '방점'이라고 한다.

(2) 성조는 16세기 중반 이후부터 흔들리기 시작하다가 16세기 말에는 표시하지 않게 되었다.

성조의 종류	특성	표기
평성(平聲)	처음과 끝이 한결같이 부드럽고 낮은 소리	방점이 없음.
거성(去聲)	처음과 끝이 한결같이 높은 소리	글자 왼쪽에 점 하나를 찍음.
상성(上聲)	처음이 낮고 끝이 높은 소리	글자 왼쪽에 점 두 개를 찍음.
입성(入聲)	짧고 빨리 끝나는 소리	정해지지 않음.

곶(花)
방점 없음.
→ 평성으로, 낮은 소리

·풀(草)
왼쪽에 하나의 점이 있음.
→ 거성으로, 높은 소리

:별(星)
왼쪽에 두 개의 점이 있음.
→ 상성으로, 처음에는 낮다가 나중에 높아지는 소리

참고 근대 국어의 모음 조화 파괴
중세 국어에서는 양성 모음이 'ㅏ, ㅗ, ㆍ', 음성 모음이 'ㅓ, ㅜ, ㅡ'로 구분되어 짝을 이루었고, 모음 조화가 잘 지켜졌다. 그러나 근대 이후 'ㆍ'의 소실로 인해 양성 모음과 음성 모음의 균형이 무너지며 모음 조화가 파괴되기 시작했다.

알아 둘 것! 성조가 소멸되면서, 성조로 인해 구별되던 단어들의 의미 변별이 어렵게 되었어. 이러한 문제점을 극복하기 위해 국어에서는 운소로서 소리의 길이가 등장해. 낮은 소리인 평성과 높은 소리인 거성은 짧은 소리로, 낮았다가 높아지는 상성은 긴 소리로 바뀌어 현대 국어에 이르게 되었지.

❷ 어휘의 변화

중세 국어와 근대 국어에는 지금은 잘 쓰이지 않는 많은 고유어가 있었다. 이러한 고유어는 시간이 흐르면서 그 의미나 형태가 바뀌거나 소멸되기도 하였고, 한자어와 외래어의 끊임없는 침투로 인해 점차 소멸되기도 하였다.

1. 체계의 변화

(1) 고유어－한자어의 경쟁: 한자어가 유입되면서 고유어가 한자어로 교체되거나, 한자어가 한자음 그대로 한글로 표기되면서 마치 고유어처럼 사용되기도 하였다.

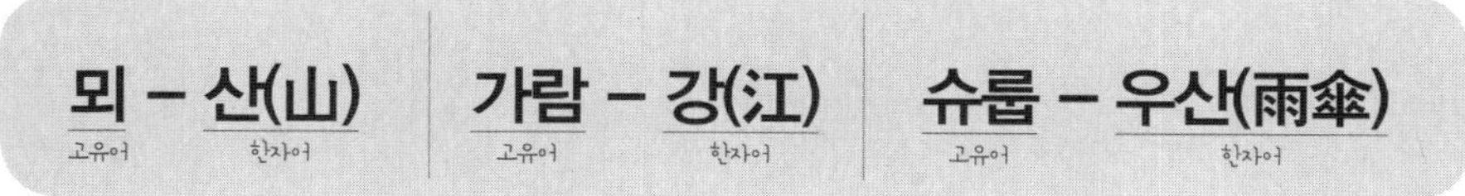

(2) 외래어의 유입: 의복이나 옷감, 기구 등 문화적인 부분에서 문물과 함께 중국어가 많이 유입되었고, 이웃 나라와 접촉하는 과정에서 몽골 어와 여진 어 등의 외래어가 들어왔다.

붇(筆) → 붓 / 샹투(上頭) / ᄇᆡᆨᄎᆡ(白菜) → 배추 → 중국어의 유입

가라ᄆᆞᆯ(검은 말) / 보라매 / 수라 → 몽골 어의 유입

투먼(豆漫) → 여진 어의 유입

(3) 서구 문물과 관련된 어휘의 유입: 개화기 이후부터는 서양의 문물과 함께 외래어가 많이 들어오게 되었다. 또한 일제 강점기를 겪으면서 일본어가 대량으로 유입되었다.

예 천리경, 자명종, 전기

2. 의미의 변화

시간이 흐르면서 개별 어휘의 의미가 확장되거나 축소되거나 또는 전혀 다른 의미로 이동하기도 하였다.

의미 변화의 양상	어휘	본래 뜻	변한 뜻
의미의 확대	다리	사람이나 동물의 몸통 아래 붙어 있는 신체의 부분	사람이나 동물뿐 아니라 책상과 같은 무생물의 아래쪽에 붙어서 그 물체를 받치는 부분
	영감	당상관 이상의 높은 벼슬을 지낸 사람	일반적인 남자 노인
의미의 축소	즁싱(→ 짐승)	생물 전체를 가리키는 불교 용어	'사람'을 제외한 동물을 가리키는 말
	ᄉᆞ랑ᄒᆞ다(→ 사랑하다)	사랑하다, 생각하다	사랑하다
	놈, 계집	일반적인 남자와 여자	남자와 여자를 비하하는 말
의미의 이동	어리다	어리석다	나이가 어리다
	어엿브다(→ 어여쁘다)	불쌍하다	예쁘다, 아름답다
	싁싁ᄒᆞ다(→ 씩씩하다)	장식하다, 장엄하다	씩씩하다

참고 언어의 역사성
언어는 시간이 흐름에 따라 변화한다. 소리가 바뀌거나 의미가 바뀌는 것을 모두 포함한다.

참고 몽골 어의 유입
13세기와 14세기에 고려가 원(元)나라와 밀접하게 교류하는 사이가 되면서 주로 관직, 말(馬), 매(鷹), 군사, 음식에 관련된 몽골 어가 많이 들어왔다.

1단계 기본 트레이닝

음운의 변화 **빈칸에 들어갈 알맞은 말을 쓰시오.**

01 '(   )'은 후기 중세 국어부터 음운의 기능을 잃고 반모음 'ㅗ/ㅜ[w]'로 바뀌었다.

02 '(   )'은 후기 중세 국어부터 'ㅅ'으로 바뀌거나 사라졌다.

03 중세 국어에는 'ㆁ'과 'ㅇ'이 있었는데, 이 중 '(   )'은 [ŋ]의 음가를 지니며 받침에 쓰였다.

04 'ㆍ'는 'ㅗ'와 '(   )' 사이에 있는 모음이었다.

05 'ㆍ'는 첫 번째 단계에서 단어의 둘째 음절 이하의 'ㆍ'가 '(   )'로 바뀌었으며, 두 번째 단계에서 첫째 음절의 'ㆍ'도 '(   )'로 바뀌면서 소실되었다.

06 중세에서 현대로 넘어오면서 중세에 이중 모음이었던 '(,   ,   ,   )'가 단모음으로 변했다.

07 중세 국어에서는 소리의 (   )을/를 표시하는 성조를 사용하였지만, 16세기 후반에 소멸되었다.

성조의 이해 **다음 성조의 명칭과 특성을 관련 있는 것끼리 연결하시오.**

08 평성(平聲) •

09 거성(去聲) •

10 상성(上聲) •

11 입성(入聲) •

• (1) 짧고 빨리 끝나는 소리

• (2) 처음과 끝이 한결같이 높은 소리

• (3) 처음은 낮으나 끝은 높은 소리

• (4) 처음과 끝이 한결같이 부드럽고 낮은 소리

어휘의 변화 **다음 설명과 관련된 말을 〈보기〉에서 찾아 쓰시오.**

〈보기〉

붓   가람   수라   슈룹   배추   보라매

12 고유어: ______________________

13 중국어에서 유입된 말: ______________________

14 몽골 어에서 유입된 말: ______________________

2단계 실전 트레이닝

2013학년도 4월 고3 학력평가 B형

15 〈보기〉를 바탕으로 중세 국어의 음운 'ᄫ', 'ᅀ', 'ㆍ'에 대해 탐구한 내용으로 적절하지 않은 것은?

〈보기〉

ㄱ. ᄆᆞᅀᆞᆯ > ᄆᆞᄋᆞᆯ > 마을
    ᄀᆞᅀᆞᆯ > ᄀᆞᄋᆞᆯ > 가을

ㄴ. (날씨가) 덥(다)+-어: 더ᄫᅥ

ㄷ. (색깔이) 곱(다)+-아: 고ᄫᅡ > 고와
    (고기를) 굽(다)+-어: 구ᄫᅥ > 구워

① ㄱ으로 보아, 중세 국어 'ᄆᆞᅀᆞᆯ'과 'ᄀᆞᅀᆞᆯ'의 'ᅀ'은 음운 변화 양상이 같았음을 알 수 있군.

② ㄱ으로 보아, 'ㆍ'는 현대 국어에서 첫째 음절과 둘째 음절에서 변화된 음운의 모습이 같았음을 알 수 있군.

③ ㄴ으로 보아, '덥다'의 'ㅂ'이 모음으로 시작하는 어미와 결합하여 'ᄫ'으로 바뀌는 것을 알 수 있군.

④ ㄷ으로 보아, 'ᄫ'에 결합되는 어미의 모음에 따라 현대 국어에서의 표기가 달라지는군.

⑤ ㄱ과 ㄷ으로 보아, 'ᅀ'과 'ᄫ'은 현대 국어에 표기되지 않게 되었음을 알 수 있군.

2014학년도 6월 고3 모의평가 B형

16 〈보기〉의 ㉠과 ㉡에 속하는 사례를 바르게 제시한 것은?

〈보기〉

모음 'ㆍ'는 중세 국어 이후 크게 두 단계의 변화를 겪었다. 제1단계 변화에서는 ㉠단어의 둘째 음절 이하에 놓인 모음 'ㆍ'가 'ㅡ'로 변화하였다. 이 변화가 일어나고 난 뒤 제2단계 변화에서는 ㉡첫째 음절에 놓인 모음 'ㆍ'가 'ㅏ'로 변화하였다. 단어에 따라 이러한 변화에 예외가 보이기도 하지만 대체로 이 두 단계의 변화를 겪어 'ㆍ'는 모음 체계에서 사라지게 되었다.

	㉠	㉡
①	마ᄂᆞᆯ > 마늘	ᄒᆞᆰ > 흙
②	사ᄉᆞᆷ > 사슴	ᄀᆞ장 > 가장
③	ᄒᆞ나 > 하나	오ᄂᆞᆯ > 오늘
④	ᄉᆞ람 > 사람	ᄃᆞ리 > 다리
⑤	아ᄃᆞᆯ > 아들	ᄃᆞ섯 > 다섯

54 국어의 변천_ 문법

최근 5개년 출제 지수 ●●●○○

1 조사

중세 국어의 조사

종류			중세 국어	현대 국어
격 조사•	주격 조사	이(자음 뒤), ㅣ('ㅣ' 이외의 모음 뒤), ∅('ㅣ' 모음 뒤)		이, 가
	관형격 조사	유정 명사, 비존칭	ᄋᆡ(양성 모음 뒤), 의(음성 모음 뒤)	의
		무정 명사, 존칭	ㅅ	
	부사격 조사	처소	애(양성 모음 뒤), 에(음성 모음 뒤), 예(중성 모음 뒤)	에, 에게
		도구	ᄋᆞ로/으로(자음으로 끝난 체언 뒤), 로(모음으로 끝난 체언 또는 'ㄹ' 뒤)	으로
접속 조사		와(모음으로 끝난 체언 또는 'ㄹ' 뒤), 과(자음으로 끝난 체언 뒤)		와, 과

• 격 조사는 앞에 오는 체언이 문장 안에서 일정한 문법적 기능을 가지는 성분으로서의 자격을 가지도록 해 주는 조사를 말한다.

참고 유정 명사와 무정 명사
유정 명사는 감정을 나타낼 수 있는 사람이나 동물을 가리키는 명사이고, 무정 명사는 감정을 나타내지 못하는 식물이나 무생물을 가리키는 명사이다.

2 시제

중세 국어의 시간 표현 선어말 어미

상황		실현	예
현재(동사일 경우)		-ᄂᆞ-	네 이제 또 묻ᄂᆞ다 → 시간 부사 '이제'
과거		없음	네 아비 ᄒᆞ마 주그니라 → 시간 부사 'ᄒᆞ마(이미)'
과거 회상	주어가 1인칭일 때	-다-	내 보다니
	주어가 2, 3인칭일 때	-더-	轉法(전법)을 조차 ᄒᆞ더시니이다
미래		-리-	ᄆᆞ를 글혀 기드리ᄂᆞ니라

참고 선어말 어미 '-오-'의 기능
선어말 어미 '-오-'는 고대 국어와 중세 국어에만 나타났던 것으로, 근 · 현대 국어와 구별되는 대표적 문법 현상이다. 이는 문장의 주어가 화자 자신임을 나타낼 때 쓰이거나 관계절에서 수식을 받는 명사가 목적어나 부사어임을 나타낼 때 사용되었다.
예 내 이제 分明히 너ᄃᆞ려 닐오니라

3 높임법•

중세 국어의 높임법

구분	높임 선어말 어미	실현 환경
주체 높임법	-시-	자음 어미 앞에서
	-샤-	모음 어미 앞에서
객체 높임법	-ᄉᆞᆸ-/-ᄉᆞᆸ-	어간의 끝소리가 'ㄱ, ㅂ, ㅅ, ㅎ'일 때
	-ᄌᆞᆸ-/-ᄌᆞᆸ-	어간의 끝소리가 'ㄷ, ㅈ, ㅊ'일 때
	-ᅀᆞᆸ-/-ᅀᆞᆸ-	어간의 끝소리가 모음이거나, 'ㄴ, ㄹ, ㅁ'일 때
상대 높임법•(ᄒᆞ쇼셔체)	-이-	평서형일 때
	-잇-	의문형일 때
	-쇼셔	명령형일 때

• 국어는 높임법이 아주 잘 발달한 언어이다. 국어의 높임법은 높임의 대상이 누구인지에 따라 그 실현 방법이 달라지는데, 듣는 이를 높이는 상대 높임, 문장의 주어를 높이는 주체 높임, 문장의 목적어나 부사어가 지시하는 대상을 높이는 객체 높임 세 가지가 있다.

• 중세 국어의 상대 높임법은 높임의 정도에 따라 'ᄒᆞ라체(아주낮춤), ᄒᆞ야쎠체(예사 높임, 예사 낮춤), ᄒᆞ쇼셔체(아주높임)'로 나뉘었다.

4 의문문

중세 국어의 의문문의 유형

중세 국어에서는 판정 의문문•과 설명 의문문•의 보조사나 어미가 달리 쓰였다.

구분	보조사나 어미	예
판정 의문문	가 / -가, -녀	이 ᄯᆞ리 너희 종가 / 하나빌 미드니잇가
설명 의문문	고 / -고, -뇨	이 엇던 光明(광명)고 / 이제 엇더ᄒᆞᆫ고

• 판정 의문문은 의문사가 없는, '네, 아니요'의 대답을 요구하는 의문문이다.

• 설명 의문문은 '언제, 어디서' 등의 의문사를 써서 그에 대한 설명을 요구하는 의문문이다.

참고 주어가 2인칭인 경우의 의문문
주어가 2인칭인 경우에는 의문문의 유형에 상관없이 '-ㄴ다'가 붙었다.
예 네 엇데 안다(네가 어찌 알았느냐?)

1단계 기본 트레이닝

중세 국어의 조사 **빈칸에 들어갈 알맞은 조사를 쓰시오.**

01 중세 국어에서는 주격 조사로 '이, (　　　　)'을/를 쓰거나 아무것도 쓰지 않았다.

02 중세 국어에서는 도구 부사격 조사로 '(　　　　), 로'가 쓰였다.

03 중세 국어에 쓰인 접속 조사 '(　　,　　)'은/는 현대 국어의 접속 조사와 형태상의 차이를 보이지 않는다.

04 중세 국어에서 관형격 조사 '(　　　　)'와 '의'는 유정 명사와 비존칭 체언에, '(　　　　)'은/는 무정 명사와 존칭 체언에 결합하였다.

중세 국어의 시제 **밑줄 친 부분에 유의하여 각 표현의 시제를 '현재, 과거, 과거 회상, 미래'로 분류하시오.**

05 내 보다니 (　　　　)

06 고줄 몯어드리라 (　　　　)

07 네 아비 ᄒᆞ마 주그니라 (　　　　)

08 善慧(선혜) 듣즙고 깃거 ᄒᆞ더시다 (　　　　)

09 이제 ᄯᅩ 내 아ᄃᆞᆯ ᄃᆞ려가려 ᄒᆞ시ᄂᆞ니 (　　　　)

중세 국어의 높임법 **선어말 어미를 통해 객체 높임법이 적절하게 쓰인 것은 ○, 틀린 것은 × 표시를 하시오.**

10 듣즙고 (　　　　)　　**11** 얻ᄌᆞ바 (　　　　)

12 먹즙고 (　　　　)　　**13** 잇즙고 (　　　　)

14 보내숩고 (　　　　)　　**15** 아ᅀᆞᄫᆞ쇼서 (　　　　)

중세 국어의 의문문 **〈보기〉에서 각 문장에 들어갈 적절한 활용 형태를 찾아 쓰시오.**

〈보기〉

가, 고, 던다, 든다

16 네 모ᄅᆞ(　　　　): 네가 몰랐더냐?

17 이 엇던 광명(　　　　): 이 어떤 빛이냐?

18 얻논 藥이 므스것(　　　　): 얻는 약이 무엇인가?

19 이는 賞(　　　　) 罪(　　　　): 이는 상인가 벌인가?

20 이 ᄯᆞ리 너희 죵(　　　　): 이 딸이 너희들의 종이냐?

21 네 엇던 이를 爲ᄒᆞ야 이 길헤 (　　　　): 네가 어떤 일을 위하여 이 길에 들었느냐?

2단계 실전 트레이닝

2012학년도 11월 고2 학력평가 B형

22 〈보기〉를 바탕으로 중세 국어 시기에 사용된 조사의 기능에 대해 탐구하였다. 적절하지 않은 것은?

〈보기〉

㉠ 孔공子ᄌᆞㅣ ㉡ 曾증子ᄌᆞᄃᆞ려 닐러 ᄀᆞᆯᄋᆞ샤ᄃᆡ ㉢ 몸이며 얼굴이며 머리털이며 ᄉᆞᆯ흔 父부母모ᄭᅴ 받ᄌᆞ온 거시라 敢감히 헐워 샹히오디 아니홈이 ㉣ 효도의 비르소미오, 몸을 셰워 道도를 行ᄒᆡᆼᄒᆞ야 일홈을 後후世셰예 베퍼 ᄡᅥ ㉤ 父부母모ᄅᆞᆯ 현뎌케 홈이 효도의 ᄆᆞᄎᆞᆷ이니라.

—『소학언해』 권2, 선조 20년(1587)

[현대어 풀이]

공자가 증자에게 일러 말씀하시기를, 몸과 형체와 머리털과 살은 부모께 받은 것이라. 감히 헐게 하여 상하게 하지 아니함이 효도의 시작이며, 입신(출세)하여 도를 행하여 이름을 후세에 날려 이로써 부모를 드러나게 함이 효도의 끝이니라.

① ㉠의 'ㅣ'는 현대 국어에서 '가'로 바뀐 것으로 보아 앞말이 행위의 주체임을 나타내고 있어.
② ㉡의 'ᄃᆞ려'는 현대 국어에서 '에게'로 바뀐 것으로 보아 앞말이 어떤 행동이 미치는 대상임을 나타내고 있어.
③ ㉢의 '이며'는 현대 국어에서 '과'로 쓴 것으로 보아 앞말이 뒷말과 비교하는 대상임을 나타내고 있어.
④ ㉣의 '의'는 현대 국어에서 '의'로 바뀐 것으로 보아 앞말이 뒷말을 꾸며 주고 있음을 나타내고 있어.
⑤ ㉤의 'ᄅᆞᆯ'은 현대 국어에서 '를'로 바뀐 것으로 보아 앞말이 동작이 미친 직접적 대상임을 나타내고 있어.

23 중세 국어에서 사용된 표현 중 의문형의 문장으로 볼 수 없는 것은?

① 네 엇뎨 안다
② 이제 엇더ᄒᆞᆫ고
③ 네 겨집 그려 가던다
④ 네 벋ᄃᆞᆯ히 이제 어디 잇ᄂᆞ뇨
⑤ 德이여 福이라 호ᄂᆞᆯ 나ᅀᆞ라 오소이다

2014학년도 9월 고3 모의평가 B형

01 〈보기 1〉의 (가), (나)에 따른 표기의 사례를 〈보기 2〉의 ㉠~㉣에서 찾아 바르게 짝지은 것은?

〈보기 1〉

(가) ㅇ를 입시울쏘리 아래 니ᅀᅥ 쓰면 입시울 가ᄇᆡ야ᄫᆞᆫ 소리 ᄃᆞ외ᄂᆞ니라
[풀이] ㅇ을 순음 아래 이어 쓰면 순경음이 된다.
(나) 첫소리를 어울워 ᄡᅮᇙ디면 ᄀᆞᆯᄫᅡ 쓰라
[풀이] 초성 글자를 합하여 사용할 때에는 나란히 써라.

〈보기 2〉

나랏 말ᄊᆞ미 中듕國귁에 달아 文문字ᄍᆞᆼ와로 서르 ᄉᆞᄆᆞᆺ디 아니ᄒᆞᆯᄊᆡ 이런 젼ᄎᆞ로 어린 百ᄇᆡᆨ姓셩이 니르고져 홇 배 이셔도 ㉠ᄆᆞᄎᆞᆷ내 제 ᄠᅳ들 시러 펴디 몯홇 노미 하니라 내 이ᄅᆞᆯ 爲윙ᄒᆞ야 어엿비 너겨 새로 스믈여듧 字ᄍᆞᆼᄅᆞᆯ ㉡ᄆᆡᆼᄀᆞ노니 사ᄅᆞᆷ마다 ᄒᆡᅇᅧ ㉢수ᄫᅵ 니겨 날로 ᄡᅮ메 便뼌安한킈 ᄒᆞ고져 ᄒᆞᇙ ㉣ᄯᆞᄅᆞ미니라
-『훈민정음』 언해

	(가)	(나)		(가)	(나)
①	㉠	㉡	②	㉠	㉢
③	㉡	㉣	④	㉢	㉡
⑤	㉢	㉣			

2014학년도 수능 B형

02 〈보기〉의 (가)를 바탕으로 (나)를 이해한 것으로 적절하지 않은 것은?

〈보기〉

(가) 15세기 국어의 음운과 표기의 특징
㉠ 자음 'ㅿ'과 'ㅸ'이 존재하였다.
㉡ 초성에 오는 'ㅳ'은 'ㅂ'과 'ㄷ'이, 'ㅄ'은 'ㅂ'과 'ㅅ'이 모두 발음되었다.
㉢ 종성에서 'ㄷ'과 'ㅅ'이 다르게 발음되었다.
㉣ 평성, 거성, 상성의 성조를 방점으로 구분하였다.
㉤ 연철 표기(이어 적기)를 하였다.
(나) 나랏 :말ᄊᆞ·미 中듕國·귁·에 달·아 文문字·ᄍᆞᆼ·와·로 서르 ᄉᆞᄆᆞᆺ·디 아니ᄒᆞᆯ·ᄊᆡ ·이런 젼·ᄎᆞ·로 어·린 百·ᄇᆡᆨ姓·셩·이 니르·고·져 ·홇 ·배 이·셔·도 ᄆᆞ·ᄎᆞᆷ:내 제 **·ᄠᅳ·들** 시·러 펴·디 :몯홇 ·노·미 하·니·라 ·내 ·이·ᄅᆞᆯ 爲·윙·ᄒᆞ·야 **:어엿·비** 너·겨 ·새·로·스·믈 여·듧 字·ᄍᆞᆼ·ᄅᆞᆯ ᄆᆡᆼ·ᄀᆞ노·니 :사ᄅᆞᆷ:마·다 **:ᄒᆡ·ᅇᅧ** **:수·ᄫᅵ** 니·겨·날로 **·ᄡᅮ·메** 便뼌安한·킈 ᄒᆞ·고·져 ᄒᆞᇙ ᄯᆞᄅᆞ·미니·라

① ㉠을 보니, ':수·ᄫᅵ'에는 오늘날에는 없는 자음이 들어 있군.
② ㉡을 보니, '·ᄠᅳ·들'의 'ㅳ'에서는 두 개의 자음이 발음되었군.
③ ㉢을 보니, ':어엿·비'에서 둘째 음절의 종성은 'ㄷ'으로 발음되었군.
④ ㉣을 보니, ':ᄒᆡ·ᅇᅧ'의 첫 음절과 둘째 음절은 성조가 달랐군.
⑤ ㉤을 보니, '·ᄡᅮ·메'에는 연철 표기가 적용되었군.

2015학년도 수능 B형

03 〈보기 1〉의 학생 의견과 관련된 한글의 제자 원리를 〈보기 2〉에서 찾아 바르게 짝지은 것은?

〈보기 1〉

학습 활동: 오늘날 우리가 한글을 사용하면서 생각한 바를 각자 정리하여 발표해 봅시다.
○ 학생 1: 'ㄱ'의 글자 모양이 그 소리를 낼 때 혀뿌리가 목구멍을 막는 모양과 관련된다니 한글은 정말 대단해요.
○ 학생 2: 휴대 전화 자판 중에는 'ㆍ, ㅡ, ㅣ'를 나타내는 3개의 자판만으로 모든 모음자를 입력하는 것도 있어서 참 편리해요.
○ 학생 3: 〈예사소리〉-〈거센소리〉-〈된소리〉의 관계가 〈A〉-〈A에 획 추가〉-〈AA〉로 글자 모양에 나타나 있어서 참 체계적인 문자인 것 같아요.
○ 학생 4: 'ㅁ'과 'ㅁ'에 획을 추가해서 만든 자음자들은 '□' 모양을 공통으로 포함하고 있는데, 이때 포함된 '□' 모양은 이들 자음자들의 공통된 소리 특징을 반영한 것이에요.
○ 학생 5: 한글은 음절 단위로 모아쓰기를 하면서도 받침 글자를 따로 만들지 않았어요. 만약 그렇지 않았다면 지금보다 글자 수가 훨씬 많아졌을 거예요.

〈보기 2〉

한글의 제자 원리
가. 초성자와 중성자의 기본자는 상형의 원리로 만들었다.
나. 기본자에 가획하여 새로운 초성자를 만들었다.
다. 초성자를 나란히 써서 또 다른 초성자로 사용하였다.
라. 기본자 외의 8개 중성자는 기본자를 합하여 만들었다.

① 학생 1 – 가, 나
② 학생 2 – 다, 라
③ 학생 3 – 나, 다
④ 학생 4 – 나, 라
⑤ 학생 5 – 가, 라

04 〈보기〉를 통해 알 수 있는 사실로 가장 적절한 것은?

〈보기〉

'ㅗ, ㅛ, ㅏ, ㅑ'에서 'ㆍ'가 위와 밖에 놓임은 '하늘에서 생겨나서 양이 되기 때문'이며 'ㅜ, ㅠ, ㅓ, ㅕ'에서 'ㆍ'가 아래와 안에 놓임은 '땅에서 생겨나서 음이 되기 때문'이다.

① 훈민정음은 창제 당시 8모음 체계였다.
② 훈민정음의 모음은 자연의 모양을 본떠서 창제되었다.
③ 훈민정음의 모음은 상형과 가획의 원리에 따라 이루어져 있다.
④ 훈민정음은 모음 조화의 체계를 정확히 파악하여 문자의 모양에 반영하였다.
⑤ 훈민정음의 모음은 자음과는 달리 조음 위치에 따른 조음 방법이 명확하지 않다.

2015학년도 9월 고2 학력평가

05 **〈보기〉의 ㉠~㉤에 나타난 중세 국어의 특징을 이해한 내용으로 옳지 않은 것은?**

〈 보기 〉

世·솅宗종御·엉製·졩 訓·훈民민正·졍音흠

나·랏 :말ᄊᆞ·미 ㉠ 中듕國·귁·에 달·아 文문字·ᄍᆞᆼ·와·로 서르 ᄉᆞᄆᆞᆺ·디 아·니ᄒᆞᆯ·ᄊᆡ ·이런 젼·ᄎᆞ·로 어·린 百·ᄇᆡᆨ姓·셩·이 니르·고·져 ·ᄒᆞᇙ ·배 이·셔·도 ᄆᆞ·ᄎᆞᆷ:내 ㉡ 제 ㉢ ·ᄠᅳ·들 시·러 펴·디 :몯ᄒᆞᇙ ㉣ ·노·미 하·니·라 ·내 ·이·ᄅᆞᆯ 爲·윙·ᄒᆞ·야 :어엿·비 너·겨 ·새·로 ·스·믈 여·듧 字·ᄍᆞᆼ·ᄅᆞᆯ ᄆᆡᇰ·ᄀᆞ노·니 :사ᄅᆞᆷ:마·다 :ᄒᆡ·ᅇᅧ :수·ᄫᅵ 니·겨 ·날·로 ·ᄡᅮ·메 ㉤ 便뼌安한·킈 ᄒᆞ·고·져 ᄒᆞᇙ ᄯᆞᄅᆞ·미니·라

— 『월인석보(月印釋譜)』, 세조(世祖) 5년(1459)

[현대어 풀이]

나라의 말이 중국과 달라 한자와 서로 통하지 아니하여서 이런 까닭으로 어리석은 백성이 말하고자 하는 바가 있어도 마침내 자기의 뜻을 펴지 못하는 사람이 많다. 내가 이를 가엾게 생각하여 새로 스물여덟 글자를 만드니, 모든 사람으로 하여금 쉽게 익혀서 날마다 쓰는 데 편하게 하고자 할 따름이다.

① ㉠: '에'가 비교의 의미로 사용되었군.
② ㉡: 'ㅣ'가 주격조사로 사용되었군.
③ ㉢: 단어의 첫머리에 서로 다른 자음이 함께 쓰였군.
④ ㉣: 이어 적기가 사용되었군.
⑤ ㉤: 현대 국어에는 없는 자음이 쓰였군.

2015학년도 3월 고2 학력평가

06 **〈보기〉를 읽고 중세 국어에 대해 탐구한 내용으로 적절하지 않은 것은?**

〈 보기 〉

[중세 국어]

녯 ㉠ 마ᄅᆡ ㉡ 닐오ᄃᆡ ㉢ 어딘 일 ㉣ 조초미 ㉤ 노ᄑᆞᆫ ᄃᆡ 올옴 ᄀᆞᆮ고 사오나온 일 조초미 아래로 믈어딤 ᄀᆞᆮᄒᆞ니라

— 『번역소학』(1518년)에서

[현대어 풀이]

옛말에 이르되 어진 일 좇음이 높은 데 오름 같고, 사나운 일 좇음이 아래로 무너짐 같으니라.

① 현대 국어의 '말에'를 보니, ㉠은 이어 적기를 하였군.
② 현대 국어의 '이르되'를 보니, ㉡에는 두음 법칙이 적용되지 않았군.
③ 현대 국어의 '어진'을 보니, ㉢에는 구개음화가 일어나지 않았군.
④ 현대 국어의 '좇음이'를 보니, ㉣은 끊어 적기를 하였군.
⑤ 현대 국어의 '높은'을 보니, ㉤은 모음 조화가 지켜졌군.

2015학년도 10월 고3 학력평가 B형

07 **〈보기〉의 중세 국어 자료에 나타나는 특징을 탐구한 내용으로 적절하지 않은 것은?**

〈 보기 〉

善쎤慧쮕 ㉠ 니ᄅᆞ샤ᄃᆡ 五옹百ᄇᆡᆨ ㉡ 銀은도ᄂᆞ로 다ᄉᆞᆺ 줄기ᄅᆞᆯ 사아지라

俱궁夷잉 묻ᄌᆞᄫᆞ샤ᄃᆡ ㉢ 므스게 ㉣ ᄡᅳ시리

善쎤慧쮕 ㉤ 對됭答답ᄒᆞ샤ᄃᆡ 부텨ᄭᅴ 받ᄌᆞᄫᆞ리라

— 『월인석보』 권 1(1459년)

[현대어 풀이]

선혜가 **이르시되** "오백 **은돈으로** 다섯 줄기를 사고 싶다."

구이가 물으시되 "**무엇에 쓰시리?**"

선혜가 **대답하시되** "부처께 바치리라."

① ㉠을 통해 두음 법칙이 적용되지 않았음을 알 수 있군.
② ㉡을 통해 조사가 결합할 때 모음 조화가 지켜졌음을 알 수 있군.
③ ㉢을 통해 이어 적기가 사용되었음을 알 수 있군.
④ ㉣을 통해 초성자의 서로 다른 자음을 가로로 나란히 붙여 쓰는 방식이 사용되었음을 알 수 있군.
⑤ ㉤을 통해 객체를 높이는 선어말 어미가 사용되었음을 알 수 있군.

2014학년도 7월 고3 학력평가 B형

08 **〈보기〉를 읽고 중세 국어의 의문문에 대해 탐구한 내용으로 적절하지 않은 것은?**

〈 보기 〉

의문문에는 청자에게 가부(可否)를 묻는 판정 의문문과 구체적인 설명을 요구하는 설명 의문문이 있다. 중세 국어의 경우, 판정 의문문에는 '-가', '-녀' 등의 어미가 쓰이고, 설명 의문문에는 '-고', '-뇨' 등의 어미가 쓰인다. 주어가 2인칭인 경우에는 '-ㄴ다'의 특수한 의문형 어미가 쓰인다.

ㄱ. 이 ᄯᆞ리 너희 죵가(이 딸이 너희들의 종이냐?)
ㄴ. 이제 엇더ᄒᆞ고(이제 어떠하냐?)
ㄷ. 네 모ᄅᆞ던다(너는 몰랐더냐?)
ㄹ. 네 엇뎨 안다(너는 어떻게 아느냐?)

① 'ㄱ'의 '이' 대신 '엇던'이 쓰이면, '죵가'를 '죵고'로 바꿔야겠군.
② 'ㄴ'의 '엇더' 대신 '평안'이 쓰이면, 'ᄒᆞ고'를 'ᄒᆞ가'로 바꿔야겠군.
③ 'ㄴ'과 'ㄹ'은 청자에게 구체적인 설명을 요구하는 의문문이군.
④ 'ㄷ'의 '너' 대신 3인칭인 '그'가 쓰이면, '모ᄅᆞ던다'를 '모ᄅᆞ던고'로 바꿔야겠군.
⑤ 'ㄷ'과 'ㄹ'을 보니, 주어가 2인칭인 경우의 의문형 어미는 판정 의문문과 설명 의문문에 따른 구분이 없군.

2017학년도 6월 고3 모의평가

[09~10] 다음은 용언의 활용에 관한 탐구 활동과 자료이다. 〈대화 1〉과 〈대화 2〉는 학생의 탐구 활동이고, 〈자료〉는 학생들이 수집한 학술 자료이다. 물음에 답하시오.

〈대화 1〉

A: '(길이) 좁다'와 '(이웃을) 돕다'는 어간의 끝이 'ㅂ'으로 같잖아? 그런데 '좁다'는 '좁고', '좁아'로 활용하고 '돕다'는 '돕고', '도와'로 활용하여, 모음으로 시작하는 어미 앞에서의 활용형이 달라.

B: 그러고 보니 '(신을) 벗다'와 '(노를) 젓다'도 어간의 끝이 'ㅅ'으로 같은데, '벗다'는 '벗어'로 활용하고 '젓다'는 '저어'로 활용해서, 모음으로 시작하는 어미 앞에서의 활용형이 달라.

A: 그렇구나. 어간의 끝이 같은데도 왜 이렇게 다르게 활용하는 걸까? 우리 한번 같이 자료를 찾아보고 답을 알아볼래?

〈자료〉

현대 국어 '좁다'와 '돕다'의 15세기 중엽의 국어에서의 활용형을 보면, '좁다'는 '좁고', '조바'처럼 자음과 모음으로 시작하는 어미 앞 모두에서 어간이 '좁–'으로 나타난다. 그러나 '돕다'는 자음으로 시작하는 어미 앞에서는 '돕고'처럼 어간이 '돕–'으로, 모음으로 시작하는 어미 앞에서는 '도ᄫᅡ'처럼 어간이 '도ᄫ–'으로 나타난다. 다음으로 현대 국어 '벗다'와 '젓다'의 15세기 중엽의 국어에서의 활용형을 보면, '벗다'는 '벗고', '버서'처럼 자음과 모음으로 시작하는 어미 앞 모두에서 어간이 '벗–'으로 나타난다. 그러나 '젓다'는 자음으로 시작하는 어미 앞에서는 '젓고'처럼 어간이 '젓–'으로, 모음으로 시작하는 어미 앞에서는 '저ᅀᅥ'처럼 어간이 '저ᅀ–'으로 나타난다. 당시 국어의 음절 끝에는 'ㄱ, ㄴ, ㄷ, ㄹ, ㅁ, ㅂ, ㅅ, ㆁ'의 8개의 소리가 올 수 있었기에 '돕고'의 'ㅂ'과 '젓고'의 'ㅅ'은 각각 'ㅸ'이 'ㅂ'으로 교체되고 'ㅿ'이 'ㅅ'으로 교체된 것을 표기한 것이다. 그리고 '도ᄫᅡ'와 '저ᅀᅥ'는 'ㅸ'과 'ㅿ'이 뒤 음절의 첫소리로 연음된 것을 표기한 것이다.

그런데 'ㅸ', 'ㅿ'은 15세기와 16세기를 지나면서 소실되었다. 먼저 'ㅸ'은 15세기 중엽을 넘어서면서 '도ᄫᅡ>도와', '더ᄫᅥ>더워'에서와 같이 'ㅏ' 또는 'ㅓ' 앞에서는 반모음 'ㅗ/ㅜ[w]'로 바뀌었고, '도ᄫᆞ시니>도오시니', '셔ᄫᆞᆯ>셔울'에서와 같이 'ㆍ' 또는 'ㅡ'가 이어진 경우에는 모음과 결합하여 'ㅗ' 또는 'ㅜ'로 바뀌었으나, 음절 끝에서는 이전과 다름없이 'ㅂ'으로 나타났다. 다음으로 'ㅿ'은 16세기 중엽에 '아ᅀᆞ>아ᄋᆞ', '저ᅀᅥ>저어'에서와 같이 사라졌으며, 음절 끝에서는 이전과 다름없이 'ㅅ'으로 나타났다. 이런 변화를 겪은 말 중에 '셔울', '도오시니', '아ᄋᆞ'는 18~19세기를 거쳐 '서울', '도우시니', '아우'로 바뀌어 오늘날에 이르렀다.

〈대화 2〉

A: 자료를 보니 'ㅸ', 'ㅿ'이 사라지면서 '도ᄫᅡ'가 '도와'로, '저ᅀᅥ'가 '저어'로 활용형이 바뀌었네.

B: 그럼 '(고기를) 굽다'가 '구워'로 활용하고, '(밥을) 짓다'가 'wl어'로 활용하는 것도 같은 거겠네!

A: 맞아. 그래서 현대 국어에서는 '굽다'하고 '짓다'가 불규칙 활용을 하게 된 거야.

09 위 탐구 활동과 자료에 대한 이해로 적절하지 않은 것은?

① 현대 국어의 '도와', '저어'와 같은 활용형은 어간의 형태가 달라지는 불규칙 활용에 해당하는군.
② 15세기 국어의 '도ᄫᅡ'가 현대 국어에서 '도와'로 나타나는 것은 'ㅸ'이 어간 끝에서 'ㅂ'으로 바뀐 결과이군.
③ 15세기 국어의 '저ᅀᅥ'가 현대 국어에서 '저어'로 나타나는 것은 'ㅿ'의 소실로 어간의 끝 'ㅿ'이 없어진 결과이군.
④ 15세기 국어의 '돕고'와 현대 국어의 '돕고'는, 자음으로 시작하는 어미 앞에서 어간의 모양이 달라지지 않았군.
⑤ 15세기 국어의 '젓고'와 현대 국어의 '젓고'는, 자음으로 시작하는 어미 앞에서 어간의 모양이 달라지지 않았군.

10 위 탐구 활동과 자료에 따라, 현대 국어 용언들의 15세기 중엽 이전과 17세기 초엽에서의 활용형을 바르게 추정한 것은?

		15세기 중엽 이전			17세기 초엽		
		–게	–아/–어	–/–은	–게	–아/–어	–/–은
①	(마음이) 곱다	곱게	고ᄫᅡ	고ᄫᆞᆫ	곱게	고와	고온
②	(선을) 긋다	긋게	그ᅀᅥ	그슨	긋게	그서	그슨
③	(자리에) 눕다	눕게	누ᄫᅥ	누ᄫᅳᆫ	눕게	누워	누은
④	(머리를) 빗다	빗게	비서	비슨	빗게	비서	비슨
⑤	(손을) 잡다	잡게	자ᄫᅡ	자ᄫᆞᆫ	잡게	자바	자본

2014학년도 11월 고2 학력평가 B형

11 **다음을 참고하여 〈보기〉를 이해한 것으로 적절하지 않은 것은?**

중세 국어에서 시제를 나타내는 선어말 어미에는 '-ᄂᆞ-, -더-, -(으)리-' 등이 있다. 동사의 경우 과거 시제는 아무런 선어말 어미를 쓰지 않거나 선어말 어미 '-더-'를 써서 표현하였고, 현재 시제는 선어말 어미 '-ᄂᆞ-'를 써서 표현하였으며, 미래 시제는 '-(으)리-'를 써서 표현하였다. 한편 '-더-'는, 주어가 화자 자신일 때 사용되는 선어말 어미 '-오-'와 결합하여 '-다-'의 형태로 나타나기도 하였다.

〈보기〉

ㄱ. 내 롱담ᄒᆞ다라 -『석보상절』
ㄴ. 네 이제 ᄯᅩ 묻ᄂᆞ다 -『월인석보』
ㄷ. 네 아비 ᄒᆞ마 주그니라 -『월인석보』
ㄹ. 그딋 ᄯᆞᄅᆞᆯ 맛고져 ᄒᆞ더이다 -『석보상절』
ㅁ. 내 願(원)을 아니 從(종)ᄒᆞ면 고졸 몯 어드리라 -『월인석보』

① ㄱ은 '롱담ᄒᆞ다라'에 '-다-'의 형태가 나타나 있으므로 과거 시제이겠군.
② ㄴ은 '묻ᄂᆞ다'에 선어말 어미 '-ᄂᆞ-'가 사용되었으므로 현재 시제이겠군.
③ ㄷ은 '주그니라'에 시제 관련 선어말 어미가 사용되지 않았으므로 현재 시제이겠군.
④ ㄹ은 'ᄒᆞ더이다'에 선어말 어미 '-더-'가 사용되었으므로 과거 시제이겠군.
⑤ ㅁ은 '어드리라'에 선어말 어미 '-리-'가 사용되었으므로 미래 시제이겠군.

2013학년도 11월 고2 학력평가 B형

12 **〈보기〉를 바탕으로 탐구 자료를 이해한 내용으로 적절하지 않은 것은?**

〈보기〉

선생님: 객체 높임법은 목적어, 부사어 자리에 높임의 대상이 올 때 이를 높이는 것을 말합니다. 객체를 높이기 위해 현대 국어에서는 '드리다, 뵙다, 여쭙다'와 같은 특수한 어휘를 사용하지만, 중세 국어에서는 주로 선어말 어미 '-ᄉᆞᆸ(ᄉᆞᄫ)-, -ᄌᆞᆸ(ᄌᆞᄫ)-, -ᅀᆞᆸ(ᅀᆞᄫ)-'을 사용하였습니다. 그럼 중세 국어에서 객체 높임법이 사용된 예를 살펴볼까요?

[탐구 자료]
- 중세 국어에서 객체 높임법이 사용된 용언의 예

기본형	선어말 어미	용례
돕다	-ᄉᆞᄫ-	돕ᄉᆞᄫᆞ니 ………… ㉠
듣다	-ᄌᆞᆸ-	듣ᄌᆞᆸ고 ……………… ㉡
보다	-ᅀᆞᄫ-	보ᅀᆞᄫᆞ면 ………… ㉢

① ㉠은 현대 국어에서 '도우시니'의 형태로 바뀌어 객체 높임을 표현하겠군.
② ㉢이 사용된 문장은 현대 국어에서라면 '뵙다'라는 어휘를 사용하여 객체 높임을 표현하겠군.
③ ㉠, ㉢은 선어말 어미의 받침 'ㅸ'을 뒷말에 이어 적어 표기했군.
④ ㉠~㉢이 포함된 문장에서는 목적어나 부사어 자리에 높임의 대상이 왔겠군.
⑤ ㉠~㉢을 보니, 중세 국어의 객체 높임 선어말 어미로는 여러 가지 형태가 있었군.

2016학년도 수능 B형

13 **〈보기〉를 바탕으로 중세 국어의 특징을 탐구한 내용으로 적절하지 않은 것은?**

〈보기〉

王(왕)이 니ᄅᆞ샤ᄃᆡ 大師(대사) ㉠ ᄒᆞ샨 일 아니면 뉘 혼 거시잇고 ㉡ 仙人(선인)이 ᄉᆞᆯᄫᆞᄃᆡ 大王(대왕)하 이 ㉢ 南堀(남굴)ㅅ 仙人(선인)이 ᄒᆞᆫ ᄯᆞᄅᆞᆯ 길어 내니 양ᄌᆡ 端正(단정)ᄒᆞ야 ㉣ 世間(세간)애 ㉤ 쉽디 몯ᄒᆞ니 그 ᄯᆞᆯ ᄒᆞ니ᇙ ㉥ 時節(시절)에 자최마다 ㉦ 蓮花(연화)ㅣ 나ᄂᆞ니이다 -『석보상절』

[현대어 풀이]

왕이 이르시되 "대사 하신 일 아니면 누가 한 것입니까?" 선인이 아뢰되 "대왕이시여, 이 남굴의 선인이 한 딸을 길러 내니 모습이 단정하여 세상에 (모습을 드러내기가) 쉽지 못하니 그 딸 움직일 시절에 자취마다 연꽃이 납니다."

① ㉠에서는 주체인 '대사'를 높이기 위한 선어말 어미가 쓰였군.
② ㉡의 '이'와 ㉦의 'ㅣ'는 격 조사의 종류가 달라서 서로 다른 형태로 나타난 것이군.
③ ㉢을 보니 'ㅅ'은 현대 국어의 '의'에 해당하는 관형격 조사로 쓰였군.
④ ㉣과 ㉥을 보니 모음 조화에 따라 형태를 달리하는 부사격 조사가 있었군.
⑤ ㉤과 현대 국어의 '쉽지'를 비교해 보니 '-디'에서는 구개음화가 확인되지 않는군.

정답과 해설

고등 국어문법의 모든 것!

디딤돌 국어

문제로 국어문법

디딤돌

고등 국어문법의 모든 것!

문제로 국어문법 정답과 해설

I 음운과 음운 변동

01 국어의 음운

단계별 트레이닝 | 본문 13쪽 |

1단계 01 × 02 × 03 ○ 04 ○ 05 × 06 ○ 07 음소 08 음소 09 운소 10 ㅕ, ㄴ, ㅍ, ㅣ, ㄹ 11 ㅅ, ㅣ, ㄱ, ㅖ 12 ㅈ, ㅓ, ㄴ, ㅎ, ㅘ, ㄱ, ㅣ 13 긴 14 짧

2단계 15 ③ 16 ④ 17 ② 18 ④

15 정답 ③

음운은 사람들이 같은 음이라고 인식하는 추상적인 말소리로, 우리말은 자음과 모음으로 음운을 나타내고 있다.

오답 풀이 ① 낱낱의 음운이 모여 음절이나 단어를 형성한다.
② 모음은 자음과 달리 그 자체만으로 소리를 낼 수 있는 음운이다.
④ 단어의 자음이나 모음을 다른 것으로 바꾸면 다른 단어가 된다. 자음과 모음은 단어의 뜻을 구별해 주는 분절 음운이다.
⑤ 소리의 길고 짧음에 따라 의미가 달라지는 단어도 있다.

16 정답 ④

㉢은 가운뎃소리인 'ㅗ'와 'ㅜ'의 차이로 인해 단어가 달라지는 경우이다.

오답 풀이 ①, ② ㉠은 받침으로 쓰이는 자음의 차이로 뜻이 달라진 단어들이다.
③ ㉡은 첫소리인 'ㅅ'과 'ㄱ'의 차이로 뜻이 구별된다.
⑤ '올록볼록'은 '물체의 거죽이나 면이 고르지 않게 높고 낮은 모양'이고, '울룩불룩'은 '물체의 거죽이나 면이 고르지 않게 매우 높고 낮은 모양'이다. 두 단어는 의미상 명확한 차이가 드러나지 않으며, 어감상으로 좀 더 차이가 느껴진다.

17 정답 ②

'여우'의 음운은 'ㅕ+ㅜ'로, 음운의 수가 2개이다.

오답 풀이 ① '사랑'은 'ㅅ+ㅏ+ㄹ+ㅏ+ㅇ'(5개)으로 구성되어 있다.
③ '약국'은 'ㅑ+ㄱ+ㄱ+ㅜ+ㄱ'(5개)으로 구성되어 있다.
④ '모이'는 'ㅁ+ㅗ+ㅣ'(3개)로 구성되어 있다.
⑤ '처음'은 'ㅊ+ㅓ+ㅡ+ㅁ'(4개)으로 구성되어 있다.

18 정답 ④

'배(과일)'와 '배(사람이나 동물의 신체 부위)'는 모두 짧게 발음한다. 따라서 소리의 길이로 의미가 구별되지 않는다.

오답 풀이 ① '가늘고 긴 대를 줄로 엮거나, 줄 따위를 여러 개 나란히 늘어뜨려 만든 물건'을 뜻하는 '발'은 길게 발음하고, '사람이나 동물의 다리 맨 끝부분'을 뜻하는 '발'은 짧게 발음한다.
② '잘못을 인정하고 용서를 빎.'을 뜻하는 '사과'는 첫음절 '사'를 길게 발음하고, '사과나무 열매'를 뜻하는 과일 '사과'는 첫음절 '사'를 짧게 발음한다.
③ '말과의 포유류'를 뜻하는 '말'은 짧게 발음하고, '사람의 생각이나 느낌 따위를 표현하고 전달하는 데 쓰는 음성 기호'를 뜻하는 '말'은 길게 발음한다.
⑤ '후손'을 뜻하는 '손'은 길게 발음하고, '팔목 끝에 달린 신체의 일부'를 뜻하는 '손'은 짧게 발음한다.

02 모음 체계

단계별 트레이닝 | 본문 15쪽 |

1단계 01 × 02 × 03 ○ 04 × 05 ○ 06 ○ 07 ㅐ, ㅔ, ㅚ, ㅟ, ㅣ 08 ㅗ, ㅚ, ㅜ, ㅟ 09 ㅜ, ㅟ, ㅡ, ㅣ 10 ㅏ, ㅐ 11 ㅘ, ㅙ, ㅝ, ㅞ 12 ㅢ 13 ㅑ, ㅒ, ㅕ, ㅖ, ㅛ, ㅠ

2단계 14 ④ 15 ④ 16 ②

14 정답 ④

혀의 최고점의 위치에 따라 입이 벌어지는 정도가 달라지는데, 혀의 위치가 낮을수록 입을 크게 벌려 발음한다. 따라서 고모음은 입이 작게 벌어지고, 저모음은 입이 크게 벌어진다.

오답 풀이 ① 'ㅗ'는 원순 모음, 후설 모음, 중모음이며, 'ㅜ'는 원순 모음, 후설 모음, 고모음이다.
② 단모음은 'ㅏ, ㅐ, ㅓ, ㅔ, ㅗ, ㅚ, ㅜ, ㅟ, ㅡ, ㅣ'로 모두 10개이며, 이 중 평순 모음은 'ㅏ, ㅐ, ㅓ, ㅔ, ㅡ, ㅣ'로 모두 6개이다.
③ 'ㅕ'는 반모음 'ㅣ[j]'와 'ㅓ'가 결합한 형태의 이중 모음이다.
⑤ 이중 모음은 반모음 'ㅣ[j]'와 결합한 'ㅑ, ㅒ, ㅕ, ㅖ, ㅛ, ㅠ'와 'ㅢ', 반모음 'ㅗ/ㅜ[w]'와 결합한 'ㅘ, ㅙ, ㅝ, ㅞ'로 나눌 수 있다.

15 정답 ④

입술의 모양은 혀의 최고점의 위치와는 상관없이 둥글어지기도 하고 평평해지기도 한다.

오답 풀이 ① 단모음을 분류하는 기준은 혀의 앞뒤, 입술의 모양, 혀의 높이로, 모두 세 가지이다.
② 혀의 최고점의 높낮이에 따라 고모음, 중모음, 저모음으로 나뉜다.
③ 'ㅚ, ㅟ'는 단모음이지만 현실 발음을 인정하여 표준 발음법 제4항에서 이중 모음으로 발음하는 것을 허용하고 있다.
⑤ 고모음과 중모음은 각각 4개인 데 비해 저모음은 'ㅏ, ㅐ'로 2개이다. 또한 평순 모음은 6개인 데 비해 원순 모음은 'ㅗ, ㅚ, ㅜ, ㅟ'로 4개이다.

16 정답 ②

고모음 'ㅣ'보다 혀의 최고점의 높이가 낮으므로 중모음 또는 저모음이며, 후설 모음 'ㅓ'보다 혀의 최고점의 위치가 앞쪽에 놓이므로 전설 모음이다. 또한 원순 모음 'ㅚ, ㅟ'와 입술의 모양이 다르므로 평순 모음이며, 중모음 'ㅗ'보다 입이 더 많이 벌어지므로 저모음이다. 따라서 '전설 모음+평순 모음+저모음'은 'ㅐ'이다.

03 자음 체계

단계별 트레이닝 | 본문 17쪽 |

1단계 01 ○ 02 ○ 03 × 04 × 05 × 06 ○ 07 파찰음 08 유음 09 안울림소리 10 ㄲ, ㄸ, ㅃ, ㅆ, ㅉ 11 ㅎ 12 ㅁ, ㅂ, ㅃ, ㅍ 13 ㅅ, ㅆ, ㅎ 14 ㄱ, ㄲ, ㄷ, ㄸ, ㅂ, ㅃ, ㅋ, ㅌ, ㅍ 15 ㅅ, ㅆ

2단계 16 ② 17 ① 18 ⑤

16

정답 ②

〈보기〉는 비음에 대한 설명에 해당한다. 비음에는 'ㄴ, ㅁ, ㅇ'이 있다.

오답 풀이 ① 'ㄷ'은 파열음, 'ㄹ'은 유음, 'ㅅ'은 마찰음이다.

③ 'ㅈ, ㅉ, ㅊ'은 모두 파찰음이다.

④ 'ㄱ, ㄲ, ㅋ'은 모두 파열음이다.

⑤ 'ㅅ, ㅆ, ㅎ'은 모두 마찰음이다.

17

정답 ①

ⓐ는 두 입술 사이에서 소리 나는 자음들이다. ⓑ는 허파에서 나오는 공기의 흐름을 완전히 막았다가 터뜨리면서 내는 소리인 파열음이다. ⓒ는 혀끝을 잇몸에 가볍게 대었다가 떼거나, 혀끝을 잇몸에 댄 채 공기를 그 양옆으로 흘려보내면서 내는 소리인 유음이다.

18

정답 ⑤

'ㄱ, ㄲ, ㅋ'은 여린입천장에서 소리 나는 자음들이다. 센입천장에서 소리 나는 자음은 'ㅈ, ㅉ, ㅊ'이다.

오답 풀이 ① 'ㅈ'은 예사소리이고 'ㅊ'은 거센소리이므로, 'ㅊ'은 'ㅈ'에 비하여 세게 소리 난다.

② 'ㅃ', 'ㄸ', 'ㄲ'은 모두 파열음, 된소리이므로 소리 내는 방법이 같다. 단, 소리 나는 자리는 서로 다르다.

③ 'ㄹ'은 혀끝을 잇몸에 가볍게 대었다가 떼거나, 잇몸에 댄 채 공기를 그 양옆으로 흘려보내며 내는 소리인 유음이다.

④ 'ㅁ'과 'ㅂ'은 모두 입술소리이나 'ㅁ'은 비음, 'ㅂ'은 파열음이므로 소리의 울림 여부로 구분된다. 'ㄴ'과 'ㄷ' 역시 모두 잇몸소리이나 'ㄴ'은 비음, 'ㄷ'은 파열음이므로 소리의 울림 여부로 구분된다.

01 국어의 음운 ~ 03 자음 체계

실력 테스트 | 본문 18~19쪽 |

01 ③ 02 ② 03 ① 04 ① 05 ① 06 ③ 07 ④ 08 ⑤ 09 ④ 10 ④ 11 ①

01

정답 ③

'우유'는 'ㅜ+ㅠ'로, 2개의 음운으로 구성되어 있다. 나머지는 4개의 음운으로 구성되어 있다.

오답 풀이 ① '하루'의 음운 수는 'ㅎ+ㅏ+ㄹ+ㅜ'로, 4개이다.

② '거울'의 음운 수는 'ㄱ+ㅓ+ㅜ+ㄹ'로, 4개이다.

④ '먹이'의 음운 수는 'ㅁ+ㅓ+ㄱ+ㅣ'로, 4개이다.

⑤ '영업'의 음운 수는 'ㅕ+ㅇ+ㅓ+ㅂ'으로, 4개이다.

02

정답 ②

(ㄱ)에서는 국어의 음절인 '발'을 이루는 초성(ㅂ), 중성(ㅏ), 종성(ㄹ)이 음운의 바뀜에 따라 서로 다른 단어로 실현되면서 그 의미도 바뀐다는 사실을 알려 주고 있다. (ㄴ)에서는 '눈'을 길게 발음하느냐 짧게 발음하느냐에 따라 그 의미가 달라진다는 사실을 알려 주고 있다. 따라서 제시된 사례들은 음운이 단어의 뜻을 구별해 준다는 내용을 드러내는 것이라 할 수 있다.

오답 풀이 ① (가)의 음운은 문자로 표기되지만, (나)의 음운인 소리의 길이는 문자로 표기되지 않는다.

③ (가)는 음운이 바뀌는 경우의 의미 차이를 보여 주고, (나)는 긴소리와 짧은소리로 발음했을 경우의 의미 차이를 보여 주므로, 음운이 일정한 조건에서 변한다는 진술은 이끌어 낼 수 없다.

④ 자음은 초성과 종성에 쓰이고 모음은 중성에 쓰인다.

⑤ (가)와 (나)는 음운의 변화에 따라 의미가 변한다는 사실을 나타낸 것이므로, 감정의 차이와는 관련이 없다.

03

정답 ①

'ㅓ'는 입술을 평평하게 하여 소리 내는 평순 모음이고, 나머지는 입술을 둥글게 하여 소리 내는 원순 모음이다.

04

정답 ①

'ㅐ'는 '저모음, 전설 모음, 평순 모음', 'ㅔ'는 '중모음, 전설 모음, 평순 모음'이므로, 'ㅐ'와 'ㅔ'는 '전설 모음, 평순 모음'이라는 공통점을 지니지만 '혀의 최고점의 높이(입의 개폐)'는 다르다. 즉, 저모음인 'ㅐ'는 혀의 최고점의 위치가 낮아 입을 크게 벌려 발음해야 하고, 중모음인 'ㅔ'는 'ㅐ'보다 입을 덜 벌려서 발음해야 한다. 즉, '내'를 발음할 때에는 '네'에 비해 입을 더 크게 벌려야 한다.

05

정답 ①

'ㅣ'는 고모음, 'ㅔ'는 중모음, 'ㅐ'는 저모음이다. 따라서 'ㅣ → ㅔ → ㅐ'로 발음하면 혀의 최고점의 높이가 점점 낮아진다.

오답 풀이 ② 혀의 최고점의 높이는 점점 낮아진다.

③ 'ㅣ, ㅔ, ㅐ'는 평순 모음이다.

④, ⑤ 'ㅣ, ㅔ, ㅐ'는 전설 모음이다.

06

정답 ③

'불'에서 'ㅂ'은 입술소리이자 파열음이다. 따라서 두 입술을 맞닿게 하면서 목청을 울리지 않고 폐에서 나오는 공기의 흐름을 일단 막았다가 터뜨리면서 소리를 내야 한다. 한편 '눌'에서 'ㄴ'은 잇몸소리이자 비음이다.

오답 풀이 ① 'ㅂ'은 입술소리이고, 'ㄷ'은 잇몸소리이다.

② 'ㅂ'은 입술소리이고, 'ㄱ'은 여린입천장소리이다.

④ 'ㅂ, ㄷ, ㄱ'은 모두 폐에서 나오는 공기의 흐름을 일단 막았다가 터뜨리면서 소리를 내는 파열음이다.

⑤ 'ㅂ, ㄷ'은 폐에서 나오는 공기의 흐름을 일단 막았다가 터뜨리면서 소리를 내는 파열음이고, 'ㄴ'은 코로 공기를 내보내면서 소리를 내는 비음이다.

07

정답 ④

두 입술 사이에서 나는 소리는 'ㅁ, ㅂ, ㅃ, ㅍ'이다. 목청의 울림이 일어나지 않는 소리라고 했으므로 'ㅁ'은 제외하고, 거센소리를 찾으면 'ㅍ'이 적절하다.

08

정답 ⑤

막혀 있던 조음 기관이 서서히 터지면서 공기가 좁은 간격 사이로 빠져나가며 나는 소리는 파찰음으로, 'ㅈ, ㅉ, ㅊ'이 있다. 따라서 파찰음이 포함되어 있지 않은 단어는 '바글거리다'이다.

09

정답 ④

'ㅅ'은 된소리(ㅆ)와 짝을 이루고 있고, 거센소리는 존재하지 않는다.

오답 풀이 ①, ③, ④, ⑤ 'ㄱ, ㄷ, ㅂ, ㅈ'은 '예사소리–된소리–거센소리'의 짝으로 각각 'ㄱ–ㄲ–ㅋ', 'ㄷ–ㄸ–ㅌ', 'ㅂ–ㅃ–ㅍ', 'ㅈ–ㅉ–ㅊ'을 갖고 있는 자음이다.

10

정답 ④

'먹'의 가운뎃소리는 첫소리의 오른쪽에 쓰지만, '목'의 가운뎃소리는 첫소리의 아래쪽에 쓴다.

오답 풀이 ① 음운 카드 'ㅁ', 'ㅓ', 'ㄱ'을 차례로 사용하면 '먹'이라는 단어가 만들어진다.

② '먹'의 가운뎃소리인 'ㅓ' 대신 'ㅗ'를 사용하면 '목'이 된다.

③ 자음인 'ㄱ'과 'ㅁ'이 첫소리에도 올 수 있고 끝소리에도 올 수 있음을 확인할 수 있다.

⑤ 자음이나 모음의 교체에 의해 의미가 다른 여러 단어가 만들어진다.

11

정답 ①

우리말 음절의 초성 자리에는 두 개 이상의 자음이 오지 못한다. 〈자료〉 중 '끼', '딸'의 'ㄲ', 'ㄸ'은 각각 된소리에 해당하는 한 개의 음운이다.

오답 풀이 ② ㄱ~ㄹ을 통해 중성에는 모음이 오는 것을 확인할 수 있다.

③ ㄷ과 ㄹ을 통해 종성에는 자음이 오는 것을 확인할 수 있다.

④ ㄱ은 초성과 종성이 없이 중성으로만 이루어진 음절이고, ㄴ은 종성이 없는 음절이며, ㄷ은 초성이 없는 음절이라는 것을 확인할 수 있다.

⑤ ㄱ~ㄹ 모두 중성이 포함되어 있음을 확인할 수 있다.

04 음절의 끝소리 규칙

단계별 트레이닝 | 본문 21쪽 |

1단계 01 ㄱ, ㄴ, ㄷ, ㄹ, ㅁ, ㅂ, ㅇ 02 ㄷ 03 형식 형태소 04 설 05 억 06 온 07 깍 08 녁 09 밴: 10 갇 11 낟 12 윧: 13 낙 14 입 15 거슨 16 먼저 17 마틀 18 십따면

2단계 19 ③ 20 ② 21 ①

19

정답 ③

'꽃이'는 '꽃'의 받침 'ㅊ'이 뒤 음절의 첫소리로 옮겨 가 [꼬치]로 발음된다.

오답 풀이 ① '닫–' 뒤에 모음으로 시작하는 어미 '–았–'이 이어지므로, 'ㄷ'이 뒤 음절의 첫소리로 이어져 [다닫따]로 발음된다.

② '쫓–' 뒤에 자음으로 시작하는 어미 '–고'가 이어지므로, 'ㅊ'이 대표음 'ㄷ'으로 바뀌어 [쫃꼬]로 발음된다.

④ '닦–' 뒤에 모음으로 시작하는 어미 '–으니'가 이어지므로, 'ㄲ'이 뒤 음절의 첫소리로 이어져 [다끄니]로 발음된다.

⑤ '앞'의 받침 'ㅍ'이 대표음 'ㅂ'으로 바뀌어 [압찝]으로 발음된다.

20

정답 ②

②의 '옷'은 뒤에 모음으로 시작하는 조사 '이'가 오므로 'ㅅ'이 대표음 'ㄷ'으로 바뀌지 않고 그대로 뒤 음절의 첫소리로 이어져 [오시]로 발음된다.

오답 풀이 ① '옷' 뒤에 모음 'ㅏ'로 시작하는 '안'이 오므로 'ㅅ'이 대표음 'ㄷ'으로 바뀌어 뒤 음절의 첫소리로 이어져 [오단]으로 발음된다.

③ '옷' 뒤에 자음으로 시작하는 '걸이'가 오므로 'ㅅ'이 대표음 'ㄷ'으로 바뀌어 [옫꺼리]로 발음된다.

④ '옷' 뒤에 모음 'ㅟ'로 시작하는 '위'가 오므로 'ㅅ'이 대표음 'ㄷ'으로 바뀌어 뒤 음절의 첫소리로 이어져 [오뒤]로 발음된다.

⑤ '옷' 뒤에 자음으로 시작하는 '끼리'가 오므로 'ㅅ'이 대표음 'ㄷ'으로 바뀌어 [옫끼리]로 발음된다.

21

정답 ①

딸이 '빚이'를 [비지]가 아닌 [비시]로 발음하여 엄마가 잘못 이해한 상황이다. 이는 앞말의 받침인 'ㅈ'이 다음 음절의 첫소리로 옮겨 가며 나는 발음을 [ㅅ]으로 잘못 발음하였기 때문이다.

05 비음화와 유음화

단계별 트레이닝 | 본문 23쪽 |

1단계 01 ㅂ, ㄷ, ㄱ / ㅁ, ㄴ, ㅇ 02 ㄹ 03 밤맏 04 장문 05 암날 06 던나기 07 홍냄새 08 만며느리 09 임력 10 몐 리 11 염려 12 격려 13 국립, 강력 14 줄럼끼 15 대:괄령 16 칼랄 17 실라 18 알른다

2단계 19 ② 20 ④ 21 ⑤ 22 ④

19

정답 ②

㉠에 제시된 단어 '담력'과 '종로'는 자음 동화가 일어나는 예이다. 자음 동화는 발음을 쉽고 편하게 하기 위해 일어나는 현상이다.

오답 풀이 ① 발음의 변화가 표기에 반영되지는 않는다.

③ 자음 동화는 자음의 영향을 받아 자음이 바뀌는 현상이다.

④ 자음 동화가 일어나지 않는 자음도 있다.

⑤ 앞에 오는 음운의 영향으로 뒤에 오는 음운이 바뀐 것이다.

20

정답 ④

'찬란'은 [찰:란]으로 발음되는데, 이는 받침 'ㄴ'이 뒤에 오는 유음 'ㄹ'의 영향을 받아 [ㄹ]로 발음되는 유음화가 일어난 것이다. 나머지는 비음화가 일어난 예이다.

오답 풀이 ① 툇마루 → [퇻:마루] → [퇸:마루]

② 없는 → [업:는] → [엄:는]
③ 삼림 → [삼님]
⑤ 넉넉 → [넝넉]

21 정답 ⑤

'땀방울'은 [땀빵울]로 발음되는데, 이는 자음 동화가 아니라 된소리되기에 해당한다.

오답 풀이 ① '업무'는 [엄무]로 발음되며, 'ㅁ'의 영향으로 앞말의 받침인 'ㅂ'이 'ㅁ'으로 바뀐 것이다.
② '작년'은 [장년]으로 발음되며, 'ㄴ'의 영향으로 앞말의 받침인 'ㄱ'이 'ㅇ'으로 바뀐 것이다.
③ '상륙'은 [상:뉵]으로 발음되며, 'ㅇ'의 영향으로 뒷말의 첫소리인 'ㄹ'이 'ㄴ'으로 바뀐 것이다.
④ '밭농사'는 [반농사]로 발음되며, 앞말의 받침인 'ㅌ'이 대표음 'ㄷ'으로 바뀐 뒤 뒷말의 첫소리인 'ㄴ'의 영향으로 다시 'ㄴ'으로 바뀐 것이다.

22 정답 ④

'ㄴ'과 'ㄹ'이 만났을 때에는 'ㄴ'이 'ㄹ'로 바뀌어 발음된다. 따라서 '선릉'은 [설릉]으로 발음해야 한다.

오답 풀이 ①, ⑤ 'ㄴ'이 'ㄹ'로 바뀌어 [물래], [실림]으로 발음된다.
② 'ㄹ'이 앞의 'ㅇ'의 영향으로 'ㄴ'으로 바뀌어 [충정노]로 발음된다.
③ 'ㅂ'과 'ㄹ'이 만났을 때 'ㄹ'이 'ㄴ'으로 바뀐 후, 다시 바뀐 'ㄴ'의 영향으로 'ㅂ'이 'ㅁ'으로 바뀐다. 즉, '[왕십니] → [왕심니]'의 과정을 거쳐 발음된다.

06 구개음화와 된소리되기

단계별 트레이닝 | 본문 25쪽 |

1단계 01 × 02 × 03 ○ 04 다쳐 05 해도지 06 구치기 07 구지 08 부치고 09 바치 10 무천따 11 마지 12 버티는 13 살싸치 14 덥:찌 15 닫꼬 16 천싸랑 17 머글쌔:람 18 발딸 19 저녁빱
2단계 20 ③ 21 ④ 22 ①

20 정답 ③

실질적인 의미가 있는 한 단어 내에서는 구개음화가 일어나지 않으므로, '잔디'에서는 구개음화가 일어나지 않는다.

오답 풀이 ① 묻혀 → [무텨] → [무쳐] → [무처]
② 붙여 → [부텨] → [부쳐] → [부처]
④ 등받이 → [등바디] → [등바지]
⑤ 가을걷이 → [가을거디] → [가을거지]

21 정답 ④

구개음화는 모음 'ㅣ' 앞에서 일어나는 것이 일반적이지만, '심화 자료' ⓓ에서처럼 실질 형태소끼리 결합할 때에는 일어나지 않는다는 것을 알 수 있다.

오답 풀이 ① ⓐ는 이중 모음 'ㅕ' 앞에서도 구개음화가 일어남을 보여 주고 있다.
② ⓑ는 모음 'ㅣ' 앞에 'ㄷ, ㅌ'이 있지만 구개음화가 일어나지 않고 있다. 따라서 ⓑ를 통해 하나의 형태소 안에서는 구개음화가 일어나지 않는다는 결과를 도출할 수 있다.
③ ⓒ를 통해 두 번째 음절 이후에서도 구개음화가 일어나고 있음을 알 수 있다.
⑤ ⓔ에서 '묻히다'와 '갇히다'는 'ㄷ'과 'ㅎ'이 축약되어 'ㅌ'이 되면서, 모음 'ㅣ' 앞에 'ㅌ'이 놓이게 되어 구개음화가 일어났다. 따라서 자음 축약이 먼저 일어난 후에 구개음화가 일어났다는 것을 알 수 있다.

22 정답 ①

'맨밥'은 된소리되기가 적용되지 않는 조건이므로 [맨밥]으로 소리 난다.

오답 풀이 ② [국빱]으로 소리 난다.
③ [팓빱]으로 소리 난다.
④ [덥빱]으로 소리 난다.
⑤ [떡빱]으로 소리 난다.

07 모음 동화

단계별 트레이닝 | 본문 27쪽 |

1단계 01 ○ 02 ○ 03 ○ 04 × 05 × 06 졸졸 07 팔팔 08 꿀꺽 09 찰파닥 10 퐁당퐁당 11 무럭무럭 12 쿨룩쿨룩 13 종알종알 14 떨렁떨렁 15 사각사각 16 퍼덕퍼덕 17 얼룩덜룩 18 와, 와, 와, 왔 19 어, 어, 어, 어, 었 20 아, 아, 아, 아, 았 21 워, 워, 워, 웠 22 애비 23 에미 24 괴기 25 지팽이 26 가랭이 27 아지랭이
2단계 28 ④ 29 ⑤ 30 ⑤ 31 ③ 32 ⑤

28 정답 ④

모음 조화는 우리말의 특질 중 하나이지만 오늘날에는 잘 지켜지지 않고 있다.

오답 풀이 ① 모음 조화는 발음과 표기에 모두 반영된다.
② 모음 조화는 특히 의성어나 의태어에서 잘 나타난다.
③ 용언의 어간이 'ㅏ, ㅗ'일 때 어미는 '-아, -아라, -아서, -았-'이 되고, 용언의 어간이 'ㅓ, ㅜ'일 때 어미는 '-어, -어라, -어서, -었-'이 된다.
⑤ 모음 조화는 앞 음절의 모음이 양성 모음이냐 음성 모음이냐에 따라 뒤 음절의 모음도 그 모음에 가깝거나 같은 소리가 되는 현상이다.

29 정답 ⑤

'오순도순'은 양성 모음 'ㅗ'와 음성 모음 'ㅜ'가 함께 나타나고 있으므로, 모음 조화가 지켜지지 않은 단어이다.

30 정답 ⑤

뒤의 모음인 'ㅣ'의 영향으로 앞의 모음이 각각 [ㅚ, ㅐ]로 발음되고 있다.

31 정답 ③

'아지랭이'는 비표준어이다. 표준어는 'ㅣ' 역행 동화가 일어나지 않은

'아지랑이'이다. 나머지는 'ㅣ' 역행 동화가 일어난 형태를 표준어로 삼은 예이다.

32 정답 ⑤

담이나 나무에 달라붙어 올라가는 덩굴나무는 기술자에게 붙는 '–장이'가 아닌 '–쟁이'를 붙여 '담쟁이덩굴'이라고 한다.

오답 풀이 ① 멋있거나 멋을 잘 부리는 사람은 '–쟁이'를 붙여 '멋쟁이'라고 한다.
② 옹기 만드는 일을 직업으로 하는 사람은 기술자에게 붙는 '–장이'를 붙여 '옹기장이'라고 한다.
③ 양복을 만드는 일을 직업으로 하는 사람은 기술자에게 붙는 '–장이'를 붙여 '양복장이'라고 한다.
④ 소금쟁잇과의 곤충은 '–쟁이'를 붙여 '소금쟁이'라고 한다.

08 음운의 축약

단계별 트레이닝 | 본문 29쪽 |

1단계 01 ㅎ / ㅋ, ㅌ, ㅍ, ㅊ 02 거센소리되기 03 모음 축약, 자음 축약 04 잡화 05 닫힌 06 국화 07 입학 08 곱하기 09 낙하산 10 그러치 11 너:코 12 올코 13 만:타 14 조:타 15 애 16 새 17 권 18 텐데 19 챈다

2단계 20 ⑤ 21 ③ 22 ④ 23 ② 24 ①

20 정답 ⑤

음운의 축약은 발음할 때 두 음운이 합쳐져 제삼의 음운으로 바뀌는 현상이므로 음운의 개수가 줄어든다.

오답 풀이 ① 두 개의 음운을 따로따로 발음하기 불편하기 때문에 발음을 편하게 하기 위해 축약시켜 발음하는 것이다.
② 국어의 축약에는 자음 축약과 모음 축약이 있다.
③ 자음 축약은 'ㅎ'과 예사소리가 만나 거센소리가 되는 것이다.
④ 자음 축약은 두 개의 자음이 하나로 줄어드는 것이다.

21 정답 ③

'놓치다[녿치다]'는 음운의 축약이 아니라 음절의 끝소리 규칙이 적용된 단어이다.

22 정답 ④

'넋을'에 사용된 자음, 모음의 수는 6개(ㄴ, ㅓ, ㄱ, ㅅ, ㅡ, ㄹ)이고, 이를 발음하면 [넉쓸]이 되어 음운 수는 동일하게 6개(ㄴ, ㅓ, ㄱ, ㅆ, ㅡ, ㄹ)이다.

오답 풀이 ① '맏형'에 사용된 자음, 모음의 수는 6개(ㅁ, ㅏ, ㄷ, ㅎ, ㅕ, ㅇ)이고, 이를 발음하면 [마텽]이 되어 음운 수는 5개(ㅁ, ㅏ, ㅌ, ㅕ, ㅇ)이다.
② '넓혀'에 사용된 자음, 모음의 수는 6개(ㄴ, ㅓ, ㄹ, ㅂ, ㅎ, ㅕ)이고, 이를 발음하면 [널펴]가 되어 음운 수는 5개(ㄴ, ㅓ, ㄹ, ㅍ, ㅕ)이다.
③ '축하'에 사용된 자음, 모음의 수는 5개(ㅊ, ㅜ, ㄱ, ㅎ, ㅏ)이고, 이를 발음하면 [추카]가 되어 음운 수는 4개(ㅊ, ㅜ, ㅋ, ㅏ)이다.
⑤ '낳아'에 사용된 자음, 모음의 수는 4개(ㄴ, ㅏ, ㅎ, ㅏ)이고, 이를 발음하면 [나아]가 되어 음운 수는 3개(ㄴ, ㅏ, ㅏ)이다.

◉ **쌍받침과 겹받침에 사용된 자음의 수**
쌍받침(ㄲ, ㅆ)은 하나의 자음이므로 사용된 자음의 수는 1개이고, 겹받침(ㄳ, ㄵ, ㄺ, ㄻ, ㄼ, ㄾ, ㅄ 등)은 서로 다른 두 개의 자음으로 이루어진 받침이므로 사용된 자음의 수는 2개이다.

23 정답 ②

'아기'는 뒤의 모음인 'ㅣ'의 영향으로 앞의 모음이 'ㅐ'로 발음되고 있다. 나머지는 모음 축약이 일어나는 단어들이다.

24 정답 ①

'굳히다'는 'ㄷ'과 'ㅎ'이 'ㅌ'으로 축약(거센소리되기)되어 [구티다]가 된 후, 'ㅌ'이 'ㅊ'으로 교체(구개음화)되어 [구치다]로 발음된다.

오답 풀이 ② '미닫이'는 'ㄷ'이 'ㅈ'으로 교체(구개음화)되어 [미다디]가 [미다지]로 발음되는 단어로, 축약은 일어나지 않는다.
③ '빨갛다'는 'ㅎ'과 'ㄷ'이 'ㅌ'으로 축약(거센소리되기)되어 [빨가타]로 발음되는 단어로, 교체는 일어나지 않는다.
④ '솜이불'은 'ㄴ'이 첨가되어 [솜니불]로 발음되는 단어로, 교체와 축약은 둘 다 일어나지 않는다.
⑤ '잡히다'는 'ㅂ'과 'ㅎ'이 'ㅍ'으로 축약(거센소리되기)되어 [자피다]로 발음되는 단어로, 교체는 일어나지 않는다.

09 음운의 탈락

단계별 트레이닝 | 본문 31쪽 |

1단계 01 ○ 02 × 03 × 04 ○ 05 ○ 06 밥: 07 넙 08 일 09 목 10 쌓인 11 날는 12 솔나무 13 달달이 14 끄–+–어서 15 자–+–아서 16 서–+–어서 17 따르–+–아

2단계 18 ⑤ 19 ① 20 ② 21 ①

18 정답 ⑤

'아드님(← 아들+–님)'과 '여닫이(← 열–+–닫이)'는 'ㄹ' 탈락에 해당하는 단어이다.

오답 풀이 ① 보여(← 보이어): 음운 축약 / 놓아[노아]: 'ㅎ' 탈락
② 바느질(← 바늘질): 'ㄹ' 탈락 / 쇠붙이[쇠부치/쉐부치]: 구개음화
③ 북한[부칸]: 자음 축약 / 낳은[나은]: 'ㅎ' 탈락
④ 잡히다[자피다]: 자음 축약 / 잣나무[잔:나무]: 자음 동화

19 정답 ①

'써서'는 '쓰–+–어서'가 결합된 단어로, 'ㅡ' 탈락에 해당한다.

오답 풀이 ② '바빠'는 '바쁘–+–아'가 결합된 단어로, 'ㅡ' 탈락에 해당한다.
③ '쌓인'은 [싸인]으로 소리 나며 발음할 때 'ㅎ'이 사라지므로, 'ㅎ' 탈락에 해당한다.
④ '다달이'는 '달+달+–이'가 결합된 단어로, 'ㄹ' 탈락에 해당한다.
⑤ '갔다'는 '가–+–았–+–다'가 결합된 단어로, 'ㅏ' 탈락에 해당한다.

20 정답 ②

'잤다'는 '자-+-았-+-다'의 결합으로, 'ㅏ' 탈락, 즉 동음 탈락에 해당한다.

오답 풀이 ① '판다'의 기본형은 '팔다'로, 'ㄹ'이 탈락되었다.
③ '우는'의 기본형은 '울다'로, 'ㄹ'이 탈락되었다.
④ '저는'의 기본형은 '절다'로, 'ㄹ'이 탈락되었다.
⑤ '겨우내'는 '겨울+-내'의 결합으로, 'ㄹ'이 탈락되었다.

21 정답 ①

제시된 표준 발음법 조항은 겹받침의 발음에 대한 것이다. '여덟'은 어말에 위치하는 겹받침의 발음에 대해 말하고 있는 제10항의 규정에 따라 [여덜]로 발음한다.

오답 풀이 ② '앉아'는 'ㄵ'이 모음으로 시작된 어미와 결합되는 경우이므로 제14항의 규정에 따라 [안자]로 발음한다.
③ '넓이'는 'ㄼ'이 모음으로 시작된 접미사와 결합되는 경우이므로 제14항의 규정에 따라 [널비]로 발음한다.
④ '밟고'는 제10항 '다만' 규정에 따라 [밥:꼬]로 발음한다.
⑤ '값을'은 'ㅄ'이 모음으로 시작된 조사와 결합되는 경우이면서, 'ㅅ'은 된소리로 발음한다는 제14항의 규정에 따라 [갑쓸]로 발음한다.

⑩ 음운의 첨가

단계별 트레이닝 | 본문 33쪽 |

1단계 01 × 02 × 03 ○ 04 망닐 05 꼰닙 06 콩녇 07 맨닙 08 생년필 09 눈뇨기 10 솜:니불 11 능망념 12 한녀름 13 지캥널차 14 귀뺑/귄뺑 15 새:깡/샏:깡 16 태쫄/탣쫄 17 해쑤/핻쑤 18 훈:날 19 자리쎄/자릳쎄 20 제:산날 21 퇸:마루/퉨:마루 22 양친물 23 가윈닐/가웬닐 24 예:산닐

2단계 25 ⑤ 26 ② 27 ① 28 ① 29 ②

25 정답 ⑤

음운의 첨가에는 'ㄴ' 첨가와 사잇소리 현상이 있다. 'ㄴ' 첨가는 발음할 때 'ㄴ'이 덧나는 현상이고, 사잇소리 현상은 예사소리가 된소리로 변하거나 'ㄴ'이 한 개 또는 두 개 덧나는 현상으로, 표기에 'ㅅ'이 첨가되기도 한다. 따라서 음운의 첨가 시 발음 또는 표기에 추가되는 자음은 'ㄴ'과 'ㅅ'이라는 설명은 적절하다.

오답 풀이 ① 음운의 첨가는 단일어에서는 일어나지 않는다. 'ㄴ' 첨가는 합성어 및 파생어에서, 사잇소리 현상은 합성어에서 일어난다.
② 원래 있던 음운이 다른 음운으로 바뀌는 것은 음운의 교체로, 음절의 끝소리 규칙, 구개음화, 비음화 등이 해당한다.
③ 사잇소리 현상 중 일부는 예사소리가 된소리로 변하지만, 'ㄴ'이 한 개 혹은 두 개 덧나기도 하므로, 모두 된소리로 발음되는 것은 아니다.
④ '눈요기[눈뇨기]'와 같이 순우리말과 한자어가 결합된 말에서도 음운의 첨가가 일어난다.

26 정답 ②

'뒤+처리 → 뒤처리'가 될 때, '처리'의 첫소리가 거센소리이므로 음운의 첨가 현상이 일어나지 않는다.

오답 풀이 ① '배+멀미 → 뱃멀미'로, [밴멀미]로 발음된다.
③ '호수+가 → 호숫가'로, [호수까/호숟까]로 발음된다.
④ '한-+여름 → 한여름'으로, [한녀름]으로 발음된다.
⑤ '사이+길 → 사잇길'로, [사이낄/사읻낄]로 발음된다.

27 정답 ①

'맹활약'은 [맹:화략]으로 발음되는데, 이는 '활'의 받침 'ㄹ'이 뒤 음절의 첫소리로 넘어간 것이므로, 연음 현상에 해당한다.

오답 풀이 ② 색연필: [색년필] → [생년필]
③ 교육열: [교:육녈] → [교:융녈]
④ 홑이불: [혼니불] → [혼니불]
⑤ 눈요기: [눈뇨기]

28 정답 ①

〈보기〉는 [꼰닙], [능망념], [신녀성]으로 발음되므로, 'ㄴ' 소리가 덧나는 것을 확인할 수 있다.

29 정답 ②

'맨입'은 접사 '맨-'과 어근 '입'이 결합한 파생어로, 앞말이 자음으로 끝나고 뒷말이 모음 'ㅣ'로 시작하므로 'ㄴ'이 첨가된다. 따라서 [맨닙]으로 소리 난다. 나머지는 앞말이 유성음으로 끝나면서 'ㄴ' 혹은 'ㄴㄴ'이 덧나거나 뒤의 예사소리를 된소리로 만드는 경우로, 사잇소리 현상과 관계된 단어들이다.

오답 풀이 ① 코+등 → 콧등[코뜽/콛뜽]
③ 아래+이 → 아랫니[아랜니]
④ 나무+잎 → 나뭇잎[나문닙]
⑤ 퇴+마루 → 툇마루[퇸:마루/퉨:마루]

⓪④ 음절의 끝소리 규칙 ~ ⑩ 음운의 첨가

실력 테스트 | 본문 34~35쪽 |

01 ⑤ 02 ③ 03 ③ 04 ① 05 ① 06 ② 07 ③ 08 ⑤ 09 ②

01 정답 ⑤

'닭'의 'ㄺ'은 체언의 받침이지, 용언의 어간 말음이 아니다. ⓜ의 적절한 예는 '읽고[일꼬]', '늙고[늘꼬]' 등이다.

오답 풀이 ① '부엌'에서 '엌'의 'ㅋ'은 대표음 [ㄱ]으로 발음한다.
② '훑다'에서 '훑-'의 'ㄾ'은 자음 앞에서 [ㄹ]로 발음한다.
③ '옮고'에서 '옮-'의 'ㄻ'은 자음 앞에서 [ㅁ]으로 발음한다.
④ '밟지'에서 '밟-'은 자음 앞에서 [밥]으로 발음한다.

02 정답 ①

'맨입'은 '맨-'과 '입'이 결합하면서 'ㄴ' 첨가가 일어나고, '쌓아'에서는 'ㅎ'의 탈락이 일어난다. '입학'은 'ㅂ'과 'ㅎ'의 두 음운이 합쳐져 한 음운 'ㅍ'으로 줄어드는 축약이 일어나고, '칼날'은 'ㄴ'이 'ㄹ'을 만나 'ㄹ'로 교체되는 현상이 일어난다.

03 정답 ③

'압력[암녁]', '석류[성뉴]'는 인접해 있는 두 음운이 서로 영향을 주고받아 다른 음운으로 바뀌는 상호 동화의 예에 해당한다.

오답 풀이 ① '압력[암녁]'은 'ㅂ'이 'ㅁ'으로, 'ㄹ'이 'ㄴ'으로 바뀌었고, '석류[성뉴]'는 'ㄱ'이 'ㅇ'으로, 'ㄹ'이 'ㄴ'으로 바뀌었으므로, 음운이 바뀐 것이다.

② 원래 없던 음운이 추가되는 것이 아니라, 음운이 바뀐 것이다.

④, ⑤ 두 음운이 하나로 합해지거나 사라진 것이 아니라, 다른 음운으로 바뀐 것이다.

04 정답 ①

'식물[싱물]', '입는[임는]', '뜯는[뜬는]'은 각각 'ㄱ, ㅂ, ㄷ'이 'ㅁ, ㄴ' 앞에서 'ㅇ, ㅁ, ㄴ'으로 바뀌었다. 이를 제시된 자음 분류표를 통해 살펴보면, 파열음 'ㄱ, ㅂ, ㄷ'이 비음 'ㅁ, ㄴ' 앞에서 비음 'ㅇ, ㅁ, ㄴ'으로 바뀌었다는 것을 확인할 수 있다. 따라서 세 경우는 모두 두 자음이 만나서 발음될 때 앞 자음의 조음 방식이 파열음에서 비음으로 변한 것이라고 말할 수 있다.

05 정답 ①

〈보기〉에 따르면, 15세기 국어에서는 목적격 조사로 체언에 받침이 있고 양성 모음이면 'ᄋᆞᆯ', 체언에 받침이 있고 음성 모음이면 '을', 체언에 받침이 없고 양성 모음이면 'ᄅᆞᆯ', 체언에 받침이 없고 음성 모음이면 '를'을 사용하였다. 이를 ㉠~㉣에 적용해 보면 '사ᄅᆞᆷ'의 'ᄅᆞᆷ'은 받침이 있고 양성 모음이므로 목적격 조사로 'ᄋᆞᆯ'이 오고, '천하'의 '하'는 받침이 없고 양성 모음이므로 목적격 조사로 'ᄅᆞᆯ'이 온다. 또한 '누'는 받침이 없고 음성 모음이므로 목적격 조사로 '를'이 오며, '뜯'은 받침이 있고 음성 모음이므로 목적격 조사로 '을'이 온다.

06 정답 ②

ⓑ의 '낳아'는 [나아]로 발음되어 발음상으로는 'ㅎ'이 탈락하지만, 'ㅎ' 탈락은 표기에 반영하지 않는다.

오답 풀이 ① ⓐ의 '도니'는 어간의 끝소리 'ㄹ'이 'ㄴ'으로 시작하는 어미 앞에서 탈락된 것이다.

③ ⓒ의 '써'는 어간의 모음 'ㅡ'가 'ㅓ'로 시작하는 어미 앞에서 탈락된 것이다.

④ ⓓ의 '가'는 동일한 음운 'ㅏ'가 연결되었을 때 하나가 탈락된 것이다.

⑤ ⓐ와 ⓑ는 자음 탈락, ⓒ와 ⓓ는 모음 탈락에 해당한다.

07 정답 ①

'좋고[조:코]'는 'ㅎ'이 인접한 'ㄱ'과 합쳐져 'ㅋ'으로 축약되므로 ㉮의 예로 적절하며, '닿아[다아]'는 음절 끝소리의 'ㅎ'이 모음으로 시작하는 형식 형태소 '-아' 앞에서 탈락하므로 ㉯의 예로 적절하다.

오답 풀이 ② '쌓네[싼네]'는 음절 끝소리의 'ㅎ'이 'ㄷ'으로 교체되고, 인접한 비음의 영향으로 'ㄷ'이 'ㄴ'으로 교체되므로 ㉯의 예로 적절하지 않다.

③ '넣는[넌:는]'은 음절 끝소리의 'ㅎ'이 'ㄷ'으로 교체되고 인접한 비음의 영향으로 'ㄷ'이 'ㄴ'으로 교체되므로 ㉮의 예로 적절하지 않다.

⑤ '좁힌[조핀]'은 'ㅎ'이 인접한 'ㅂ'과 합쳐져 'ㅍ'으로 축약되므로 ㉮의 예로 적절하지만, '닳지[달치]'는 'ㅎ'이 인접한 'ㅈ'과 합쳐져 'ㅊ'으로 축약되므로 ㉯의 예로 적절하지 않다.

08 정답 ⑤

'논일[논닐]'은 뒤의 형태소가 모음 'ㅣ'로 시작되어 'ㄴ'이 추가되는 음운 첨가 현상이다.

오답 풀이 ① '좁고[좁:꼬]'의 'ㄲ'은 'ㄱ'과는 다른 별개의 음운이므로 음운 교체의 사례이다.

② '넣은[너은]'은 'ㅎ'이 탈락했으므로 음운 탈락의 사례이다.

③ '먹는[멍는]'은 'ㄱ → ㅇ'의 변화를 보이므로 음운 교체의 사례이다.

④ '쌓지[싸치]'는 'ㅎ+ㅈ → ㅊ'의 변화를 보이므로 음운 축약의 사례이다.

09 정답 ②

'하ᄂᆞᆯ'의 'ᄂᆞᆯ'이 양성 모음이므로 모음 조화가 지켜졌다면 다음에 오는 목적격 조사는 'ᄋᆞᆯ'이 되어야 하지만 목적격 조사로 '을'이 왔으므로, ㉡은 모음 조화가 지켜지지 않은 사례에 해당한다.

오답 풀이 ① '븕-'은 음성 모음이고 어미로 '-은'이 왔으므로 모음 조화를 지킨 사례이다.

③ '소리'의 '리'는 양성 모음이고 조사로 'ᄅᆞᆯ'이 왔으므로 모음 조화를 지킨 사례이다.

④ '들-'은 음성 모음이고 어미로 '-어'가 왔으므로 모음 조화를 지킨 사례이다.

⑤ 'ᄀᆞᆮᄒᆞ-'에서 'ᄒᆞ'는 양성 모음이고 어미로 '-ᄋᆞᆫ'이 왔으므로 모음 조화를 지킨 사례이다.

Ⅱ 단어와 품사

⑪ 형태소와 단어

단계별 트레이닝 | 본문 39쪽 |

1단계 01 뜻 02 자립성, 실질적인 뜻 03 형태소 04 나/는/밥/을/먹/었/다. 05 그/는/책/을/읽/는/다. 06 동생/이/나/몰래/도시락/을/먹/었/다. 07 만들/었/다 08 하늘/이/냐 09 보/면서 10 나, 친구, 운동 11 는, 와, 을, 하-, -ㄴ-, -다 12 나, 친구, 운동, 하- 13 는, 와, 을, -ㄴ-, -다 14 그∨아이∨는∨학교∨에서∨성적∨이∨중간∨은∨간다. 15 그렇게∨이른∨시간∨에∨친구∨집∨을∨가∨본∨적∨은∨없다.

2단계 16 ② 17 ② 18 ② 19 ④

16 정답 ②

'매우'는 하나의 형태소로, '매우'를 '매'와 '우'로 나눌 경우 그 의미가 모호해져 형태소의 자격을 잃어버린다.

17 정답 ②

자립 형태소란 혼자서도 문장에서 쓰일 수 있는 형태소를 말한다. ②는 '누나/는/엄마/를/닮/아/참/좋/다.'로 형태소를 분석할 수 있는데, 이 중 자립 형태소는 '누나, 엄마, 참'이다.

오답 풀이 ① '그/것/정말/재미/있/겠/다.'로 형태소를 분석할 수 있는데, 이 중 자립 형태소는 '그, 것, 정말'이다.

③ '코스모스/가/활짝/피/었/다.'로 형태소를 분석할 수 있는데, 이 중 자립 형태소는 '코스모스, 활짝'이다.

④ '우리/는/어제/즐겁/게/놀/았/다.'로 형태소를 분석할 수 있는데, 이 중 자립 형태소는 '우리, 어제'이다.

⑤ '하늘/은/스스로/돕/는/자/를/돕/는/다.'로 형태소를 분석할 수 있는데, 이 중 자립 형태소는 '하늘, 스스로'이다.

18 정답 ②

'엿보다'의 '엿-'은 접두사로, 실질적 의미가 없는 형식 형태소이면서 독립성이 없는 의존 형태소이다. 한편 '맛있다'의 '있-'은 '존재'의 의미를 갖고 있는 실질 형태소이다.

◉ 어간의 특이성

어간은 실질적 의미를 지니므로 실질 형태소이면서도 어미와 결합해야만 한다는 점에서 의존 형태소에 해당한다는 특이성을 지닌다. 예를 들어 '밥을 먹다.'의 '먹다'에서 '먹-'이라는 어간은 '음식 따위를 입을 통하여 배 속에 들여보내다.'라는 실질적 의미를 갖지만 홀로 쓰이지 못한다.

19 정답 ④

'별이 많다'에서 의존 형태소는 '이', '많-', '-다'의 3개이다.

오답 풀이 ① 조사 '에'와 '이'는 모두 의존 형태소이다.

② '별이'는 자립 형태소인 '별'과 의존 형태소인 조사 '이'가 결합한 말이다.

③ '하늘에'는 자립 형태소인 '하늘'과 의존 형태소인 '에'가 결합한 말이다.

⑤ '많다'의 어간 '많-'과 어미 '-다'는 모두 의존 형태소이다.

⑫ 단어의 구성과 유형

단계별 트레이닝 | 본문 41쪽 |

1단계 01 어근 02 어미 03 접사 04 (1) 단일어 (2) 파생어 05 (1) 치-(접두사), 솟-(어근) (2) 사랑(어근), -스럽다(접미사) (3) 믿-(어근), -음(접미사) (4) 웃-(어근), -기-(접미사) 06 깨다, 자다, 바다, 하늘, 먹다, 땅, 걷다 07 밤낮, 서울내기, 웃음, 넓이, 날고기, 맨주먹, 뛰놀다, 검푸르다

2단계 08 ① 09 ② 10 ③

08 정답 ①

'싸움꾼'은 '어근(싸우-)+접미사(-ㅁ)' 구조의 파생어인 '싸움'에 다시 접미사 '-꾼'이 결합한 형태로, '(어근+접미사)+접미사'의 구조로 된 파생어이다.

오답 풀이 ② '군것질'은 '군-(접두사)+것(어근)+-질(접미사)'의 구조로 된 파생어이다.

③ '놀이터'는 '놀이〔놀-(어근)+-이(접미사)〕+터(어근)'의 구조로 된 합성어이다.

④ '병마개'는 '병(어근)+마개〔막-(어근)+-애(접미사)〕'의 구조로 된 합성어이다.

⑤ '미닫이'는 '미닫-〔밀-(어근)+닫-(어근)〕+-이(접미사)'의 구조로 된 파생어이다.

09 정답 ②

'눈사람'은 '눈+사람', '책가방'은 '책+가방'으로 구성된 합성어이다. '눈', '사람', '책', '가방'은 모두 실질적인 의미를 갖고 있는 어근이다. 반면 '지우개'는 어근 '지우-'와 접사 '-개'가 결합한 파생어이고, '심술쟁이'는 어근 '심술'과 접사 '-쟁이'가 결합한 파생어이다.

10 정답 ③

'건널목'은 용언의 관형사형인 '건널'과 명사 '목'의 결합으로 만들어진 말이다. '갈림길'은 용언의 명사형인 '갈림'과 명사 '길'의 결합으로 만들어진 말이다. '섞어찌개'는 용언의 연결형인 '섞어-'와 명사 '찌개'의 결합으로 만들어진 말이다. '덮밥'은 용언의 어간 '덮-'과 명사 '밥'의 결합으로 만들어진 말이다.

⑬ 복합어

단계별 트레이닝 | 본문 43쪽 |

1단계 01 높이 02 날개 03 먹이 04 그림 05 군소리, 군불 06 홀소리, 홀수 07 길이, 깊이, 벌이 08 지혜롭다, 신비롭다, 정의롭다 09 밤나무, 군밤, 뛰놀다, 어린아이, 산들바람, 꺾쇠, 밀물 10 풋사과, 참뜻 11 가리개, 고집쟁이, 지붕 12 미닫이, 책꽂이 13 밤낮, 집안, 그만두다, 가로지르다, 보슬보슬, 바람나다, 알아보다 14 접칼, 검푸르다, 부슬비, 볼록거울

2단계 15 ② 16 ③ 17 ④

15 정답 ②

'오뚝이'는 어근 '오뚝'에 '그러한 사물'을 뜻하는 접미사인 '-이'가 붙어 형성된 파생어이다.

◉ 접사 '-이'의 여러 가지 의미
1. '일'의 뜻을 더하고 명사를 만듦. 예 봄맞이, 가을걷이
2. '사물'의 뜻을 더하고 명사를 만듦. 예 재떨이, 옷걸이
3. '사람'의 뜻을 더하고 명사를 만듦. 예 구두닦이, 신문팔이

16 정답 ③

'산들바람'은 부사 '산들'과 체언 '바람'이 결합된 합성어이고, '척척박사'는 부사 '척척'과 체언 '박사'가 결합된 합성어이다.

오답 풀이 ①, ② '첫눈', '큰집'은 '관형어+명사'로 구성된 통사적 합성어이다.
④ '볼록거울'은 '부사+체언'으로 구성된 비통사적 합성어이다.
⑤ '벗어나다'는 '용언의 어간+연결 어미+용언'으로 구성된 통사적 합성어이다.

17 정답 ④

'되살리다'의 접두사 '되-'는 동사인 '살리다'의 품사를 바꾸지 않는다.

오답 풀이 ① 접두사는 의미를 한정하는 기능을 지니므로 적절한 설명이다.
② '삶'은 어근 '살-'에 접미사 '-ㅁ'이 붙어 동사에서 명사로 품사가 바뀐 경우이다.
③ '살리다'는 '살다'라는 주동사의 어간에 사동 접미사 '-리-'가 붙어 만들어진 사동사이다.
⑤ '헛살다'의 '헛-'과 같이 어근의 앞에 붙는 접사를 '접두사'라고 하고, '삶'의 '-ㅁ'과 같이 어근의 뒤에 붙는 접사를 '접미사'라고 한다.

⑪ 형태소와 단어 ~ ⑬ 복합어

실력 테스트 | 본문 44~45쪽 |

01 ③ 02 ④ 03 ④ 04 ② 05 ④ 06 ② 07 ① 08 ⑤ 09 ④

01 정답 ③

㉢의 '소리'는 실질적인 의미를 갖고 있는 실질 형태소이며, 자립성이 있는 자립 형태소이다.

02 정답 ④

실질적 의미를 갖지 않는 형태소인 A에는 조사인 ㉢ '에'와 어미인 ㉣ '-는'이 올 수 있다. 또 실질적 의미는 있으나 독립성이 없어 혼자 쓰일 수 없는 형태소인 B에는 용언의 어간인 ㉡ '있-'이 올 수 있다. 그리고 실질적 의미를 갖고 혼자 쓰일 수 있는 형태소인 C에는 관형사인 ㉠ '어느'와 명사인 ㉤ '자리'가 올 수 있다.

03 정답 ④

'줄이다'의 '-이-'는 접사에 해당하므로 어근은 '줄-'이다. '힘들다'의 '힘들-'은 '힘'과 '들-'로 다시 나눌 수 있고, '오가다'의 '오가-'는 '오-'와 '가-'로 다시 나눌 수 있다.

04 정답 ②

㉠은 '뛰어가다'와 같이 어간이 연결 어미로 연결되어 형성된 단어에 대한 설명이다. ②의 '돌아서다' 역시 '돌다'의 어간 '돌-'에 연결 어미 '-아'가 붙어 '서다'와 연결됨으로써 형성된 합성어이다.

오답 풀이 ① '꿈꾸다'는 체언 '꿈'과 용언 '꾸다'가 결합한 합성어이다.
③ '뒤섞다'는 '몹시, 마구, 온통'의 뜻을 지니는 접두사 '뒤-'와 용언 '섞다'가 결합한 파생어이다.
④ '빛나다'는 체언 '빛'과 용언 '나다'가 결합한 합성어이다.
⑤ '오르내리다'는 용언의 어간 '오르-'와 또 다른 용언의 어간 '내리-'가 연결 어미 없이 직접 결합하여 합성어가 된 경우로, 〈보기〉의 '오가다'와 같은 경우이다.

05 정답 ④

'꾀보'는 어근 '꾀'에 접사 '-보'가 결합한 말로, '-보'에 의해 의미가 더해졌다고 할 수 있다. 하지만 어근 '꾀'도 명사이고 '꾀보'도 명사이므로, 품사가 바뀌었다고는 말할 수 없다.

06 정답 ②

'덧대다'는 '대어 놓은 것 위에 겹쳐 대다.'의 의미이다.

오답 풀이 ① '치뜨다'는 '눈을 위쪽으로 뜨다.'의 의미이다.
③ '들끓다'는 '한곳에 여럿이 많이 모여 수선스럽게 움직이다.'의 의미이다.
④ '되감다'는 '도로 감거나 다시 감다.'의 의미이다.
⑤ '휘젓다'는 '골고루 섞이도록 마구 젓다.'의 의미이다.

07 정답 ①

'뒤흔들다'의 접두사 '뒤-'는 '마구, 온통'의 뜻이다. '뒤덮이다'의 '뒤-' 역시 같은 의미를 갖고 있다.

오답 풀이 ②, ⑤ '뒤집다', '뒤바꾸다'의 '뒤-'는 '반대로' 또는 '뒤집어'의 의미를 갖는 것으로, '뒤흔들다'의 '뒤-'와는 의미가 다르다.
③, ④ '뒤쫓다', '뒤처지다'의 '뒤'는 '앞'과 대립되는 의미로, '뒤흔들다'의 '뒤-'와는 의미가 다르다.

08 정답 ⑤

'읽다'의 어간 '읽-'에 접사 '-히-'가 붙은 '읽히다'는 동사에서 동사로 파생된 것이므로, 품사는 바뀌지 않고 문장 구조만 사동(혹은 피동)으로 바뀐다.

오답 풀이 ① '멋'에 '-쟁이'가 붙은 '멋쟁이'는 명사로, 품사가 변하지 않았다.
② '파랗다'에 '새-'가 붙은 '새파랗다'는 형용사로, 품사가 변하지 않았다.
③ '지우다'의 '지우-'에 '-개'가 붙은 '지우개'는 동사에서 명사로 파생된 것이다.
④ '열리다'와 '열다'의 품사는 모두 동사이지만, '열리다'가 쓰이면 문장의 구조가 피동문으로 바뀌게 된다.

09 정답 ④

'안팎'은 '안'과 '밖'의 합성어인데, 어근의 의미가 융합되어 '마음속의 생각과 겉으로 드러나는 행동'의 의미로 바뀌었고, 형태도 '밖'이 '팎'으로

변했다.

오답 풀이 ① '솔'과 '나무'의 합성어로, 형태가 변했지만('ㄹ' 탈락) 의미가 변하지 않은 합성어이다.

② '셋'과 '넷'의 합성어로, 형태가 변했지만 의미가 변하지 않은 합성어이다.

③ '오래'와 '동안'의 합성어로, 형태가 변했지만('ㅅ' 첨가) 의미가 변하지 않은 합성어이다.

⑤ '어제'와 '오늘'의 합성어로, 형태가 변하지 않았지만 '아주 최근이나 요 며칠 사이'를 이르는 말로 쓰이므로 의미가 변한 합성어이다.

14 단어의 의미 종류

단계별 트레이닝 | 본문 47쪽 |

1단계 01 함축적 02 사회적 03 정서적 04 반사적 05 연어적 06 주 07 중 08 중 09 주 10 (2) 11 (1)

2단계 12 ⑤ 13 ⑤ 14 ①

12

정답 ⑤

'보다'는 '눈으로 대상의 존재나 형태적 특징을 알다.'라는 의미로, 중심적 의미로 사용되었다.

오답 풀이 ① '맵다'의 중심적 의미는 '고추나 겨자와 같이 맛이 알알하다.'이다. 여기에서는 '날씨가 몹시 춥다.'의 주변적 의미로 사용되었다.

② '주다'의 중심적 의미는 '물건 따위를 남에게 건네어 가지거나 누리게 하다.'이다. 여기에서는 '속력이나 힘 따위를 가하다.'의 주변적 의미로 사용되었다.

③ '먹다'의 중심적 의미는 '음식 따위를 입을 통하여 배 속에 들여보내다.'이다. 여기에서는 '물이나 습기 따위를 빨아들이다.'의 주변적 의미로 사용되었다.

④ '밀다'의 중심적 의미는 '일정한 방향으로 움직이도록 반대쪽에서 힘을 가하다.'이다. 여기에서는 '허물어 옮기거나 깎아 없애다.'의 주변적 의미로 사용되었다.

13

정답 ⑤

ㅁ에서는 '날'이 '어떠한 시절이나 때'라는 주변적 의미로 사용되었다.

◉ 중심적 의미에서 주변적 의미로 확장되는 양상

㉠ 먹다
• 사람이 음식물을 먹다. → 소가 사료를 먹다. → 종이가 기름/풀을 먹다.
⇒ 확장 양상: 사람 → 생물 → 무생물

㉡ 밝다
• 색이 밝다. → 표정이 밝다. → 분위기가 밝다. → 사리가 밝다.
⇒ 확장 양상: 구체성 → 추상성

㉢ 짧다
• 연필이 짧다. → 시간이 짧다. → 경험이 짧다.
⇒ 확장 양상: 사물 → 시간 → 추상

㉣ 있다
• 방에 있다. → 철도청에 있다. → 마음속에 있다.
⇒ 확장 양상: 물리적 → 사회적 → 심리적

14

정답 ①

정서적 의미는 주로 구어에서 말의 어조, 세기, 길이, 억양, 음색 등을 통해 드러난다. 그러므로 '주먹이 세다.'라는 표현만으로는 정서적 의미를 파악할 수 없다.

오답 풀이 ② '검은색'은 '숯이나 먹의 빛깔과 같이 어둡고 짙은 색'이라는 사전적 의미를 지니지만 관습적으로 '죽음', '공포' 등의 함축적 의미를 지니고 있다.

③ '깎다'는 그것과 어울리는 목적어가 무엇이냐에 따라 그 의미가 달라진다. '값을 깎다.'에서 '깎다'는 '값이나 금액을 낮추어서 줄이다.'라는 의미이며, '머리를 깎다.'에서 '깎다'는 '풀이나 털 따위를 잘라 내다.'라는 의미이다. 이렇게 어떤 단어의 의미가 다른 단어와 함께 배열된 환경에 의해서 달라지는 것을 연어적 의미라 한다.

④ '임신중(林信重)'이라는 강사의 이름이 그 본래 뜻과는 관계없이 '태아를 배고 있는'이라는 의미를 떠올리게 해서 청중이 웃음을 터뜨린 것으로 볼 수 있다. 이처럼 본래의 개념적 의미 외에 연상되는 또 다른 의미를 반사적 의미라 한다.

⑤ 사회적 의미는 사회 계층, 지위, 직업, 성별, 지역 등에 따라 단어의 의미와 사용 양상이 달라지는 것을 뜻한다. 그중에서 양반과 상민의 단어 사용 차이는 사회 계층의 차이에 따른 단어의 사회적 의미를 보여 준다.

15 단어 간의 의미 관계 1

단계별 트레이닝 | 본문 49쪽 |

1단계 01 준수하다 02 말살하다 03 초탈하다 04 반듯하다 05 영글다 06 설익다 07 넣다 08 포함시키다 09 요리하다 10 바느질하다 11 발효 식품 12 전통 놀이

2단계 13 ③ 14 ① 15 ⑤

13

정답 ③

'학생 : 남학생'은 '학생'이 의미상 '남학생'을 포함하고 있으므로 상하 관계이다.

오답 풀이 ①~⑤의 '옷 : 의복', '서점 : 책방', '걱정 : 근심', '환하다 : 밝다', '분명하다 : 명료하다'는 각각 두 단어의 의미가 비슷하므로 유의 관계를 맺고 있으며, ①, ②, ④, ⑤의 '밤 : 낮', '기쁨 : 슬픔', '오르다 : 내리다', '숨기다 : 드러내다'는 각각 의미가 서로 짝을 이루어 대립하고 있으므로 반의 관계를 맺고 있다.

14

정답 ①

'남자-남정네'는 [+남성]의 의미 성분을 공유하고 있는 유의어이다.

오답 풀이 ② '동물'은 의미상 '물고기'를 포함하므로, 두 말은 상하 관계에 있다.

③ '교도소'는 징역형 등을 받은 사람들을 수용하는 시설이며, '큰집'은 죄수들이 '교도소'를 이르는 은어이다. 따라서 '큰집'에는 사회적 의미가 개입되어 있다.

④ '고깃간'과 '푸줏간'은 모두 고기를 파는 가게를 의미하므로 두 말은 유의어이다. '아주머니'와 '아저씨'는 의미 요소 중 성별만 다르므로 반

의어이다.

⑤ '아줌마'는 '아주머니'를 낮추어 이르는 말이지만, 의미 성분이 거의 같으므로 두 말은 유의어이다.

◉ 단어의 의미 자질과 반의 관계

의미 자질이란 단어의 의미를 구성하고 있는 최소 성분으로, 해당 자질을 가지고 있으면 '+'로, 가지고 있지 않으면 '−'로 표시한다. 이때 반의 관계는 두 단어의 의미 자질 중 나머지는 모두 같은데 하나만 다를 때 형성된다. 예를 들어 '총각'과 '처녀'는 [+사람], [−결혼] 등의 자질을 공통적으로 가지고 있지만 [성별]이라는 자질 하나만 반대되므로 반의 관계가 되는 것이다.

15 정답 ⑤

'계약금을 걸었다'의 '걸다'는 '돈 따위를 계약이나 내기의 담보로 삼다.'의 뜻이므로 '설정하다'와는 유의 관계에 있지 않다.

⑯ 단어 간의 의미 관계 2

단계별 트레이닝 | 본문 51쪽 |

1단계 01 (3) 02 (2) 03 (1) 04 ㄱ, ㄹ 05 ㄴ, ㄷ, ㅁ 06 ○ 07 ○ 08 × 09 ○ 10 ×

2단계 11 ④ 12 ⑤ 13 ⑤

11 정답 ④

'듣다 01'과 '듣다 02'는 동음이의 관계에 있는 말로, 서로 의미가 겹치는 부분이 없으므로 다른 단어이다.

◉ 동음이의어와 다의어의 구분 기준

- 어원의 동일성(同一性): 어원이 다르면 동음이의어이고 어원이 동일하면 다의어이다.
- 의미의 유연성(有緣性): 공시적으로 의미들이 서로 관련이 없으면 동음이의어이고, 관련이 있으면 다의어이다.

12 답 ⑤

'무겁다'는 '무게가 나가는 정도가 크다.'와 '소리나 색깔 따위가 어둡고 침울하다.'의 의미를 함께 가지고 있으므로 다의어이다.

13 정답 ⑤

⑤의 '손'은 '다른 곳에서 찾아온 사람'이라는 의미로, ①~④의 '손'과 동음이의 관계에 있다.

오답 풀이 ① '손'의 주변적 의미인 '손가락'의 의미로 쓰였다.

② '손'의 주변적 의미인 '어떤 사람의 영향력이나 권한이 미치는 범위'의 의미로 쓰였다.

③ '손'의 중심적 의미인 '사람의 팔목 끝에 달린 부분'의 의미로 쓰였다.

④ '손'의 주변적 의미인 '일을 하는 사람, 즉 일손'의 의미로 쓰였다.

⑰ 단어의 의미 변화

단계별 트레이닝 | 본문 53쪽 |

1단계 01 ㉡ 02 ㉣ 03 ㉢ 04 ㉠ 05 (1) 의미의 이동 (2) 의미의 확대 06 축소 07 이동 08 확대 09 확대

2단계 10 ② 11 ② 12 ③

10 정답 ②

'전혀'는 '~지 않다'라는 부정적 표현과 함께 쓰여 그 자체로 부정적 의미를 지니게 되었으므로, 언어적 원인에 의한 의미 변화에 해당한다. '신발'은 과거에는 짚이나 가죽을 재료로 만들어졌으나 현재는 다양한 소재로 만들어지고 있으므로, 역사적 원인에 의한 의미 변화에 해당한다.

오답 풀이 ① '복음'은 일반적으로는 '기쁜 소식'을 뜻하나 기독교 내에서는 '예수의 가르침'을 의미하므로, 사회적 원인에 의한 의미 변화에 해당한다. '머리'는 '털'과 함께 쓰이다가 혼자서도 '머리털'이라는 의미를 지니게 되었으므로, 언어적 원인에 의한 의미 변화에 해당한다.

③ '별로'는 '~지 않다'라는 부정적 표현과 함께 쓰여 그 자체로 부정적 의미를 지니게 되었으므로, 언어적 원인에 의한 의미 변화에 해당한다. '출혈'은 일반적으로는 '피를 흘림.'을 의미하나 상인 사회에서는 '재정적 손해'를 의미하므로, 사회적 원인에 의한 의미 변화에 해당한다.

④ '바가지'는 과거에는 박으로 만든 것을 의미했으나 현재에는 플라스틱으로 만든 것을 의미하므로, 역사적 원인에 의한 의미 변화에 해당한다. '화장실'은 '변소'를 완곡하게 표현한 것으로, 심리적 원인에 의한 의미 변화에 해당한다.

⑤ '돌아가다'는 '죽다'를 완곡하게 표현한 것으로, 심리적 원인에 의한 의미 변화에 해당한다. '지갑'은 과거에는 종이로 만든 재질만을 의미했으나 현재에는 다양한 재질로 만든 것을 의미하므로, 역사적 원인에 의한 의미 변화에 해당한다.

11 정답 ②

'내외'는 '안과 밖'에서 '부부'로 의미가 변화한 경우로, 의미가 이동한 예이다.

오답 풀이 ①, ③, ④, ⑤ '얼굴', '짐승', '미인', '계집'은 모두 의미가 축소된 예이다.

12 정답 ③

'우연치 않게'는 결국 '우연하게'가 잘못 쓰여 의미가 변한 경우이므로, 의미가 이동한 예로 보아야 한다.

⑭ 단어의 의미 종류 ~ ⑰ 단어의 의미 변화

실력 테스트 | 본문 54~55쪽 |

01 ② 02 ③ 03 ③ 04 ③ 05 ③ 06 ③ 07 ⑤ 08 ① 09 ⑤

01 정답 ②

'따르다'의 의미 중 ㉡은 '아우르다'와 유의 관계에 있지 않다. '아우르다'는 '여럿을 모아 한 덩어리나 한 판이 되게 하다.'의 뜻이다.

02 정답 ③

'뛰다 ↔ 걷다'의 대립 성분은 운동 속도의 빠름과 느림을 포함한 것으로, '목적지의 유무'와는 관계가 없다.

03 정답 ③

하의어는 상의어의 의미를 포함하므로 ㄴ의 의미 속에 오히려 ㄱ의 의미 특성이 모두 들어 있다.

오답 풀이 ① 상하 관계는 연속적으로 나타나는 경우가 대부분이다. '새'와 '까치, 갈매기, 독수리, 펭귄'의 상하 관계 역시 연속된 계층 구조의 한 부분으로 볼 수 있다.

② '까치, 갈매기, 독수리, 펭귄'은 '새'의 하의어로서, 하의어는 상의어에 비해 개별적, 구체적, 한정적 의미를 지닌다.

④ '새'의 상의어로는 '날짐승'이 올 수 있다.

⑤ '까치, 갈매기, 독수리, 펭귄'은 각각 그 종류에 따라 개별적이고 한정적으로 세분화될 수 있다.

04 정답 ③

③의 ㉠의 '뿌리'는 '사물이나 현상을 이루는 근본을 비유적으로 이르는 말'이라는 주변적 의미로 사용되었다. 반면 ㉡의 '뿌리'는 '식물의 줄기를 지탱하는 작용을 하는 기관'이라는 중심적 의미로 사용되었다.

오답 풀이 ① ㉠의 '별'은 '빛을 관측할 수 있는 천체 가운데 성운처럼 퍼지는 모양을 가진 천체를 제외한 모든 천체'라는 중심적 의미로 사용되었다. ㉡의 '별'은 '위대한 업적을 남긴 대가를 비유적으로 이르는 말'이라는 주변적 의미로 사용되었다.

② ㉠의 '번개'는 '구름과 구름, 구름과 대지 사이에서 공중 전기의 방전이 일어나 번쩍이는 불꽃'이라는 중심적 의미로 사용되었다. ㉡의 '번개'는 '동작이 아주 빠르고 날랜 사람이나 사물을 비유적으로 이르는 말'이라는 주변적 의미로 사용되었다.

④ ㉠의 '태양'은 '태양계의 중심이 되는 항성'이라는 중심적 의미로 사용되었다. ㉡의 '태양'은 '매우 소중하거나 희망을 주는 존재를 비유적으로 이르는 말'이라는 주변적 의미로 사용되었다.

⑤ ㉠의 '이슬'은 '공기 중의 수증기가 기온이 내려가거나 찬 물체에 부딪힐 때 엉겨서 생기는 물방울'이라는 중심적 의미로 사용되었다. ㉡의 '이슬'은 '눈물을 비유적으로 이르는 말'이라는 주변적 의미로 사용되었다.

05 정답 ③

ㄱ~ㅂ에 쓰인 '들다'의 의미를 확인하면 ㄱ은 '몸에 병이나 증상이 생기다.', ㄴ은 '손에 가지다.', ㄷ은 '물감, 색깔, 물기, 소금기가 스미거나 배다.', ㄹ은 '아래에 있는 것을 위로 올리다.', ㅁ은 '뜻을 밖으로 드러내어 나타내다.', ㅂ은 '적금이나 보험 따위의 거래를 시작하다.'이다. ㄱ~ㅂ의 의미를 유사한 것끼리 분류하면, 'ㄱ, ㄷ, ㅂ'은 '생기다'의 의미로 묶을 수 있고, 'ㄴ, ㄹ, ㅁ'은 '아래에서 위로 이동하다.'의 의미로 묶을 수 있다.

06 정답 ③

③의 '매겼다'는 ㄱ(일정한 기준에 따라 사물의 값이나 등수 따위를 정하다.)의 의미로 사용된 용례이다.

07 정답 ⑤

'어엿브다'는 중세 국어에서 '가엾다'를 뜻하는 말이었으나, 오늘날 '어여쁘다(예쁘다)'라는 말로 쓰이면서 '모양이 작거나 섬세하여 눈으로 보기에 좋다.'라는 뜻으로 그 의미가 이동하였다.

오답 풀이 ① '말씀'은 '말'로 쓰이다가 '남을 높여 이르거나 자기 말을 낮추어 이르는 말'로 의미가 축소되었다.

② '어리다'는 '어리석다'에서 '나이가 적다.'를 뜻하는 말로 의미가 이동하였다.

③ '놈'은 '사람'을 뜻하는 말에서 남자를 낮잡아 이르는 말로 의미가 축소되었다.

④ '하다'는 '많다'를 뜻하는 말에서 '사람이나 동물, 물체 따위가 행동이나 작용을 이루다.'를 뜻하는 말로 의미가 이동하였다.

08 정답 ①

'결론'은 '짓다, 맺다, 내리다' 와 결합하여 쓰이지만, '하다'와는 쓰이지 않는다. '결말'은 '맺다, 짓다'와 어울려 쓰이지만, '하다, 내리다'와는 쓰이지 않는다. '결정'은 '하다, 내리다, 짓다'와는 쓰이지만 '맺다'와는 쓰이지 않는다. 따라서 ㄱ~ㄷ에 각각 들어갈 말로 적절한 것은 ①이다.

09 정답 ⑤

'종이가 누렇게 바래다'.의 '바래다'는 '볕이나 습기를 받아 색이 변하다'의 뜻을 지니므로 '바래다[1] ㉠'의 용례에 해당한다.

오답 풀이 ① '바라다[1]'과 '바래다[1]'은 모두 각각 ㉠과 ㉡의 뜻을 지니고 있으므로 다의어로 볼 수 있다.

② '바라다[1]'과 '바래다[1] ㉡'은 모두 목적어를 필요로 하는 타동사이므로, 주어 이외에 다른 문장 성분을 필요로 한다고 볼 수 있다.

③ "나는 너의 성공을 바래."에서 '바래'는 '바래다[1] ㉠'의 의미로 쓰인 말이다. 따라서 '바라다'의 '바라-'에 종결 어미 '-아'가 붙어 줄어든 '바라'로 써야 한다.

④ '바래다[1]'의 발음이 [바:--]로 표기된 것으로 보아 첫 음절은 장음으로 발음된다고 볼 수 있다.

⑱ 품사의 개념 및 분류

단계별 트레이닝 | 본문 57쪽 |

1단계 01 (1) 수사 (2) 수식언 (3) 감탄사 (4) 용언 02 명사 03 대명사 04 감탄사 05 동사 06 수사 07 형용사 08 관형사 09 부사 10 조사 11 떠들지 12 새 13 들녘

2단계 14 ④ 15 ④ 16 ②

14 정답 ④

'이러저런 여러 가지의'를 뜻하는 '온갖'은 체언을 꾸며 주는 관형사이다.

오답 풀이 ① '공원, 하늘, 학교'는 사람이나 사물의 명칭을 나타내는 명사이다.

② '다섯, 셋째, 하나'는 사람이나 사물의 수량이나 순서를 나타내는 수사이다.

③ '놀라다, 달리다, 먹다'는 사람이나 사물의 동작을 나타내는 동사이다.
⑤ '어설프다, 예쁘다, 차갑다'는 사람이나 사물의 성질이나 상태를 나타내는 형용사이다.

15 정답 ④

'지혜롭다'는 어근 '지혜'에 파생 접미사인 '-롭다'가 결합한 형용사이다. 따라서 명사, 대명사, 수사와 같은 체언에 해당하지 않으며, 문장 내에서 주어, 목적어, 보어 등의 기능을 하지도 못한다.

오답 풀이 ① '형'은 명사로, 문장에서 주어의 기능을 한다.
② '둘'은 수사로, 문장에서 목적어의 기능을 한다.
③ '그'는 대명사로, 문장에서 목적어의 기능을 한다.
⑤ '사실'은 명사로, 문장에서 보어의 기능을 한다.

16 정답 ②

〈보기〉에서 ㉠은 관형사에 속하는 단어들, ㉡은 조사에 속하는 단어들, ㉢은 부사에 속하는 단어들, ㉣은 동사에 속하는 단어들, ㉤은 감탄사에 속하는 단어들이다. ㉠과 ㉢은 모두 문장 속에서 체언이나 용언을 수식하는 기능을 하는 수식언에 속하므로, 문장 안에서의 기능에 따라서는 ㉠과 ㉢을 구분할 수 없다.

오답 풀이 ① 단어의 의미에 따라 체언을 꾸며 주는 관형사인 ㉠, 다른 말과의 문법적 관계를 나타내는 조사인 ㉡, 주로 용언을 꾸며 주는 부사인 ㉢, 사람이나 사물의 움직임을 나타내는 동사인 ㉣, 놀람이나 느낌, 부름이나 대답을 나타내는 감탄사인 ㉤으로 구분할 수 있다.
③ 단어의 형태가 변할 때 '가변어'라 하는데, 가변어에는 용언과 관계언 중 서술격 조사 '이다'가 있다. ㉠은 수식언, ㉣은 용언에 속하므로 단어의 형태가 변하는지에 따라 이 둘을 구분할 수 있다.
④ 다른 말과의 문법적인 관계를 나타내는 것은 관계언(조사)이므로, ㉡만 해당한다. ㉢은 수식언이다.
⑤ 문장 안에서 독립성을 지니는 것은 독립언(감탄사)이므로, ㉤만 해당한다. ㉣은 용언이다.

⑲ 체언

단계별 트레이닝 | 본문 59쪽 |

1단계 01 사과 02 이순신, 한강 03 사과, 이순신, 한강 04 만큼, 그루, 수, 명 05 ○ 06 × 07 × 08 ○ 09 양수사 10 양수사 11 서수사 12 서수사
2단계 13 ① 14 ② 15 ③

13 정답 ①

명사는 앞에 관형어(꾸미는 말)를 둘 수 있고, 뒤에 조사를 동반할 수 있다. 특히 의존 명사는 앞에 관형어 없이 홀로 쓰일 수 없으므로, 앞에 관형어를 두지 않고 쓰인 ①은 의존 명사로 볼 수 없다. ①은 '그것만이고 더는 없음.'의 의미를 나타내는 보조사이다.

오답 풀이 ② '따름' 앞에 '만나러 왔을'이라는 꾸미는 말을 두고 있다.
③ '것' 앞에 '먹을'이라는 꾸미는 말을 두고 있다.
④ '리' 앞에 '나갔을'이라는 꾸미는 말을 두고 있다.
⑤ '나위' 앞에 '더할'이라는 꾸미는 말을 두고 있다.

> **◉ 명사의 분류**
> 명사를 구분하는 기준은 크게 자립성 유무와 지시 대상의 유일성 여부이다. 자립성 유무에 따라 자립 명사와 의존 명사로 구분한다. 이때 자립 명사는 다시 지시 대상의 유일성 여부에 따라 보통 명사와 고유 명사로 나눌 수 있다.

14 정답 ②

〈보기〉에서 설명하는 품사는 대명사이다. ②에서는 대명사가 사용되지 않았다. '그'는 '사람'을 수식하는 관형사에 해당한다.

오답 풀이 ① '아무'는 어떤 사람을 특별히 정하지 않고 이르는 인칭 대명사로, 부정칭 대명사에 해당한다.
③ '소인'은 신분이 낮은 사람이 자기보다 신분이 높은 사람을 상대하여 자기를 낮추어 이르던 일인칭 대명사이다.
④ '누구'는 특정한 사람이 아닌 막연한 사람을 가리키는 인칭 대명사로, 미지칭 대명사에 해당한다.
⑤ '자기'는 앞에서 이미 말하였거나 나온 바 있는 사람을 도로 가리키는 인칭 대명사로, 재귀칭 대명사에 해당한다.

15 정답 ③

③의 '첫째'는 수사로, '순서가 가장 먼저인 차례'의 의미를 나타내고 있다.

오답 풀이 ①, ④ '맏이'의 의미로 사용되었다.
②, ⑤ '(주로 '첫째로'의 꼴로 쓰여) 무엇보다도 앞서는 것'의 의미로 사용되었다.

⑳ 용언

단계별 트레이닝 | 본문 63쪽 |

1단계 01 동사 02 형용사 03 형용사 04 동사 05 형용사 06 형용사 07 동사 08 동사 09 'ㅜ' 10 'ㅂ' 11 'ㄷ' 12 'ㅅ' 13 'ㅎ' 14 'ㅎ' 15 '러' 16 '르' 17 '여' 18 본용언+보조 용언 19 본용언+본용언 20 본용언+본용언 21 본용언+보조 용언 22 본용언+보조 용언 23 본용언+보조 용언
2단계 24 ② 25 ④ 26 ④

24 정답 ②

'바쁘실 텐데 와 주셔서 감사합니다.'에서 '감사합니다'는 '감사하다'가 기본형인 형용사이다. 그러나 '당신의 친절에 감사합니다.'라든가 '병이 나은 것을 감사하다.'와 같이 '~에/~을 고맙게 여기다.'의 의미일 때는 '감사하다'가 동사로 쓰인다. 감사하다의 유의어인 '고맙다'로 대치가 가능하면 형용사, 그렇지 않으면 동사라고 보면 된다.

오답 풀이 ① '밝는'은 '밝다'가 기본형인 동사이다.
③ '늙었고'는 '늙다'가 기본형인 동사이다.
④ '크지'는 '크다'가 기본형인 동사이다.
⑤ '굳는다'는 '굳다'가 기본형인 동사이다.

25 정답 ④

어간과 어미가 모두 바뀌는 불규칙 활용은 'ㅎ' 불규칙이다. '하얘서'는 '하얗-+-아서'가 만나 '하얘서'가 되었으므로 어간과 어미가 모두 바뀌

는 'ㅎ' 불규칙에 해당한다.

오답 풀이 ① '고르-+-아'가 '골라'가 되었으므로 어간 '르'가 모음 어미 앞에서 'ㄹㄹ'로 변하는 '르' 불규칙에 해당한다. 이는 어간이 바뀌는 경우이다.
② '푸르-+-어'가 '푸르러'가 되었으므로, 어간이 '르'로 끝나는 용언에서 어미 '-어'가 '-러'로 변하는 '러' 불규칙에 해당한다. 이는 어미가 바뀌는 경우이다.
③ '일하-+-어'가 '일하여'가 되었으므로 어간 '하-' 뒤에 오는 어미 '-아/-어'가 '-여'로 변하는 '여' 불규칙에 해당한다. 이는 어미가 바뀌는 경우이다.
⑤ '묻-+-어도'가 '물어도'가 되었으므로 'ㄷ'이 모음 어미 앞에서 'ㄹ'로 변하는 'ㄷ' 불규칙에 해당한다. 이는 어간이 바뀌는 경우이다.

26 정답 ④

'-어서'는 시간적 선후 관계, 이유나 근거, 수단이나 방법을 나타내는 연결 어미로, ㄹ에서는 시간적 선후 관계를 나타낸다. 이때 연결 어미 '-어서'로 연결되는 두 용언은 모두 본용언이다. 그런데 ㄴ의 경우, 앞의 용언('되어')은 본용언이고 뒤의 용언('간다')은 보조 용언이므로, '-어서'로 연결하는 것은 적절하지 않다.

오답 풀이 ① ㄱ은 본용언이 하나('덥다')만 사용된 문장이고, ㄴ은 본용언('되어')과 보조 용언('간다')이 각각 하나씩 사용된 문장이다.
② ㄴ에서 보조 용언('간다')은 본용언('되어')에 진행의 의미를 더한다.
③ ㄷ에서 두 본용언 '먹고'와 '갔다'는 모두 실질적인 의미를 지니고 있으므로 띄어 쓰는 것이 맞다.
⑤ ㄴ은 '-어', ㄷ은 '-고', ㄹ은 '-어서'의 연결 어미를 사용하여 두 용언을 연결하였다.

21 수식언

단계별 트레이닝 | 본문 65쪽 |

1단계 01 ○ 02 ○ 03 × 04 × 05 ○ 06 체 07 수 08 체 09 수 10 작은 11 첫째 12 많은 13 잘생긴 14 김(金) 15 성 16 문 17 성 18 문 19 부사 20 부사 21 관형사
2단계 22 ⑤ 23 ② 24 ④

22 정답 ⑤

<보기>에서는 관형사에 대해 설명하고 있다. ⑤의 '최신'은 명사로, '의'와 같은 조사를 취하여 '최신의'와 같은 형태로 쓰일 수 있다.

오답 풀이 ① '어느'는 뒤에 오는 명사 '가을'을 수식하는 관형사이다.
② '다른'은 뒤에 오는 명사 '일'을 수식하는 관형사이다.
③ '여러'는 뒤에 오는 명사 '차례'를 수식하는 관형사이다.
④ '온갖'은 뒤에 오는 명사 '종류'를 수식하는 관형사이다.

23 정답 ②

②의 '여기'는 지시 대명사로, 조사 '에서'와 결합하여 쓰일 수 있다.

오답 풀이 ① 처소를 가리키는 부사이다.
③, ⑤ 시간을 가리키는 부사이다.
④ 앞에 나온 이야기 또는 행동을 가리키는 부사이다.

24 정답 ④

'아무쪼록'은 '아무쪼록 잘 살기를 바란다.'와 같이 '~하기를 바란다'와 같이 쓰여 소원을 나타내는 말과 호응하는 부사이다.

22 관계언

단계별 트레이닝 | 본문 67쪽 |

1단계 01 보 02 보 03 주 04 에게 05 에 / 에서 06 로 07 하고 08 에 09 에서 10 에서, 에 11 (1) 12 (5) 13 (3) 14 (4) 15 (2)
2단계 16 ⑤ 17 ④ 18 ④

16 정답 ⑤

'조차'는 '이미 어떤 것이 포함되고 그 위에 더함.'의 뜻을 나타내는 보조사로, '그렇게 공부만 하던 철수'까지도 시험에 떨어진 일은 예상하기 어려운 뜻밖의 일이었음을 나타내고 있다.

오답 풀이 ① '이'는 문장 안에서 체언 '하늘'이 주어임을 표시하는 주격 조사이다.
② '가'는 문장 안에서 체언 '모래'가 보어임을 표시하는 보격 조사이다.
③ '에서'는 문장 안에서 집단인 체언 '정부'가 주어임을 표시하는 주격 조사이다.
④ '(으)로서'는 '자격'의 의미를 나타내는 부사격 조사이다.

17 정답 ④

접속 조사인 '와/과'는 앞말의 의미에 의해 선택되는 것이 아니라, 앞말에 받침이 있느냐 없느냐에 따라 선택되는 것이다.

오답 풀이 ① ㄱ의 '께서'는 앞말이 문장의 주체임을 나타내는 주격 조사이고, '에'는 장소를 나타내는 부사격 조사이다.
② ㄱ의 '께서'에는 앞말에 대한 높임의 의미가 담겨 있고, ㄴ의 '이'에는 높임의 의미가 담겨 있지 않다.
③ ㄴ의 주어는 '형과 동생이'이므로, 주격 조사 '이'는 '동생'이 아니라 '형과 동생'에 결합한다.
⑤ ㄷ의 '만의'는 보조사 '만'과 격조사 '의'가 결합한 것이다.

18 정답 ④

'책을 열 권을'은 '책 열 권을' 혹은 '책을 열 권'과 같이 반복되는 두 개의 목적격 조사 중 하나를 생략할 수 있다.

오답 풀이 ① ㄱ에는 목적격 조사 '을' 앞에 보조사 '만'이 들어가 있다.
② ㄴ에는 목적격 조사 '를' 대신 보조사 '는'이 쓰였다.
③ ㄷ의 '누굴'에서 'ㄹ'은 받침 없는 체언 뒤에 붙는 목적격 조사이다.
⑤ ㅁ에서 만남의 대상인 '영수' 뒤에 부사격 조사 '와'와 목적격 조사 '를' 중 어느 것이 와도 상관없다.

㉓ 독립언

단계별 트레이닝 | 본문 69쪽 |

1단계 01 ○ 02 × 03 ○ 04 × 05 × 06 ○ 07 아이고, 허허, 아뿔사, 후유 08 뭐, 에 09 응, 여보, 자 10 아름답구나(형용사), 종소리여(명사+조사), 바로(부사)

2단계 11 ④ 12 ⑤ 13 ②

11
정답 ④

'이런'은 놀람을 나타내는 감정 감탄사에 해당한다.

오답 풀이 ① '정말로'는 부사이다.
② '그랬구나'는 형용사 '그러하다'의 과거형이자, 감탄형에 해당한다.
③ '김 선생님'은 명사에 명사가 결합된 형태이다.
⑤ '돈'은 명사이다.

12
정답 ⑤

ㅂ의 '그럼'은 '그러면'이 줄어든 말로, 감탄사가 아닌 부사이다. 이는 앞의 내용이 뒤의 내용의 조건이 됨을 나타낸다.

13
정답 ②

감탄사는 독립 성분으로, 문장 내의 다른 요소를 수식하거나 다른 요소의 수식을 받지 않는다.

⑱ 품사의 개념 및 분류 ~ ㉓ 독립언

실력 테스트 | 본문 70~71쪽 |

01 ① 02 ① 03 ③ 04 ④ 05 ② 06 ② 07 ④ 08 ④ 09 ⑤ 10 ③

01
정답 ①

'군데'는 '낱낱의 곳을 세는 단위'라는 뜻을 지니는 의존 명사로, 관형사 '여러'의 수식을 받고 있다. 〈보기〉에서는 자립 명사가 단위를 나타내는 경우를 묻고 있으므로 적절한 예로 볼 수 없다.

오답 풀이 ② '그릇'은 '음식이나 물건 따위를 담는 기구'의 의미를 지니는 자립 명사이지만, 여기에서는 수 관형사인 '두'의 수식을 받으며 단위를 나타내는 말로 쓰였다.
③ '덩어리'는 '크게 뭉쳐서 이루어진 것'의 의미를 지니는 자립 명사이지만, 여기에서는 수 관형사인 '세'의 수식을 받으며 단위를 나타내는 말로 쓰였다.
④ '숟가락'은 '밥이나 국물 따위를 떠먹는 기구'의 의미를 지니는 자립 명사이지만, 여기에서는 관형사인 '몇'의 수식을 받으며 단위를 나타내는 말로 쓰였다.
⑤ '발자국'은 '발로 밟은 자리에 남은 모양'의 의미를 지니는 자립 명사이지만, 여기에서는 수 관형사인 '서너'의 수식을 받으며 단위를 나타내는 말로 쓰였다.

02
정답 ①

① '가'에 사용된 '저희'는 1인칭 복수 대명사인 '우리'의 낮춤말이고, '나'에 사용된 '저희'는 앞에서 언급한 사람들을 다시 가리키는 3인칭 대명사이다. 따라서 '저희'는 동일한 대명사가 상황에 따라 1인칭으로 쓰이기도 하고, 3인칭으로 쓰이기도 하는 것이다.

오답 풀이 ② '가'의 '누구'는 미지칭 대명사이고, '나'의 '누구'는 부정칭 대명사이다.
③ '가'의 '그'는 3인칭 대명사이고, '나'의 '그'는 지시 대명사이다.
④ '가'와 '나'의 '너희' 모두 2인칭 대명사이다.
⑤ '가'와 '나'의 '우리' 모두 1인칭 대명사이다.

03
정답 ③

'우리 아버지'는 '나의 아버지'를 친밀하게 나타내는 표현으로, ㉣은 말하는 이와 듣는 이를 아울러 가리키는 말이 아니다. 또한 문맥상 '나'와 '그쪽'을 같은 부모의 자녀로 보기도 어렵다.

오답 풀이 ① ㉠은 대명사 '나'와 관형격 조사 '의'가 결합하여 줄어든 말이다.
② ㉢, ㉥은 모두 듣는 이를 가리키는 말이다.
④ 아버지에 대해 말하는 상황이므로, '자기'의 높임말인 '당신'을 사용한 것이다.
⑤ '것'은 의존 명사이므로 관형어의 꾸밈을 받아야 한다.

04
정답 ④

현재형 종결 어미 '-ㄴ다/-는다'와 명령형 종결 어미 '-아라/-어라', 목적이나 의도를 나타내는 연결 어미 '-(으)러/-(으)려', 그리고 관형사형 전성 어미 '-는'이 올 수 있는 것은 동사이다. 따라서 A에는 동사인 '놓다'가 와야 하며, 동사이므로 '놓는다, 놓아라, 놓으러, 놓으려, 놓는' 등과 같이 활용한다.

05
정답 ②

'타고 갔다'는 '본용언+본용언'의 구성이다. '갔다'는 동사 '타고'의 뒤에 붙어 그 의미를 더하여 주는 것이 아니라, 장소를 이동한다는 의미를 지닌다. '밥을 다 먹어 간다.'와 같은 문장에서의 '간다'가 보조 동사에 해당한다.

◉ **본용언과 보조 용언의 구별 방법**

본용언과 보조 용언 사이에는 '-서'나 다른 문장 성분이 들어갈 수 없다.
예 • 둘이 차를 타고서 갔다. (○) / 둘이 차를 타고 급히 갔다. (○)
→ 타고 갔다(본용언+본용언)
• 밥을 다 먹어서 간다. (×) / 밥을 다 먹어 빨리 간다. (×)
→ 먹어 간다(본용언+보조 용언)

06
정답 ②

②의 '새 옷'에서 '새'는 관형사, '옷'은 명사이다. 또한 '새'와 '옷' 사이에는 다른 말이 끼어들어 '새 실크 옷'과 같이 쓰일 수 있다.

오답 풀이 ① '홑-'은 '한 겹으로 된' 또는 '하나인, 혼자인'의 뜻을 더하는 접두사로, '홑바지, 홑옷, 홑이불, 홑몸'과 같이 일부 명사 앞에만 붙어서 쓰인다.
③ '헛-'은 '이유 없는', '보람 없는'의 뜻을 더하는 접두사이므로, '헛-'과 어근이 결합하여 이루어진 단어의 사이에는 다른 말이 끼어들 수 없다.
④ '군-'은 '쓸데없는' 또는 '가외로 더한, 덧붙은'의 뜻을 더하는 접두사로, 혼자서 독립적으로 쓰일 수 없다. 따라서 뒤에 오는 어근과 반드시 결합하여야 한다.

⑤ '맨-'은 '다른 것이 없는'의 뜻을 더하는 접두사로, 특정 어휘와만 결합하여 제한된 어휘를 생산하므로 분포상의 제약을 갖는다고 볼 수 있다.

07 정답 ④

'또는'은 앞의 단어와 뒤의 단어를 이어 주는 접속 부사로 조사와 결합하기 어렵다. 그러나 나머지 부사들은 '아직은', '무척이나', '빨리는', '얼른만' 등과 같이 조사와 결합할 수 있다.

08 정답 ④

'앞으로 네가 나에게 무슨 말을 해도 믿지 않을 생각이다.'에서 '에게'는 원인, 처소, 출발점의 의미를 갖는 것이 아니라 행동이 미치는 대상의 의미를 갖는 부사격 조사이다.

오답 풀이 ①, ② 앞말이 처소의 뜻을 갖게 하는 격 조사 '에'가 들어갈 수 있다.

③ 앞말이 출발점의 뜻을 갖게 하는 격 조사 '에서'가 들어갈 수 있다.

⑤ 앞말이 원인의 뜻을 갖게 하는 격 조사 '에, 으로'가 들어갈 수 있다.

09 정답 ⑤

ㄴ에서 '아빠의 친구'는 '아빠 친구'와 같이 관형격 조사를 생략할 수 있다. 이것은 앞 체언이 뒤 체언의 의미상 목적어일 때가 아니라, '소유' 혹은 '소속'의 의미를 가질 때 생기는 현상이다.

오답 풀이 ① ㄴ은 '의'를 생략하여 '아빠 친구'로 표현해도 자연스럽다. 단, ㄷ의 '철학의 종말'에서는 '의'를 생략하면 문맥이 어색해진다.

② ㄴ에서 '아빠의'나 '아빠' 모두 의미와 기능(문장에서의 관형어 역할) 면에서는 동일하다.

③ ㄱ에서 '내', '제', '네'는 각각 인칭 대명사인 '나', '저', '너'에 관형격 조사인 '의'가 결합된 형태이다.

④ ㄹ에서 '사람들의'는 체언 '사람'에 접미사 '-들', 관형격 조사 '의'가 결합한 형태이다. '사람들의'는 뒤에 오는 '기막힌 사연'이라는 명사구를 수식한다.

10 정답 ③

'아뿔싸'는 일이 잘못되었거나 미처 생각하지 못했던 것을 깨닫고 뉘우칠 때 가볍게 나오는 소리로, 상대방을 의식하지 않고 감정을 표출하는 감정 감탄사에 해당한다.

오답 풀이 ① '여보'는 어른이 자신과 가까이 있는 비슷한 나이 또래의 사람을 부를 때 쓰는 말로, 상대방을 의식하며 자기의 생각을 드러내는 의지 감탄사에 해당한다.

② '아서라'는 그렇게 하지 말라고 금지할 때 하는 말로, 상대방을 의식하며 자기의 생각을 드러내는 의지 감탄사에 해당한다.

④ '자'는 남에게 어떤 행동을 권하거나 재촉할 때 하는 말로, 상대방을 의식하며 자기의 생각을 드러내는 의지 감탄사에 해당한다.

⑤ '어따'는 무엇이 몹시 심하거나 하여 못마땅해서 빈정거릴 때 내는 소리로, 상대방을 의식하며 자기의 생각을 드러내는 의지 감탄사에 해당한다.

Ⅲ 문장 성분과 문장의 구조

24 문장의 개념과 구성단위

단계별 트레이닝 | 본문 75쪽 |

1단계 01 내용, 표지 02 주어, 서술어 03 ㉢ 04 ㉡ 05 ㉡ 06 ㉠ 07 ㉢ 08 ㉠ 09 앞발이, 짧다 10 내가, 본 11 그가, 거짓말했음 12 사람들이, 기다렸던 13 서술어 기능 14 서술어 기능 15 관형어 기능 16 부사어 기능 17 주어 기능

2단계 18 ⑤ 19 ③ 20 ③ 21 ④

18 정답 ⑤

㉡ '내가 읽고 싶은'은 '주어+서술어'의 형태를 갖추고 있으므로 절에 해당한다.

오답 풀이 ① 주어, 서술어가 생략되었더라도 문장으로 볼 수 있다.

② '나'라는 주어와 '간다'라는 서술어가 생략되어 있다.

③ '우리 동네'는 두 단어가 모여 하나의 구를 이룬 것이다.

④ '내가 / 읽고 / 싶은'의 세 어절로 이루어져 있다.

19 정답 ③

'밝는다'는 동작을 나타내는 말로, 문장의 기본 골격에서 '어찌한다'에 해당한다. 따라서 ③은 ㉠을 기본 골격으로 하는 문장이다.

20 정답 ③

'우리 학교'는 명사구에 관형격 조사 '의'가 붙어서 뒤에 오는 '교화'라는 명사를 꾸미고 있으므로, 관형어 기능을 하는 구이다.

오답 풀이 ①, ④ 주어 기능을 한다.

② 부사어 기능을 한다.

⑤ 서술어 기능을 한다.

21 정답 ④

'이미 알고 있었다'는 둘 이상의 어절이 모여 하나의 단어와 동등한 기능을 수행하는 단위인 '구'이며, 전체 문장에서 서술어 기능을 한다.

25 문장 성분

단계별 트레이닝 | 본문 77쪽 |

1단계 01 관형어 02 부사어 03 목적어 04 독립어 05 서술어 06 주어 07 보어 08 서술어 09 보어 10 부사어 11 목적어 12 관형어 13 독립어 14 주어 15 한 자리 16 한 자리 17 두 자리 18 세 자리 19 세 자리 20 두 자리 21 두 자리 22 세 자리 23 두 자리

2단계 24 ② 25 ② 26 ⑤

24 정답 ②

㉡ '아니라'는 서술어이다.

25 정답 ②

문장 성분의 주성분에는 '주어, 서술어, 목적어, 보어'가 있다. ㉡은 문장에서 목적어에 해당하므로 주성분으로 볼 수 있다.

오답 풀이 ① ㉠은 '도시'를 수식하는 관형어이므로 부속 성분에 해당한다.
③ ㉢은 '달려가고 있다'를 수식하는 부사어이므로 부속 성분에 해당한다.
④ ㉣은 '돌아가게'를 수식하는 부사어이므로 부속 성분에 해당한다.
⑤ ㉤은 '올라온'을 수식하는 부사어이므로 부속 성분에 해당한다.

26 정답 ⑤

〈보기〉의 '열다'는 주어(우리 조상들은)와 목적어(모임을)를 필요로 하는 두 자리 서술어이다. ⑤의 '여기다'는 주어(나는)와 목적어(현성이를), 부사어(친구로)를 필요로 하는 세 자리 서술어이다.

26 주성분

단계별 트레이닝 | 본문 79쪽 |

1단계 01 무지개가, 예쁘다 02 달이, 뜨는구나 03 그것은, 잘못이, 아니다 04 명수는, 사과를, 샀다 05 큰아버지께서, 교수님이, 되셨다 06 아버지께서, 노래하셨다 07 우리는, 책을, 읽었다 08 보어, d 09 주어, b 10 서술어, a 11 주어, d 12 목적어, a 13 주어, c 14 목적어, b 15 d 16 c 17 d 18 a 19 b 20 a

2단계 21 ③ 22 ③ 23 ⑤

21 정답 ③

㉢은 부사어로서, 주성분에 해당하지 않는다.

오답 풀이 ① ㉠은 보어이다.
② ㉡은 서술어이다.
④ ㉣은 서술어이다.
⑤ ㉤은 주어이다.

22 정답 ③

㉠의 '빵을'과 ㉤의 '우유나'는 모두 목적어이다. 이로 보아, ㉠과 ㉤ 모두 목적어가 생략되지 않았음을 알 수 있다.

오답 풀이 ① ㉠의 '빵'은 '먹다'의 대상이고, ㉢의 '모습'은 '보다'의 대상이다.
② ㉠에서는 목적어가 서술어 앞에 위치하고 있고, ㉢에서는 목적어가 주어 앞에 위치하고 있다.
④ ㉠에는 목적어가 필요하지만 ㉥에는 목적어가 필요하지 않다.
⑤ ㉡과 ㉣을 보면 음운적 환경에 따라 목적격 조사가 달라짐을 알 수 있다.

23 정답 ⑤

'할머니께서'의 '께서'는 보조사가 아니라 주격 조사이다.

오답 풀이 ① 보조사 '도'가 붙어 주어가 되었다.
② 보조사 '마저'가 붙어 주어가 되었다.
③ 보조사 '만'이 붙어 주어가 되었다.
④ 보조사 '는'이 붙어 주어가 되었다.

27 부속 성분과 독립 성분

단계별 트레이닝 | 본문 81쪽 |

1단계 01 이, 반드시 02 아름다운 03 먼저 04 아이, 얼굴에, 흠뻑 05 학교에, 많은 06 얼마나 07 그녀의, 간절함의 08 모든 09 황급히 10 아직 11 지금도, 선생님의, 그 12 b 13 a 14 b 15 a 16 아이구 17 순영아 18 인생 19 감탄사 단독 20 체언+호격 조사 21 제시어(체언)

2단계 22 ② 23 ⑤ 24 ⑤

22 정답 ②

'주어+닮다' 구성은 비문법적이며, '주어+부사어(~와/과)+닮다'의 구성으로 써야 한다. 그러므로 ②에서 '동생과'는 문장에서 꼭 필요한 필수적 부사어이다.

23 정답 ⑤

'새'는 관형사이므로 ㉤은 관형사가 단독으로 관형어가 된 것이다.

오답 풀이 ① ㉠은 수량을 나타내는 관형사로, 관형사는 그 자체로 관형어가 된다.
② ㉡은 '잔털 따위가 좀 거칠게 일어나다.'라는 뜻을 지닌 '가스러지다'의 관형사형 '가스러진'이 관형어로 쓰인 것이다.
③ ㉢은 체언인 '주인'에 관형격 조사 '의'가 붙어 관형어가 된 것이다.
④ '꼬리'를 꾸미는 ㉣은 '(꼬리가) 몽당비처럼 짧게 쓸렸다.'라는 문장이 관형절로 안긴 것이다. 관형절은 문장에서 관형어의 기능을 한다.

24 정답 ⑤

'신이시여'는 체언+호격 조사, '글쎄'와 '음'은 감탄사이므로, 문장의 어느 성분과도 직접적인 관련이 없는 문장 성분인 독립어에 해당한다.

24 문장의 개념과 구성단위 ~ 27 부속 성분과 독립 성분

실력 테스트 | 본문 82~83쪽 |

01 ③ 02 ⑤ 03 ② 04 ④ 05 ③ 06 ③ 07 ② 08 ⑤ 09 ②

01 정답 ③

㉢ '지하철에'는 처소를 나타내는 부사어이다.

오답 풀이 ① ㉠은 목적어로서, 목적격 조사 '을'이 생략되고 보조사만 붙어 사용되었다.
② ㉡은 '분'을 꾸미는 관형어로 사용되었다.
④ ㉣은 서술어 '차 있었다'를 꾸미는 부사어로 사용되었다.
⑤ ㉤은 서술어로 사용되었다.

02 정답 ⑤

'닮았다'는 '상우는'이라는 주어만으로는 문장이 성립하지 않으며, '아버지와'라는 필수적 부사어를 요구하므로 두 자리 서술어이다.

오답 풀이 ① '달린다'는 주어만 요구하는 한 자리 서술어이다.
② '읽는다'는 주어와 목적어를 요구하는 두 자리 서술어이다.
③ '입었다'는 주어와 목적어를 요구하는 두 자리 서술어이며, '입혔다'는 주어, 목적어, 필수적 부사어를 요구하는 세 자리 서술어이다.

④ '여긴다'와 '삼았다'는 모두 주어, 목적어, 필수적 부사어를 요구하는 세 자리 서술어이다.

03 정답 ②

ㄴ의 '식당에서'는 필수적 부사어가 아니므로 필수적인 문장 성분은 세 개(주어, 목적어, 서술어)이다.

오답 풀이 ① ㄱ에서 '작은', '침대에서'와 '예쁘게'는 필수적인 성분이 아니다.

③ ㄷ에서 부사어인 '예쁘게'는 필수적인 문장 성분이다.

④ ㄹ에서 '것'은 의존 명사이므로 관형어가 반드시 필요하다.

⑤ ㅁ에는 서술어 '개통될지'와 호응하는 '도로가'와 같은 주어가 필요하다.

04 정답 ④

문장을 이루는 데 꼭 필요한 성분은 '주어, 목적어, 보어, 서술어'이고, 그 외에 '필수적 부사어'가 있다. 서술어 '걸다'는 주어(경철이는), 필수적 부사어(벽에), 목적어(그림을)를 필요로 하는 세 자리 서술어이다.

오답 풀이 ① '거짓말을'이라는 목적어도 필수 성분에 해당한다.

② '그'는 관형어이므로 부속 성분에 해당한다.

③ '차례대로'는 부사어이므로 부속 성분에 해당한다.

⑤ '학생들에게'는 '시켰다'가 필요로 하는 필수적 부사어이다.

05 정답 ③

③은 관형어와 부사성 의존 명사의 결합형이 부사어로 쓰인 것이다.

오답 풀이 ① '꽤'는 부사로서 부사어이다.

② '빠르게'는 '빠르다'의 활용형이다.

④ '고향으로'라는 부사어는 '고향'이라는 체언과 '으로'라는 조사의 결합형이다.

⑤ '계획했던 만큼'은 '계획했던'이라는 관형어와 '만큼'이라는 부사성 의존 명사의 결합형이다.

06 정답 ③

ㄹ은 두 관형어가 나열된 경우이다. 이때 '온갖'과 '저'는 뒤에 오는 '새'와 '두'를 꾸미는 것이 아니라 체언인 '물건들'과 '남자'를 꾸미는 역할을 한다.

오답 풀이 ① ㄱ의 '-던', '-는', '-ㄹ'은 시간의 의미를 담고 있다.

② ㄴ은 형용사 '새롭다', '예쁘다', 동사 '달리다'의 어간에 관형사형 어미가 결합하여 관형어로 쓰인 것이다.

④ ㄴ은 용언이 변형되어 관형어로 쓰인 것이고, ㄷ은 체언에 결합된 서술격 조사 '이다'가 변형되어 관형어로 쓰인 것이다.

⑤ 관형어는 문장에서 꾸밈을 받는 체언 앞에 위치한다.

07 정답 ②

②의 '겨우'는 부사로 서술어인 '완성했다'를 수식하고 있으므로, 관형어의 형성 방법에 따른 문장 성분으로 볼 수 없다.

오답 풀이 ① 관형사가 그대로 관형어가 된 경우이다.

③ 관형격 조사 '의'가 생략되어 '체언+체언'의 구성으로 된 경우이다.

④ 용언 어간에 관형사형 어미가 결합되어 실현된 것이다.

⑤ 체언에 관형격 조사 '의'가 결합되어 실현된 것이다.

08 정답 ⑤

'주다'의 대상으로서 '~에게'는 필수적으로 요구되는 부사어이고, '빌리다'의 대상으로서 '~에게' 역시 필수적으로 요구되는 부사어이다.

오답 풀이 ① '삼촌과'는 필수적 부사어가 아니고, '이것과'는 필수적 부사어이다.

② '궤도에서'는 필수적 부사어이고, '공원에서'는 필수적 부사어가 아니다.

③ '몽둥이로'는 필수적 부사어가 아니고, '사위로'는 필수적 부사어이다.

④ '벼농사에'는 필수적 부사어이고, '오후에'는 필수적 부사어가 아니다.

09 정답 ②

㉡ '친구처럼'과 ㉣ '점점'을 각각 문장 내에서 위치를 바꾸어 '보름달은 친구처럼 친한 다정하다.', '밝은 점점 보름달이 다가온다.'로 쓰면 부자연스러운 문장이 된다. 이를 통해 부사어라고 해서 모두 문장 내에서 위치를 마음대로 옮길 수 있는 것은 아님을 알 수 있다.

오답 풀이 ① '정말'은 형용사 '아름답다'를, '점점'은 동사 '다가오다'를 수식한다.

③ '대체'는 생략을 해도 문장이 자연스럽다. 하지만 '친구에게'는 생략이 되면 '보여 주다'의 대상이 없어져서 부자연스러워진다.

④ '대체'는 문장 전체를 수식하는 반면에, '꼭'은 서술어인 '보여 주고 싶다'만 수식한다.

⑤ '친구에게'와 '꼭'은 모두 부사어이다.

㉘ 문장의 짜임 1

단계별 트레이닝 | 본문 85쪽 |

1단계 01 (1) 겹문장 (2) 서술절을 안은 문장 02 겹 03 겹 04 홑 05 겹 06 겹 07 겹 08 겹 09 홑 10 겹 11 겹 12 겹 13 서술절 14 부사절 15 서술절 16 부사절 17 관형절 18 명사절 19 관형절 20 인용절 21 명사절 22 인용절

2단계 23 ④ 24 ③

23 정답 ④

㉣에서 '겨울이 오기'라는 명사절에 조사가 결합하지 않은 것은 맞지만, 이 절이 부사어로 쓰인 것은 아니다. 이 명사절은 명사인 '전'을 수식하고 있으므로 관형어로 쓰였음을 알 수 있다.

24 정답 ③

㉢을 분석하면, '영수는 학교로 가 버렸다.'라는 문장에 '(영수는) 말도 없었다.'라는 문장이 안겨 있는 형태이다. ㉢에서 안긴문장인 '말도 없이'는 부사절로, 안은문장의 서술어인 '가 버렸다'를 수식하고 있다. 따라서 부사어인 '학교에'를 수식한다는 것은 적절하지 않다.

오답 풀이 ① 서술절인 '키가 매우 크다.'가 안은문장의 주어인 '영수는'의 서술어 기능을 하고 있다.

② 관형절인 '꽃이 핀'은 체언인 '사실'을 수식하면서 그 의미를 제한하고 있다.

④ 명사절인 '공원을 산책하기'의 주어는 '영수는'이며, 이는 안은문장의 주어와 동일하다.

⑤ 인용절인 '빨리 오라'는 안은문장의 주체인 영수가 한 말을 인용한 것이다.

㉙ 문장의 짜임 2

단계별 트레이닝 | 본문 87쪽 |

1단계 01 종속 02 종속 03 대등 04 대등 05 종속 06 종속 07 대등 08 대등 09 c 10 f 11 a 12 a 13 c 14 d 15 e 16 b 17 d

2단계 18 ④ 19 ④ 20 ④ 21 ⑤

18

정답 ④

④는 '불이 꺼졌다.'와 '방 안이 어두워졌다.'가 종속적으로 이어진 문장으로, 원인이나 이유를 나타내는 종속적 연결 어미 '-니까'가 사용되었다.

오답 풀이 ① 서술절을 안은 문장이다.

② 주어와 서술어가 한 번만 나타나는 홑문장이다.

③ 인용절을 안은 문장이다.

⑤ 관형절을 안은 문장이다.

19

정답 ④

'울어서(울-+-어서)'의 '-어서'는 원인(이유)을 나타내는 종속적 연결 어미이다.

오답 풀이 ①의 '-고', ②의 '-거나', ③의 '-지만', ⑤의 '-으나'는 대등적 연결 어미이다.

20

정답 ④

'-지만'은 대등적 연결 어미이다.

오답 풀이 ① '-러'는 목적(의도)을 나타내는 종속적 연결 어미이다.

② '-아서'는 원인(이유)을 나타내는 종속적 연결 어미이다.

③ '-면'은 조건을 나타내는 종속적 연결 어미이다.

⑤ '-는데'는 배경(상황)을 나타내는 종속적 연결 어미이다.

21

정답 ⑤

ㄴ은 '지훈이가 성실하고 눈이 크다.'가 관형절로 안겨 있으며, 안긴문장은 주어와 서술어만으로 이루어져 있다. 따라서 ㄴ의 안긴문장이 목적어를 가지지 않는다는 설명은 적절하다.

오답 풀이 ① ㄱ에는 '눈이 크다'가 서술절로 안겨 있으며, 이는 전체 문장의 서술어 역할을 하고 있다.

② ㄱ은 '눈이 크다'라는 서술절을 안고 있는 문장으로, 주어와 서술어의 관계가 두 번 이상 나타난다. 따라서 겹문장이다. 서술절 '눈이 크다'에서 '눈이'는 주어, '크다'는 서술어이다.

③ ㄴ에서 '성실하다'의 주어는 '지훈이가'이지만 '크다'의 주어는 '눈이'이다.

④ ㄴ의 안긴문장은 '지훈이가 성실하고 눈이 크다.'로, '지훈이가 성실하다.'와 지훈이가 '눈이 크다.'가 대등적 연결 어미인 '-고'로 이어져 있다.

㉘ 문장의 짜임 1 ~ ㉙ 문장의 짜임 2

실력 테스트 | 본문 88~89쪽 |

01 ② 02 ③ 03 ⑤ 04 ② 05 ⑤ 06 ③ 07 ② 08 ②

01

정답 ②

②는 주어(그이는)와 서술어(신고 있다)의 관계가 한 번만 나타난다.

오답 풀이 ① 서술절(키가 매우 크다)을 안은 문장이다.

③ 명사절(수정이가 최선을 다했음)을 안은 문장이다.

④ 인용절("나는 네가 좋아.")을 안은 문장이다.

⑤ 부사절(누구나 그의 목소리를 들을 수 있도록)을 안은 문장이다.

02

정답 ③

'4시 30분에 출발하는'은 명사인 '첫차'를 꾸며 주고 있다. 따라서 (나)의 ⓑ'는 관형어의 역할을 하는 홑문장을 안은 문장이라고 말할 수 있다.

03

정답 ⑤

㉠은 '내가 노래 부르기'라는 명사절이 '친구들은 원한다.'라는 문장에 목적어로 안겨 있는 겹문장이다. ㉡은 '이 지역 토양이 벼농사에 적합함'이라는 명사절이 '우리는 몰랐다.'라는 문장에 목적어로 안겨 있는 겹문장이다. ㉠의 안긴문장인 '내가 노래 부르기'에는 '노래(를)'라는 목적어가 있지만, ㉡의 안긴문장인 '이 지역 토양이 벼농사에 적합함'에는 목적어가 없다.

오답 풀이 ① ㉠에는 부사어가 없지만, ㉡에는 '벼농사에'라는 부사어가 있다.

②, ③ ㉠과 ㉡ 모두 명사절이 안겨 있다.

④ ㉠에는 관형어가 없지만, ㉡에는 '이'가 '지역'을 수식하는 관형어로 쓰이고 있으며, '이 지역'이라는 구 역시 '토양'을 수식하는 관형어로 쓰이고 있다.

04

정답 ②

ㄱ의 경우에는 대등하게 이어져 있어서 앞뒤 문장의 순서가 바뀌어도 동일한 의미를 나타내지만, ㄴ의 경우에는 종속적으로 이어져 있으므로 앞뒤 문장의 순서가 바뀌면 동일한 의미를 나타내지 못한다.

오답 풀이 ① ㄱ은 대조, ㄴ은 조건의 의미 관계로 연결되어 있다.

③ ㄱ에서는 '동생은', ㄹ에서는 '영수가'가 생략되어 있다.

④ ㄷ은 안긴문장이 명사처럼 쓰였고, ㄹ은 안긴문장이 명사를 꾸미고 있다.

⑤ ㄷ에서는 안긴문장의 주어와 안은문장의 주어가 다르고, ㄹ에서는 안긴문장의 주어와 안은문장의 주어가 같다.

05

정답 ⑤

'영희는 동생이 산 빵을 먹었다.'는 '동생이 (빵을) 산'이라는 관형절을 안은 문장이다. '동생이 (빵을) 산'은 안은문장의 '빵을'과 중복되는 관형절의 목적어인 '빵을'을 생략한 것이다. 한편 '그는 우리가 돌아온 사실을 모른다.'는 '우리가 돌아온'이라는 관형절을 안은 문장이다. 그런데 '우리가 돌아온'은 생략된 성분이 없으므로 안은문장의 목적어가 생략되었다는 진술은 적절하지 않다.

06

정답 ③

㉮의 '-지'는 보조적 연결 어미, ㉯의 '-면'은 조건을 나타내는 종속적 연결 어미, ㉰의 '-고'는 대등적 연결 어미, ㉱의 '-으러'는 목적(의도)을 나타내는 종속적 연결 어미, ㉲의 '-거나'는 대등적 연결 어미, ㉳의 '-고'는 보조적 연결 어미, ㉴의 '-게'는 보조적 연결 어미이다.

07

정답 ②

ㅁ을 보면 '-(으)면서'는 '-자'와 달리 다양한 문장 유형과 어울릴 수 있음을 확인할 수 있다.

오답 풀이 ① '-었-'은 과거 시제를 나타내는 선어말 어미로, 연결 어미 '-(으)면서'와 '-자' 모두 '-었-'을 썼을 경우 어색한 문장이 된다.

③ ㄴ처럼 앞뒤 문장의 주어가 다른 경우는 문장이 성립하지만, ㄷ처럼 앞뒤 주어가 같을 경우 어색한 문장이 됨을 알 수 있다.

④ '상냥하면서 차분하다.'는 문법적으로 어색하지 않은 문장이지만, '상냥하자 차분하다.'는 문법적으로 어색한 문장이 된다. 따라서 '-(으)면서'는 '-자'와 달리 형용사와 잘 어울린다고 할 수 있다. 또한 '상냥하다'와 '차분하다'는 모두 사람의 성격을 나타내는 말로, 이를 '동시'의 의미를 나타내는 '-(으)면서'로 연결할 때 '나열'의 의미도 함께 지니게 됨을 알 수 있다.

⑤ ㅂ에서 '-(으)면서'가 부정 표현과 함께 사용되어, '뉴스를 보지 않음.'의 의미를 강조하게 됨으로써 '동시'의 의미를 상실한다는 것을 알 수 있다.

08

정답 ②

②는 '그는 음악을 들으면서 공부를 한다.'의 의미이다. 즉, ②에서 '그'는 두 가지 일을 동시에 하고 있기 때문에, '-며'는 동시의 시간 관계를 나타내는 연결 어미라고 볼 수 있다.

오답 풀이 ①, ③, ④, ⑤ 대등적 연결 어미로서의 '-며'이다. 대등적 연결 어미로서의 '-며'는 동시의 의미를 나타내는 '-면서'로 교체했을 때 문장이 어색해진다.

IV 국어의 문법 범주

30 문장 종결 표현

단계별 트레이닝 | 본문 95쪽 |

1단계 01 평서문 02 감탄문 03 명령문 04 의문문 05 청유문 06 간접 명령문 07 판정 의문문 08 설명 의문문 09 직접 명령문 10 허락 명령문 11 수사 의문문 12 의문문 / 명령 13 평서문 / 명령 14 청유문 / 명령, 주의, 경고

2단계 15 ② 16 ② 17 ④

15

정답 ②

②의 문장의 종류는 의문문이고, 실제 언어 사용에서의 기능은 질문이다. 따라서 문장의 종류와 기능이 일치하는 경우로 볼 수 있다.

오답 풀이 ① 문장의 종류는 의문문이나, 실제 언어 사용에서의 기능은 비난이나 질책으로 볼 수 있다.

③, ⑤ 문장의 종류는 의문문이나, 실제 언어 사용에서의 기능은 명령이나 주의, 경고로 볼 수 있다.

④ 문장의 종류는 의문문이나, 실제 언어 사용에서의 기능은 동의로 볼 수 있다.

16

정답 ②

②의 '어디 보자.'는 단순한 혼잣말로, 상대방에 대해 특별한 행동을 요구하고 있지 않다.

오답 풀이 ①, ③, ④, ⑤ 밑줄 친 부분의 의미는 이어지는 대화 상황으로 보아 청자의 구체적 행위를 직 · 간접적으로 요청하고 있음을 알 수 있다.

17

정답 ④

④의 화자는 식사를 마친 사람에게 자신은 식사를 계속하겠다는 뜻을 전달하고 있으므로, ㉠의 '화자만 행하려는 행동'을 나타내는 문장으로 볼 수 있다.

오답 풀이 ①, ② 청자만 행하기를 바라는 문장에 해당한다.

③, ⑤ 화자가 청자에게 같이 행동할 것을 요청하는 문장에 해당한다.

31 높임 표현

단계별 트레이닝 | 본문 97쪽 |

1단계 01 여러분, 읽으십시오 02 할머니께서, 드신다 03 아버지께, 드렸다 04 부모님을, 모시고 05 높으셔요 06 할머님 07 선생님 08 듣는 이(청자) 09 할아버지, 아버지 10 할아버지 11 아버지 12 주무신다 13 드신다 / 잡수신다 14 돌아가셨다 15 모셔다 16 뵈니 17 ㉠, ㉣ 18 ㉡, ㉢ 19 ㉤, ㉥

2단계 20 ④ 21 ④ 22 ②

20

정답 ④

④에서 '께서', '가셨습니다'의 '-시-'는 문장의 주어인 '어머니'를 높이는 주체 높임 표현이고, '-습니다'는 청자를 높이는 상대 높임 표현이다. 또 '모시고'는 목적어인 '할머니'를 높이는 객체 높임 표현이다.

오답 풀이 ① '뵈었다'는 목적어인 '선생님'을 높이는 객체 높임 표현이다.

② '사장님'과 관련된 대상인 '돈'을 '많으시다'로 높인 것은 간접 높임 표현이고, '-아요'라는 종결 어미는 상대 높임 표현이다.

③ '께'와 '드렸다'는 부사어인 '교수님'을 높이는 객체 높임 표현이다.

⑤ '께서', '퇴근하시고'의 '-시-', '가셨다'의 '-시-'는 주어인 '아버지'를 높이는 주체 높임 표현이다.

21

정답 ④

ㄱ의 '-시-'는 주체 높임을 나타내는 선어말 어미이다. 그러나 ㄴ의 '시'는 동사 어간 '모시-'의 일부분이다.

오답 풀이 ① 할아버지의 걱정을 높이는 간접 높임법이 사용되었다.

② 목적어인 '아버지'를 높이는 객체 높임법이 사용되었다.
③, ⑤ 앞 문장의 '내'와 '같네'가 뒤 문장에서 '제'와 '같습니다'로 교체되면서 상대 높임이 실현되었다. 상대 높임의 의미 차이를 제외하면 두 문장의 기본적 의미는 같다.

22 정답 ②

'죽다'의 높임말은 '돌아가시다'이다. 따라서 '죽은'은 '돌아가신'으로 고쳐야 바른 높임 표현이 된다.

◉ **특수 어휘에 의한 주체 높임법**

특수 어휘에 의해 실현되는 주체 높임법의 경우, 특수 어휘 대신에 '-(으)시-'를 붙이는 것만으로는 높임법이 실현되지 않는다.

- 선생님께서는 지금 댁에 있으시다.(×)
  선생님께서는 지금 댁에 계신다.(○)
- 할아버지께서 조금 아프시다.(×)
  할아버지께서 조금 편찮으시다.(○)

㉜ 시간 표현

단계별 트레이닝 | 본문 101쪽 |

1단계 01 과거 시제 02 현재 시제 03 미래 시제 04 동작상 05 현재 시제 06 미래 시제 07 과거 시제 08 ㉠ 09 ㉣ 10 ㉢ 11 ㉢ 12 ㉡ 13 ㉡ 14 진행상 15 완료상 16 완료상 17 진행상

2단계 18 ④ 19 ② 20 ①

18 정답 ④

①의 '개었다', ②의 '만났다', ③의 '먹었다', ⑤의 '국회 의원이었다'는 모두 과거의 사건을 말하고 있다. 그러나 ④의 '글렀다'는 의미상 과거의 사건이 아니라 미래의 사건을 말하고 있다.

19 정답 ②

㉠은 현재 시제이고, 동작상은 드러나 있지 않다. ㉡은 과거 시제이고, 책 읽는 행위가 완료되었음을 나타내므로 완료상에 해당한다. ㉢은 과거 시제이고, 밥 먹는 행위가 진행 중임을 나타내므로 진행상에 해당한다.

20 정답 ①

①의 '-겠-'은 완곡하게 말하는 태도를 나타내며, 간접적으로 청자의 허락을 구하는 의미를 담고 있다.

오답 풀이 ② 주어의 의지를 나타낸다.
③, ④ 미래의 일에 대한 추측을 나타낸다.
⑤ 말하는 이의 의지를 나타낸다.

㉝ 능동과 피동 표현

단계별 트레이닝 | 본문 103쪽 |

1단계 01 능동, 피동 02 주체, 동작 03 목적어 04 피동문 05 피동문 06 피동문 07 능동문 08 피동문 09 능동문 10 피동문 11 (1) 주어 (2) 부사어 12 온 마을이 폭풍에 휩쓸렸다. 13 고막이 천둥소리에 찢길 듯하다. 14 내가 지나가던 사람에게 왈칵 떠밀렸다.

2단계 15 ③ 16 ① 17 ④

15 정답 ③

③은 '가-'라는 용언의 어간에 '-게 되다'가 붙어 피동문이 되었으므로, 통사적 방식에 의한 피동문이다.

오답 풀이 ①, ②, ④, ⑤ '-되다'라는 접사가 사용되어 피동문이 되었으므로, 접미사에 의한 피동문이다.

16 정답 ①

ㄱ은 동일한 의미의 능동문을 찾을 수 없으므로 능동문이 변형되어 생성된 피동문이 아님을 알 수 있다. 또 '풀리다'는 '춥던 날씨가 누그러지다.'의 의미로 피동의 의미는 있지만, 피동사가 아니다.

오답 풀이 ② 피동 표현은 동작을 당하는 주체에 초점을 둘 때 사용하므로, ㄴ은 '양'에 초점을 둔 문장이다.
③ '온 나라가 태풍에 휩쓸렸다.'를 능동문으로 바꾸면 주어 '온 나라가'는 목적어가 되고 부사어 '태풍에'는 주어가 되므로, '태풍이 온 나라를 휩쓸었다.'가 된다.
④ 조사 '에게'를 사용하여 ㄹ을 피동문으로 바꾸면 '그의 오해가 동생에게 풀렸다.'가 되어 어색한 문장이 된다. '풀리다, 걸리다, 닫히다' 등의 일부 단어는 '에게'보다 '~에 의해'를 사용하여 피동문을 만드는 것이 자연스러우므로 '그의 오해가 동생에 의해 풀렸다.'와 같이 피동문을 만드는 것이 적절하다.
⑤ ㅁ에서 '부지런히'의 주체는 메뚜기가 아닌 영희이다. 피동문을 '메뚜기가 부지런히 영희에게 잡혔다.'와 같이 표현할 경우, '부지런히'의 주체가 메뚜기로 바뀌므로 ㅁ과 같은 의미를 지니지 않는다. 따라서 '부지런한 영희'와 같이 능동문의 부사어를 피동문의 관형어로 바꿔야 한다.

17 정답 ④

④는 대응되는 능동문이 없다. ④를 능동문으로 바꾸면 '냉혹한 현실이 그를 부딪었다.'가 되므로 비문이다. 이는 '냉혹한 현실이'가 능동성을 갖는 주어가 아니기 때문에 생기는 현상으로 볼 수 있다.

오답 풀이 ① 능동문: 학생들이 반장을 뽑았다.
② 능동문: 경비원이 도둑을 붙잡았다.
③ 능동문: 적군이 수도를 점령하였다.
⑤ 능동문: 언니가 다리를 다친 동생을 업었다.

34 주동과 사동 표현

단계별 트레이닝 | 본문 105쪽 |

1단계 01 사동 02 주체 03 부사어 04 피동문 05 피동문 06 사동문 07 사동문 08 사동문 09 사동문 10 피동문 11 피동문 12 아이를 굶겼다. 13 방안을 밝혔다. 14 영희를 울렸다. 15 나에게 동화책을 읽힌다. 16 사람들에게 모임 장소를 알렸다.

2단계 17 ⑤ 18 ③ 19 ②

17

정답 ⑤

'놀렸다'는 '놀리다'의 과거형이며, '놀리다'는 '놀다'의 사동사로 쓰인 것이 아니라, '짓궂게 굴거나 흉을 보거나 웃음거리로 만들다.'라는 뜻의 주동사이다.

오답 풀이 ① '울렸다'는 '울리다'의 과거형이며, '울리다'는 '울다'의 사동사이다.

② '먹였다'는 '먹이다'의 과거형이며, '먹이다'는 '먹다'의 사동사이다.

③ '입혔다'는 '입히다'의 과거형이며, '입히다'는 '입다'의 사동사이다.

④ '읽혔다'는 '읽히다'의 과거형이며, '읽히다'는 '읽다'의 사동사이다.

18

정답 ③

③의 '누나가 이모에게 아기를 업혔다.'에서 '업히다'는 '업게 하다'의 뜻이므로 사동사이고, '우는 아이가 엄마 등에 업혔다.'에서 '업히다'는 피동사이다.

오답 풀이 ① 첫 번째와 두 번째 문장의 '풀렸다' 모두 '풀다'의 과거형 피동사이다.

② 첫 번째 문장의 '말렸다'는 '물기가 다 날아가서 없어지다.'의 뜻을 지닌 '마르다'의 과거형 사동사이고, 두 번째 문장의 '말렸다'는 '다른 사람의 행동을 방해하다.'를 뜻하는 '말리다'의 과거형 주동사이다.

④ 첫 번째와 두 번째 문장의 '안겼다' 모두 '안다'의 과거형 사동사이다.

⑤ 첫 번째와 두 번째 문장의 '녹였다' 모두 '녹다'의 과거형 사동사이다.

19

정답 ②

'불려야'는 '붇게 해야'의 뜻이므로 ②는 사동문이다.

오답 풀이 ① '반장이 가장 먼저 불려 갔다.'의 '불리다'는 '말이나 행동 따위로 다른 사람의 주의를 끌거나 오라고 하다.'라는 뜻을 지닌 '부르다'의 피동사이다.

③ 능동문의 목적어인 '그를'이 '그는'이라는 주어로 바뀌며 '불리다'라는 피동사가 사용되었으므로, '그는 많은 사람들에게 천재라고 불렸다.'는 피동문이다.

④ '그는 요즘 재산을 불리는 재미에 빠져 있다.'의 '불리다'는 '분량이나 수효가 많아지다.'라는 뜻을 지닌 '붇다'의 사동사이다.

⑤ '주먹밥 하나로 아이들의 주린 배를 불릴 수는 없었다.'의 '불리다'는 '먹은 것이 많아 속이 꽉 찬 느낌이 들다.'라는 뜻을 지닌 '부르다'의 사동사이다.

35 부정 표현

단계별 트레이닝 | 본문 107쪽 |

1단계 01 ○ 02 ○ 03 × 04 ○ 05 × 06 짧은 부정문, 능력 부정 07 짧은 부정문, 의지 부정 08 긴 부정문, 의지 부정 09 긴 부정문, 능력 부정 10 ○, × 11 ○, × 12 ×, ○ 13 ×, ○ 14 우리 방과 후에 피시방에 가지 말자. 15 철수는 약속한 시간에 영희를 만나지 못했다/않았다.

2단계 16 ④ 17 ② 18 ⑤

16

정답 ④

'아무도 그를 얕보지 않는다.'나 '아무도 그를 얕보지 못한다.' 모두 부정을 의미하지만, '안' 부정문이 '의지 부정'을 뜻한다면, '못' 부정문은 '능력 부정'을 뜻한다고 볼 수 있다. 따라서 '안' 부정문을 '못' 부정문으로 바꾼다고 해서 부정의 정도가 약해진다고는 볼 수 없다.

오답 풀이 ① 짧은 부정은 부사 '못'을 사용하고, 긴 부정은 '–지 못하다'를 사용한다.

② 의미상으로 '안'은 의지 부정, '못'은 능력 부정을 나타낸다.

③ '얕보다'는 '얕–+보다'의 합성어로, 짧은 부정문이 어울리지 않는 동사이다.

⑤ '말자'는 청유문을 부정할 때 사용하는 말이다.

17

정답 ②

'그가 어제 피아노를 안 쳤다.'와 '그가 어제 피아노를 치지 않았다.' 모두 '그가', '어제', '피아노를', '쳤다'를 부정하므로 짧은 부정문이나 긴 부정문 모두 중의성을 갖는다고 할 수 있다.

오답 풀이 ① 짧은 부정은 부사 '안', '못'을 사용하여 표현한다.

③ 긴 부정은 어간에 '–지 아니하다(않다)', '–지 못하다'를 사용하여 표현한다.

④ 명령문을 부정할 때는 '–지 마/마라'를 사용한다.

⑤ 의미상 '안' 부정문은 의지 부정을, '못' 부정문은 능력 부정을 나타낸다.

18

정답 ⑤

'막내의 피아노 실력이 기대만큼 늘었다.'는 부정 부사 '안'과 '못'을 사용한 짧은 부정문과 '늘지 않았다/못했다'와 같이 긴 부정문이 모두 가능하다. 특히 '기대만큼 못 늘었다.'와 같은 표현은 아쉬움의 의미를 담고 있다.

오답 풀이 ① 안 출렁거리다(×) / 출렁거리지 않다(○) / 못 출렁거리다(×) / 출렁거리지 못하다(×)

② 안 신사답다(×) / 신사답지 않다(○) / 못 신사답다(×) / 신사답지 못하다(○)

③ 안 우아하다(×) / 우아하지 않다(○) / 못 우아하다(×) / 우아하지 못하다(○)

④ 안 좁다(○) / 좁지 않다(○) / 못 좁다(×) / 좁지 못하다(×)

㉚ 문장 종결 표현 ~ ㉟ 부정 표현

실력 테스트 | 본문 108~109쪽 |

01 ① 02 ② 03 ④ 04 ② 05 ① 06 ③ 07 ① 08 ② 09 ④

01
정답 ①

문장의 시제는 '먹-었/겠/는-다'와 같이 선어말 어미에 의해 표시된다.

오답 풀이 ② 문장의 종결 어미 뒤에는 '먹어요, 먹지요'처럼 '요'와 같은 조사가 올 수 있다.

③ 종결 표현은 문장을 끝맺는 표현이며, 종결 어미에 의해 결정된다.

④ 종결 어미에 따라 평서문, 의문문, 명령문, 청유문, 감탄문으로 구분할 수 있다.

⑤ '갑니다, 가오, 가네'와 같이 듣는 이, 즉 청자에 대한 높임의 등급도 드러낸다.

02
정답 ②

'지금쯤 감자가 잘 익어 있겠다.'에는 진행상이 아니라 완료상의 의미가 들어 있다.

오답 풀이 ① '펄럭이고 있다'에는 진행상의 의미가 들어 있다.

③ '막 들어오고 있었다'에는 '들어오는 중'이라는 진행상의 의미가 들어 있다.

④ '말라 버렸다'에는 완료상의 의미가 들어 있다.

⑤ '정리해 두었다'에는 완료상의 의미가 들어 있다.

03
정답 ④

형이 동생에게 전화를 해서 영화가 곧 시작되겠다고 말한 것은 미래 시제에 해당하므로 (c) 이후에 영화가 시작된 것으로 볼 수 있다. 또한 엄마의 "늦지 않게 영화를 봤겠지?"라는 표현은 과거 사실에 대한 추측이므로, 엄마와 아들이 대화를 나누는 시점 (d)는 영화가 시작된 이후로 볼 수 있다. 따라서 영화가 시작된 시각은 ④이다.

04
정답 ②

"저희 아버지께서"의 '저희'는 상대방인 점원에 대해 자신을 낮추는 표현으로, 아버지를 높이는 의도는 담겨 있지 않다.

오답 풀이 ① ㉠은 '찾-+-으시-+-ㅂ니까'로 분석되며, 선어말 어미 '-으시-'를 사용하여 주체인 '손님'을 높이고 있다.

③ ㉢의 '드리다'는 생략된 부사어가 지시하는 대상인 '아버지'를 높이는 표현이다.

④ ㉣의 주체는 '아버지의 어깨'로, 이는 높임의 대상인 아버지의 신체의 일부이므로 함께 높임의 대상이 된다.

⑤ ㉤은 남의 아버지나 어머니를 높여 이르는 말로, 점원이 손님의 아버지를 높이기 위해 사용한 표현이다.

05
정답 ①

'그는 책꽂이에 있는 책을 다 읽지 않았다.'는 전체 부정과 부분 부정의 의미로 해석되는 중의적 문장이다. 따라서 ①은 잘못된 지적이다.

오답 풀이 ② ㉡의 '안됐다'는 부정 표현으로 보이지만, 의미상 '섭섭하거나 가엾어 마음이 언짢다.'라는 의미의 형용사이다.

③ '못' 부정문은 능력 부정을 나타낸다.

④ 짧은 부정문과 긴 부정문은 길이의 차이가 있을 뿐, 의미상으로는 차이가 없다.

⑤ '안' 부정문은 의지 부정을 나타낸다.

06
정답 ③

'댁이 넓으시다'와 같이 높임의 대상과 관련된 사물을 높이는 간접 높임법이 사용된 것은 ③이다. '연세'는 '할머니'와 관련된 것으로, 이에 대해 '많으시다'와 같은 높임 표현을 사용하고 있다.

07
정답 ①

㉠은 설명 의문문을 지칭하는 것으로, 설명 의문문은 '언제, 어디서, 어떻게, 무엇' 등에 대한 구체적 설명을 요구한다. 이에 부합하는 것은 '언제, 어디'에 대한 설명을 요구하는 ㉮이다. ㉡은 수사 의문문을 가리키는 것으로, 수사 의문문은 설명을 요구하지 않고 서술이나 명령의 효과를 낸다. 이에 부합하는 것은 아들에게 일어날 것을 명령하는 ㉯이다.

오답 풀이 ㉰ 긍정이나 부정의 대답을 요구하는 의문문이다.

㉱ 화자의 감정을 나타내는 의문문이다.

08
정답 ②

'영수가 어제 걸어서 학교에 가지 않았다.'는 부정의 초점이 '영수'(④), '어제'(⑤), '걸어서'(①), '학교에'(③) 등에 놓일 수 있으므로 중의성을 띤다. 그러나 ②와 같은 의미는 〈보기〉의 예문에서 추리할 수 없다.

09
정답 ④

ㄹ을 통해 '-겠-'이 1인칭 주어와 어울릴 때는 화자의 의지를 표시하기도 한다는 것을 알 수 있다.

오답 풀이 ① '-겠-'은 추측을 나타내기도 하며, '지금쯤'이라는 말을 통해 현재의 사실에 대한 추측을 표현함을 알 수 있다.

② '-겠-'은 추측을 나타내기도 하며, '-었-'이라는 과거 시제 선어말 어미를 통해 과거의 사실에 대한 추측을 표현함을 알 수 있다.

③ '-겠-'은 추측을 나타내기도 하며, '내일은'이라는 말을 통해 미래의 사실에 대한 추측을 표현함을 알 수 있다.

⑤ ㅁ은 어린애도 안다는(할 수 있다는) 내용이므로, '-겠-'이 가능성이나 능력을 나타냄을 알 수 있다.

V 국어 규범과 국어 생활

36 표준어 규정 1

단계별 트레이닝 | 본문 115쪽 |

1단계 01 공용어 02 교양, 서울말 03 숫염소 04 –장이 05 위 06 ○ 07 × 08 ○ 09 × 10 위짝, 웃돈 11 웃어른, 위층 12 수평, 숫염소 13 풋내기, 삼촌 14 냄비, 아지랑이 15 미장이, 멋쟁이 16 강낭콩, 사글세 17 수키와, 수평아리 18 깡충깡충, 오뚝이 19 발가숭이, 뻗정다리 20 소금쟁이, 유기장이
2단계 21 ⑤ 22 ④ 23 ④

21 정답 ⑤

'서울말'이 다른 지역 방언보다 아름답거나 표현이 섬세하다고 규정할 만한 근거는 없다.

오답 풀이 ① '표준어'는 비표준어와 대립적인 개념이다.
② '표준어'는 국가 차원에서 국민 누구나 공통적으로 쓰도록 규범으로 제정한 공용어이다.
③ '교양 있는 사람'이란 언어를 사용하는 주체의 계층이나 신분을 일컫는다.
④ '현대'는 역사의 큰 흐름 가운데 현대로 보는 시기를 표준어 규정의 시간적 범위로 정했음을 드러낸다.

22 정답 ④

'기형적으로 키가 작은 사람'을 뜻하는 '난쟁이'는 기술자를 이르는 말과는 관련이 없으므로 '–쟁이'를 써서 표기해야 한다.

오답 풀이 ① '–내기'는 'ㅣ' 역행 동화가 일어난 형태를 표준어로 삼고 있으므로, '신출내기'로 써야 한다.
② '골목쟁이'는 '골목에서 좀 더 깊숙이 들어간 좁은 곳'을 뜻하는 말로, 기술자를 이르는 말이 아니므로 '–쟁이'로 써야 한다.
③ '멋쟁이'는 '멋을 잘 부리는 사람'을 뜻하는 말로, 기술자를 이르는 말이 아니므로 '–쟁이'로 써야 한다.
⑤ '담쟁이덩굴'은 '포도과의 낙엽 활엽 덩굴나무'를 이르는 말로, 기술자를 이르는 말이 아니므로 '–쟁이'로 써야 한다.

◉ 'ㅣ' 역행 동화의 표준어 인정 여부

'ㅣ' 역행 동화는 대부분 주의해서 발음하면 피할 수 있는 발음이어서 그 동화형(同化形)을 표준어로 삼기가 어려운 실정이다. 게다가 이 동화 현상이 너무 광범위하여 그것을 다 표준어로 인정하면 변혁이 커서 혼란을 야기할 우려도 있다. 가령 '손잡이, 먹이다'까지 '손잽이, 멕이다'로 바꾼다면 여간 큰 변혁이 아닐 수 없다. 그래서 'ㅣ' 역행 동화를 인정하는 표준어의 개정을 극소화한 것이다.

23 정답 ④

'아래, 위'의 대립이 있는 단어이므로, '웃입술'이 아닌 '윗입술'로 써야 한다.

오답 풀이 ① '아래, 위'의 대립이 있는 단어이므로, '윗니'로 써야 한다.
② '맨 처음에 떠낸 진한 국'을 의미하는 단어로 '아래, 위'의 대립이 없으므로, '웃국'으로 써야 한다.
③ 뒤 음절에 된소리가 오므로, '위쪽'으로 써야 한다.
⑤ '아래, 위'의 대립이 있는 단어이므로, '윗도리'로 써야 한다.

37 표준어 규정 2

단계별 트레이닝 | 본문 119쪽 |

1단계 01 준말 02 한자어 03 까다롭다 04 총각무 05 설거지했다 06 안절부절못하면서 07 손목시계 08 (1) 천연덕스럽다 (2) 민둥산 (3) 어저께 (4) 녘 (5) 가오리연 (6) 가뭄 (7) 허접하다 (8) 사그라지다 (9) 신발 (10) 눈두덩이
2단계 09 ④ 10 ⑤ 11 ④ 12 ⑤

09 정답 ④

'수두룩하다'의 준말로 '수둑하다'라는 표현이 쓰이고 있지만, 본말이 널리 쓰이고 있으므로 본말인 '수두룩하다'만을 표준어로 인정하고 있다.

오답 풀이 ① '역겹다'라는 방언이 널리 쓰이게 됨에 따라 본래 표준어이던 '역스럽다' 대신 '역겹다'를 표준어로 인정하고 있다.
② '찰지다'와 '차지다'는 복수 표준어로 인정하고 있다.
③ 본래 표준어이던 '빈자떡' 대신 널리 쓰이게 된 방언인 '빈대떡'만을 표준어로 인정하고 있다.
⑤ 사어가 된 '낭'을 고어로 처리하고, 널리 사용되는 '낭떠러지'를 표준어로 삼고 있다.

10 정답 ⑤

'고유어 계열의 단어가 널리 쓰이고 그에 대응되는 한자어 계열의 단어가 용도를 잃게 된 것은, 고유어 계열의 단어만을 표준어로 삼는다.'라는 표준어 규정에 따라, '노닥다리'와 '늙다리' 중 고유어인 '늙다리'만 표준어로 인정하고, 한자어인 '노닥다리'는 용도를 잃게 되어 표준어로 인정하지 않는다.

11 정답 ④

본래 '예쁘다'만을 표준어로 인정하였으나, 같은 뜻으로 널리 쓰이는 말을 표준어로 추가하여 '이쁘다' 역시 표준어로 인정하고 있다.

오답 풀이 ① 복수 표준어로 인정한 것은 '넝쿨'과 '덩굴'이다. '덩궁'은 비표준어이다.
② '준말이 널리 쓰이고 본말이 잘 쓰이지 않는 경우에는, 준말만을 표준어로 삼는다.'라는 규정에 따라 준말인 '무'만을 표준어로 인정하고 있다.
③ '또아리'는 '똬리'의 본말이지만 '준말이 널리 쓰이고 본말이 잘 쓰이지 않는 경우에는, 준말만을 표준어로 삼는다.'라는 규정에 따라 준말인 '똬리'만을 표준어로 인정하고 있다.
⑤ '의미가 똑같은 형태가 몇 가지 있을 경우, 그중 어느 하나가 압도적으로 널리 쓰이면, 그 단어만을 표준어로 삼는다.'라는 규정에 따라 '부스러기'만을 표준어로 인정하고 '부스럭지'는 표준어로 인정하지 않는다.

12 정답 ⑤

'의미가 똑같은 형태가 몇 가지 있을 경우, 그중 어느 하나가 압도적으로 널리 쓰이면, 그 단어만을 표준어로 삼는다.'라는 제25항 규정에 따라 '선머슴'만을 표준어로 인정하고 '풋머슴'은 표준어로 인정하지 않는다. 나머지는 모두 복수 표준어에 해당한다.

38 표준 발음법 1

단계별 트레이닝 | 본문 123쪽 |

1단계 01 ○ 02 ○ 03 × 04 × 05 ○ 06 ○ 07 쩌서 08 무니 09 기계/기게 10 예절 11 하니바람 12 주:의/주:이 13 압, 넉 14 키읔, 읻따 15 여덜, 할따 16 막따, 말께 17 읍따, 물꼬 18 마텽, 만:쏘 19 안따, 밥:따 20 가카, 발키다 21 실쏘, 싸이다 22 널따, 넙뚱글다

2단계 23 ④ 24 ③ 25 ⑤ 26 ②

23

정답 ④

㉠은 자음 'ㅎ'을 첫소리로 가지고 있으므로 [히망]으로 발음하는 것이 표준 발음이다. ㉡은 '조사 '의'가 붙어 있으므로 [우리의/우리에]로 발음하는 것이 표준 발음이다.

24

정답 ③

겹받침 'ㄼ'은 자음 앞에서 [ㄹ]로 발음하지만, '밟–'은 자음 앞에서 [밥]으로 발음한다.

오답 풀이 ① '넓죽하다, 넓둥글다'를 제외하고, '넓–'은 자음 앞에서 [널]로 발음한다.

② 용언의 어간 말음 'ㄺ'은 'ㄱ' 앞에서 [ㄹ]로 발음한다.

④ 겹받침 'ㄾ'은 자음 앞에서 [ㄹ]로 발음한다.

⑤ 겹받침 'ㄺ'은 자음 앞에서 [ㄱ]으로 발음한다.

25

정답 ⑤

자음이 초성으로 쓰일 때에는 본래 음가대로 발음된다.

오답 풀이 ① '낫, 낮, 낯'의 발음은 [낟]으로 동일하다.

② 받침 'ㅅ'과 'ㅆ'은 [ㄷ]으로 발음된다.

③ 겹받침은 둘 중 하나만 발음되는데, 이 경우에도 음절의 끝소리 규칙이 적용된다.

④ 음절의 끝소리에 쓰인 'ㄲ'은 [ㄱ]으로 발음된다.

26

정답 ②

제12항은 받침 'ㅎ'과 'ㅎ'이 포함된 겹받침 'ㄶ, ㅀ' 뒤에 'ㄱ, ㄷ, ㅈ'과 같은 예사소리가 결합된 경우에는 'ㅎ+ㄱ → ㅋ, ㅎ+ㄷ → ㅌ, ㅎ+ㅈ → ㅊ'과 같이 축약하여 각각 [ㅋ, ㅌ, ㅊ]으로 발음한다는 규정에 해당한다. [붙임 1]도 축약과 관련된 내용이다. '뚫고, 밝히다'는 각각 [뚤코], [발키다]로 발음되는데, 이는 'ㅎ'과 예사소리가 만나 축약된 예에 해당한다.

오답 풀이 ① '새빨간'은 'ㅎ' 불규칙, '국수[국쑤]'는 된소리되기에 해당한다.

③ '넣고[너:코]'는 음운 축약이지만, '낳아서[나아서]'는 'ㅎ' 탈락에 해당한다.

④ '간호[간호]'는 음운 변동이 일어나지 않았고, '쌓이다[싸이다]'는 'ㅎ' 탈락에 해당한다.

⑤ '밝은[발근]'은 겹받침 'ㄺ' 중 'ㄱ'이 뒤 음절의 첫소리로 발음되므로 연음 법칙에 해당하고, '닫히다'는 '[다티다] → [다치다]'의 과정을 거치므로 축약과 함께 구개음화에 해당한다.

◉ 받침 'ㅎ'의 발음에서 일어나는 음운 변동

- 음운의 탈락: 않네[안네], 낳은[나은], 싫어도[시러도]
- 음운의 교체: 놓는[놓는 → 논는], 쌓네[싼네 → 싼네]
- 음운의 축약: 각하[가카], 먹히다[머키다], 맏형[마텽], 놓고[노코]

39 표준 발음법 2

단계별 트레이닝 | 본문 127쪽 |

1단계 01 ㄷ, ㅌ 02 ㅇ, ㄴ, ㅁ 03 ㄹ 04 ㄴ 05 혐녁, 뱅니 06 홍만, 온맵씨 07 밤물, 암마당 08 구지, 미:다지 09 대:괄령, 줄렴끼 10 온맏추다, 감매기다 11 갈뜽, 물찔 12 발쩐, 몰쌍식 13 불쎄출, 허허실실 14 ×, × 15 ○, ○ 16 ○, ○ 17 ○, ○ 18 ○, ○ 19 ×, × 20 ○, ×

2단계 21 ④ 22 ③ 23 ④

21

정답 ④

제19항은 제18항과 같이 비음화와 관련된 내용이다.

◉ 표준 발음법에서 인정하는 동화의 종류

표준 발음법에서는 조음 방법에서의 동화(비음화, 유음화)만을 인정하고 있다. 조음 위치에서의 동화는 표준 발음으로 인정하고 있지 않은데, 이를 표준 발음법 제21항에서 밝히고 있다. 감기[감:기]([강:기]×), 옷감[옫깜]([옥깜]×) 등이 그 예이다.

22

정답 ③

'맏형[마텽]'은 'ㄷ+ㅎ → ㅌ'이 되었으므로 음운 축약에 해당한다. 제시된 표준 발음법의 규정 중 음운 축약과 관련된 내용은 없다.

오답 풀이 ① '외곬[외골/웨골]'은 제8항 음절의 끝소리 규칙에 해당되는 예이다.

② '심리[심니]'는 제19항 비음화에 해당되는 예이다.

④ '설날[설:랄]'은 제20항 유음화에 해당되는 예이다.

⑤ '붙이다[부치다]'는 제17항 구개음화에 해당되는 예이다.

23

정답 ④

<보기>의 지하철역 이름은 각각 [중앙노], [송정니], [명뉸동]으로 소리 난다. 곧 비음화가 일어난 예에 해당한다. '왕십리[왕심니]'도 마찬가지로 비음화가 일어난 예에 해당한다.

오답 풀이 ① [작쩐]으로 소리 나므로, 된소리되기가 일어났다.

② [팔땅]으로 소리 나므로, 된소리되기가 일어났다.

③ [대전녁]으로 소리 나므로, 'ㄴ' 첨가가 일어났다.

⑤ [성당몯]으로 소리 나므로, 음절의 끝소리 규칙이 일어났다.

❹⓪ 한글 맞춤법 1

단계별 트레이닝 | 본문 131쪽 |

1단계 01 표준어, 어법 02 ㅖ 03 두음 법칙 04 모음, ㄴ 05 싹싹 06 똑딱 07 쌉쌀하다 08 짭짤하다 09 싹둑 10 법석 11 소쩍새 12 잔뜩 13 깍두기 14 색시 15 거꾸로 16 이따금 17 혜택 18 핑계 19 폐품 20 게시다 21 으레 22 휴게실 23 게시판 24 케케묵다 25 비율 26 선율 27 서열 28 균열 29 비열 30 백분율 31 신여성 32 실낙원 33 공염불 34 사육신

2단계 35 ⑤ 36 ③ 37 ⑤

35

정답 ⑤

〈보기〉에서는 같은 음절이나 비슷한 음절이 겹쳐 나는 경우가 아니라면 된소리로 적지 않는다고 했으므로, ⑤는 '납작'과 같이 된소리가 아닌 예사소리로 적어야 한다.

오답 풀이 ①, ④ 받침 'ㄱ' 뒤에서 된소리가 나는 경우에 해당한다.

②, ③ 받침 'ㅂ' 뒤에서 된소리가 나는 경우에 해당한다.

36

정답 ③

조사 '의'는 [ㅔ]로 발음함도 허용한다고 했으므로 ㉠은 [무늬/무네]로 발음할 수 있고, ㉡은 [무니]로 발음하며, ㉢은 [무:늬/무:니]로 발음하는 것이 가능하다.

37

정답 ⑤

'선률'은 받침 'ㄴ' 뒤에 '률'이 이어지는 경우이므로 '선율'로 적어야 한다.

오답 풀이 ①, ② 두음 법칙에 의해 '례의', '룡궁'이 아닌 '예의', '용궁'으로 적는다.

③, ④ '렬', '률'이 단어의 첫머리에 오거나, 모음이나 받침 'ㄴ' 뒤에 이어지는 경우가 아니므로 각각 '일렬', '능률'로 적는다.

❹① 한글 맞춤법 2

단계별 트레이닝 | 본문 135쪽 |

1단계 01 ○ 02 × 03 × 04 ○ 05 ○ 06 –오 07 요 08 –요 09 꽃에 10 떡만 11 덫니 12 섣달 13 훑어 14 깊어서 15 우짖다 16 많으니 17 × 18 × 19 ○ 20 ○ 21 ○ 22 × 23 × 24 × 25 × 26 × 27 × 28 ×

2단계 29 ③ 30 ①

29

정답 ③

'앎'은 어간 '알–'에 '–ㅁ'이 붙어서 된 명사이지만 어간의 원래 뜻과 멀어진 것이 아니고 어간의 원형도 유지되고 있다. 따라서 이는 Ⅰ의 ㄱ에 해당한다.

오답 풀이 ① '길이'는 어간 '길–'에 접미사 '–이'가 붙어 명사가 된 것으로 어간의 원형을 밝혀 적은 경우이다.

② '익히'는 어간 '익–'에 접미사 '–히'가 붙어 부사가 된 것으로 어간의 원형을 밝혀 적은 경우이다.

④ '자주'는 어간 '잦–'에 접미사 '–우'가 붙어 부사가 된 것으로 어간의 원형을 밝혀 적지 않은 경우이다.

⑤ '부터'는 어간 '붙–'에 접미사 '–어'가 붙어 조사가 된 것으로 어간의 원형을 밝혀 적지 않은 경우이다.

30

정답 ①

'며칠'이 실질 형태소인 '몇'과 '일(日)'이 결합한 형태라면 [면닐]로 발음되어야 하는데, 실제로는 'ㅊ' 받침이 연음되어 [며칠]로 발음된다. 따라서 어원이 분명하지 않은 것으로 판단되므로 소리 나는 대로 '며칠'로 표기한다.

오답 풀이 ② '할아범'은 옛말에서 '큰'이라는 뜻의 '한–'이 '아범'에 결합한 형태가 바뀐 것이다. 이는 어원은 분명하지만 소리만 특이하게 변한 경우이므로, 변한 대로 적어야 한다.

③ '송곳니'는 '송곳'과 '이'가 결합한 말로서, '이'가 [니]로 소리 나므로 '니'로 표기한다.

④ '굶주리다'는 '굶다'와 '주리다'가 결합한 말이므로 그 원형을 밝혀 표기한다.

⑤ '엿듣다'는 '듣다'에 접두사 '엿–'이 붙은 파생어이므로 그 원형을 밝혀 표기한다.

❹② 한글 맞춤법 3

단계별 트레이닝 | 본문 139쪽 |

1단계 01 ○ 02 × 03 ○ 04 × 05 댄닙 06 깬묵 07 회쑤/훼쑤 08 퇴:깐/퉤:깐 09 곈:날/겐:날 10 턴마당 11 양친물 12 예:산닐 13 부시똘/부싣똘 14 선지꾹/선짇꾹 15 차편 16 자릿세 17 머릿기름 18 기와집 19 뵈어/보여 20 씌어/쓰여 21 쐬어/쏘여 22 틔어/트여 23 간편케 24 다정타 25 거북지 26 그렇잖다 27 변변찮다 28 깨끗지 않다 29 섭섭지 않다

2단계 30 ① 31 ④

30

정답 ①

'패(牌)+말'로서 한자어와 고유어가 결합하여 [팬말]로 발음되므로 [ㄴ] 소리가 덧난다.

오답 풀이 ② [나문닙]으로 발음되므로 [ㄴㄴ] 소리가 덧나지만, 고유어와 고유어가 결합한 것이다.

③ '위쪽'은 고유어와 고유어가 결합한 것이지만, 뒷말의 첫소리가 된소리이므로 사이시옷을 받치어 적지 않는다.

④ [코뚱/콛뚱]처럼 뒷말의 첫소리가 된소리로 발음되지만, 고유어와 고유어가 결합한 것이다.

⑤ [쇠쪼각/쉗쪼각]처럼 뒷말의 첫소리가 된소리로 발음되지만, 고유어와 고유어가 결합한 것이다.

31

정답 ④

'제삿날, 툇마루, 훗날'은 한자어와 고유어가 결합한 것으로서, 발음할 때 [제:산날], [퇸:마루/퉨:마루], [훈:날]처럼 뒷말의 첫소리 'ㄴ, ㅁ' 앞에서 [ㄴ] 소리가 덧난다.

㊸ 한글 맞춤법 4

단계별 트레이닝 | 본문 143쪽 |

1단계 01 ○ 02 × 03 × 04 ○ 05 × 06 코치겸 07 우산 입니다 08 실력 뿐이다 09 떠난지 10 우장춘박사가 11 도망칠 데가 12 만 팔천 원 입니다 13 다 읽는 데 14 한두 차례 15 두 번꼴로 16 깨끗이 17 줄게 18 멋쩍었다 19 꼼꼼히 20 가든지, 가든지 21 승낙

2단계 22 ⑤ 23 ① 24 ⑤

22 정답 ⑤

〈보기〉에 따르면, '같이'는 문장 안에서 조사로도 쓰일 수 있고, 부사로도 쓰일 수 있다. ⑤의 '은숙이와 친구는 같이 사업을 했다.'에서 '같이'는 ㄹ '서로 함께'의 의미로 쓰인 부사이다.

오답 풀이 ① '눈같이'는 '눈처럼'의 의미로 쓰였다.
② '새벽같이'는 '새벽'에 '같이'가 붙어 '새벽'을 강조하고 있다.
③ '예상한 바와 같이'는 '예상한 바 그대로'의 의미이다.
④ '같이'는 '서로 함께'의 의미로 쓰였다.

23 정답 ①

숫자는 만 단위로 띄어 써야 한다. 따라서 '구십팔억 육천삼백사십이만 칠천팔백십오'로 써야 한다.

24 정답 ⑤

⑤의 '먹을까'는 어간 '먹-'에 의문을 나타내는 어미 '-을까'가 결합한 형태이다. 〈보기〉에서 의문을 나타내는 어미는 'ㄹ' 뒤에서 된소리로 발음될 때 된소리로 적는다고 하였으므로, 어미 '-을까'가 결합한 '먹을까'로 적는 것이 한글 맞춤법 규정에 맞다.

오답 풀이 ①, ③, ④ 의문을 나타내는 어미가 아니므로 'ㄹ' 뒤에서 된소리로 발음되더라도 된소리로 적지 말아야 한다. 따라서 ①은 '-ㄹ걸'의 어미가 결합한 '전화할걸', ③은 '-ㄹ지어다'의 어미가 결합한 '사랑할지어다', ④는 '-올시다'의 어미가 결합한 '아니올시다'로 적어야 한다.
② 의문을 나타내는 어미이며 된소리로 발음되기 때문에 '-ㄹ꼬'의 어미가 결합한 '추울꼬'로 적어야 한다.

㊱ 표준어 규정 1 ~ ㊸ 한글 맞춤법 4

실력 테스트 | 본문 144~147쪽 |

01 ③ 02 ① 03 ⑤ 04 ⑤ 05 ③ 06 ② 07 ⑤ 08 ① 09 ⑤ 10 ① 11 ③ 12 ③ 13 ① 14 ④ 15 ② 16 ⑤

01 정답 ③

표준어 규정 제12항 '다만 1'에서 된소리나 거센소리 앞에서는 '위-'로 표기한다고 했다. '위팔'의 '팔'이 거센소리인 'ㅍ'으로 시작하므로 '위팔'로 적어야 한다.

오답 풀이 ① 표준어 규정 제12항 '다만 2'에 따라 '맨 겉에 입는 옷'은 '아래'와 '위'의 대립이 없으므로 '웃옷'으로 표기한다.
②, ⑤ 표준어 규정 제12항 '다만 1'에서 된소리나 거센소리 앞에서는 '위-'로 표기한다고 했다. '쪽'은 된소리인 'ㅉ'으로 시작하고, '채'는 거센소리인 'ㅊ'으로 시작하므로 각각 '위쪽', '위채'로 적어야 한다.
④ '자기보다 지위나 신분이 높은 사람'은 '자기보다 지위나 신분이 낮은 사람'과 상대된다. 즉, '아래', '위'의 대립이 있기 때문에 '윗사람'이 표준어이다.

02 정답 ①

표준 발음법 제18항은 비음화와 관련된 규정이다. ㉠에 추가되려면 앞말의 받침이 'ㄱ(ㄲ, ㅋ, ㄳ, ㄺ), ㄷ(ㅅ, ㅆ, ㅈ, ㅊ, ㅌ, ㅎ), ㅂ(ㅍ, ㄼ, ㄿ, ㅄ)' 중 하나여야 하고, 뒷말에 'ㄴ, ㅁ'이 이어져야 한다. 따라서 ① '국물[궁물]'이 ㉠에 들어가기에 적절하다.

오답 풀이 ② '먹이'는 앞말의 받침 'ㄱ'이 뒷말의 초성으로 이어져 [머기]로 발음된다.
③ '밤낮'은 비음화의 조건에 해당하지 않으므로 비음화가 일어나지 않고, [밤낟]으로 발음된다.
④ '손재주'는 '손'과 '재주'의 합성어로 비음화의 조건에 해당하지 않으므로 비음화가 일어나지 않고, [손째주]로 발음된다.
⑤ '가을걷이'는 비음화의 조건에 해당하지 않으므로 비음화가 일어나지 않고, 모음 'ㅣ' 앞의 'ㄷ'이 구개음인 [ㅈ]으로 소리 나는 구개음화가 일어나서 [가을거지]로 발음된다.

03 정답 ⑤

〈보기〉의 세 번째 항목인 모음 'ㅢ'의 발음에 대한 규정을 보면, 자음을 첫소리로 가지고 있는 음절의 'ㅢ'는 [ㅣ]로 발음하고, 단어의 첫 음절 이외의 '의'는 [ㅢ] 외에 [ㅣ]로도 발음할 수 있으며, 조사 '의'는 [ㅢ] 외에 [ㅔ]로도 발음할 수 있다고 하였다. 따라서 '충의의'는 [충의의], [충이의], [충의에], [충이에]로 발음할 수 있으며, 이는 모두 표준 발음에 해당한다.

오답 풀이 ① '개'의 'ㅐ'와 '게'의 'ㅔ'는 서로 다른 단모음으로서, 이를 구분하지 않고 동일하게 발음하는 것은 표준 발음에 어긋난다.
② 〈보기〉의 첫 번째 항목에서는 'ㅚ'를 이중 모음인 [ㅞ]로 발음하는 것도 허용한다고 하였으므로, '금괴'를 [금궤]로 발음하는 것은 표준 발음에 해당한다.
③ 〈보기〉의 두 번째 항목에서는 '예, 례' 이외의 'ㅖ'는 [ㅔ]로도 발음할 수 있다고 하였으므로, '지혜'를 [지헤]로 발음하는 것은 표준 발음에 해당한다.
④ 〈보기〉의 첫 번째 항목에서 'ㅟ'를 이중 모음으로 발음할 수도 있다고 하였지 'ㅟ'를 단모음 [ㅣ]로 발음할 수 있다고 하지는 않았다. 따라서 '비취다'를 [비치다]로 발음하는 것은 표준 발음에 어긋난다.

04 정답 ⑤

'이다'는 서술격 조사이므로, 제41항 '조사는 그 앞말에 붙여 쓴다.'라는 규정에 따라 '뿐'과 붙여 써야 한다.

오답 풀이 ① '큰'은 '크다'의 어간에 관형사형 어미 '-ㄴ'이 붙은 단어로, 제2항 '문장의 각 단어는 띄어 씀을 원칙으로 한다.'라는 규정에 따라 '형'과 띄어 써야 한다.
② '자루'는 단위를 나타내는 명사로, 제43항 '단위를 나타내는 명사는 띄어 쓴다.'라는 규정에 따라 '한'과 띄어 써야 한다.
③ ㉡의 '뿐'은 다만 어떠하거나 어찌할 따름이라는 뜻을 나타내는 의존

명사이므로, 제42항 '의존 명사는 띄어 쓴다.'라는 규정에 따라 띄어 써야 한다. 반면 ㉢의 '뿐'은 체언 뒤에 붙는 보조사이므로, 제41항에 따라 그 앞말과 붙여 쓰는 것이 맞다.

④ '줄'은 보조 용언이므로, 제47항 '보조 용언은 띄어 씀을 원칙으로 하되, 경우에 따라 붙여 씀도 허용한다.'라는 규정에 따라 띄어 쓰거나 붙여 쓸 수 있다.

05

정답 ③

〈보기〉는, 한글 맞춤법에는 소리대로 적는 표기와 어법에 맞게 적는 표기의 두 종류가 있음을 제시하고, 소리대로만 적는 경우에는 조사나 어미 등의 결합 환경에 따라 같은 단어가 다르게 표기되는 혼란이 있을 수 있으므로 이런 경우에는 발음과 상관없이 형태를 고정시켜 표기한다는 것을 말하고 있다. ③의 '퍼서, 펐다'는 '푸-'라는 발음의 편의를 위해 형태가 달라진 것으로서, 원래의 형태가 아니라 소리대로 표기한 것이므로 ㉠의 원칙을 따른 것이다.

오답 풀이 ① '먹어'와 '먹은'은 [머거]나 [머근]처럼 소리대로 적는 것이 아니라 원래 형태를 알기 쉽도록 발음과 상관없이 형태를 고정시킨 ㉡에 해당하는 사례이다.

② 음운 현상을 반영하지 않고 적는 것은 어법에 맞게 표기한다는 말이다. '굳이'와 '같이'는 구개음화로 인해 [구지]와 [가치]로 발음되는데, 이러한 현상을 표기에 반영하지 않은 것이므로 ㉡에 해당한다.

④ '미덥다'와 '우습다'는 어간인 '믿-'과 '웃-'의 형태를 밝혀 적지 않고 소리대로 적은 ㉠의 사례에 해당한다.

⑤ 어법에 맞게 적는다는 것은 발음과 상관없이 형태를 고정시키는 방법을 말하는데, 한자 '로(老)'를 '노인(老人)'과 '원로(元老)'처럼 다르게 표기하고 있는 것은 실제로 '노'와 '로'로 다르게 발음되기 때문이므로 ㉠의 사례에 해당한다.

> **◉ '소리대로'와 '어법에 맞도록'**
>
> 소리대로 적는다는 것은 표준어의 발음 형태대로 적는다는 뜻이다. 그런데 표준어를 소리대로 적는다는 원칙만을 적용하기 어려운 경우도 있다. 예컨대 '꽃(花)'이란 단어는 그 발음 형태가 [꼬ㅊ](예 [꼬치], [꼬츨]), [꼰](예 [꼰나무], [꼰망울]), [꼳](예 [꼳꽈], [꼳따발]) 등 몇 가지로 나타난다. 이것을 소리대로 적는다면, 그 뜻이 얼른 파악되지 않고, 따라서 독서의 능률이 크게 저하된다. 그리하여 어법에 맞도록 한다는 또 하나의 원칙이 붙은 것이다.
>
> 어법에 맞도록 한다는 것은, 결국 뜻을 파악하기 쉽도록 하기 위하여 각 형태소의 본모양을 밝히어 적는다는 말이다. 맞춤법에서는 각 형태소가 지닌 뜻이 분명히 드러나도록 하기 위하여, 그 본모양을 밝히어 적는 것을 또 하나의 원칙으로 삼고 있다. 예컨대 [늘꼬], [늑찌], [능는]처럼 발음되는 단어를 '늙-'으로 쓰는 것은 실질 형태소(어간)의 본모양이 '늙-'임을 인정하기 때문이다.

06

정답 ②

'드러서다'는 앞 음절의 끝 자음이 모음으로 시작되는 뒤 음절의 초성으로 이어져 소리 나는 연음 현상으로서, 형태소를 밝혀 적어야 함에도 발음대로 표기함으로써 잘못된 사례가 되었다. 한편 '높히다'는 '높다'에 결합하는 사동 접미사 '-이-'를 '-히-'로 잘못 파악함으로써 틀리게 표기한 경우이다. 이는 '드러서다'와 같이 연음 현상 때문에 잘못 표기한 사례에 해당하지 않는다.

오답 풀이 ① '드러서다'는 '들어서다'가 연음되어 발음된 것을 그대로 표기한 잘못된 사례에 해당한다.

③ '그러치'는 '그렇지'의 'ㅎ'과 'ㅈ'이 만나 'ㅊ'으로 소리 나는 거센소리되기에 따른 발음을 그대로 표기한 잘못된 사례에 해당한다.

④ '얽혀'는 'ㄱ'과 'ㅎ'이 만나 'ㅋ'으로 소리 나는 거센소리되기로 인해 [얼켜]로 발음되는데, 이를 그대로 '얼켜'로 적는 것은 ㉡과 같은 유형의 사례라고 할 수 있다.

⑤ '해도지'는 '해돋이'가 구개음화된 발음을 그대로 표기한 잘못된 사례이다. '금붙이' 역시 구개음화가 일어나 [금부치]로 발음되는데 이를 '금부치'로 잘못 표기한 것은 ㉢과 같은 유형의 사례라고 할 수 있다.

07

정답 ⑤

(ㄱ)의 '밖에'는 조사로서 한 단어이고, (ㄴ)의 '밖에'는 명사 '밖'과 조사 '에'가 결합한 두 개의 단어이다. 따라서 (ㄱ)의 '밖에'를 두 단어로 본 것은 적절하지 않다.

오답 풀이 ①, ② (ㄱ)의 '밖에'는 의존 명사 뒤에 붙은 것을 통해 조사임을 알 수 있다. 조사 '밖에'는 '그것 말고는', '그것 이외에는'의 뜻을 나타내며, 뒤에 부정을 나타내는 말이 따른다. '수밖에' 뒤에 '없다'라는 부정어가 온 것을 통해 이를 확인할 수 있다.

③, ④ (ㄴ)의 '밖에'는 '바깥'을 의미하는 '밖'에 조사 '에'가 결합된 것이다.

08

정답 ①

㉠에서 [아니요]는 '아니오'로 표기해야 한다. ⓐ에 명시되어 있듯이 종결형에서 사용되는 어미 '-오'는 [요]로 소리 나는 경우가 있더라도 그 원형을 밝혀 '오'로 적어야 하기 때문이다. 한편 ㉡은 ⓒ와, ㉢은 ⓑ와 짝 지을 수 있다.

09

정답 ⑤

'뻐꾸기'의 어근은 '뻐꾹'이지만 이는 동사나 형용사가 파생될 수 없는 어근으로서 접미사 '-이'와 결합했기 때문에 '뻐꾹이'가 아니라 '뻐꾸기'로 표기한 것이다.

오답 풀이 ① '얼루기'로 표기하는 이유는 동사나 형용사가 파생될 수 없는 어근이 접미사 '-이'와 결합했기 때문인데, 이는 '깍두기'를 '깍둑이'로 표기하지 않는 것과 동일하다.

② '깔쭉이'는 '-하다'나 '-거리다'가 붙을 수 있는 어근 '깔쭉'에 접미사 '-이'가 결합된 것인데, '오뚝이'도 이와 같은 규정에 따른다.

③ '부스러기'는 '부스럭거리다'와 의미적으로 관련성을 찾아보기 힘들기 때문에 원형을 밝혀 적지 않는다.

④ '딱따구리'는 '-이'와 다른 모음으로 시작하는 접미사 '-우리'가 사용되었으므로 원형을 밝혀 적지 않는다.

10

정답 ①

〈보기〉의 '파이다'는 '파다'의 어간인 '파-'에 피동 접미사 '-이-'가 결합한 경우이므로, 〈보기〉의 첫 번째 항목을 고려하면 'ㅏ'로 끝난 어간('파-')에 '-이-'가 와서 'ㅐ'로 줄어드는 경우이므로 준 대로 적어야 한다. 같은 이유로 '파인'도 '팬'으로 적어야 한다. 또한 〈보기〉의 두 번째 항목을 적용하면 'ㅐ' 다음에 '-었-'이 결합하여 줄 경우에는 준 대로 적는다고 하였으므로, '패었다'를 준 대로 적으면 '팼다'가 된다. 따라서 '팼다'가 줄기 이전의 본말은 '패었다'이다.

11 정답 ③

(다)에서 '뿐' 앞에 있는 '그것'은 대명사로서 체언에 해당한다. [답변]에 따르면 '뿐' 앞에 체언이 올 경우에는 '뿐'이 조사로 사용되어 체언에 붙여 쓴다고 하였으므로, '그것'과 '뿐'을 띄어 쓴 것은 잘못이다.

오답 풀이 ① '할'은 용언의 관형사형이고, '만큼'은 의존 명사로 사용된 것이므로 띄어 써야 한다.
② '나'는 대명사로서 체언에 해당하고 '대로'는 조사로 사용된 것이므로 붙여 써야 한다.
④ '못해'는 '정도가 극에 달한 나머지'의 의미를 가진 형용사로서, 그 자체가 한 단어로 사용된 것이므로 붙여 써야 한다.
⑤ '못하구나'는 '비교 대상에 미치지 아니함.'의 의미를 가진 형용사로서, 그 자체가 하나의 단어로 사용된 것이므로 붙여 써야 한다.

12 정답 ③

'혼삿길'은 '혼사'와 '길'의 합성어로서, 앞말이 모음으로 끝나고 뒷말의 첫소리가 된소리로 나기 때문에 사이시옷을 붙인 것이다. 이는 '젓가락'과 같은 음운 현상이 일어난 예에 해당한다. '섣달'은 '설'과 '달'이 결합하면서 끝소리 'ㄹ'이 [ㄷ] 소리로 나기 때문에 '설달'이 아니라 '섣달'로 쓴 것으로서, '숟가락'과 같은 예에 해당한다.

오답 풀이 ① '첫째'는 어근 '첫-'에 접사 '-째'가 결합한 파생어이다. '삼짇날'은 '삼질'과 '날'이 결합하면서 끝소리 'ㄹ'이 [ㄷ] 소리로 나기 때문에 '삼질날'이 아니라 '삼짇날'로 쓴 것이다.
② '맷돌'은 '매'와 '돌'의 합성어로서 뒷말의 첫소리가 된소리로 나므로 사이시옷을 받치어 적는다. '미닫이'는 '밀(다)+닫(다)+-이'가 결합된 합성어로서 'ㄹ' 탈락의 예에 해당한다.
④ '나뭇잎'은 '나무'와 '잎'이 결합되면서 [ㄴㄴ] 소리가 덧나기 때문에 사이시옷을 붙인 경우에 해당한다. '섣부르다'는 '설-'과 '부르-'가 결합한 동사 '설부르다'에서 '설-'의 받침 'ㄹ'이 'ㄷ'으로 변한 경우이다.
⑤ '샛노랗다'는 '새-'와 '노랗다'가 결합되면서 [ㄴ] 소리가 덧나기 때문에 사이시옷을 붙인 경우에 해당한다. '맏며느리[만며느리]'는 '맏-'의 받침 'ㄷ'이 '며느리'의 'ㅁ'과 만나 [ㄴ]으로 바뀌어 소리 나므로 비음화의 예에 해당한다.

13 정답 ①

'꽃이랑'은 '꽃'과 '이랑'의 합성어로, '꽃' 뒤에 오는 '이랑'의 첫음절이 '이'이므로, 표준 발음법 제29항에 따라 [ㄴ] 소리가 첨가되어 '이'가 [니]로 발음된다. 따라서 '꽃이랑'은 [꼳니랑]이 되는데, 이때 첫째 음절의 받침 'ㄷ'이 다음 음절의 'ㄴ'에 동화되어 'ㄴ'으로 변하므로 [꼰니랑]으로 발음된다. '꽃오목'은 음절의 끝소리 규칙에 의해 [꼳오목]이 되는데, 뒤에 'ㅗ'로 시작하는 실질 형태소가 연결되므로, 표준 발음법 제15항에 따라 [꼬도목]으로 발음된다.

14 정답 ④

④는 본용언과 보조 용언이라 띄어 쓴 것이고, 나머지는 뒷말이 의존 명사이기 때문에 띄어 쓴 것이다.

15 정답 ②

'무덤'은 '묻-+-엄'의 구조로, '어근+접사'의 구성으로 이루어진 파생어이며, 어근 '묻-'의 원형을 밝히어 적지 않고 소리 나는 대로 적는 예이다. '지붕'도 '집+-웅'의 구조로, '어근+접사'로 이루어진 파생어이며, 어근 '집'의 형태를 밝혀 적지 않고 소리 나는 대로 적는 경우에 해당한다. '뒤뜰'과 '쌀알'은 모두 '어근+어근'의 구조로 된 합성어로서, 어근의 원형을 밝혀 적는 경우에 해당한다.

오답 풀이 ①, ③, ④, ⑤ '길이'는 파생어이면서 어근의 원형을 밝히어 적는 경우에 해당한다. '마중'은 파생어이면서 어근의 원형을 밝히어 적지 않는 경우에 해당한다.

16 정답 ⑤

'일찍이'는 부사 '일찍'에 부사 파생 접미사 '-이'가 붙어서 다시 부사가 된 것이다. ㉢의 '더욱이'도 부사 '더욱'에 부사 파생 접미사 '-이'가 붙어서 다시 부사가 된 것이다.

오답 풀이 ① '급히'는 '급하다'의 어근 '급-'에 부사 파생 접미사 '-히'가 붙어 부사가 된 것이므로 ㉡과 같은 규정이 적용된 사례이다.
② '방긋이'는 부사 '방긋'에 부사 파생 접미사 '-이'가 붙어서 다시 부사가 된 것이므로 ㉢과 같은 규정이 적용된 사례이다.
③, ④ '많이'와 '깊이'는 각각 '많다'와 '깊다'의 어간 '많-'과 '깊-'에 부사 파생 접미사 '-이'가 붙어서 부사가 된 것이므로 ㉠과 같은 규정이 적용된 사례이다.

44 외래어 표기법

단계별 트레이닝 | 본문 149쪽 |

1단계 01 외래어 02 24, 1 03 ㄱ, ㄴ, ㄹ, ㅁ, ㅂ, ㅅ, ㅇ 04 된소리 05 관용 06 [p], [t], [k] 07 시, 슈 08 오, 아워 09 캣 10 파일 11 가스 12 주스 13 올리브 14 데스크 15 콩트 16 파리 17 플래시 18 주니어 19 피아노 20 라디오 21 쇼핑 22 윈도 23 텔레비전

2단계 24 ① 25 ⑤ 26 ②

24 정답 ①

외래어를 표기할 때에는 원어 발음과는 다소 차이가 나더라도 국어의 음운 체계에 맞춰 표기해야 한다.

오답 풀이 ②, ③ 외래어도 국어의 일부이므로 외래어를 표기할 때에는 현재 사용하고 있는 문자인 한글을 사용하며, 1 음운을 1 기호로 적는다.
④ 외래어는 원음을 그대로 표기하는 것이 원칙이지만, 이미 오랫동안 쓰여 원음에서 멀어진 발음으로 굳어진 외래어는 관용을 인정하여 규정에 구애받지 않고 관용대로 표기하도록 하였다.
⑤ 다양한 어형이 존재할 가능성이 있는 외래어에 대해서는 가장 가까운 국어 발음과 일대일로 대응해서 표기하는 것을 기본 원칙으로 한다.

25 정답 ⑤

⑤는 '피라밋', '메세지', '바베큐'로 잘못 쓰기 쉽지만, '피라미드', '메시지', '바비큐'가 올바른 표기이다.

오답 풀이 ① '콘셉트', '애드리브', '알코올'이 바른 표기이다.
② '앙코르', '케이크', '챔피언'이 바른 표기이다.

③ '액세서리'가 바른 표기이다.
④ '리더십', '코미디'가 바른 표기이다.

26 정답 ②

우리말에 없는 소리라고 해도 가장 유사한 소리로 동일하게 표기해야 혼란을 막을 수 있다. [f]와 [p]는 발음 기호가 다르지만 둘 다 'ㅍ'으로 적는다.

오답 풀이 ① 외래어는 국어의 현용 24 자모(자음 14자: ㄱ, ㄴ, ㄷ, ㄹ, ㅁ, ㅂ, ㅅ, ㅇ, ㅈ, ㅊ, ㅋ, ㅌ, ㅍ, ㅎ / 모음 10자: ㅏ, ㅑ, ㅓ, ㅕ, ㅗ, ㅛ, ㅜ, ㅠ, ㅡ, ㅣ)만으로 적으며, 우리말에 없는 발음이 있다면 가장 유사한 발음으로 통일해서 적는다.
③ 받침 소리는 국어의 음절의 끝소리 규칙을 적용하되, 'ㄷ' 대신 'ㅅ'으로 적는다. 즉, 발음을 고려하면 'rocket'은 '라켇'으로 적어야 한다. 하지만 뒤에 모음으로 시작되는 말과 어울릴 때 '라켓이[라케시]', '라켓을[라케슬]'로 활용되는 점을 감안하여, 받침을 'ㄷ'이 아닌 'ㅅ'으로 적는 것이다.
④ 무성 파열음 [p, t, k]는 거센소리로 적고, 유성 파열음 [b, d, g]는 예사소리로 적는다. 본래 무성 파열음은 영어나 독일어에서는 거센소리로 나고, 프랑스 어와 러시아 어에서는 된소리로 나는데, 이를 언어에 따라 달리 적으면 혼란이 생길 수 있으므로 거센소리로 적기로 통일한 것이다.
⑤ 외래어 중에서 이미 오랫동안 쓰여서 아주 굳어진 단어는 그 관용을 인정하여 규정에 구애받지 않고 관용대로 적도록 한다. 다만 그 관용의 한계를 정확히 어떤 것이라고 규정하기는 어려운 일이므로, 관용 표기가 필요한 단어들에 대해서는 하나하나 개별적으로 표기를 결정하였기 때문에 이것에 대한 기준이 따로 제시되어 있지는 않다.

45 국어의 로마자 표기법

단계별 트레이닝 | 본문 151쪽 |

1단계 01 × 02 ○ 03 × 04 ○ 05 × 06 ○ 07 (1) eo (2) ae (3) oe 08 (1) wo (2) ui 09 (1) k (2) d, t (3) pp 10 (1) ch (2) ss (3) ng (4) r, l 11 ○ 12 ○ 13 ○ 14 × 15 × 16 ○ 17 × 18 ○ 19 ○ 20 ○ 21 ○ 22 × 23 ×
2단계 24 ④ 25 ①

24 정답 ④

'그믐달'은 [그믐딸]로 발음되지만 된소리되기는 표기에 반영하지 않으므로 'geumeumdal'로 써야 한다. 또한 발음상 혼동의 우려가 있는 것도 아니므로 붙임표(-)를 넣는다는 진술도 적절하지 않다.

오답 풀이 ① '왕십리'는 [왕심니]로 발음되므로 자음 동화를 반영하여 'Wangsimni'로 써야 한다.
② '물약'은 [물략]으로 발음되므로 'ㄹ' 소리가 덧나는 현상을 반영하여 'mullyak'으로 써야 한다.
③ '묵호'는 예사소리인 'ㄱ' 뒤에 'ㅎ'이 이어져 거센소리화되어 [무코]로 발음되지만 'ㅎ'을 밝혀 적어 'Mukho'로 써야 한다.
⑤ '산(山)'은 'mountain'이라고 번역하지 않고 우리말 그대로 'san'이라고 써야 한다.

25 정답 ①

'고려[고려]'에서 'g'를 'G'로 수정한 것은 고유 명사의 첫 글자는 대문자로 적는다는 ㉣을 적용한 것이고, 'l'을 'r'로 수정한 것은 'ㄹ'이 모음 앞에 올 때에는 'r'로 적는다는 ㉡을 적용한 것이다.

오답 풀이 ② '발해[발해]'에서 'P'를 'B'로 수정한 것은 'ㅂ'이 모음 앞에 올 때 'b'로 적는다는 ㉠을 적용한 것이고, 'r'을 'l'로 수정한 것은 'ㄹ'이 자음 앞이나 어말에 올 때에는 'l'로 적는다는 ㉡을 적용한 것이다.
③ '백제[백쩨]'에서 'P'를 'B'로 수정한 것은 'ㅂ'이 모음 앞에 올 때 'b'로 적는다는 ㉠을 적용한 것이고, 'g'를 'k'로 수정한 것은 'ㄱ'이 자음 앞이나 어말에 올 때 'k'로 적는다는 ㉠을 적용한 것이다.
④ '신라[실라]'에서 'lr'을 'll'로 수정한 것은 'ㄹㄹ'은 'll'로 적는다는 ㉡을 적용한 것이다.
⑤ '옥저[옥쩌]'에서 'o'를 'O'로 수정한 것은 고유 명사의 첫 글자는 대문자로 적는다는 ㉣을 적용한 것이고, 'jj'를 'j'로 수정한 것은 된소리되기는 표기에 반영하지 않는다는 ㉢을 적용한 것이다.

44 외래어 표기법 ~ 45 국어의 로마자 표기법

실력 테스트 | 본문 152~153쪽 |

01 ④ 02 ③ 03 ⑤ 04 ② 05 ① 06 ⑤ 07 ③ 08 ④

01 정답 ④

<보기>의 예문들은 모두 '외래어의 받침 표기에는 'ㄷ'이 아닌 'ㅅ'을 쓴다.'라는 규정과 관련이 있다. 국어의 음절의 끝소리 규칙과 달리 외래어를 표기할 때에는 'ㄷ' 대신 'ㅅ'을 받침으로 쓰는데, 이는 받침 'ㅅ'은 단독으로는 [ㄷ]으로 발음되지만 모음 앞에서는 [ㅅ]으로 발음되기 때문이다. 즉, '로봇이[로보시], 초콜릿의[초콜리싀/초콜리세], 카펫을[카페슬], 바스켓에[바스케세]'처럼 발음되는 현상을 감안한 규정이다.

오답 풀이 ①, ② <보기>에 된소리나 장모음 표기에 해당하는 예는 나타나 있지 않다.
③ 외래어의 받침 표기는 뒤에 이어지는 모음과 상관없이 일정하다.
⑤ <보기>의 외래어들은 관용에 따라 굳어진 외래어 표기가 아니다.

02 정답 ③

㉠ 파열음 표기에는 된소리를 쓰지 않는 것이 원칙이라는 외래어 표기법의 제4항에 따라 '파리'로 적어야 한다.
㉡ 받침에는 'ㄱ, ㄴ, ㄹ, ㅁ, ㅂ, ㅅ, ㅇ'만을 쓴다는 외래어 표기법의 제3항에 따라 'ㅅ'으로 적어야 한다.
㉢ 외래어는 국어의 현용 24 자모만으로 적는다는 외래어 표기법의 제1항에 따라 새로운 기호를 만들지 않는다.

03 정답 ⑤

'doughnut'은 짧은 모음 다음의 어말 무성 파열음은 받침으로 적는다는 ㉠에 따라 '도넛'으로 적어야 한다.

오답 풀이 ① 'rocket, robot'의 't'는 짧은 모음 다음의 어말 무성 파열음이므로 '로켓, 로봇'처럼 받침으로 적는다.
② 'napkin'의 'p'는 짧은 모음과 자음 사이의 무성 파열음이므로 '냅킨'으로 적어야 한다.
③ 'mattress'의 'tt'는 짧은 모음과 유음 사이의 무성 파열음이므로 '매트리스'로 적어야 한다.
④ 'tape, cake, flute'는 긴 모음 다음의 어말 무성 파열음이므로 '테이프, 케이크, 플루트'로 적어야 한다.

04 정답 ②

외래어의 받침 표기에 쓸 수 있는 7개의 자음은 국어에서 받침으로 소리 나는 자음과 달리 'ㄱ, ㄴ, ㄹ, ㅁ, ㅂ, ㅅ, ㅇ'이다. 즉, 'ㄷ' 대신 'ㅅ'을 받침으로 쓰므로, '슈퍼마켓, 로켓'으로 적어야 한다.

오답 풀이 ① 로마자 표기법에서는 국어에 없는 글자를 별도로 만들어 사용하지는 않으므로, [f]와 같이 국어에 없는 소리는 가장 비슷한 소리인 'ㅍ'으로 적는다.
③ 'strike, teamwork'는 어말이 [k]로 소리 나므로 '으'를 붙여 적는다.
④ 파열음 표기에는 된소리를 쓰지 않는다.
⑤ 우리말에서 '죠, 져'는 [조, 저]로 발음되므로, 외래어를 표기할 때도 '죠, 져'는 '조, 저'로 적는다.

05 정답 ①

로마자를 표기할 때는 국어의 표준 발음법에 따라 적어야 하지만, 된소리되기는 표기에 반영하지 않는다. 따라서 '낙동강'은 'Nakdonggang'으로 써야 한다.

오답 풀이 ② '종로'는 [종노]로 발음되므로 음운 변화를 적용하여 'Jongno'로 쓴다.
③ '집현전'은 [지편전]으로 발음되지만, 체언에서 'ㄱ, ㄷ, ㅂ' 뒤에 'ㅎ'이 올 때는 'ㅎ'을 밝혀 적는다고 했으므로 'Jiphyeonjeon'으로 적어야 한다.
④ 자연 지물명, 문화재명, 인공 축조물명은 붙임표(-)를 붙이지 않고 그대로 표기한다.
⑤ 'Jungang'은 '준강', '중앙'의 두 가지로 발음될 수 있으므로 음절 사이에 붙임표(-)를 사용하면 발음상의 혼란을 없앨 수 있다.

06 정답 ⑤

'앞집'의 발음은 [압찝]이지만 '장롱[장:농]'에서와 마찬가지로 'ㅈ'을 'j'로 적고 있다. 이는 로마자 표기에서는 된소리되기를 표기에 반영하지 않는다는 원칙을 따른 것이다.

오답 풀이 ① [가락]을 'garak'으로 적은 것은 모음 앞의 'ㄱ'과 받침의 'ㄱ'을 각각 다르게 적는다는 사실을 말해 준다. 즉, 모음 앞에서는 'g'로 적고 음절의 끝에서는 'k'로 적는 것이다. 이는 'ㄱ, ㄷ, ㅂ'의 경우, 모음 앞에서는 'g, d, b'로 적고, 자음 앞이나 어말에서는 'k, t, p'로 적는다는 규정과 관련이 있다.
② '앞집'에서 받침으로 쓰인 'ㅍ'과 'ㅂ'을 모두 'p'로 적은 것은 로마자 표기법이 국어의 표준 발음법에 따른다는 것을 말해 주는 것이다. 즉, '앞'은 [압]으로 발음되므로 받침소리를 'p'로 적은 것이다.
③ 로마자 표기에는 긴 소리를 표시하는 별도의 표기가 반영되지 않았다는 점을 통해, 로마자 표기법에서는 장단을 표시하지 않는다는 사실을 확인할 수 있다.
④ 로마자 표기법에서는 음운 변화의 결과를 반영하여 적는다고 규정하고 있다. 따라서 '장롱'은 자음 동화가 일어나 [장:농]으로 발음되기 때문에 'jangnong'으로 적는다.

07 정답 ③

'학여울'은 '학'과 '여울'이 결합한 합성어이며, 앞말 '학'이 자음 'ㄱ'으로 끝나고 뒷말의 첫음절이 '여'이므로 [ㄴ] 소리가 첨가된 [항녀울]로 발음된다. 따라서 'Hangnyeoul'로 표기해야 한다.

08 정답 ④

'충의사'에서 '의'는 표준 발음법 제2장 제5항 '다만 4'의 규정에 따를 때 [ㅣ]로 발음할 수 있지만, 로마자 표기법 제2장 제1항 [붙임 1]의 규정에 따라 'ui'로 적어야 한다.

오답 풀이 ① '승례문'에서 '례'의 'ㅖ'는 표준 발음법 제2장 제5항 '다만 2'의 규정에 따라 [ㅔ]로 발음해야 하며, 로마자 표기법 제2장 제1항 2의 규정에 따라 'ye'로 표기해야 한다.
② '도예촌'에서 '예'의 'ㅖ'는 표준 발음법 제2장 제5항 '다만 2'의 규정에 따라 [ㅖ]로 발음해야 하며, 로마자 표기법 제2장 제1항 2의 규정에 따라 'ye'로 표기해야 한다.
③ '퇴계원'에서 '계'의 'ㅖ'는 표준 발음법 제2장 제5항 '다만 2'의 규정에 따라 [ㅖ]나 [ㅔ]로 발음할 수 있으나, 로마자 표기법 제2장 제1항 2의 규정에 따라 [ㅖ]로 발음되는 경우 'ye'로 표기해야 한다.
⑤ 표준 발음법 제2장 제5항 '다만 4'의 규정에 따르면 자음을 첫소리로 가지고 있는 음절의 'ㅢ'는 'ㅣ'로 발음함도 허용하는데, '광희문'의 '희'도 자음을 첫소리로 가지고 있는 음절의 'ㅢ'이므로 [광히문]으로 발음할 수 있다. 단, 로마자 표기법 제2장 제1항 [붙임 1]의 규정에 따르면 'ㅢ'는 'ㅣ'로 소리 나더라도 'ui'로 적어야 한다.

46 문장 다듬기 1

단계별 트레이닝 | 본문 157쪽 |

1단계 01 막역한 02 먹었어요 03 우리 04 다르니 05 결제 06 에 07 목적어 08 목적어 09 부사어 10 주어 11 실내에서는 조용히 해 주십시오. / 실내에서는 정숙을 유지해 주십시오. 12 그곳에 따뜻한 손길이 이어지고 있다. / 그곳에 온정의 손길이 이어지고 있다. 13 내일은 준비물을 따로 챙길 필요가 없어. / 내일은 별도의 준비물을 챙길 필요가 없어. 14 내가 하고 싶은 말은 네가 옳다는 것이다. 15 비록 최선을 다할지라도 성공하지 못할 것이다. / 만약 최선을 다한다면 성공할 것이다. 16 너는 앞으로 우리나라를 책임질 일꾼이다. / 너는 앞으로 우리나라를 책임지는 일꾼이 될 것이다. 17 그들은 날마다 적당한 운동을 하고 휴식을 취하였다.

2단계 18 ⑤ 19 ④ 20 ②

18 정답 ⑤

⑤는 단어의 혼동됨이 없이 바르게 사용한 예이다.

오답 풀이 ① '햇빛'은 '해의 빛'을, '햇볕'은 '해가 내리쬐는 기운'을 뜻한다. 따라서 내리쬐는 것은 '햇빛'이 아니라 '햇볕'이다.

② '후덥지근하다'는 '열기가 차서 조금 답답할 정도로 더운 느낌이 있다.'라는 뜻이다. 따라서 '후덥지근하다'라고 할 때에는 '날씨가'를 주어로 써야 한다.
③ '띄다'는 '뜨이다'의 준말이다. 따라서 '빛깔이나 색채 따위를 가지다.'를 의미하는 '띠다'를 써야 한다.
④ '붙이다'는 '붙다'의 사동사이다. 따라서 '모자라거나 미치지 못하다.'를 의미하는 '부치다'를 써야 한다.

19

정답 ④

(다)의 '넣었다'는 주어와 목적어, 부사어를 요구하는 세 자리 서술어지만, (라)의 '내려다보았다'는 주어와 목적어를 요구하는 두 자리 서술어이다. 따라서 (다)의 '넣었다'와 (라)의 '내려다보았다'는 서술어가 필수적으로 요구하는 문장 성분의 개수가 다르다는 것을 알 수 있다.
오답 풀이 ① (가)는 주어와 서술어의 두 개의 문장 성분으로 되어 있다.
② (나)는 주어, 목적어, 서술어의 구조로 되어 있는데, 이들 문장 성분은 필수 성분이므로 하나만 빠져도 올바른 문장이 될 수 없다.
③ (다)의 '넣었다'는 세 자리 서술어로서 주어, 목적어, 부사어를 필요로 한다.
⑤ (라)에는 주어가 빠져 있다.

20

정답 ②

②는 목적어와 서술어가 호응하지 않는다. '모자'는 '쓰다'와 '옷'은 '입다'와 호응하므로 '노란 모자를 쓰고 (노란) 옷을 입고 있는 사람을 찾아보십시오.'로 고쳐야 한다.
오답 풀이 ① 주어인 '현대는'과 서술어인 '사회이다'가 호응하지 않으므로, 서술어를 '시대이다'로 고친 것은 적절하다.
③ 부사 '비록'은 '-ㄹ지라도/-지마는(지만)'과 호응하므로, '비록 그는 몸은 고단하지만 마음만은 행복해 보였다.'로 고친 것은 적절하다.
④ 문장을 연결할 때에는 접속되는 단위들 간의 자격이 대등해야 한다. '학생들은 훌륭한 인성 함양과 건강한 체력을 길러야 한다.'는 '구+절'의 형태로 결합되어 있으므로, '절+절'의 형태로 통일하여 '학생들은 훌륭한 인성을 함양하고 건강한 체력을 길러야 한다.'로 고친 것은 적절하다.
⑤ 서술어인 '해야 한다'와 호응하는 부사는 '반드시'이므로, '절대로'를 '반드시'로 고친 것은 적절하다.

47 문장 다듬기 2

단계별 트레이닝 | 본문 161쪽 |

1단계 01 ⓜ 02 ㉠ 03 ⓒ 04 ⓛ 05 ⓔ 06 내가 형과 동생 두 사람을 찾아다녔다. 07 일부의 학생들이 소풍을 가지 않았다. 08 아빠는 엄마가 야구를 좋아하시는 것보다 더 야구를 좋아하신다. 09 오래 → 오라셔/오라고 하셔 10 극복되어야 → 극복해야 11 품절되셨습니다 → 품절되었습니다 12 보여진다 → 보인다 13 계시겠습니다 → 있으시겠습니다 14 교육시켜야 → 교육해야

2단계 15 ② 16 ④ 17 ② 18 ③

15

정답 ②

<보기>는 지나친 명사화 구성에 대하여 설명하고 있다. ②는 의미의 연결이 자연스러우므로 <보기>에서 지적한 명사화 구성의 문제점이 드러나지 않는다.
오답 풀이 ① '그대가 있어서 나는 행복하다.'로 고칠 수 있다.
③ '증인은 윗사람의 압력으로 특혜를 주었다고 시인했다.'로 고칠 수 있다.
④ '국민들은 누가 권력을 남용하여 부정부패를 저질렀는지 궁금해한다.'로 고칠 수 있다.
⑤ '부실시공은 건물이 무너져 사람들이 죽을 수도 있다는 비극적 가능성을 안고 있어서 문제가 심각하다.'로 고칠 수 있다.

16

정답 ④

④는 어휘적으로나 구조적으로 하나의 의미만을 나타내고 있다.
오답 풀이 ① 주어의 범위가 불명확하여 중의적으로 해석되는 문장이다. '민수와 연희'가 함께 '진주'를 밀었는지, '민수'가 '연희와 진주'를 밀었는지를 명확하게 제시해야 한다.
② 비교의 부사격 조사 '보다'가 비교하는 대상이 명확하지 않아 중의적으로 해석되는 문장이다. 비교의 대상이 '나와 동생'인지, '동생을 아끼는 정도'인지가 분명하지 않으므로 비교 대상이 분명해지도록 문장을 고쳐야 한다.
③ 부정의 의미가 미치는 범위에 따라 중의적으로 해석되는 문장이다. 푼 문제가 몇 문제뿐인지, 풀지 못한 문제가 몇 문제뿐인지를 명확하게 제시해야 한다.
⑤ 주체와 객체의 범위가 모호해서 중의적으로 해석되는 문장이다. '형이 어떤 사람이든 만나고 싶어 하는지', '모든 사람들이 형을 만나고 싶어 하는지'의 범위를 명확하게 제시해야 한다.

17

정답 ②

'야단'은 윗사람의 입장에서만 쓸 수 있는 말이다. 이 경우는 '아랫사람의 잘못을 꾸짖는 일'을 뜻하는 '꾸중(꾸지람)'을 써서, '어머니께 꾸중(꾸지람)을 들었습니다.'로 표현해야 한다.
오답 풀이 ① 선생님을 높이는 '-시-'를 사용하여 '오라셔'라고 적절하게 표현하였다.
③ 서술어(들어 보세요)로 보아 청자가 화자보다 윗사람임을 알 수 있다. 따라서 자신의 말을 낮추어 이르는 '말씀'을 사용하여 적절하게 표현하였다.
④ 그분의 이름을 '성함'이라고 높여 적절하게 표현하였다.
⑤ 어머님을 높이는 특수 어휘 '계시다'를 사용하여 적절하게 표현하였다.

18

정답 ③

③은 바른 문장이므로 고칠 필요가 없다.
오답 풀이 ① '다음 장소는 제2 전시실입니다.'로 고쳐야 한다.
② '서서히 교내 질서가 잡혀 가고 있습니다.'로 고쳐야 한다.
④ '여러분께 정은형 씨를 소개하겠습니다.'로 고쳐야 한다.
⑤ '지금 올림픽 대로에는 차의 통행량이 많습니다.'로 고쳐야 한다.

㊻ 문장 다듬기 1 ~ ㊼ 문장 다듬기 2

실력 테스트 | 본문 162~163쪽 |

01 ② 02 ③ 03 ① 04 ③ 05 ⑤ 06 ④ 07 ⑤ 08 ⑤ 09 ③ 10 ⑤

01

정답 ②

〈보기〉의 ㉠~㉤에서 잘못된 피동 표현은 찾을 수 없다.

오답 풀이 ㉠ 잘못된 높임법(①)이 사용되었다. 바르게 고치면 '너, 선생님께서 교무실로 오라셔/오라고 하셔.'이다.

㉡ 단어 사용이 혼동(④)되었다. 바르게 고치면 '어제 산 시계를 그만 잃어버렸어.'이다.

㉢ 사동 표현이 남용(⑤)되었다. 바르게 고치면 '같이 일할 사람 좀 소개해 주세요.'이다.

㉣ 잘못된 높임법(①)이 사용되었다. 바르게 고치면 '교장 선생님의 훈화가 있으시겠습니다.'이다.

㉤ 추측 표현이 오용(③)되었다. 바르게 고치면 '영화의 끝부분이 매우 슬픕니다.'이다.

02

정답 ③

자신의 주관적인 태도를 나타낼 때 '~ 것 같다'를 사용하면 부정확한 판단이 되므로 부자연스러운 문장이 된다. 따라서 ③은 '좋아요'라고 써야 한다.

오답 풀이 ①, ②, ④, ⑤ 추측이나 불확실한 단정을 나타내는 경우이므로 '~ 것 같다'를 쓰는 것이 적절하다.

03

정답 ①

㉠의 수정 과정에서 추가된 '물에'는 목적어 '발을'을 수식하는 관형어가 아니라, '넣었다'가 필요로 하는 부사어이다.

오답 풀이 ② ㉡에서는 '개선된다'를 '개선된다는 것이다'로 수정하였는데, 이는 '내가 주장하는 바는'과 서술어가 호응하게 하기 위함이다.

③ ㉢에서는 '불편과 피해를 입었다'를 '불편을 겪고 피해를 입었다'로 수정하였는데, 이는 '불편을'에 호응하는 서술어가 없기 때문에 '불편을'과 호응하는 서술어 '겪고'를 추가하여 문장을 수정한 것이다.

④ ㉣에서는 '운동을 동참합시다'를 '운동에 동참합시다'로 수정하였는데, 서술어 '동참합시다'에 호응하는 부사어의 조사를 '에'로 올바르게 고친 것이다.

⑤ ㉤에서는 '여간 기쁜 일이다'를 '여간 기쁜 일이 아니다'로 수정하였는데, '여간'은 '그 상태가 보통으로 보아 넘길 만한 것임.'을 뜻하는 부사로 부정의 의미를 나타내는 말과 호응하기 때문에, '일이다'를 '일이 아니다'로 수정한 것이다.

04

정답 ③

'열심히'는 '어떤 일에 온 정성을 다하여 골똘하게'이고 '열의'는 '어떤 일을 이루기 위하여 온갖 정성을 다하는 마음'이다. 이로 볼 때 '열심히'는 '열의를 가지고'와 의미가 중복되므로 생략하는 것이 좋다.

05

정답 ⑤

㉤은 문맥상 주어와 호응하지 않는데, '더해지는 것이다'가 아니라 '더해져야 한다'로 고쳐야 주어와 서술어의 호응 관계가 맞다.

오답 풀이 ① '주목(注目)'은 '눈을 한곳에 쏟음.'을 뜻하여 문맥에 맞지 않으므로, '세태나 남의 세력을 이용하여 자신의 이익을 거둠.'의 의미를 지닌 '편승'으로 고치는 것이 적절하다.

② '으로'는 움직임의 방향을 나타내는 조사이므로, 시간을 나타내는 조사 '에'로 고치는 것이 적절하다.

③ '악성 댓글 문제점 해결 방법'은 명사가 지나치게 나열되어 장황한 느낌을 주므로, '악성 댓글의 문제점을 해결하는 방법'으로 풀어 쓰는 것이 적절하다.

④ '증폭되어지는'은 어법에 맞지 않는 이중 피동으로, '증폭되는'으로 고치는 것이 적절하다.

06

정답 ④

〈보기〉의 앞 문장은 주술 호응이 맞지 않는다. 병에 걸리는 것은 사람이고, 카드뮴은 사람이 병에 걸리게 하는 주체이기 때문이다. 따라서 '걸릴 수도 있다'를 '걸리게 할 수도 있다'로 바꾸어야 한다.

07

정답 ⑤

⑤는 '시대'를 꾸며 주는 '삭막한'과 '비정한'이 연달아 사용된 어색한 문장이다. '그들이 살아갈 미래는 삭막하고 비정한 시대가 될 것이다.'로 고치는 것이 적절하다.

오답 풀이 ① '것'을 활용한 명사화 구성에 해당한다.

② '-는'을 활용한 관형화 구성과 '것'을 활용한 명사화 구성에 해당한다.

③ '-기'를 활용한 명사화 구성에 해당한다.

④ 관형사형 어미 '-는'과 관형격 조사 '의'를 활용한 관형화 구성에 해당한다.

08

정답 ⑤

⑤는 알맞은 접속 어미를 사용한 문장이다.

오답 풀이 ① 주어진 문장은 앞 절이 뒤 절의 목적 · 의도를 나타내는 것으로 볼 수 있으므로, 목적 · 의도를 나타내는 연결 어미를 사용하여 '그는 공부를 하러 도서관에 갔다.'로 고쳐야 한다.

② 날씨가 흐리다는 원인 때문에 비가 내린다는 것은 논리적으로 합당하지 않다. 날씨가 흐린 다음 비가 내리는 것이 상식적이므로, '내일은 날씨가 흐리고 비가 조금 내리겠습니다.'로 고쳐야 한다.

③ 앞에서 그 사람에 대해 아는 바가 없다고 했는데 뒤에서 그 사람이 좋은 사람이라는 것을 안다는 것은 논리적으로 맞지 않는다. 따라서 '나는 그 사람에 대해 아는 바가 없기 때문에, 그 사람이 좋은지 나쁜지 알 수 없다.'로 고쳐야 한다.

④ '-ㄹ지언정'은 뒤 절을 강하게 시인하기 위하여 뒤 절과는 대립적인 앞 절을 시인함을 나타내는 연결 어미이다. 주어진 문장은 서로 대등한 절이 이어진 것이므로 '사랑이 없는 이성은 비정한 것이 되고, 이성이 없는 사랑은 몽매와 탐닉이 된다.'로 고쳐야 한다.

09

정답 ③

"언니가 교복을 입고 있다."는 동작의 진행과 완료로 해석될 수 있는 문장이다. 즉, 교복을 입는 동작이 진행 중이라는 의미와 현재 교복을 다 입은 후의 상태라는 의미로 해석된다. 이 문장을 "언니가 교복을 입는 중이다."로 고치면 동작이 진행 중이라는 의미만을 나타내게 되어 중의성을 해소할 수 있다. 그러나 "언니가 지금 교복을 입고 있다."라고 수정하여도 원래 문장처럼 중의성은 해소되지 않는다.

오답 풀이 ① '예쁜 모자의 장식물'은 수식의 범위에 따른 중의성이 발생하는 표현으로, '모자가 예쁜 경우'와 '장식물이 예쁜 경우'의 두 가지 의미로 해석될 수 있다. '장식물이 예쁜 경우'만으로 의미를 한정하기 위해서는 ㉠에서와 같이 쉼표를 사용하여 '예쁜, 모자의 장식물'로 고칠 수도 있고, ①에서와 같이 단어의 위치를 바꾸어 '모자의 예쁜 장식물'로 고칠 수도 있다.

② "손님들이 다 오지 않았어."는 부정의 범위에 따른 중의성이 발생하는 표현으로, '손님들 중 일부만 온 경우'와 '한 명도 오지 않은 경우'의 두 가지 의미로 해석될 수 있다. '손님들 중 일부만 온 경우'로 의미를 한정하기 위해서는 ㉡에서와 같이 "손님들 중 일부가 오지 않았어."나 ②에서와 같이 "손님들이 다는 오지 않았어."로 고치면 된다.

④ "형은 나보다 동생을 더 좋아한다."는 비교의 대상에 따른 중의성이 발생하는 표현으로, '형이 나와 동생 중 동생을 더 좋아한다.'라는 의미와 '내가 동생을 좋아하는 것보다 형이 동생을 좋아하는 정도가 더 강하다.'라는 의미로 해석될 수 있다. 나와 동생이 비교 대상인 경우로 한정하기 위해서는 ㉣에서와 같이 "형은 나를 좋아하는 것보다 동생을 더 좋아한다."나 ④에서와 같이 "형은 나와 동생 중에서 동생을 더 좋아한다."로 고치면 된다.

⑤ "나는 웃으면서 매장에 들어오는 손님에게 인사했다."는 수식의 범위에 따른 중의성이 발생하는 문장으로, '내가 웃으면서 인사하는 경우'와 '손님이 웃으면서 매장에 들어오는 경우'의 두 가지 의미로 해석될 수 있다. '내가 웃으면서 인사하는 경우'로 한정하기 위해서는 ㉤에서와 같이 "나는 매장에 들어오는 손님에게 웃으면서 인사했다."로 고치거나 ⑤에서와 같이 단어의 위치를 바꾸어 "매장에 들어오는 손님에게 나는 웃으면서 인사했다."로 고치면 된다.

10

정답 ⑤

ㅁ에서는 '나를 좋아하는 것보다 드라마 보는 것을 더 좋아함.'이라는 조건에 따라 중의성을 해소하는 방안을 요구하고 있다. 그런데 '드라마를' 뒤에 '보는 것을'을 첨가하더라도 문장의 중의성은 해소되지 않는다. ㅁ의 중의성을 해소하기 위해서는 '남편은 나를 좋아하는 것보다 드라마를 보는 것을 더 좋아한다.'라고 고쳐야 한다.

오답 풀이 ① '그녀는 웃으며 걸어오는 친구를 맞았다.'에서 문장 성분의 순서를 바꾸어 '그녀는 걸어오는 친구를 웃으며 맞았다.'로 고치면 '그녀가 웃음.'이라는 의미를 지닌 문장이 되어 중의성이 해소된다.

② '민수는 영이와 철수를 만났다.'에서 '민수는' 뒤에 쉼표(,)를 첨가하여 '민수는, 영이와 철수를 만났다.'로 고치면 '민수가 두 사람을 만남.'이라는 의미가 되어 중의성이 해소된다.

③ '나는 그에게서 김 교수의 책을 건네받았다.'는 관형격 조사 '의' 때문에 중의성이 발생한 것이다. 따라서 '김 교수의'를 '김 교수가 지은'으로 고치면 '저자가 김 교수인 책'이 되어 중의성이 해소된다.

④ '신철수와 김지영이 결혼하였다.'는 '신철수와 김지영 두 사람이 부부가 되었다.'라는 의미와 '두 사람이 따로따로 결혼을 했다.'라는 두 가지 의미를 지니게 되지만 '신철수와 김지영이'를 '신철수가 김지영과'로 고치면 '둘이 부부가 되었음.'이라는 의미가 되어 중의성이 해소된다.

VI 담화

48 담화의 개념과 특성

단계별 트레이닝 | 본문 167쪽 |

1단계 01 문장, 담화 02 청자, 맥락 03 언어적 맥락, 상황 맥락 04 호소 담화 05 친교 담화 06 약속 담화 07 선언 담화 08 호소 담화 09 정보 제공 담화

2단계 10 ④ 11 ③

10

정답 ④

군말이란 담화의 상황에서 '음', '어'처럼 특별한 의미 없이 사용되는 군더더기 말을 의미하는데, 이 대화에서는 이러한 군말이 사용되지 않았다.

오답 풀이 ① 화제는 민지가 선생님의 짐을 들어 드리는 것에서 시작하여, 선생님이 운동을 시작했다는 얘기, 민지가 바쁘다는 얘기, 민지가 토론 대회에서 상을 받았다는 얘기 등으로 자주 전환되고 있다.

② "민지야 고마워, 짐 들어 줘서." 등과 같이 어순이 자유롭게 교체되고 있다.

③ "제가 들어 드릴까요?"에서는 목적어가, "요즘 어떻게 지내?"에서는 주어가 생략되었다. 이어지는 대화에서도 문장 성분이 생략된 경우가 많이 나타난다.

⑤ '고개를 가로젓는다.', '밝은 얼굴로 고개를 끄덕이며'에서 볼 수 있듯이 표정과 몸짓을 통해 의사를 표현하고 있다.

11

정답 ③

(가)는 상대방이 물을 아껴 쓰도록 설득하고자 하는 기능을 하므로 호소 담화의 성격이 강하다. (나) 역시 물 부족 현상에 대처하기 위한 정책 마련을 호소하고 있으므로, 호소 담화의 성격이 강하다.

오답 풀이 ① (가)는 '물 절약', (나)는 '물 부족 현상'을 화제로 삼고 있으므로, 모두 '물'과 관련된 화제를 다루고 있다.

② (가)와 (나) 모두 화자와 청자가 대면하고 있으므로, 표정이나 억양, 몸짓 등이 의사소통에 영향을 미친다고 할 수 있다.

④ (가)에서는 누나와 동생이 번갈아 청자가 되지만 각각의 발화에 따른 청자는 한 명씩이다. (나)에서는 청중들, 곧 다수가 청자이다.

⑤ (가)에는 아침, 집이라는 상황 맥락이 비교적 명확하게 드러나 있지만, (나)에는 시간과 공간이 드러나 있지 않다.

49 담화의 표현 방식

단계별 트레이닝 | 본문 171쪽 |

1단계 01 지시 02 연령, 사회적 03 생략 04 어미 05 토끼 06 제주도 07 상대방과 거리를 두면서 자신이 화가 났음을 드러내기 위해서 08 나는 어제 재석이를 만났어. 09 경제성, 정보성

2단계 10 ③ 11 ④

10

정답 ③

㉢ '거기'가 가리키는 곳은 혜정이 어제 영화를 본 영화관이다. 그러나

ⓒ '거기'가 혜정과 유진 중 어느 한 사람 쪽에 가까이 있음을 뜻하지는 않는다.

오답 풀이 ① ㉠ '그거'는 혜정이 어제 본 영화를 지시하고 있다.
② ㉡ '이거'는 화자인 혜정에게 가까운 쪽에 있다.
④ ㉣ '저기'는 버스가 오고 있는 방향을 가리키는 말로서, 유진과 혜정에게서 멀리 떨어져 있다.
⑤ ㉤ '네 말대로 나중에 같이 보자.'는 '네 말대로 우리 나중에 같이 영화를 보자.'에서 주어와 목적어가 생략된 것이다.

11
정답 ④

율민은 서빈에 대해 거리를 두고 자신의 화난 감정을 표현하기 위해 평소에 쓰지 않던 높임말을 하고 있다. 이는 높임법을 통한 거리 두기 전략에 해당한다.

오답 풀이 ① 친밀한 관계이므로 손녀인 재희가 할머니에게 반말을 하고 있다.
② 수호는 할머니의 연령이 높으므로 높임법을 사용하고 있다.
③ 김 과장은 부장의 직급이 높으므로 높임법을 사용하고 있다.
⑤ 의준과 수민은 '토론회'라는 공적인 상황에서 높임법을 사용하고 있다.

50 담화의 통일성과 응집성

단계별 트레이닝 | 본문 173쪽 |

1단계 01 그 제품의 가격이 터무니없이 비싸서 놀랐던 기억이 납니다. 02 과학에 대한 맹목적인 신뢰는 부작용을 낳습니다. 03 (왜냐하면) 그녀는 04 이 에너지는 / 이것은 05 이는 / 이것은 06 그러므로 / 따라서 07 ㉡ – ㉠ – ㉣ – ㉢

2단계 08 ⑤ 09 ④

08
정답 ⑤

⑤의 두 번째 발화는 첫 번째 발화와 내용상 유기적으로 연결되지 않는다. 또한 마지막 발화도 앞의 첫 번째, 두 번째 발화와 전혀 연관성이 없다. 즉, 내용적으로 통일성 있는 담화로 볼 수 없다.

09
정답 ④

'그렇게'는 앞에서 제시한 내용들에 대한 요약적 표현으로, '나'의 심정을 드러내고 있지 않다.

48 담화의 개념과 특성 ~ 50 담화의 통일성과 응집성

실력 테스트 | 본문 174~175쪽 |

01 ② 02 ⑤ 03 ③ 04 ③ 05 ⑤ 06 ④ 07 ② 08 ⑤

01
정답 ②

담화의 기능으로는 정보 제공, 호소, 친교, 선언 등이 있으며 하나의 담화가 갖는 기능은 하나 이상일 수도 있다. 예를 들어, 보도 기사문, 뉴스의 일반적인 기능은 정보 제공이지만 경우에 따라 호소의 기능을 가질 수도 있다. 〈보기〉는 사랑의 온도계에 대한 정보를 전달하는 텔레비전 뉴스로서, 어려운 이웃을 도와줄 것을 호소하는 기능도 수행하고 있다.

02
정답 ⑤

(나)의 화자는 불안한 심리가 아니라, 범죄 현장을 수사하는 경찰 입장에서 수사의 단서를 발견한 것이기 때문에 의심스러운 태도로 말하고 있다고 볼 수 있다. 한편 (가)와 (나)에 사용된 종결 어미 '–네'는 단순한 서술의 뜻을 나타내거나 지금 깨달은 일을 서술하는 데 쓰인다.

오답 풀이 ①, ② (가)의 발화 상황은 겨울인데, 창문이 열려 있는 교실 안이다. 따라서 추우니까 창문을 닫으라는 완곡어법에 해당한다.
③ (가)의 상황 맥락은 창문이 열려 있는 교실 안이고, (나)의 상황 맥락은 창문이 열려 있는 범죄 현장이다.
④ 범죄 현장에서 경찰이 창문이 열려 있는 모습을 주시하며 한 말이므로, 사건을 해결할 단서와 관련됨을 알 수 있다.

03
정답 ③

같은 대상에 대해 철수는 '이 과자'라고 표현하고 영희는 '그거'라고 표현한 것은, 과자가 영희보다 철수에게 가까운 위치에 있기 때문이다.

오답 풀이 ① 영희는 빵이 없어진 사실에 대해 철수에게 의심을 품고 "네가 먹었지?"라고 하면서 철수가 빵을 먹었는지의 여부를 확인하고 있다.
② 발화 상황을 고려할 때, "참 잘하셨네요."라는 진술에서 높임 표현이 사용된 것은 말하는 이와 듣는 이의 상하 관계를 드러내기 위해서가 아니라, 철수의 행위에 대해 영희가 자신의 불만 또는 언짢음을 반어적으로 드러내기 위한 것이라고 할 수 있다.
④ "대신 이 과자라도 먹을래?"라는 철수의 발화 내용을 고려할 때 "먹을래."라는 영희의 발화에는 주체인 '나'와 대상인 '과자'가 생략되어 있음을 알 수 있다.
⑤ 과자를 건네는 행위와 "근데 넌 배 안 고파?"라는 물음에 담긴 의도를 고려할 때, "난 점심 먹었어."라는 철수의 진술은 과자를 먹으라는 영희의 제안에 대한 거절의 의미를 담고 있음을 알 수 있다.

04
정답 ③

③에는 화자의 놀람과 감탄이 드러나 있고, ①, ②, ④, ⑤에는 화자의 추측이 담겨 있다.

05
정답 ⑤

㉧은 용언의 어미 '–겠–'을 통해 화자의 추측을 나타내고 있다.

오답 풀이 ① ㉠, ㉤ 모두 할머니를 가리킨다. 단지 며느리 입장과 손자 입장에서 부르는 호칭이 다를 뿐이다.
② ㉡, ㉢, ㉥ 모두 할머니의 딸을 가리킨다.
③ ㉡, ㉢, ㉥은 재정의 입장에서 고모를, ㉦은 재정의 입장에서 고종사촌을 가리키는 말이다. 둘은 모두 현재의 담화 상황에 있지 않다.
④ 할머니는 ㉣에서 '–더–'를 사용하여 자신이 딸의 집에 방문했던 과거의 경험을 현재 며느리와 손자에게 전달하고 있다.

06
정답 ④

④의 '이렇게 한 다음'에서 지시 표현('이렇게')과 순서나 과정을 드러내는 어휘('다음')가 모두 사용되고 있다.

오답 풀이 ① '먼저'라는 직접적으로 순서나 과정을 드러내는 어휘(㉯)가 사용되었다.

② '우리'라는 지시 표현(2인칭 지시 대명사 – ㉮)이 사용되었다.
③ '그러니'라는 연결어(접속 부사 – ㉮)가 사용되었다.
⑤ 연결어나 직접적으로 순서 · 과정을 드러내는 어휘를 사용하지는 않았지만, 앞뒤 문장에서 '사포질'이라는 단어를 반복함으로써 담화의 후반부가 연필꽂이 만들기 중 '사포질' 단계와 관련이 있음을 드러내고 있다.

07

정답 ②

㉠이 지칭하는 인물은 고모의 남편이고 ㉢이 지칭하는 인물은 고모이다. 청자가 고모로 같지만, 화자도 다르고 가리키는 인물도 다르다.

오답 풀이 ① ㉠과 ㉡은 모두 고모의 남편을 가리키는 말이지만, 할머니의 말의 '화자(할머니)–청자(고모)'와 고모의 말의 '화자(고모)–청자(할머니)'가 맞바뀌면서 동일한 인물이 다르게 표현된 것이다.
③ ㉠과 ㉤은 모두 고모의 남편을 가리키는 말이지만, 할머니의 말의 '화자(할머니)–청자(고모)'와 고모의 말의 '화자(고모)–청자(은미)'가 서로 달라 동일한 인물이 다르게 표현된 것이다.
④ ㉡과 ㉤은 모두 고모의 남편을 가리키는 말이지만, 모두 화자는 고모인데 청자(앞에서는 할머니, 뒤에서는 은미)가 서로 달라 동일한 인물이 다르게 표현된 것이다.
⑤ ㉢과 ㉣은 모두 고모를 가리키는 말이지만, 화자(앞에서는 엄마, 뒤에서는 은미)가 서로 달라 동일한 청자가 다르게 표현된 것이다.

08

정답 ⑤

㉥은 화자(엄마)와 청자(아들)를 제외한 제삼자가 맞지만, ㉦은 청자(아들)를 가리키는 말이다.

오답 풀이 ① ㉠과 ㉥을 화자의 관점으로 바꾸면 각각 '나'와 '딸'이 된다.
② <보기>는 엄마와 아들의 대화이므로 ㉠과 ㉧은 대화의 참여자들이다.
③ 엄마와 아들은 동일한 대상(광고판)을 '저거'라고 표현하고 있다.
④ ㉣과 ㉤은 모두 2015년 12월 30일을 가리킨다.

VII 국어의 역사

51 훈민정음 이전의 표기 방식

단계별 트레이닝 | 본문 179쪽 |

1단계 01 ㉡ 02 ㉠ 03 ㉢ 04 善, 化, 公, 主$_1$, 隱 05 主$_2$ 06 只, 良, 古 07 他, 密, 嫁, 置 08 今自三年以後 09 구결 10 厓, 伊, 爲尼
2단계 11 ③ 12 ⑤ 13 ③

11

정답 ③

한글 창제 이전에는 한자의 뜻이나 소리를 이용하여 고유 명사를 표기하였다. [해석]에서 '소나'를 혹은 '금천'이라고 한다고 했으므로, '소나'와 '금천'은 같은 대상을 지칭한 표기임을 알 수 있다. '소나(素那: 흴 소+어찌 나)'는 한자의 소리를 빌려 표기한 것이고, '금천(金川: 쇠 금+내 천)'은 한자의 뜻을 빌려 표기한 것이다. 따라서 한자의 뜻을 빌린 표기는 ㉢이다.

오답 풀이 ① '소나(素那: 흴 소+어찌 나)'는 한자의 소리를 빌려 표기한 것이다.
② '혹운(或云: 혹 혹+이를 운)'은 [해석]에서 '혹은'이므로, 한자의 소리를 빌려 표기한 것이다.
④ '백성군'은 지역명으로 한자의 소리를 빌려 표기한 것으로 볼 수 있다.
⑤ '사산'은 지역명으로 한자의 소리를 빌려 표기한 것으로 볼 수 있다.

12

정답 ⑤

향찰은 한자의 소리와 뜻을 빌려 사용하지만, 우리말 어순으로 배열하여 우리말 문장을 표기할 수 있는 방식이다. 이두 역시 우리말의 어순에 따라 한문 문장을 배열하고 한자의 소리를 빌려 조사나 어미 등을 붙인 표기법이다.

오답 풀이 ① 향찰은 신라 때에 사용된 표기 방식이다.
② 향찰은 실질적인 부분과 조사나 어미 모두 한자를 빌려 표기함으로써 국어의 문장 전체를 표기할 수 있었다.
③ 한자의 소리와 뜻을 빌려서 우리말을 표기한 것이 향찰이다.
④ 향찰은 향가를 표기하는 데 사용된 차자 표기이다.

13

정답 ③

'대한민국은 몸에 좋은 음식이 많고'에서 '大韓民國, 隱, 厓, 隱, 飮食, 伊, 遣'은 한자의 소리를 빌린 글자이고, 한자의 뜻을 빌린 글자는 '好(좋을 호), 身(몸 신), 多(많을 다)'이므로, '大韓民國隱 身厓 好隱 飮食伊 多遣'으로 표기할 수 있다.

52 훈민정음의 창제 원리

단계별 트레이닝 | 본문 181쪽 |

1단계 01 17 / 11 / ㆁ, ㅿ, ㆆ, ㆍ 02 상형, 가획 03 ㆍ, ㅡ, ㅣ 04 초성 05 이어 쓰기 06 나란히 쓰기 07 붙여쓰기 08 소리(음절) 09 (1) ㅋ (2) ㄴ (3) ㅍ (4) ㅅ (5) ㆆ 10 (1) ㅏ, ㅓ (2) ㅛ, ㅠ
2단계 11 ④ 12 ⑤ 13 ④

11

정답 ④

기본자 ㅇ에 획을 더하여 ㆆ, ㅎ을 만들었다. ㆁ은 기본자 ㄱ의 이체자이다.

오답 풀이 ① 혀뿌리가 목구멍을 막는 모양을 본떠 'ㄱ'을 만들고, 획을 더하여 'ㅋ'을 만들었다.
② 혀끝이 윗잇몸에 붙는 모양을 본떠 'ㄴ'을 만들고, 획을 더하여 'ㄷ, ㅌ'을 만들었다.
③ 입 모양을 본떠 'ㅁ'을 만들고, 획을 더하여 'ㅂ, ㅍ'을 만들었다.
⑤ 이의 모양을 본떠 'ㅅ'을 만들고, 획을 더하여 'ㅈ, ㅊ'을 만들었다.

12

정답 ⑤

재출자는 'ㅑ, ㅕ, ㅛ, ㅠ'로, 현대 국어에서의 반모음 'ㅣ(j)'와 단모음이 결합한 형태의 이중 모음들이다. 반모음 'ㅗ/ㅜ(w)'는 드러나지 않는다.

한편 반모음 'ㅗ/ㅜ(w)'와 결합한 이중 모음에는 'ㅘ, ㅝ, ㅙ, ㅞ'가 있다.

오답 풀이 ① 단모음은 'ㆍ, ㅡ, ㅣ, ㅏ, ㅓ, ㅗ, ㅜ'로 모두 7개이다.
② 초출자 'ㅏ, ㅓ'는 'ㆍ'와 'ㅣ'가 결합하여 만들어진 모음이다.
③ 초출자 'ㅗ, ㅜ'는 'ㆍ'와 'ㅡ'가 결합하여 만들어진 모음이다.
④ 재출자는 초출자 'ㅏ, ㅓ, ㅗ, ㅜ'에 'ㆍ'가 결합하여 만들어진 모음이다.

13 정답 ④

자음을 밑으로 이어서 쓰는 이어 쓰기는 순경음(ㅱ, ㅸ, ㆄ, ㅹ)을 만드는 방법을 의미한다.

오답 풀이 ① 'ㅅ'과 'ㄷ'을 나란히 써서 'ㅼ'으로 표기하였다.
② '떼'의 'ㄸ'은 'ㄷ'을 나란히 써서 표기한 것이다.
③ '모, 도'는 모음을 아래쪽에, '아, 라'는 모음을 오른쪽에 붙여 쓴 것이다.
⑤ '말'은 'ㅁ+ㅏ+ㄹ'로 초성 · 중성 · 종성을 합하여 한 음절이 이루어진 글자이다.

53 국어의 변천_ 음운, 어휘

단계별 트레이닝 | 본문 185쪽 |

1단계 01 ㅸ 02 ㅿ 03 ㆁ 04 ㅏ 05 ㅡ, ㅏ 06 ㅐ, ㅔ, ㅚ, ㅟ 07 높낮이 08 (4) 09 (2) 10 (3) 11 (1) 12 가람, 슈룹 13 붓, 배추 14 수라, 보라매

2단계 15 ② 16 ②

15 정답 ②

ㄱ을 보면, 첫째 음절의 'ㆍ'는 'ㅏ'로 변화하였고, 둘째 음절의 'ㆍ'는 'ㅡ'로 변화하였다. 따라서 첫째 음절과 둘째 음절에서 변화된 'ㆍ'의 모습이 같았다고 보는 것은 적절하지 않다.

오답 풀이 ① ㄱ을 보면, 'ᄆᆞᅀᆞᆷ'과 'ᄀᆞᅀᆞᆯ'의 'ㅿ'은 소멸되어 현대 국어에서 사용되지 않는다.
③ ㄴ을 보면, '덥다'의 'ㅂ'이 모음으로 시작하는 어미와 결합하여 'ㅸ'으로 바뀐 것을 알 수 있다.
④ ㄷ을 보면, '고ᄫᅡ'의 'ㅸ'은 'ㅏ'와 만나 'ㅗ'로, '구ᄫᅥ'의 'ㅸ'은 'ㅓ'와 만나 'ㅜ'로 변하였다.
⑤ ㄱ과 ㄷ을 보면, 'ㅿ'과 'ㅸ'은 사라져 현대 국어에는 나타나지 않음을 알 수 있다.

16 정답 ②

'사ᄉᆞᆷ>사슴'은 둘째 음절에 놓인 모음 'ㆍ'가 'ㅡ'로 바뀌었고, 'ᄀᆞ장>가장'은 첫째 음절에 놓인 모음 'ㆍ'가 'ㅏ'로 바뀌었다.

오답 풀이 ① '마ᄂᆞᆯ>마늘'은 둘째 음절의 'ㆍ'가 'ㅡ'로 바뀌어 ㉠에 해당하지만, 'ᄒᆞᆰ>흙'은 첫째 음절의 'ㆍ'가 'ㅡ'로 바뀐 예외적인 변화이다.
③ 'ᄒᆞ나>하나'는 첫째 음절의 'ㆍ'가 'ㅏ'로 바뀐 변화이고, '오ᄂᆞᆯ>오늘'은 둘째 음절의 'ㆍ'가 'ㅡ'로 바뀐 변화이다. 따라서 ㉠과 ㉡의 위치가 바뀌어서 제시되어야 한다.
④ '사ᄅᆞᆷ>사람'은 둘째 음절의 'ㆍ'가 'ㅏ'로 바뀐 예외적인 변화이고, 'ᄃᆞ리>다리'는 첫째 음절의 'ㆍ'가 'ㅏ'로 바뀐 변화로 ㉡에 해당한다.
⑤ '아ᄃᆞᆯ>아들'은 둘째 음절의 'ㆍ'가 'ㅡ'로 바뀐 변화로 ㉠에 해당하지만, '다ᄉᆞᆺ>다섯'은 둘째 음절의 'ㆍ'가 'ㅓ'로 바뀐 예외적인 변화이다.

54 국어의 변천_ 문법

단계별 트레이닝 | 본문 187쪽 |

1단계 01 ㅣ 02 ᄋᆞ로/으로 03 와, 과 04 의, ㅅ 05 과거 회상 06 미래 07 과거 08 과거 회상 09 현재 10 ○ 11 ○ 12 × 13 × 14 × 15 ○ 16 던다 17 고 18 고 19 가, 가 20 가 21 든다

2단계 22 ③ 23 ⑤

22 정답 ③

㉢의 '이며'가 현대 국어에서 접속 조사 '과'로 바뀐 것으로 볼 때, '이며'는 앞말과 뒷말을 대등하게 이어 주는 접속 조사임을 알 수 있다.

오답 풀이 ① 'ㅣ'는 주격 조사로 사용되어 앞말이 행위의 주체임을 드러내고 있다.
② 'ᄃᆞ려'는 부사격 조사로 사용되어 '지향'의 의미를 나타내고 있다.
④ 'ᄋᆡ'는 관형격 조사로 사용되어 뒷말을 꾸며 주고 있다.
⑤ 'ᄅᆞᆯ'은 목적격 조사로 사용되어 앞의 체언이 목적어로서의 자격을 가지도록 하고 있다.

23 정답 ⑤

⑤는 '덕이며 복이라 하는 것을 진상하러 오십시오.'라는 뜻으로, 의문형의 문장으로 볼 수 없다.

오답 풀이 ① '너는 어떻게 아느냐?'라는 뜻의 설명 의문문이다.
② '이제 어떠하냐?'라는 뜻의 설명 의문문이다.
③ '네 집의 아내가 그리워 갔더냐?'라는 뜻의 판정 의문문이다.
④ '네 친구들이 이제 어디에 있느냐?'라는 뜻의 설명 의문문이다.

51 훈민정음 이전의 표기 방식 ~ 54 국어의 변천 _ 문법

실력 테스트 | 본문 188~191쪽 |

01 ⑤ 02 ③ 03 ③ 04 ④ 05 ② 06 ④ 07 ⑤ 08 ④ 09 ② 10 ① 11 ③ 12 ① 13 ②

01 정답 ⑤

㉢ '수ᄫᅵ'의 'ᄫᅵ'는 (가)의 'ㅸ(순경음 비읍)'을 보여 주고, ㉣ 'ᄯᅳᄅᆞ미니라'의 'ᄯᅳ'는 초성 글자를 합하여 나란히 쓴 (나)의 합용 병서를 보여 준다.

02 정답 ③

㉢에서 '종성에서 'ㄷ'과 'ㅅ'이 다르게 발음되었다.'라고 하였으므로, ':어엿·비'에서 '엿'의 종성 'ㅅ'은 'ㄷ'과 다르게 발음되었을 것이다.

오답 풀이 ① ':수ᄫᅵ'에는 오늘날에는 없는 자음 'ㅸ'이 들어 있다.
② ㉡에서 'ㅶ'은 'ㅂ'과 'ㄷ'이 모두 발음되었다고 하였으므로, ':ᄠᅳ·들'의 'ㅶ'은 두 개의 자음이 발음되었음을 알 수 있다.
④ ':히·ᅇᅧ'의 첫째 음절과 둘째 음절의 방점이 달라 성조가 달랐다고 볼 수 있다.
⑤ '·ᄡᅮ·메'는 'ᄡᅳ(어간)+-움(명사형 어미)+에(부사격 조사)'가 결합한 말로, 연철 표기가 적용된 것으로 볼 수 있다.

03 정답 ③

'학생 3'은 A에 획을 추가한 것으로 〈예사소리〉-〈거센소리〉의 관계를 설명하고 있는데, 이는 〈보기 2〉의 '나'에서 설명하는 가획의 원리에 부합한다. 또한 〈A〉-〈AA〉로 〈예사소리〉-〈된소리〉의 관계를 표현한 것은 〈보기 2〉의 '다'의 '초성자를 나란히 써서 또 다른 초성자로 사용하였다.'라는 병서(竝書)의 원리에 해당한다.

오답 풀이 ① '학생 1'은 자음자 중 'ㄱ'이 어떠한 모습을 형상화한 것인지를 설명하고 있는데, 이는 〈보기 2〉의 '가'의 상형의 원리에 해당한다. '가'에서 초성자와 중성자의 기본자는 상형의 원리로 만들었다고 하였는데, 초성자의 기본자 'ㄱ, ㄴ, ㅁ, ㅅ, ㅇ'과 중성자의 기본자 'ㆍ, ㅡ, ㅣ'는 각각 발음 기관과 천지인(天地人)을 상형하여 만든 글자이다.

② '학생 2'는 'ㆍ, ㅡ, ㅣ'만 있으면 한글의 모든 모음 글자를 입력할 수 있다고 말하고 있다. 이는 〈보기 2〉의 '라'에서 설명하고 있는 중성자의 제자 원리에 해당한다. 즉, 중성자는 기본자 'ㅡ'와 'ㆍ'를 합성하여 'ㅗ, ㅜ'를 만들고, 'ㅣ'와 'ㆍ'를 합성하여 'ㅏ, ㅓ'를 만들었으며, 여기에 다시 'ㅣ'를 더하여 'ㅛ, ㅠ, ㅑ, ㅕ'를 만들었다.

④ '학생 4'는 'ㅁ'에 획을 더해 만들어진 자음 글자인 'ㅂ, ㅍ'은 모두 '□' 모양을 공통적으로 지니고 있으며, 이것은 'ㅁ, ㅂ, ㅍ'의 공통된 소리 특징을 반영한다고 설명하고 있다. 이는 〈보기 2〉의 '나'에서 설명하고 있는 가획의 원리에 해당한다.

⑤ '학생 5'는 종성에 쓰이는 받침 글자를 따로 만들지 않았다는 점을 설명하고 있다. 이는 '종성부용초성'과 관련된 내용으로, 〈보기 2〉에는 제시되어 있지 않다.

04 답 ④

'ㅗ, ㅛ, ㅏ, ㅑ'는 하늘(陽)을 뜻하는 'ㆍ'가 위와 밖에 놓여서 하늘에서 생겨난 양성(陽性) 모음을 이루고, 'ㅜ, ㅠ, ㅓ, ㅕ'는 'ㆍ'가 아래와 안에 놓여 땅(陰)에서 생겨난 음성(陰性) 모음을 이룬다. 이는 모음 조화의 체계를 문자의 모양에 정확히 반영하고 있는 것이다.

오답 풀이 ① 10개의 단모음 체계를 이루는 현대 국어와는 달리 중세 국어는 7개(ㆍ, ㅏ, ㅓ, ㅗ, ㅜ, ㅡ, ㅣ)의 단모음 체계를 이루었다.

② 모음은 자연의 모양을 본떠서 'ㆍ, ㅡ, ㅣ'의 기본자가 만들어졌다.

③ 모음은 상형과 합성(합용)의 원리에 따라 만들어졌다.

⑤ 모음은 혀의 높낮이, 혀의 위치 등에 따라 조음 방법이 다르다.

05 정답 ②

㉡ '제'는 '저+ㅣ'로 형태소를 분석할 수 있고, 현대어로 '자기의'로 풀이된다. 따라서 ㉡에 쓰인 조사 'ㅣ'는 주격 조사가 아닌 관형격 조사로 사용되었음을 알 수 있다.

오답 풀이 ① ㉠ '中듕國·귁·에'는 현대어로 '중국과'로 풀이되므로, '에'가 비교 부사격 조사로 사용되었음을 알 수 있다.

③ ㉢ '·ᄠ·들'의 첫머리에서 'ㅂ'과 'ㄷ'이 함께 쓰인 어두 자음군의 'ㅲ'을 확인할 수 있다.

④ ㉣ '·노·미'는 현대어로 '사람이'로 풀이된다. '놈'은 일반적인 남자를 가리키는 말이었으므로, '노미'는 '놈+이'를 소리 나는 대로 적은 형태임을 알 수 있다. 따라서 ㉣에는 이어 적기가 사용되었다.

⑤ ㉤ '便뼌安한·킈'의 둘째 음절에서 현대 국어에는 없는 자음 'ㆆ(여린히읗)'이 쓰인 것을 확인할 수 있다.

06 정답 ④

중세 국어의 ㉣ '조초미'와 현대 국어의 '좇음이'를 비교하면, 중세 국어는 소리 나는 대로 적는 이어 적기를, 현대 국어는 형태소의 본래 모습을 밝혀 적는 끊어 적기를 하였음을 알 수 있다.

오답 풀이 ① ㉠ '마ᄅᆡ'는 현대어로 '말에'로 풀이되므로, ㉠은 소리 나는 대로 적는 이어 적기를 하였음을 알 수 있다.

② ㉡ '닐오ᄃᆡ'는 첫머리에 'ㄴ'이 오는 것으로 보아 두음 법칙이 적용되지 않았음을 알 수 있다.

③ ㉢ '어딘'은 'ㄷ'이 모음 'ㅣ' 앞에서 'ㅈ'으로 바뀌지 않았으므로 구개음화가 일어나지 않았음을 알 수 있다.

⑤ ㉤ '노ᄑᆞᆫ'은 '높-+-ᄋᆞᆫ'으로 형태소를 분석할 수 있다. 양성 모음 'ㅗ'가 사용된 앞말에 양성 모음 'ㆍ'가 사용된 어미가 붙은 것으로 볼 때, 모음 조화가 지켜졌음을 알 수 있다.

◉ **이어 적기와 끊어 적기**

- 이어 적기: 받침이 있는 체언이나 용언의 어간 뒤에 모음으로 시작되는 조사나 어미가 연결될 때, 앞 음절의 끝소리를 뒤 음절의 첫소리로 이동하여 소리 나는 대로 적는 것
- 끊어 적기: 앞 음절의 끝소리를 그대로 두어 형태소의 기본 모습을 밝혀 적는 것

07 정답 ⑤

㉤의 'ᄒᆞ샤ᄃᆡ(ᄒᆞ-+-샤-+-ᄃᆡ)'에 쓰인 '-샤-'는 객체를 높이기 위한 선어말 어미가 아니라 주체인 '선혜'를 높이기 위한 선어말 어미이다.

오답 풀이 ① 현대 국어에서 '이르다'를 '니르다'로 표기한 것으로 보아 두음 법칙이 적용되지 않았음을 알 수 있다.

② '은돈'이 양성 모음인 'ㅗ'로 끝나므로, 조사 역시 양성 모음으로 이루어진 'ᄋᆞ로'가 쓰였다.

③ '므스게'는 '무엇'의 옛말인 '므슥'에 조사 '에'가 결합한 말로, '므슥에'가 아닌 '므스게'로 표기했다는 점에서 이어 적기가 사용되었음을 알 수 있다.

④ 'ㅂ'과 'ㅅ'을 가로로 나란히 붙여 쓴 합용 병서 'ㅄ'를 통해 알 수 있다.

08 정답 ④

ㄷ의 '너'가 '그'로 쓰이면 판정 의문문의 어미가 사용되어야 하므로, '모ᄅᆞ던가'로 바꿔야 한다.

오답 풀이 ① ㄱ의 '이'를 '엇던'으로 바꾸면 설명 의문문으로 바뀐다. 설명 의문문에는 '-고, -뇨' 등의 어미가 사용된다.

② ㄴ의 '엇더'를 '평안'으로 바꾸면 판정 의문문이 된다. 판정 의문문에는 '-가, -녀' 등의 어미가 사용된다.

③ ㄴ은 의문형 어미 '-고'가 쓰인 설명 의문문이다. ㄹ은 주어가 2인칭이므로 의문형 어미 '-ㄴ다'를 썼으며, '어떻게'에 대한 설명을 요구하는 설명 의문문이다.

⑤ ㄷ은 판정 의문문이고, ㄹ은 설명 의문문이다. 주어가 2인칭이므로 두 경우 모두 의문형 어미 '-ㄴ다'가 사용된다.

09 정답 ②

〈자료〉의 두 번째 문단에서, 'ㅸ'(순경음 비읍)은 15세기 중엽을 넘어서면서 '도ᄫᅡ>도와', '더ᄫᅥ>더워'에서와 같이 'ㅏ' 또는 'ㅓ' 앞에서 반모음 'ㅗ/ㅜ[w]'로 바뀌었다고 하였다. 즉, 15세기 국어의 '도ᄫᅡ'가 현대 국어

에서 '도와'로 나타나는 것은 'ㅸ'이 어간 끝에서 'ㅂ'으로 바뀐 결과가 아니라 반모음 'ㅗ[w]'로 바뀐 결과이다.

오답 풀이 ① 불규칙 활용은 용언이 활용할 때 어간 또는 어미의 모습이 달라지는 일로, 음운 규칙으로 설명할 수 없는 활용 현상이다. 어간이 모음으로 시작하는 어미 앞에서 어간의 받침이 변하거나 생략되어 '돕아'가 아닌 '도와'로, '젓어'가 아닌 '저어'로 활용하는 것은 불규칙 활용에 해당한다.

③ 〈자료〉의 두 번째 문단에서 'ㅿ'은 16세기 중엽에 '아ᅀᆞ>아ᄋᆞ', '저ᅀᅥ>저어'에서와 같이 사라졌으며, 음절 끝에서는 이전과 다름없이 'ㅅ'으로 나타났다고 하였다. 따라서 15세기 국어의 '저ᅀᅥ'가 현대 국어에서 '저어'로 나타난 것은 'ㅿ'의 소실 때문임을 알 수 있다.

④, ⑤ 〈자료〉의 첫 번째 문단에서 15세기 국어의 '돕다'는 자음으로 시작하는 어미 앞에서는 '돕고'로, '젓다'는 자음으로 시작하는 어미 앞에서 '젓고'로 나타난다고 하였다. 현대 국어에서도 '돕고', '젓고'로 나타나므로 자음으로 시작하는 어미 앞에서 어간의 모양이 달라지지 않음을 알 수 있다.

10

정답 ①

①의 '곱다'는 '곱고, 고와, 고온'으로 활용하므로 활용 양상이 〈자료〉에 제시된 '돕다'와 같다. 즉, 'ㅂ' 불규칙 활용 용언에 해당한다. 〈자료〉에서 '돕다'는 15세기 중엽에는 자음으로 시작하는 어미 앞에서 어간이 '돕-'으로, 모음으로 시작하는 어미 앞에서는 어간이 '도ᇦ -'으로 나타난다고 하였다. 따라서 '곱다' 역시 자음으로 시작하는 어미 '-게' 앞에서는 '곱게'로, 모음으로 시작하는 어미 '-아/-어, -ᄋᆞᆫ/-은' 앞에서는 '고ᄫᅡ, 고ᄫᆞᆫ'으로 활용했을 것이라 추정할 수 있다. 또한 'ㅸ'은 15세기 중엽을 넘어서면서 'ㅏ' 또는 'ㅓ' 앞에서는 반모음 'ㅗ/ㅜ[w]'로 바뀌었고, 'ㆍ' 또는 'ㅡ'가 이어진 경우에는 모음과 결합하여 'ㅗ' 또는 'ㅜ'로 바뀌었으나, 음절 끝에서는 이전과 다름없이 'ㅂ'으로 나타났다고 하였다. 따라서 이러한 변화를 거친 뒤인 17세기 초엽의 '곱다'는 자음으로 시작하는 어미 '-게' 앞에서는 '곱게'로, 모음으로 시작하는 어미 '-아, -ᄋᆞᆫ' 앞에서는 '고와, 고온'으로 활용했을 것이라 추정할 수 있다.

오답 풀이 ② '긋다'는 '긋고, 그어'로 활용하므로 '젓다'와 같이 'ㅅ' 불규칙 활용 용언에 해당한다. 〈자료〉에서 '젓다'의 경우 15세기 중엽에는 '젓고, 저ᅀᅥ'로, 16세기를 지나면서 '저ᅀᅥ>저어'로 활용한다고 하였다. 따라서 '긋다' 역시 15세기 중엽에는 '긋게, 그ᅀᅥ, 그ᅀᅳᆫ'으로, 17세기에는 '긋게, 그어, 그은'으로 활용했을 것이라 추정할 수 있다.

③ '눕다'는 '눕고, 누워'로 활용하므로 '돕다'와 같이 'ㅂ' 불규칙 활용 용언에 해당한다. 〈자료〉에서 '돕다'의 경우 15세기 중엽에는 '돕고, 도ᄫᅡ'로, 15세기 중엽을 넘어서면서 '도ᄫᅡ>도와'로 활용한다고 하였다. 따라서 '눕다' 역시 15세기 중엽에는 '눕게, 누ᄫᅥ, 누ᄫᅳᆫ'으로, 17세기에는 '눕게, 누워'로, 그리고 'ㅡ'가 이어진 경우에는 'ㅸ'이 모음과 결합하여 'ㅜ'로 바뀌었다고 하였으므로 '누운'으로 활용했을 것이라 추정할 수 있다.

④ '빗다'는 '빗고, 빗어'로 활용하므로 '벗다'와 같이 규칙 활용 용언에 해당한다. 따라서 15세기 중엽에는 '빗게, 비서, 비슨'으로, 17세기에도 '빗게, 비서, 비슨'으로 활용했을 것이라 추정할 수 있다.

⑤ '잡다'는 '잡고, 잡아'로 활용하므로 '좁다'와 같이 규칙 활용 용언에 해당한다. 따라서 15세기 중엽에는 '잡게, 자바, 자ᄇᆞᆫ'으로, 17세기에도 '잡게, 자바, 자ᄇᆞᆫ'으로 활용했을 것이라 추정할 수 있다.

11

정답 ③

중세 국어에서 동사의 경우 과거 시제는 아무런 선어말 어미를 쓰지 않거나 선어말 어미 '-더-'를 써서 표현한다고 하였다. ㄷ의 서술어 '주그니라'는 동사 '죽다'의 어간에 어미 '-으니라'가 결합한 형태로, '-ᄂᆞ-, -더-, -리-'와 같은 시제 선어말 어미가 사용되지 않았으므로 과거 시제임을 알 수 있다.

오답 풀이 ① ㄱ의 주어는 1인칭 '나'이고, 서술어 '롱담ᄒᆞ다라'에는 '-더-'와 '-오-'가 결합한 형태의 선어말 어미 '-다-'가 나타나므로, 과거 시제임을 알 수 있다.

② ㄴ의 '묻ᄂᆞ다'에는 현재 시제 선어말 어미 '-ᄂᆞ-'가 나타나므로, 현재 시제임을 알 수 있다.

④ ㄹ의 'ᄒᆞ더이다'에는 과거 시제 선어말 어미 '-더-'가 나타나므로, 과거 시제임을 알 수 있다.

⑤ ㅁ의 '어드리라'에는 미래 시제 선어말 어미 '-리-'가 나타나므로, 미래 시제임을 알 수 있다.

12

정답 ①

중세 국어에서는 '돕다'에 객체 높임 선어말 어미 '-ᄉᆞᇦ-'을 사용하여 객체 높임을 표현할 수 있지만, 현대 국어에서는 이에 해당하는 특수 어휘가 없어 객체 높임을 표현할 수 없다. 객체 높임을 표현하는 '도우시니'는 주체 높임의 표현이다.

오답 풀이 ② '보다'는 현대 국어에서 '뵙다'라는 특수 어휘를 사용하여 객체 높임을 표현한다.

③ ㉠과 ㉢은 선어말 어미 '-ᄉᆞᇦ-', '-ᅀᆞᇦ-'의 받침 'ㅸ'을 뒷말의 모음 'ㆍ'에 이어 적어 표기하였다.

④ 객체 높임법은 목적어나 부사어가 지시하는 대상을 높이는 표현이므로, ㉠~㉢이 포함된 문장의 목적어나 부사어 자리에 높임의 대상이 온다고 볼 수 있다.

⑤ ㉠~㉢으로 볼 때, 중세 국어에서는 객체 높임 선어말 어미로 '-ᄉᆞᇦ-, -ᄌᆞᆸ-, -ᅀᆞᇦ-' 등의 여러 형태가 쓰였음을 알 수 있다.

13

정답 ②

㉡ '仙人(선인)이'는 현대어로 '선인이'로 풀이되고, ㉦ '蓮花(연화) ㅣ'는 현대어로 '연꽃이'로 풀이되는 것으로 볼 때, '이'와 'ㅣ'는 모두 주격 조사임을 알 수 있다.

오답 풀이 ① ㉠ 'ᄒᆞ샨'은 현대어로 '하신'으로 풀이된다. 'ᄒᆞ샨'은 'ᄒᆞ-+-샤-+-온'으로 분석할 수 있으며, 여기서 '-샤-'가 주체 높임 선어말 어미이다.

③ ㉢ '南堀(남굴)ㅅ'은 현대어로 '남굴의'로 풀이되므로, 'ㅅ'이 현대 국어의 관형격 조사인 '의'에 해당하는 조사임을 알 수 있다.

④ ㉣ '世間(세간)애'는 현대어로 '세상에'로 풀이되고, ㉥ '時節(시절)에'는 현대어로 '시절에'로 풀이되므로, 모두 현대 국어의 부사격 조사 '에'에 해당함을 알 수 있다. 또한 중세 국어에서 앞말의 모음이 양성 모음인 'ㅏ'일 때 '애'가 붙었고, 앞말의 모음이 음성 모음인 'ㅓ'일 때 '에'가 붙었으므로, 모음 조화에 따라 형태를 달리하는 부사격 조사가 쓰였음을 알 수 있다.

⑤ ㉤ '쉽디'는 현대어로 '쉽지'로 풀이되므로, 현대 국어와 달리 구개음화가 확인되지 않는다.

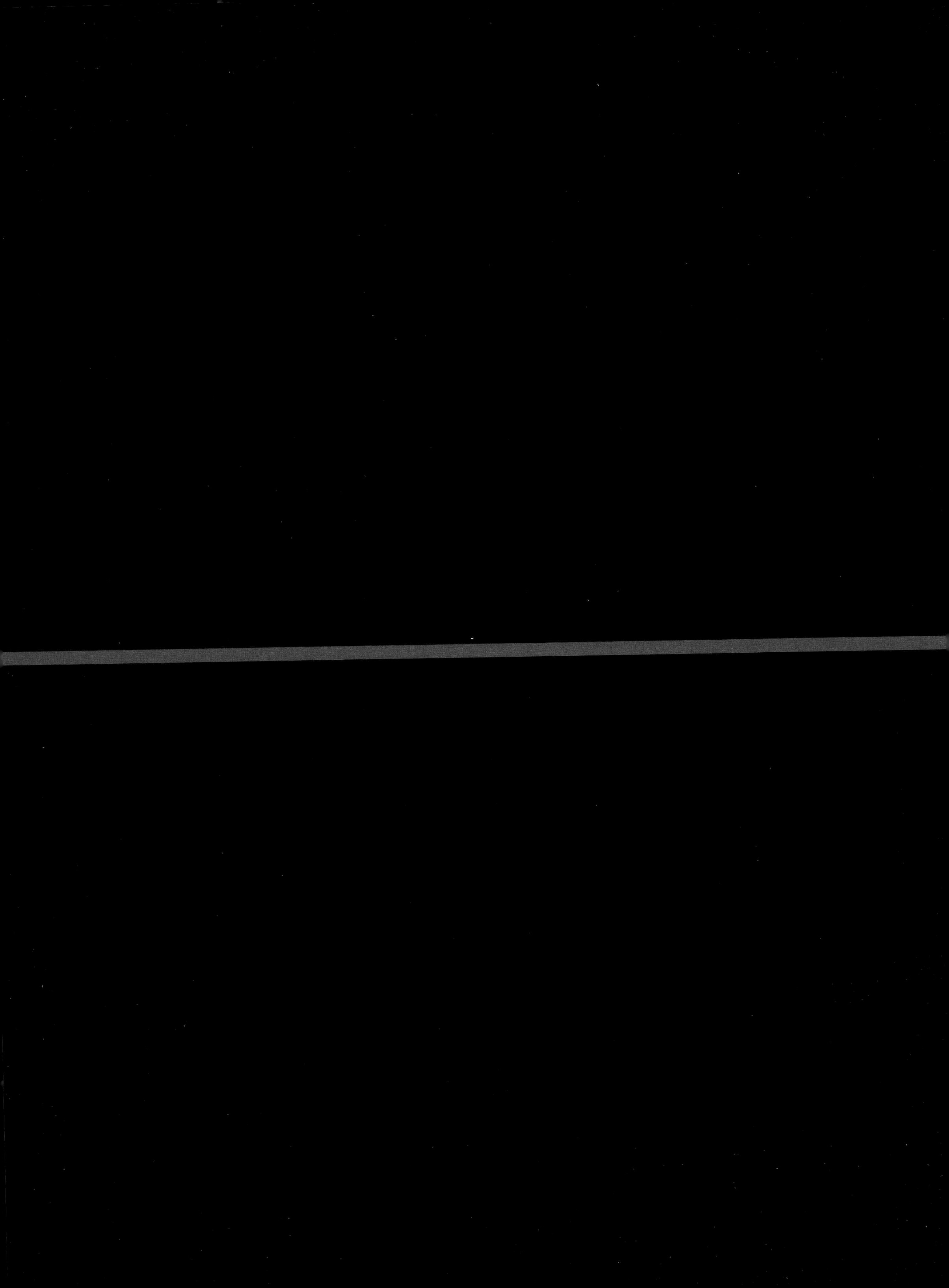